BUR
rizzoli

Gigi Di Fiore

CONTROSTORIA DELL'UNITÀ D'ITALIA

Fatti e misfatti del Risorgimento

ISBN 978-88-17-04281-9

Prima edizione Rizzoli ottobre 2007
Prima edizione Bur Saggi settembre 2010

L'editore ha ricercato con ogni mezzo i titolari dei diritti delle immagini contenute nel libro senza riuscire a reperirli: è ovviamente a piena disposizione per l'assolvimento di quanto occorra nei loro confronti.

Prefazione

A tre anni dalle celebrazioni per l'anniversario dei duecento anni dalla nascita di Garibaldi, ecco partire le manifestazioni per ricordare i centocinquanta anni di unità d'Italia. Già il quattro luglio del 2007, quando al Senato venne ricordato il «duce dei Mille», esplosero polemiche sulle letture agiografiche e le falsità legate al nostro cosiddetto Risorgimento. Tre anni dopo, puntuali, si sono subito riaccese bordate e contrapposizioni politiche sul significato degli eventi programmati per l'appuntamento del 2011. È l'unità d'Italia e i modi con cui fu ottenuta il tema del contendere, rimbalzato in accesi talk show televisivi e nelle fiction e documentari che la Rai ha prodotto per rendere popolare un periodo storico sempre più ostico per la maggioranza degli italiani. Nonostante gli sforzi, di novità interpretative e riletture serene se ne sono viste molto poche.

Ma non c'è da sorprendersi: le generazioni del secondo dopoguerra sono cresciute attraverso sussidiari e libri di storia zeppi di invenzioni, abbellimenti e superficiali spiegazioni su ciò che accadde tra il 1848 e il 1870. Il padre di tutti questi manuali di storia risorgimentale è stato il libro *Cuore* di Edmondo De Amicis[1] nel 1886. Nel descrivere le vicende di un gruppo di alunni vissuti nei primi vent'anni di unità d'Italia, lo scrittore si abbandona a una retorica entusiasta. Su Garibaldi: «Affrancò dieci milioni d'Italiani dalla tirannia dei Borboni. [...] Quando gettava un grido di guerra, legioni di valorosi accorrevano a lui da ogni parte. [...] Era forte, biondo, bello. Sui campi di battaglia era un fulmine, negli affetti un fanciullo, nei dolori un santo».[2] Su Vittorio Emanuele II: «Primo re d'Italia, morto dopo 29 anni di regno, ch'egli aveva fatto illustre e benefico col valore, con la lealtà, con l'ardimento nei pericoli, con la saggezza nei trionfi».[3] Neanche Mazzini viene risparmiato nei bozzetti deamicisiani: «Grande anima di patriota, grande ingegno di scrittore, ispiratore ed apostolo primo della rivoluzione italiana».[4]

Tante esagerazioni nell'esaltazione. E a chi, bambino delle scuole elementari, o adolescente delle superiori, si chiedeva come mai solo 1000 uomini avessero sconfitto un esercito agguerrito di 50.000 borbonici, nessuno forniva risposte esaurienti. Ignorati per anni, nelle scuole, le guerre del brigantaggio, i dubbi sui plebisciti. Quanti perché rimasti senza risposta! O almeno così fu a scuola, dove il convento passava manuali infarciti di miti da non abbattere mai, nella eroica mitologia dei quattro «padri della patria» (li ricordate? Garibaldi, Vittorio Emanuele, Cavour e Mazzini, in ordine di popolarità). È stato, ed è ancora nel conformismo generale, il clima culturale imperante: il Risorgimento non va toccato.

Anche per le generazioni successive agli anni Cinquanta e Sessanta del secolo scorso, le cose nelle scuole non sono cambiate. C'è molta varietà d'offerta di libri per l'insegnamento, ma sul Risorgimento corrono sempre le stesse univoche interpretazioni. Eppure l'ex presidente della Repubblica, Carlo Azeglio Ciampi, primo dimissionario nel comitato per le celebrazioni dei centocinquanta anni di unità, ha sempre invitato a studiare con attenzione critica il Risorgimento, alla pari della Resistenza.

«Mentre ancora infuriava la guerra tra Franco-piemontesi ed Austriaci, nel Granducato di Toscana e nei ducati di Modena, Parma e Piacenza scoppiarono *violente insurrezioni* [...]», si legge in un testo del 2002.[5] È la descrizione dei «moti spontanei», risolti facilmente con l'appoggio popolare. Manca, naturalmente, per il 1849 qualsiasi accenno alla rivolta di Genova contro Vittorio Emanuele II. Nessun interrogativo sulla libertà di voto e sull'elettorato dei plebisciti nell'Italia centrale. Nell'ansia di sintesi, obbligata per un manuale scolastico, il destino del Sud viene liquidato in quattro righe: «Le truppe garibaldine batterono i borbonici a Milazzo e sbarcarono in Calabria, conquistando Reggio. Il 7 settembre 1860 Garibaldi entrò in Napoli, accolto trionfalmente dalla popolazione, mentre Francesco II *si rifugiava* a Gaeta».[6] La battaglia del Volturno diventa un accidente casuale, l'assedio di Gaeta scompare dall'orizzonte storico. Sei mesi di guerra dell'esercito borbonico, tra il Garigliano e il Volturno, sono stati del tutto azzerati. Questa è l'impostazione comune a tutti i testi scolastici in uso nelle nostre scuole, dove si tace sui retroscena che consentirono l'ingresso di Garibaldi a Napoli, e sull'accordo ministeriale con i camorristi.

E il brigantaggio? Poche righe, quando si è fortunati: «I briganti di campagna, che erano sempre esistiti nel Mezzogiorno, ora venivano aiutati e finanziati dal *vecchio* re Francesco II di Borbone, rifugiatosi a Roma. Fu una forma di rivolta contro i Piemontesi e contro il nuovo Stato che aveva portato nuovi, pesanti obblighi».[7] Niente sulle repressioni o sulle fucilazioni con leggi speciali applicate per due anni nel Mezzogiorno. I garibaldini restano sempre mille in tutto, tanto da leggere in un altro testo «benché numericamente inferiori e male equipaggiati, i volontari garibaldini passarono di vittoria in vittoria».[8]

E l'invasione senza dichiarazione di guerra nello Stato pontificio? Due righe: «Cavour inviò l'esercito piemontese a raggiungere quello garibaldino attraverso le Marche e l'Umbria, che furono tolte allo Stato pontificio. Tutto il Sud fu unito al Regno di Sardegna e nel febbraio 1861 fu proclamato il nuovo Regno d'Italia».[9] Proprio così, allo Stato pontificio, come fossero due denti, vennero «tolte» Marche e Umbria. Il Sud, con la bacchetta magica e senza affanni, fu unito al resto d'Italia. Anche al Veneto viene riservato pochissimo spazio: «Bismarck ottenne che l'Austria cedesse il Veneto all'Italia, anche se questa era stata ripetutamente sconfitta. Rimanevano così sotto il dominio austriaco soltanto i settecentomila Italiani di Trento e Trieste».[10] Detta così, sembra che tutte le guerre del Risorgimento siano state in realtà solo una forma di liberazione dell'Italia dall'oppressione austriaca. E Roma? Il papa? Il problema dell'opposizione cattolica si liquida così: «Soltanto nel 1870, quando Napoleone III cadde, Roma poté finalmente essere liberata. [...] Il Papa si rinchiuse nel Vaticano, considerandosi prigioniero dello Stato italiano. Il potere temporale dei Papi, dopo secoli, aveva termine».[11] Anche manuali di più recente pubblicazione non si sottraggono alla semplificazione schematica. Un testo per gli istituti superiori titola un paragrafo «La liberazione di Napoli».[12] Vi si accenna a un «moto separatista» in Sicilia che favorì la spedizione di Garibaldi. I plebisciti? Tre righe. Notarili: «Tra ottobre e novembre prima la Sicilia e tutto il Mezzogiorno, poi le Marche e l'Umbria votarono l'annessione al Regno di Sardegna».[13] La conquista del Mezzogiorno si esaurisce con l'ingresso di Garibaldi a Napoli. Azzerata la memoria sul periodo dal settembre 1860 al febbraio 1861. La ribellione del brigantaggio si riduce sempre a un problema criminale, anche se qualche testo più recente riprende almeno le cifre dei morti e fucilati contenute nella relazione Massari. Silenzio, però sugli eccidi di Pontelandolfo e Casalduni. A malapena si cita Bronte, per giustificare la repressione garibaldina di una piccola agitazione contadina.

Nel 2003, qualche manuale decide di dare spazio anche nelle scuole a qualche critica perplessità: «Il Nord conquista il Sud?»; «L'antiunitarismo meridionale».[14] Si accenna così all'impronta settentrionale nell'unità d'Italia, parlando anche dei funzionari del Nord mandati per anni a ricoprire le più alte cariche di Stato al Sud. E poi, elemento originale per un testo pubblicato a Torino: «Il Mezzogiorno risultò, almeno sino a fine secolo, fortemente penalizzato sia sotto il profilo fiscale sia sotto quello della distribuzione territoriale della spesa pubblica».[15]

Interpretazioni nuove, poco seguite nei testi scolastici, dove il Mezzogiorno viene sempre descritto come un «gravissimo problema».[16] Nella formazione della coscienza storica degli italiani nelle scuole elementari fino alle superiori, il Risorgimento resta una sintesi della Prima e della Seconda guerra d'indipendenza, con rapidi accenni alla guerra di Crimea e all'annessione del Veneto. Più spazio viene dato alla spedizione dei Mille, «mito risorgimentale» per antonomasia. Nei manuali, è proprio l'annessione del Mezzogiorno il momento clou di quel periodo della storia italiana. Qualche luogo comune, semplificazioni, omissioni, schematismi. Un certo fastidio al conformismo imperante anche nelle accademie mi ha spinto a scrivere questo libro. Certo, è una rappresentazione del Risorgimento diversa dai ricordi scolastici. Ma il mio è un tentativo di capire meglio, senza accontentarsi di agiografie, come la penisola dei tanti campanili sia diventata l'Italia unita. E come, nonostante tutto, manchi ancora, dopo quasi 150 anni, una coscienza unitaria: siamo rimasti napoletani, torinesi, milanesi, siciliani, romani, veneti, fiorentini, bolognesi. E poco italiani. Un motivo deve pur esserci. E forse cercare proprio di ricostruire, senza miti, come siamo diventati ognuno parte di una nazione comune potrà aiutare a capirlo. Anche perché dovremmo tutti cominciare a renderci conto che il tempo delle descrizioni deamicisiane è ormai passato.

Introduzione
La storia nascosta

«La mancanza di resistenza a Garibaldi non provava tanto il consenso delle popolazioni napoletane quanto piuttosto riaffermava la loro disposizione all'indifferenza; e se l'impresa garibaldina non fu propriamente una "conquista", nemmeno la rivoluzione dell'Italia meridionale, nel 1860, fu propriamente una "rivoluzione", una rivoluzione attiva, come avrebbe detto Vincenzo Cuoco, sì invece un'altra di quelle rivoluzioni "passive", di cui aveva parlato lo stesso scrittore.»
Benedetto Croce, 1922

La prima Costituzione dell'Italia unita ha ormai 162 anni. Era il 4 marzo del 1848 quando il re Carlo Alberto[1] fece ai suoi sudditi piemontesi la concessione dello Statuto. Non si trattò di una decisione semplice per quel sovrano, tormentato per una vita intera da dubbi e incertezze.[2] Timoroso di Dio, indeciso, fu spinto, suo malgrado, a intraprendere una politica d'ispirazione liberale non tanto per profonde convinzioni ideologiche, ma perché costretto dagli eventi rivoluzionari che infiammarono l'Italia in quel periodo. Il 1848 fu infatti un anno di fermenti e agitazioni che scossero l'assetto delle monarchie assolute, legittimate dagli accordi del Congresso di Vienna del 1815. Un anno di svolta che avrebbe aperto la strada al successivo ventennio in cui si realizzò l'unità d'Italia. Nella scelta di concedere la Costituzione, Carlo Alberto fu preceduto di pochi giorni da Ferdinando II delle Due Sicilie,[3] ma lui, re di Sardegna per una serie di favorevoli combinazioni dinastico-familiari, poté avvalersi, nella stesura del testo, del contributo determinante di un ristretto e valido gruppo di fidati consiglieri di corte. Il risultato fu un documento che sanciva, in concreto, il compromesso politico tra la corona e la borghesia imprenditoriale in ascesa, da allora legata in maniera indissolubile al destino della dinastia Savoia. Era un'apertura liberale, obbligata dagli eventi, ma calata dall'alto. I sudditi piemontesi l'accettarono senza critiche. Ben diversamente andarono le cose nel Regno delle Due Sicilie, dove le idee dei liberali moderati furono travolte dalle velleità dei più estremisti e accesi oppositori della dinastia Borbone.[4]

Anche se nella sua redazione non vi furono apporti o discussioni da parte di qualsivoglia assemblea elettiva, lo Statuto Albertino riuscì a superare tutte le burrascose tempeste delle epoche successive. Pensato per un piccolo territorio e per una popolazione di appena 6 milioni di abitanti, finì per diventare l'impalcatura normativa dell'Italia unita. Traccia comune per 24 milioni di sudditi, nati a tutte le latitudini della penisola e passati attraverso esperienze e culture differenti. Senza grandi obiezioni, lo Statuto venne confermato nel marzo 1861, quando Vittorio Emanuele II di Savoia fu proclamato re d'Italia dal primo Parlamento unitario. In continuità giuridica, anche per volontà dello stesso Vittorio Emanuele che, nonostante fosse al vertice di una nazione ormai più estesa del piccolo Piemonte, si ostinò a conservare l'ordine dinastico dei Savoia (restò II e non I d'Italia). Quasi a voler evidenziare lo stretto legame della storia italiana con quella piemontese, che di fatto, nei primi anni di unità politica della penisola, prevalse sulle altre identità regionali. E così anche il neonato Parlamento unitario volle rimarcare la continuità del regno italiano con quello piemontese attraverso la numerazione delle sessioni legislative: la prima riunione parlamentare rimase ottava e non prima. Sin dall'inizio, quindi, l'impronta del giovane Stato unitario rimase torinese: nei simboli formali, poi nell'adozione dei codici e delle leggi, nonché nella struttura amministrativa estesa all'intero territorio nazionale. E lo Statuto restò in vigore, senza scossoni, anche con l'annessione del Veneto, superò la Prima guerra mondiale, il fascismo, fino ad arrivare al 1944. Quasi un secolo di vita per le prime norme guida delle leggi di una giovane nazione, «inventata» da una costruzione diplomatica e militare definita da scrittori e politici, sin dall'Ottocento, Risorgimento.[5] Una costruzione considerata, come ha sostenuto con forza e passione per tutto il suo settennato il presidente della Repubblica, Carlo Azeglio Ciampi, il primo mito fondante dell'unità nazionale. E così non è certo un caso che proprio la lettura storica del Risorgimento abbia messo sempre d'accordo le destre e le sinistre italiane di ogni epoca. Un miracolo irripetibile di saldatura ideologica, in grado di unire, impresa difficile in un Paese pronto a dividersi su tutto, tante personalità dalle ideologie contrapposte. Proprio per questo motivo, per molti decenni è stato quasi impossibile avviare un'analisi critica del Risorgimento – figurarsi poi del suo eroe più popolare, Giuseppe Garibaldi – senza attirarsi accuse di revanscismo.

Ma non poteva essere altrimenti, se si pensa ai periodi storici in cui l'ipotetica rilettura critica avrebbe potuto attuarsi. Negli anni successivi all'unità d'Italia, tutti i documenti e le testimonianze più diffusi erano dettati da chi aveva vissuto da protagonista vincente il processo storico risorgimentale. Per questo motivo, la stampa che contava, i rapporti diplomatici, i libri di memorie, i ricordi pubblici venivano tutti piegati alle ragioni di chi aveva plasmato l'Italia liberale: i ceti borghesi imprenditoriali, rappresentati in politica dalla destra cavouriana.[6] Ai margini, le ragioni dei repubblicani, dei mazziniani, dei democratici garibaldini. Per non parlare poi dei «senza voce», le ragioni ignorate di coloro che di quel processo furono i veri sconfitti della storia: i militari degli Stati preunitari (soprattutto i soldati borbonici o quelli della Brigata estense), i contadini del Sud che avevano creduto nelle promesse garibaldine, gli ambienti cattolici. La destra liberale, vincitrice assoluta nel disegno di Paese da affidare alle generazioni future, era in sintonia con quella dinastia Savoia che aveva appoggiato il progetto di espansione del piccolo Stato sardo-piemontese.

In questo scenario, figurarsi se, a cavallo tra l'unità d'Italia e l'avvento del fascismo, si potevano mettere in discussione le modalità con cui erano stati gradualmente riunificati tanti territori che avevano vissuto vicende diverse dopo la disgregazione, quattordici secoli prima, dell'impero romano.

Passati gli anni della monarchia liberale, a guidare un'ancora giovane Italia arrivò il fascismo, con la sua ideologia statuale accentratrice, che trovava nel mito nazionalistico, insieme con quello della Roma imperiale, una delle sue ispirazioni ideali. Un mito costruito anche attraverso l'assoluta esaltazione del Risorgimento.

Insomma, fino al secondo dopoguerra, sarebbe stato ben difficile poter discutere con serenità dei metodi e delle pagine oscure di quella «rivoluzione passiva»[7] che riunificò la penisola. Ma, a partire dall'avvento dello Stato repubblicano, anche sugli anni del Risorgimento riuscirono a portare nuova luce documenti inediti, come quelli dell'Archivio Borbone.[8] Vennero meglio studiate, anche da storici non militari, le preziose testimonianze conservate dall'Ufficio storico dell'esercito a Roma, furono scoperti fondi cartacei inesplorati addirittura in scantinati abbandonati del Parlamento.[9] Vennero finalmente diffusi memoriali sconosciuti, verità di vinti, specie ex ufficiali borbonici, che arricchirono la ricostruzione del mosaico di eventi succedutisi negli anni, tra il 1848 e il 1870, in cui fu costruita l'Italia sotto l'impulso della borghesia imprenditoriale del Nord, di quella latifondista del Sud e l'apporto fondamentale della casta militare. Ma la comprensione per ciò che accadde faticò a spogliarsi del tutto da un approccio di tipo «mitologico». La sacralità del Risorgimento ha a lungo condizionato anche gli storici dalle vedute culturali più ampie. Scrivono, in proposito, gli studiosi Derek Beales ed Eugenio Biagini:

> Per la maggior parte degli storici e per quasi tutti gli italiani, l'unificazione non fu l'esito improvviso e accidentale di guerra e diplomazia. Fu un risultato o una fase della *rinascita* na-

> zionale, nota come Risorgimento. [...] Dopo l'unificazione, storici e pubblicisti glorificarono tutti coloro che avevano avuto un ruolo in essa, e cercarono d'incorporare nella sua storia personaggi che non avevano grandi titoli per figurarvi. Le differenze fra gli italiani vennero minimizzate, il ruolo dei soldati magnificato, e le origini del processo sospinte sempre più indietro nel tempo.[10]

Per decenni, nessuno si chiese perché fu tanto difficile, e solo con l'ausilio di cannoni e fucili, domare la ribellione contadina nelle regioni del Mezzogiorno subito dopo l'annessione, oppure perché si moltiplicarono, sempre in quelle aree, gli «stati d'assedio» e furono necessarie leggi speciali per conservare l'integrità nazionale. Né si cercò di fare luce sui reconditi comportamenti della diplomazia, o sulle corruzioni che da sole riuscirono a spostare la bilancia delle adesioni dalla parte del Piemonte e dei Savoia. Eppure, anche quei motori ignorati, insieme con l'abilità politica del conte di Cavour o l'intraprendenza guerriera di Garibaldi, contribuirono all'unificazione. Guerra allo straniero, eppure nelle Due Sicilie fu scacciata una dinastia che guidava quel regno da quattro generazioni. Guerra popolare, ma l'adesione fu sempre minima, mentre prevalse nella maggioranza degli italiani un atteggiamento passivo di attesa. Rivoluzione italiana, ma senza le armi della Francia e della Prussia difficilmente l'esercito italiano avrebbe vinto la Seconda e la Terza guerra d'indipendenza. Alla fine, a ben vedere, fatta eccezione per i conflitti con l'Austria, la rivoluzione ottocentesca nella penisola fu in gran parte una guerra civile tra italiani, soprattutto al Sud. Basti pensare alla spedizione garibaldina con l'immediata discesa dei soldati regolari piemontesi nel Regno delle Due Sicilie, o alla repressione della rivolta contadina del brigantaggio. Conflitti civili, con in gioco profondi interessi economici e politici. Eppure, molti considerano ancora il Risorgimento una pagina trasparente della storia nazionale in cui si realizzò l'ideale unitario senza alcuna sbavatura. Una specie di bella favoletta, con gli eroi tutti da una parte e i cattivi dall'altra. Non fu così. Non tutto fu bianco o nero, prevalse il grigio. Come sempre, nelle vicende italiane.

In pochi, per molti anni dopo l'unità, hanno messo in discussione lo Statuto Albertino, Costituzione «flessibile», modificabile con leggi ordinarie senza procedure parlamentari particolari.[11] Vi fu, invece, quando il piccolo Piemonte si allargò fino a diventare Italia, una tacita estensione, e conseguente accettazione passiva, di quella Carta fondamentale. Eppure la Costituzione, concessa per «magnanimità» da Carlo Alberto in un momento storico diverso, avrebbe certamente avuto bisogno di ritocchi, magari serie revisioni per rispondere alle esigenze di una popolazione più consistente e di territori più ampi, ciascuno con le sue caratteristiche. Lo sostenne, a unificazione avvenuta, persino Garibaldi, che dichiarò: «È necessario rivedere lo Statuto, insufficiente e inferiore ai nuovi bisogni della patria. A ciò che ella si regga, non con una carta largita trent'anni addietro a una sua provincia, ma posi e stia sovra un patto nazionale».[12]

Ma si dovette arrivare al 1944, al decreto luogotenenziale di Umberto II di Savoia, per mettere in soffitta lo Statuto Albertino ponendo le basi alla Costituzione repubblicana entrata in vigore il 1° gennaio 1948. Sessantadue anni fa. La Costituzione che ancora oggi fissa le regole fondamentali nel nostro Paese sostituì dopo ben un secolo lo Statuto di Carlo Alberto. Ed è singolare che siano stati diciassette nobili,[13] che componevano il cosiddetto «Consiglio di Conferenza», ad aver scritto le norme dello Statuto che, di fatto, avrebbe costituito l'impalcatura giuridica dell'Italia per quasi cento anni. In sole cinque sedute, anche se i diciassette ancora non potevano saperlo, si sarebbe deciso il futuro assetto normativo e sociale dell'Italia unita, fissato in ottantaquattro articoli.[14] Nella formula iniziale, si potevano intravedere per intero l'atteggiamento e lo spirito paternalistico di un monarca in procinto di elargire, dall'alto del trono, un dono ai suoi sudditi silenziosi: «Con lealtà di Re e con affetto di Padre».[15] Frase asciutta e fredda, quasi testimonianza dello scarso entusiasmo di Carlo Alberto per la sua concessione. Scrive Paolo Colombo:

> Risulta difficile assumere come partigiano del parlamentarismo un re che concede di palese malavoglia una costituzione molto conservatrice, si mostra contrariato delle dimissioni presentategli dai suoi ministri al momento della firma della Carta, continua imperterrito a presiedere di persona il consiglio dei ministri e al momento della dichiarazione di guerra all'Austria afferma di assumersi personalmente la responsabilità della decisione e di volerne esonerare il Gabinetto.[16]

Eppure, sulla liberalità di casa Savoia, sulla sua convinta adesione al regime di monarchia costituzionale ha a lungo indugiato la storiografia ottocentesca. A dimostrazione di quanto il mito del Risorgimento sia stato costruito anche attraverso l'idealizzazione dello Statuto concesso per paternalistica benevolenza. L'atto di Carlo Alberto fornisce quel fondamento giuridico-formale necessario a distinguere in positivo la dinastia Savoia dalle altre case regnanti in Italia nel periodo preunitario. Quanto poi la prassi applicativa di quegli 84 articoli abbia stravolto la centralità del Parlamento, alla base di ogni regime costituzionale, è stato spesso dimenticato. Se le idee-forza dell'unità d'Italia e della monarchia illuminata hanno fornito significato etico all'agire, anche spregiudicato e violento, del periodo risorgimentale, sono state le norme dello Statuto Albertino a codificarle in forma giuridica. La Carta fondamentale del piccolo Stato piemontese si tramutò, nelle entusiastiche interpretazioni storiche successive, in un simbolo etico della liberalità dei Savoia, quale dinastia predestinata a compiere l'unità della nazione.[17] Ma i miti vanno alimentati anche con aggettivazioni prive di ombre, con formule celebrative da tramandare ai posteri. Ed ecco Carlo Alberto diventare «re magnanimo», Vittorio Emanuele II «galantuomo», Umberto I «buono» e Vittorio Emanuele III «soldato».

Se si passa poi dalla funzione dello Statuto e dal ruolo della dinastia Savoia alla popolarità di Garibaldi, ci si rende conto ancora di più come sui miti del Risorgimento in Italia ci siano state sempre vedute comuni tra destra e sinistra. Mussolini considerava Garibaldi il primo dittatore d'Italia, mentre durante la Resistenza le brigate partigiane d'ispirazione comunista decisero di chiamarsi proprio come il «Duce dei Mille».[18] Ma alla stessa ideologia risorgimentale attingevano le milizie fasciste di Salò, che adottarono l'inno di Mameli e tutta l'iconografia ottocentesca per incitare alla lotta contro l'invasore straniero americano. Ad alimentare l'intoccabile mito del Risorgimento, insomma, per decenni hanno contribuito visioni etiche della storia, retoriche, univoche interpretazioni dei fatti. Scrivono ancora i professori Beales e Biagini:

> Gran parte della storiografia italiana risentiva dell'abbinamento fra storia e filosofia, e i filosofi idealisti erano presi molto sul serio. La lingua italiana, poi, sembra spesso particolarmente adatta alla retorica. L'esempio più illustre a questo proposito è quello di Benedetto Croce, che esercitò un'influenza dominante sulla generazione degli storici italiani dell'immediato secondo dopoguerra. [...] L'idealismo filosofico affermava che le idee (come quella di nazionalità italiana) erano l'autentica realtà concreta. [...] Gli storici che accettavano questa visione rifiutavano di credere che i casi fortuiti o gli eventi accidentali potessero avere conseguenze importanti.[19]

In realtà, al di là delle idee, furono una serie di eccezionali e irripetibili condizioni internazionali a favorire l'unità d'Italia. Persa, senza aver potuto contare su aiuti stranieri, la Prima guerra d'indipendenza, l'esercito sardo-piemontese riuscì a vincere gli austriaci solo con l'apporto determinante della poderosa macchina bellica francese prima (Seconda guerra d'indipendenza) e prussiana poi (Terza guerra d'indipendenza). Per non parlare degli aiuti economici inglesi, ottenuti con prestiti bancari sostanziosi, che resero possibile la partecipazione alla spedizione in Crimea. E non sono un mistero i fondi raccolti a Londra per aiutare l'avventura, tutt'altro che casuale, delle camicie rosse garibaldine nella conquista del Regno delle Due Sicilie. Il silenzio, invece, ha sempre avvolto il ruolo avuto dai gruppi mafiosi in Sicilia e camorristi a Napoli nell'avanzata di Garibaldi. Nel Mezzogiorno, il cinismo e la spregiudicatezza fecero il resto, con la corruzione di militari e alti funzionari borbonici, il doppio gioco ambiguo del governo piemontese nei confronti del re Borbone Francesco II, la tela diplomatica costruita per ottenere l'adesione di Napoleone III e l'acquiescenza inglese. Una tela che era costata, un anno prima, la cessione di pezzi di territorio italiano (Nizza e Savoia) alla Francia, nonché il matrimonio-sacrificio della principessa Maria Clotilde di Savoia, giovane figlia di Vittorio Emanuele II, con il cugino dell'imperatore, Girolamo Bonaparte. E per non lasciare davvero nulla al caso, Cavour aveva pensato anche di utilizzare le arti seduttive di una sua lontana cugina diciottenne, tra le donne più belle di quegli anni: Virginia Oldoini contessa di Castiglione,[20] spedita a Parigi per influenzare con la sua sensualità la volontà dell'imperatore ancora indeciso sull'appoggio politico e militare da fornire al Piemonte.

Ma il cinismo significò, soprattutto nel Mezzogiorno, una guerra di invasione, cominciata nell'ottobre del 1860 senza dichiarazione formale. Ben diverso atteggiamento avrebbe mantenuto Vittorio Emanuele II nel 1866, quando fece precedere le operazioni militari contro l'Austria da una formale dichiarazione di guerra. Evidentemente, l'invasione delle Due Sicilie, Stato sovrano e alleato con al vertice un re imparentato con i Savoia,[21] riconosciuto da tutte le grandi potenze internazionali dell'epoca, veniva giustificata senza riserve. Quasi una presa di possesso di qualcosa di dovuto. Ma fu in seguito che il cinismo, e i cannoni, presero la mano ai militari piemontesi diventati italiani: fucilazioni e stati d'assedio, la legge speciale del 1863,[22] applicata solo nelle sei regioni del Sud, divisero la neonata Italia a metà. E il brigantaggio, che qualcuno definì «guerra contadina»,[23] altri ribellione sociale, altri ancora strumentale opposizione finanziata e pilotata dal re Francesco II di Borbone in esilio, costò un numero di morti quasi pari a quelli delle tre guerre d'indipendenza insieme: dal 1861 al 1865, 5212 uccisi, 5044 arrestati, 3597 consegnati, per un totale di 13.853 uomini fuori gioco, secondo i dati in possesso dell'Ufficio storico dell'esercito. Dati che, secondo altri, come Franco Molfese o Carlo Alianello,[24] sono approssimati per difetto. Due guerre vinte con l'aiuto determinante degli eserciti di potenze straniere, le Due Sicilie conquistate in disprezzo del diritto internazionale. Senza dimenticare, come fa gran parte della storiografia, che, solo dopo aver lasciato Napoli il 6 settembre 1860, Francesco II di Borbone si considerò per decreto «in stato di guerra» contro i garibaldini e gli «invasori piemontesi» e organizzò la tardiva difesa del suo Stato con gran parte dell'esercito regolare rimastogli fedele, tra le fortezze di Capua e Gaeta. Una resistenza armata che durò sei mesi, fino alla capitolazione di Gaeta del 14 febbraio 1861, e significò, di fatto, un'altra guerra di italiani contro italiani. Una guerra ignorata da gran parte dei libri scolastici, che relegano sei mesi di storia italiana in poche righe. Eppure, quegli scontri costarono alle truppe borboniche qualcosa come 2700 morti, 20.000 feriti, migliaia di dispersi, definiti allora «sbandati», e migliaia di prigionieri rinchiusi nei campi del Nord (Genova, Milano, Fenestrelle vicino a Torino, Brescia, Alessandria), da dove in molti non fecero ritorno.[25]

E poi il controllo dei giornali e dell'opinione pubblica, anche attraverso cospicue sovvenzioni, l'uso di agenti provocatori di piazza nelle insurrezioni «popolari» dell'Italia centrale, il reticolo di informatori in varie regioni della penisola, le trame politiche governative in Piemonte. Insomma, se si sfogliano senza pregiudizi e con serenità le pagine del nostro Risorgimento si potrà, raccontando fatti documentati, arrivare a riempire un «libro nero» di episodi, ambiguità, furbizie che contribuirono a realizzare l'unità d'Italia. C'è solo l'imbarazzo della scelta e ci si accorgerà che quella pagina della nostra storia nazionale, esaltata a occhi chiusi da tanti libri, racchiude anche lati oscuri. Fu un processo storico che coinvolse in prima persona solo il 2 per cento degli italiani di allora. Un'élite. Definita da Camillo De Meis[26] «popolo superiore» e da Stefano Jacini[27] nel 1870 «Italia legale». Il 2 per cento che, per motivi di censo e cultura, aveva titolo per partecipare alla gestione della società italiana. Sul punto, lo scomparso professore Filippo Mazzonis sostenne che «il tacito patto, o compromesso, che aveva animato il Risorgimento, fu sempre (tacitamente) rinnovato».[28]

Ma si tentò di nobilitare quell'operazione, imposta con la forza militare, con l'invenzione dei plebisciti, una forma di votazione postuma, a invasioni avvenute. Si trattava di tentativi di giustificazione giuridica formale, con una votazione che forniva adesione popolare alle annessioni dei diversi territori già conquistati con le armi. A sconfinamenti e vittorie militari avvenuti, con gli eserciti vincitori presenti alle operazioni di scrutinio, si chiamavano i conquistati a esprimere consenso all'unificazione con il Piemonte. Avvenne nelle cosiddette Legazioni[29] e in Toscana, e a Modena con pochi dissensi. Poi si replicò anche nell'ex Regno delle Due Sicilie, ma con maggiori difficoltà. L'esercito piemontese varcò i confini del regno borbonico il 12 ottobre 1860. Il plebiscito si tenne nove giorni dopo, con gli «invasori» in casa. Ma nel 1866 anche la cessione del Veneto, dalla Francia (che l'aveva ricevuto dall'Austria) all'Italia, fu conclusa qualche giorno prima del plebiscito con un accordo sottoscritto in una camera d'albergo.[30]

L'Italia, così come gli Stati Uniti (che celebra come tappe fondamentali della sua storia la guerra d'indipendenza del 1776 e la guerra civile del 1860-65), si ritrova a fare di continuo i conti con due momenti essenziali del proprio essere nazione: il Risorgimento e la Resistenza. Dei due, è il primo a restare ancora un mito intoccabile, perché si identifica con il nostro concetto acquisito di unità d'Italia. Eppure, ragionare sulle vicende misconosciute del periodo tra il 1848 e il 1870 significa ritrovare nelle diversità le ragioni dell'unità nazionale. Con i suoi pregi e i suoi difetti. Ne ha sostenuto la necessità anche Ernesto Galli della Loggia, affermando che sia «doveroso riaprire una nuova analisi del Risorgimento a condizione però che non si delegittimi lo Stato unitario».[31] Ai suoi albori, l'Italia era società in prevalenza contadina, dove imperversavano colera e analfabetismo e dove gli abitanti, già sudditi dei vari ex Stati preunitari, spesso parlavano lingue diverse, nella reciproca diffidenza. Lo si avvertì soprattutto negli anni della repressione del brigantaggio, quando gli ufficiali piemontesi erano costretti a comunicare con le popolazioni del Mezzogiorno attraverso degli interpreti.[32]

Un'Italia unita in modo frettoloso e con fortuna, su cui resta ancora di monito la nota affermazione di Massimo d'Azeglio: «Il primo bisogno d'Italia è che si formino Italiani dotati d'alti e forti caratteri. E purtroppo si va ogni giorno più verso il polo opposto; purtroppo s'è fatta l'Italia, ma non si fanno gli Italiani».[33]

Proprio nei primi mesi dell'unità, quando Cavour era ancora in vita, il giovane Parlamento italiano si trovò a fare i conti con una serie di dibattiti su questioni che, negli anni successivi, sarebbero diventati i problemi principali e più urgenti del neonato regno:[34] l'organizzazione dell'esercito,[35] la proclamazione di Roma capitale,[36] le condizioni delle province meridionali,[37] le intestazioni da dare agli atti del governo,[38] lo scioglimento dell'esercito meridionale garibaldino,[39] l'istituzione dei simboli formali della nazione come il titolo dinastico di Vittorio Emanuele[40] o la festa nazionale dell'Unità[41] e dello Statuto.

Accendere i riflettori sulle violazioni dello Statuto Albertino, commesse per preservare con la forza l'unità d'Italia, sottolineare che furono praticate politiche di conquista nei confronti di Stati sovrani (primo fra tutti il Regno delle Due Sicilie), o approvate leggi anticattoliche per arrivare a Roma azzerando il potere temporale del papa, non significa certo delegittimare l'unità d'Italia, ma piuttosto cercare di conoscere meglio la genesi della nostra nazione. È un fatto storico che negli Stati di cultura germanica l'unificazione si perfezionò attraverso processi in prevalenza pacifici, che coinvolsero le diverse entità autonome rispettandone le identità. In Italia furono sempre necessarie guerre, astuzie diplomatiche, violazioni di norme internazionali. La Prussia[42] capì che l'unità si sarebbe dovuta raggiungere con l'adesione di tutti i tedeschi e non contro di loro. In Italia si moltiplicarono fucilazioni e repressioni, guerre tra italiani, senza una vera e diffusa adesione popolare. Gli Stati germanici, invece, si unirono prima economicamente attraverso un accordo denominato Associazione doganale tedesca (*Deutscher Zollverein*), una specie di anticipazione del Mercato comune in chiave tutta germanica.[43]

In Italia, i timori che la rivoluzione politica, che aveva portato la borghesia economica a contare anche nella gestione amministrativa del nuovo Stato, si trasformasse in rivolgimento sociale affrettarono la costruzione dell'assetto di una giovane nazione senza i necessari approfondimenti. La paura bloccò le borghesie latifondiste del Mezzogiorno, che chiesero soldati per stroncare le rivolte contadine e premettero per l'annessione accentrata e incondizionata, senza alcuna forma di concessione alle autonomie locali. Nacque uno Stato centralizzato d'ispirazione burocratica francese, che fu tra le principali cause delle incomprensioni e diffidenze tra i diversi ex sudditi degli Stati preunitari, diventati, con un colpo di spugna, tutti italiani.

Molte capitali divennero province, con problemi economici provocati dall'improvvisa disoccupazione di interi ceti burocratici e la scomparsa di piccole aziende che vivevano di forniture e servizi alle decadute istituzioni statali. Dall'alto furono imposte leggi piemontesi, fu estesa l'adozione della moneta adoperata a Torino: la lira. Dappertutto si impose la supremazia di consuetudini e norme del Piemonte, anche quando, come nel caso dei codici napoletani d'ispirazione francese, era riconosciuta la superiorità di altri sistemi giuridici in uso negli Stati preunitari. Ha scritto Filippo Mazzonis:

> Il fattore che influì in misura maggiore fu indubbiamente rappresentato dalla continuità tra il neo-proclamato Regno d'Italia e il precedente Regno di Sardegna: sia sul piano dei segni esteriori (mantenimento dell'ordine dinastico e della numerazione delle legislature), sia sul piano del regime costituzionale (lo Statuto *octroyé* del «Magnanimo Re Carlo Alberto») e dei punti più qualificanti del sistema legislativo e della concreta organizzazione dell'apparato amministrativo, la cosiddetta *piemontizzazione* dello Stato.[44]

Nonostante lo Statuto, e spesso contro di esso, fu sempre il re al centro del neo-Stato unitario. Il processo di identificazione nazione-dinastia, tanto criticato per il Regno delle Due Sicilie nella necessità di contrapporre un presente positivo a un passato tutto negativo, si perpetuò. Era il re che firmava le leggi, convocava e scioglieva le Camere. L'esercito, che doveva giurare fedeltà prima al re e poi alla nazione, in combattimento gridava «Savoia!», mentre a maggio si celebrava la festa della dinastia. Al centro del tricolore, altro simbolo di non poco conto, campeggiava lo stemma sabaudo. Anche sulle monete era effigiato il volto del sovrano. E più tardi, nel 1911, quando si pensò al colore delle maglie per i calciatori della Nazionale, si adottò l'azzurro: il colore dei Savoia.

Insomma, soprattutto nei primi anni dell'unità, l'identificazione nazionale non avveniva con il Parlamento attraverso i rappresentanti eletti da una ristretta cerchia di italiani, ma con la dinastia regnante. Nonostante si fosse in un regime giuridico di monarchia costituzionale. Le politiche repressive, necessarie alla neonata nazione per tenerla unita nonostante la sua fragilità, significarono continue violazioni delle prescrizioni dello Statuto. E le immediate conseguenze furono, senza freni giuridici, guerre fratricide, eccidi e violente azioni militari attuate nel Mezzogiorno. Ma nel conto di un libro nero del Risorgimento vanno messi anche le discrepanze tra i documenti ufficiali e i comportamenti concreti dei protagonisti di quegli anni, i maneggi diplomatici sotterranei, l'utilizzo degli aiuti stranieri che rivestirono più importanza del proclamato principio dell'autodeterminazione. Comportamenti cinici che finirono per diventare valore aggiunto, simbolo della modernità degli statisti piemontesi che compresero quanto fossero importanti le alleanze internazionali e quanto l'isolazionismo, in epoca di espansione di mercati e di nascente capitalismo, non pagasse. Atteggiamento ben diverso da quello di altri Stati preunitari, dove si teorizzava l'autonomia attraverso l'isolamento.[45]

Nel Mezzogiorno apparve subito chiaro che la rivoluzione si era tradotta soltanto in un mutamento dinastico: continuavano a dominare la scena i volubili notabili locali, a esistere i latifondi e i consolidati rapporti sociali del passato. Era lo Stato di pochi. Alle prime elezioni per il Parlamento italiano, indette il 27 gennaio 1861, furono convocati 419.846 aventi diritto per designare 443 deputati. Una cifra davvero irrisoria per uno Stato che quell'anno contava circa 24 milioni di abitanti. Ma per le leggi elettorali piemontesi le donne, chi aveva basso reddito, i minori di 25 anni e gli analfabeti non avevano diritto al voto.

Raccontare le vicende grigie di come l'Italia divenne nazione, nel 150° anniversario dell'unificazione, non deve suonare come una bestemmia. Anche nella diversità delle identità regionali, nel riconoscimento critico di metodi oggi censurabili, possono ritrovarsi le vere ragioni dell'essere uniti. Ci si divide ancora, al Nord come al Sud, tra parti politiche. E non si comprende che molte delle ragioni di tante divisioni risiedono nell'affrettata costruzione del nostro Stato. Rileggere i passaggi negativi di quella costituzione, accettandone le diversità storiche e culturali, oggi non può che cementare il sentimento nazionale. Negli Stati Uniti esistono musei sugli Stati confederati del Sud (come a New Orleans), si riconoscono le ragioni di chi fu vinto nella guerra civile americana. In Italia si perpetuano ancora atteggiamenti snobistici e censure etiche sui Borbone, o su ciò che era prima dell'unità. Non ci può essere futuro per un Paese che non sa conoscere, o riconoscere, anche i suoi comportamenti negativi, che non sa fare autocritica anche su entusiasmanti pagine della sua storia come quelle risorgimentali. Ha scritto Angelo Del Boca, pioniere nella ricostruzione degli eccidi compiuti dagli italiani in Etiopia e Abissinia:

> L'obiettivo di fare gli italiani, in un paese che per secoli ha conosciuto la massima frantumazione della società e l'influenza quasi continua di altri popoli, sempre nelle vesti di dominatori, era sicuramente legittimo, per non dire irrinunciabile. Ma i mezzi impiegati non sono stati sempre quelli idonei. In qualche periodo questi mezzi sono stati addirittura nocivi, capaci di produrre, anziché cittadini virtuosi e soldati disciplinati, terrificanti strumenti di morte.[46]

È proprio di «quei mezzi», del come l'Italia venne unita, che si vuole raccontare in questo libro. Non per sterili nostalgie di un Paese diviso, o per metterne in discussione l'assetto unitario nell'anno del 150° anniversario. Ma solo per amore di verità, ancora più necessaria nei mesi celebrativi della memoria di quel periodo storico. Senza pregiudizi, o paraocchi etici.

1
Le radici calpestate

> «Mio caro Nigra, consummatum est. Il trattato per la cessione della Savoia e di Nizza alla Francia è siglato.»
>
> Lettera del conte di Cavour a Costantino Nigra, 27 marzo 1860

Per Giuseppe Garibaldi gli intrighi della politica erano sempre stati un mistero; per lui, uomo semplice, il nero era nero e il bianco bianco. Almeno per le cose che lo toccavano in prima persona. Il generale che aveva combattuto per la libertà in Sudamerica e aveva tentato di difendere la Repubblica romana non ammetteva le mezze misure, figurarsi se poteva accettare di diventare di colpo uno straniero nella sua Patria. Era convinto che cedere Nizza, la sua città natia, alla Francia fosse stato un abuso. Una violazione dei trattati, il mancato rispetto di impegni presi nel passato. E se ne sentiva offeso. Il compromesso aveva prevalso: per rendere bene accetta l'annessione della Toscana all'imperatore francese Napoleone III, era stato necessario sacrificare Nizza e la Savoia. Garibaldi protestò subito e non dimenticò mai.

Le ferita di quella duplice cessione rimase sempre aperta nel suo cuore anche a distanza di molti anni. Tanto profonda che un giorno confidò al suo medico curante e fedele amico Enrico Albanese:[1] «La Patria non si baratta, né si vende per Dio! Quando i posteri esamineranno gli atti del governo e del Parlamento italiano durante il risorgimento italiano, vi troveranno cose da cloaca. Povera Nizza! Io feci male a non parlare chiaramente, a non protestare con energia, a non dire là in Parlamento, a Cavour, che era una canaglia, e a quei che ne volevano votare la rinunzia che erano tanti vili».[2]

Il sacrificio di Nizza[3] e della Savoia, terra di origine della dinastia regnante,[4] calpestò la volontà di chi abitava in quelle terre e fu gestito con un'ipocrisia degna dell'obiettivo da raggiungere: ricompensare la Francia per il decisivo aiuto militare ottenuto contro l'Austria nella Seconda guerra d'indipendenza. E non fu solo Garibaldi a protestare. Anche altre voci, inascoltate e meno illustri, denunciarono gli abusi che si stavano compiendo sulla pelle di quegli italiani divenuti francesi in un batter d'occhio, senza alcuna effettiva possibilità di scelta.

Ma nulla, in quella vicenda, era accaduto per caso. Per capire, si doveva partire da lontano, dal calcolo e dalle astuzie diplomatiche che avevano sempre accompagnato i rapporti tra Camillo Benso conte di Cavour, primo ministro piemontese, e l'imperatore francese Napoleone III. Momento di inizio fu, naturalmente, l'incontro segreto tra i due nell'estate del 1858 a Plombières.[5] Si doveva discutere di una possibile guerra per ottenere l'annessione del Lombardo-Veneto, valutandone possibili pretesti e dettagli esecutivi. Tra questi, rientrò anche l'ipotesi che fossero necessari alcuni bilanciamenti all'ampliamento del Regno di Sardegna. Cavour portò con sé ben tre foglietti di memorie e appunti sulle questioni da affrontare.[6] Mettevano in evidenza la necessità della guerra e le modalità dell'aiuto francese, l'atteggiamento da tenere con i ducati di Parma e di Modena, con la Toscana, il papa e il re di Napoli. Poi si accennava all'ipotesi del matrimonio della principessa sedicenne Maria Clotilde di Savoia, primogenita di Vittorio Emanuele II, con il principe Girolamo Bonaparte,[7] di ventun anni più vecchio di lei. Da Plombières, Cavour si teneva in stretto contatto con Costantino Nigra,[8] suo fedele segretario particolare, per smistare comunicazioni e notizie. Fu proprio Nigra a stilare un foglietto in nove punti sui risultati conclusivi del convegno segreto. Vi era sancita l'alleanza militare franco-piemontese, la necessità che fosse l'Austria a iniziare le operazioni di guerra e l'attribuzione del comando delle flotte alleate a un ammiraglio francese. Poi i due aspetti più delicati, tenuti segreti in quei giorni, inclusi negli articoli 7 e

8. Nel primo si indicava che «la valle del Po, compreso Venezia, i Ducati e le Legazioni, saranno annessi al Regno di Sardegna che prenderà il titolo di Regno dell'Alta Italia».[9]

All'articolo 8, invece, la condizione che sarebbe stato pericoloso, almeno in quel 1858, rendere subito pubblica: «Le popolazioni della Savoia saranno chiamate a votare per suffragio universale l'annessione del Ducato alla Francia o all'Alta Italia».[10] Ma è una lunga lettera di Cavour a Vittorio Emanuele II, scritta in fretta su un tavolo d'albergo, a illustrare i risultati del colloquio finale con l'imperatore andato avanti dalle undici del mattino alle tre del pomeriggio. Una lettera perduta in originale, ma conservata in copia da Nigra che, probabilmente, diede come suo solito una mano al primo ministro nell'elaborarla.[11] Vi si raccontano nel dettaglio le difficoltà incontrate nell'immaginare, a freddo, possibili pretesti validi per portare l'Austria a dichiarare guerra al Piemonte. Il documento era davvero una prova illuminante della falsa spontaneità popolare dei moti risorgimentali:

> Ci mettemmo insieme ad esaminare tutti gli Stati d'Italia, per cercarvi questa causa di guerra così difficile da trovare. [...] Arrivammo quasi senza accorgercene a Massa e Carrara e là scoprimmo quel che cercavamo con tanto ardore. [...] Convenimmo di provocare un indirizzo degli abitanti a V. M. per chiedere la sua protezione nonché per reclamare l'annessione di questi ducati alla Sardegna. V.M. non accetterebbe l'offerta, ma, prendendo le parti di queste popolazioni oppresse, rivolgerebbe al duca di Modena una nota altera e minacciosa.[12]

Con uno sforzo di facile coraggio, si individuò nei territori di Modena, il più debole ducato dell'Italia centrale legato da un accordo alla protezione austriaca, la chiave d'accesso alla guerra. In quel momento era Francesco V,[13] figlio di una principessa Savoia, l'ultimo duca di Modena e Cavour confidava che la sua inesperienza lo avrebbe di certo spinto ad abboccare alla provocazione. Da una assai probabile replica attraverso una protesta formale del duca sarebbe potuta scaturire la reazione militare piemontese con l'invasione di Massa. Tutto progettato a tavolino. Si sistemò anche la suddivisione futura dell'Italia in quattro aree: l'Alta Italia, il Regno dell'Italia centrale, il Regno di Napoli e Roma, con i suoi territori circostanti. Una confederazione sul modello germanico, con presidenza da affidare al papa. Un disegno destinato a essere totalmente stravolto dalle vicende dei due anni successivi.

Poi si discusse anche di Nizza e della Savoia. L'imperatore sondò il terreno, arrivando subito al sodo. Chiese cosa avrebbe ricavato la Francia dall'alleanza. Ipotizzò la cessione dei due territori. Cavour rispose che Vittorio Emanuele II era pronto a cedere la Savoia, ma non Nizza «poiché i nizzardi, per la loro origine, la loro lingua e le loro abitudini erano più vicini al Piemonte che alla Francia e di conseguenza la loro annessione all'Impero sarebbe contraria a quel medesimo principio di nazionalità per il trionfo del quale ci si accingeva a prendere le armi».[14]

Napoleone III si rese conto che quell'argomento, cui teneva molto per giustificare nel suo Paese l'ingresso in guerra, aveva bisogno di tempo per essere accettato dai suoi interlocutori. Si accarezzò più volte i baffi e aggiunse, quasi con noncuranza, che per lui si trattava di «questioni del tutto secondarie, di cui ci sarebbe stato il tempo di occuparsi più tardi».[15]

Ma se sulle annessioni territoriali l'imperatore glissava, non fu così per il matrimonio del cugino Girolamo Bonaparte con la principessa Maria Clotilde, primogenita di Vittorio Emanuele. Napoleone III non ne fece una condizione *sine qua non*, come scrisse Cavour, ma mostrò «di tenerci molto».[16] Si sa come andò a finire: la figlia sedicenne del re fu sacrificata in un matrimonio imposto, nonostante la sua riluttanza.[17] Aveva annotato Cavour, con la sua abituale lucidità condita di cinico realismo:

> Se c'è una qualità che contraddistingue l'imperatore, è la costanza nelle sue amicizie e nelle sue antipatie. Egli non dimentica mai un servigio, come non perdona mai un'ingiuria. Ora, il rifiuto al quale si è esposto, sarebbe un'ingiuria sanguinosa. [...] Accettare l'alleanza e rifiutare il matrimonio sarebbe un errore politico immenso.[18]

Ma i soldi per finanziare quegli ambiziosi progetti di guerra? Non era certo una faccenda secondaria. Era l'argomento che più preoccupava Napoleone III, disposto a fornire al Piemonte tutto il materiale bellico necessario. Fare una guerra costava e l'imperatore assicurò a Cavour che si sarebbe impegnato a far ottenere un prestito al Piemonte per il futuro conflitto che si preannunciava oneroso. Ci avrebbero pensato le banche francesi, con congrui interessi. Ma dove avrebbe trovato il Piemonte, nel proprio bilancio già indebitato, il denaro sufficiente a saldare il debito? In una guerra di annessione era giusto che a ripartirsene le spese fossero anche i nuovi territori. Una regola, già seguita per la spedizione in Crimea, che Cavour voleva ripetere anche in quell'occasione: «Quanto al concorso delle province italiane in denaro e in natura, l'imperatore crede che bisogna valersene, pur risparmiandole fino ad un certo punto».[19] Per l'impegno bellico contro l'Austria il Parlamento di Torino stanziò 50 milioni di lire.[20]

Insomma, tutto deciso in un colloquio a quattr'occhi: come dividere l'Italia, come riunire parti di altri Stati al Piemonte e come far pagare ai sudditi «liberati» di quelle terre le spese per la guerra necessaria alla loro «liberazione». Il nodo al pettine di quelle premesse arrivò dopo l'armistizio di Villafranca dell'11 luglio 1859 e l'annessione della Lombardia, della Toscana e delle legazioni. Era giunto il momento di sacrificare porzioni di territorio italiano: cedere alla Francia sia Nizza sia la Savoia. Lo reclamava l'imperatore, facendosi scudo con quanto aveva già accennato a Plombières. Sul punto Cavour aveva continuato a mentire per diverso tempo. Ai chiarimenti formali chiesti agli inizi del 1859 dal governo inglese presieduto dal conservatore Edward George Stanley Derby, il primo ministro piemontese aveva risposto che non esisteva alcun trattato che prevedesse di trasferire Nizza e la Savoia alla Francia.[21]

A guerra finita, con il progetto cavouriano realizzato a metà attraverso l'annessione della Lombardia ma non del Veneto, l'imperatore non poteva ancora reclamare con ragione le contropartite territoriali ipotizzate un anno prima. Poté farlo, però, quando decise di dire sì alle annessioni della Toscana e delle legazioni al Piemonte. Annessioni che andavano in direzione diversa dagli accordi di Plombières. Il dare e avere si stava concretizzando. Non si era stabilito di lavorare per una confederazione di quattro Stati in cui l'Italia centrale doveva essere affidata a un nuovo re? Tutto stravolto: si stava invece perfezionando un'intesa per un primo ampliamento del Piemonte. Come dire: un conto erano stati gli accordi di qualche tempo prima, un altro la loro realizzazione.

Le bugie continuarono a circolare. Fin quando riuscì a farlo, il primo ministro piemontese, tornato al potere nel gennaio del 1860, prendeva tempo. Erano soprattutto gli inglesi, ora con un governo liberale, a chiedere cosa ne sarebbe stato di quei due territori contesi. James Hudson, diplomatico inglese a Torino, sollecitava informazioni precise. Il 3 febbraio 1860, si tenne un colloquio tra Cavour, Nigra e un altro collaboratore del primo ministro: Giuseppe Massari.[22] In quell'occasione, Cavour si mostrò assai seccato per il problema della Savoia. Annotò Massari: «Il conte è persuaso che, venendo al voto, Savoia si dichiara per Francia; non così Nizza».[23]

Napoleone III forzò la mano. Affrettò la partenza delle truppe francesi da Milano, lasciando la Lombardia in balìa degli austriaci. La comunicazione venne affidata all'ambasciatore di Parigi a Torino: il barone Charles de Talleyrand, incaricato di riprendere subito i negoziati per Nizza e la Savoia. Ci fu un primo incontro con Cavour, cui partecipò anche Henry d'Ideville, altro diplomatico francese in Piemonte, che ne ha lasciato una testimonianza. Cavour chiese: «L'imperatore tiene dunque molto alla Savoia e a quella povera città di Nizza?».

La risposta di Talleyrand fu da gelare il sangue: in tutti gli incontri tra l'imperatore e Cavour, a Plombières come altrove, quella clausola era sempre stata posta come condizione esplicita per l'intervento francese in Italia. Come a dire: i patti sono patti e quello delle cessioni territoriali doveva ritenersi un «compenso legittimo» dopo la vittoria nella guerra contro l'Austria.[24]

Insomma, con buona pace della volontà di chi in quelle zone ci abitava, il passaggio di nazionalità era ormai cosa fatta. Lasciando spazio solo alla formalità dei plebisciti, delle votazioni che avrebbero dovuto nobilitare un accordo già deciso attraverso l'espressione di una fasulla volontà popolare. Non si poteva tornare indietro: Napoleone III aveva dato il suo assenso ufficiale all'annessione immediata di Parma e Modena, all'occupazione delle Romagne, all'autonomia toscana. In cambio, ora chiedeva soltanto Nizza e la Savoia.

Anche se il destino di quei territori appariva già segnato dal cinismo politico, dopo il colloquio con Talleyrand del 27 febbraio 1860 il conte di Cavour confidò a Massari: «Sono proprio stanco, vogliono Nizza e Savoia. Insistono sul Regno toscano. Non so davvero cosa si sia ficcato in capo Napoleone III. Ma noi terremo fermo. Risponderò».[25] Dieci giorni dopo, si provò a chiedere alla Francia che prima la questione passasse almeno dinanzi al Parlamento piemontese. Ma da Parigi si rispose di no: che c'entrano i deputati su un accordo sottoscritto tra capi di governo? Un modo molto singolare di intendere la monarchia costituzionale. E mentre andavano avanti quei colloqui, bisognava nascondere le notizie, falsificare la realtà. Si cominciò innanzitutto a coprire le proteste, assai numerose e affollate, che si moltiplicavano a Nizza. L'11 marzo 1860, Cavour mandò a chiamare Massari. Erano le 4 del pomeriggio. La richiesta fu molto chiara: «Castri un dispaccio di Nizza, in cui si parla di una dimostrazione clamorosa che ha avuto luogo oggi per rimanere con il Piemonte». Massari eseguì e poi commentò: «Conservo speranza per Nizza, considero la Savoia perduta».[26] Era necessario preparare il terreno per far accettare il passaggio territoriale: Cavour elaborò, con l'aiuto di Massari e Artom, un altro suo stretto collaboratore di quel periodo, bozze di articoli giornalistici da far pubblicare sull'«Opinione», in cui ribadiva la libertà della volontà popolare sull'eventuale cessione e l'assenza di ogni vendita o scambio tra Italia e Francia.[27]

A Torino, le trattative riservate tra i rappresentanti dell'imperatore e Cavour andarono avanti per qualche giorno. Furono condotte dal conte Vincent Benedetti e da Talleyrand per la Francia; da Cavour con Luigi Carlo Farini[28] per il Piemonte. Molte riunioni si tennero nella casa di Cavour. Il 24 marzo 1860, appena un giorno prima delle elezioni per il Parlamento torinese convocate anche nei territori da cedere, si raggiunse l'accordo. Cavour passeggiava avanti e indietro, mentre gli veniva letto il documento. Firmò e poi disse, rivolto a Talleyrand: «Adesso siamo complici, non è così, barone?».[29]

Già, complici di un grande inganno a scapito di migliaia di abitanti di Nizza e della Savoia, che avrebbero avuto almeno il diritto di decidere il loro destino. Tutto era stato pensato nei dettagli. Vennero preparati due memorandum segreti, firmati da Cavour, Farini, Talleyrand e Benedetti, che accompagnarono il trattato siglato a Torino. Si trattava di proposte elaborate da Benedetti, con alcune aggiunte di Cavour. Vi si stabiliva subito che il governo piemontese avrebbe destituito i suoi funzionari amministrativi, per favorire la nomina di burocrati pubblici vicini alla Francia. In dettaglio, nel memorandum si indicavano già i sette nomi. Inoltre veniva deciso il ritiro delle truppe di Torino, con l'impegno a favorire il contemporaneo passaggio dei soldati francesi al Moncenisio.[30]

Napoleone III scriveva a Vittorio Emanuele che a Parigi i

consensi per l'Italia si erano raffreddati e solo la cessione dei territori richiesti avrebbe «ristabilito la simpatia».[31] Pressioni psicologiche.

Alla cessione e al trattato, soprattutto per Nizza, si era dichiarato contrario il ministro della Guerra, Manfredo Fanti,[32] per ragioni politiche e militari: riteneva poco difendibile la nuova frontiera da eventuali attacchi francesi. Il ministro protestò con Cavour e minacciò le dimissioni. Si rischiò una crisi nel governo, ma venne scongiurata con abilità dal primo ministro: dispensò Fanti dal partecipare alle trattative per la cessione, evitandogli di sottoscrivere l'accordo.[33]

Dopo la firma del trattato del 24 marzo, il re diffuse un proclama ai sudditi di Nizza e della Savoia, ormai sacrificati alle ragioni del Piemonte. Elaborò il testo con l'aiuto di Cavour. Non fu semplice, anche perché in quegli stessi territori, come se nulla stesse accadendo, con notevole dose d'ipocrisia il 25 e 27 marzo 1860 si svolsero regolarmente le votazioni per eleggere i deputati da inviare al Parlamento torinese in rappresentanza di quei collegi. Deputati che, presto, sarebbero diventati degli stranieri a Palazzo Carignano.[34]

Il 2 aprile, alla ripresa della sessione parlamentare, Vittorio Emanuele rese ufficiale in aula quello che già sapevano tutti: l'esistenza di un trattato per la cessione di Nizza e la Savoia. Disse: «Per riconoscenza alla Francia, pel bene dell'Italia, per assodare l'unione delle due Nazioni [...] ho fatto quello che costava di più al mio cuore». Nei resoconti dei verbali ufficiali del Parlamento, si legge in corsivo e tra parentesi che «S.M. pronunzia queste parole con commozione visibile».[35]

Un colpo a effetto emotivo, probabilmente sincero, in apertura di un dibattito che doveva svolgersi nel più breve tempo possibile. Come se si trattasse solo di una formalità priva di valore. Si avvicinavano le date dei plebisciti e la discussione parlamentare doveva terminare prima che si arrivasse a quelle scadenze. Solo tre giorni dopo, le popolazioni interessate erano chiamate a votare sull'eventuale passaggio alla Francia: il 15 e il

16 aprile toccava agli abitanti di Nizza; il 22 sarebbe stato il turno di quelli della Savoia. Così il Parlamento doveva discutere in tutta fretta, lo imponevano i tempi stretti a disposizione. Era il 12 aprile e i deputati, eletti solo due settimane prima, dovevano esaminare il trattato tra Francia e Piemonte. Sulla cessione dei territori transalpini fu quello il momento di maggiore tensione a Palazzo Carignano. Era stata annunciata l'interpellanza di Garibaldi contro l'annessione della sua città natale alla Francia. Molti altri deputati eletti nella Savoia e a Nizza si erano iscritti a parlare. Furono sollevate due questioni formali: la violazione dell'articolo 5 dello Statuto, che vincolava l'esecuzione di ogni trattato che incideva su mutamenti territoriali al voto del Parlamento; gli abitanti di Nizza avevano stabilito, il 13 novembre 1391, che il conte di Savoia e i suoi successori non avrebbero mai potuto vendere la loro città ad altri principi. In caso contrario, i nizzardi potevano sentirsi in diritto di prendere le armi contro quella decisione e scegliersi un altro principe. Antichi accordi divenuti carta straccia.

Nei giorni che precedettero quel dibattito, la volontà popolare, stavolta spontanea, si era fatta sentire. Nella Savoia, per tutto il periodo di inizio marzo, si era discussa l'eventualità dell'annessione nel corso della campagna elettorale per l'elezione dei deputati al Parlamento torinese da insediare il 2 aprile. Circolò una protesta con ben 13.000 firme. A Nizza, invece, furono addirittura vietate dai governatori tutte le riunioni convocate per discutere l'argomento. Vennero consentite solo le assemblee dei filoannessionisti.[36] Nonostante quelle premesse, di certo la questione sarebbe stata discussa con toni più bassi, se non vi fosse stato il discorso parlamentare di Garibaldi, acclamato dai deputati della sinistra, che denunciò in aula:

> La pressione sotto la quale si trova schiacciato il popolo di Nizza; la presenza di numerosi agenti di polizia, le lusinghe, le minacce senza risparmio esercitate su quelle povere popo-

> lazioni; la compressione che impiega il Governo per coadiuvare la unione alla Francia, come risulta dal proclama del governatore Lubonis; l'assenza da Nizza di moltissimi cittadini nostri, obbligati ad abbandonarla pei motivi suddetti; la precipitazione ed il modo con cui si chiede il voto di quella popolazione, tutte queste circostanze tolgono al suffragio universale il suo vero carattere di libertà.[37]

Dopo quelle infuocate accuse, Cavour tentò di difendere il trattato del 24 marzo, sottolineò che era necessario sottoscriverlo dopo che il Piemonte era arrivato a Milano, Firenze e Bologna. Difesa difficile quando, in quella stessa discussione parlamentare, un paio di deputati raccontarono nei particolari cosa stava accadendo nei territori pronti a essere ceduti. I governatori provvisori, funzionari nominati dal governo piemontese, si stavano muovendo con ogni mezzo disponibile per favorire l'annessione. Seguivano in quel modo le indicazioni di Cavour. Il 21 marzo, il conte aveva infatti scritto al governatore di Nizza, Massimo Cordero di Montezemolo: «Se per noi l'imperatore venisse a ricevere una vergognosa disdetta, esso diverrebbe mortale nemico non solo a noi, ciò che poco conterebbe, ma della nostra patria che non è ancora in condizione da sfidare ad un tempo le ire dei due imperatori che dominano la lunga catena di Alpi che ci circonda».[38] All'avvocato generale di Chambéry il primo ministro aveva poi aggiunto il giorno dopo: «È nostro dovere rassegnarci al doloroso sacrificio delle province transalpine [...] È necessario che si voti liberamente, ma che gli amici dell'Italia si adoperino onde il voto sia favorevole alla Francia».[39]

Con quelle premesse era quasi naturale che un successivo manifesto del governatore provvisorio Lubonis, nell'imminenza del plebiscito, parlasse, riferendosi a chi era contrario all'annessione alla Francia, di «opposizioni contro gli interessi della patria e i sentimenti del dovere» e invitasse a votare «seguendo i desideri di Vittorio Emanuele». Lo stesso governatore concludeva il suo appello con un «viva la Francia e viva l'imperatore Napoleone III».[40] Dello stesso tenore il manifesto del sindaco Malaussena.[41]

Erano già state fissate le date delle elezioni, stavolta per il Parlamento francese, che dovevano tenersi solo cinque giorni dopo il plebiscito. Il tempo a disposizione per preparare le liste e per designare i rappresentanti delle due zone da inviare a Parigi era davvero poco. Quasi una presa in giro. Sull'argomento, nella discussione parlamentare del 12 aprile, l'intervento del deputato nizzardo Laurenti Roubaudi fu senza dubbio il più duro e documentato. Parlò di impiegati sardi zelanti nel cercare con ogni mezzo di favorire l'annessione alla Francia, di capi partito filofrancesi spalleggiati da violenti, di soldati dell'imperatore ormai in permanenza presenti a Nizza con più reggimenti di cavalleria e tre fregate ancorate in porto da una ventina di giorni. Poi lesse una circolare in francese, firmata da un fantomatico comitato che invitava tutti, con toni poco amichevoli, a votare a favore dell'annessione. Spiegò, indignato, il deputato nizzardo:

> Questa circolare fu gettata nelle montagne a migliaia di esemplari e fu stampata nella stamperia governativa di Nizza. [...] Questo documento accompagnò i commissari partiti per le montagne, rivestiti di pieni poteri con autorità di sospendere, smettere, sciogliere e rimandare Consigli, consiglieri comunali e sindaci, di compiere tutti quegli atti che assicurino il libero voto per la Francia, e prendere nota delle opposizioni che potrebbero incontrare.[42]

Nei giorni che precedettero le votazioni, i soldati piemontesi avevano ormai lasciato Nizza e la Savoia, sostituiti dai francesi. Tutti i governatori provvisori facevano propaganda a favore dell'annessione con intimidazioni e pressioni. Un giornale, «Il Nizzardo», denunciò ciò che stava accadendo e venne sequestrato. Il suo direttore fu minacciato.[43] Erano le prove generali per i futuri plebisciti, che dovevano fornire la giustificazione formale e giuridica a tutte le annessioni territoriali al Piemonte.

Il Parlamento decise di esprimersi sugli otto articoli del trattato di Torino soltanto dopo la votazione degli abitanti di Nizza e Savoia. Quando le urne dei plebisciti si aprirono, le operazioni si svolsero alla presenza delle truppe francesi e sotto la vigilanza della guardia nazionale. I biglietti per il «sì» erano distribuiti ovunque, a differenza di quelli con il «no». A Nizza, che al Parlamento torinese qualche settimana prima aveva eletto solo deputati contrari all'annessione, per il «sì» votarono ben 25.743 persone. Solo 160 furono i «no» e 30 le schede nulle. Stessa scena anche nella Savoia, dove erano stati già licenziati tutti i funzionari contrari all'annessione, sostituiti da filofrancesi opportunisti. Nell'antica contea dei sovrani piemontesi, erano state stampate soltanto schede con il «sì», mentre chi voleva esprimersi per il «no» doveva annotarlo di sua mano su un foglietto. Un modo per identificarlo. In quella provincia, dove erano state raccolte tre settimane prima 13.000 firme contrarie all'annessione, furono 130.533 i «sì», i contrari risultarono solo 235, 71 le schede nulle.[44] Che fine avevano fatto quei 13.000 di appena ventuno giorni prima? Mistero. Naturalmente, il 29 maggio 1860 il Parlamento torinese non poté che ratificare quei risultati: su 259 deputati votanti, i favorevoli furono 223, 36 gli oppositori. Oltre al danno la beffa: su proposta del deputato Pier Carlo Boggio, la Camera dichiarò la Savoia e Nizza «altamente benemerite dell'Italia».[45]

Garibaldi, per protesta, si dimise dal Parlamento contro il «patto illegale e fraudolento». Quella vicenda segnò l'avvio di un'avversione personale profonda tra il generale e Cavour.[46] Ma si ebbero anche immediati effetti sugli abitanti dei due territori annessi: nei due anni successivi, in 10.000 lasciarono Nizza e la Savoia per trasferirsi in Italia. Soprattutto in Liguria. Dieci anni più tardi, nel 1870, quando Napoleone III fu sconfitto dai prussiani, vennero promosse campagne per il ritorno di Nizza all'Italia. Ma senza alcun esito concreto. Si fecero molte chiacchiere, tanto fervore, ma le spedizioni armate o le firme da raccogliere rimasero lettera morta. L'identità italiana di Nizza era stata cancellata.[47]

Quei genovesi vanno puniti

Gli affanni per la Savoia e Nizza probabilmente erano stati poca cosa rispetto a ciò che era accaduto dieci anni prima. Solo per la sua grossolana semplicità, che lo aiutava a superare con rapidità ogni turbamento emotivo in qualsiasi situazione, Vittorio Emanuele II era riuscito a rimuovere le preoccupazioni che nel 1849 gli aveva procurato la rivolta di Genova. Ma che spavento aveva provato. Per fortuna del re, il ricordo pubblico di Genova, dei suoi giorni di sangue nel marzo e aprile 1849, si stemperò molto presto addolcito da interessi di parte e da letture dei fatti condite da omissioni: non conveniva screditare la dinastia che stava per unire l'Italia, così qualche vuoto di memoria poteva anche tornare utile. Eppure, quanta rabbia avevano provocato nell'animo di Vittorio Emanuele quei genovesi, sudditi piemontesi per decisione del Congresso di Vienna nel 1815, in passato orgogliosi di appartenere a una delle più floride Repubbliche marinare della penisola. Tanta rabbia da indurlo a scrivere al generale Alfonso La Marmora parole di fuoco:

> Mio caro generale, spero che la nostra infelice nazione aprirà finalmente gli occhi e vedrà l'abisso in cui si era gettata a testa bassa [...] che ella impari per una volta finalmente ad amare gli onesti che lavorano per la sua felicità e a odiare questa vile e infetta razza di canaglie di cui essa si fidava e nella quale, sacrificando ogni sentimento di fedeltà, ogni sentimento di onore, essa poneva tutta la sua speranza.[48]

Tutto era iniziato il 27 marzo 1849, quando a Genova arrivò la notizia dell'irrimediabile disfatta piemontese contro gli austriaci e dell'abdicazione di Carlo Alberto a favore del figlio. In città si diffuse il malcontento. Il passaparola, specie nei quartieri popolari, alimentò delusioni. Paure. Esplosero i primi disordini, cominciati quasi per caso e poi alimentati dalla voce che il nuovo sovrano fosse in combutta con gli austriaci e che, per limitare i danni al Piemonte, avesse accettato di cedere Genova. L'orgoglio cittadino prese la mano, le strade si affollarono. Comandante militare in città era il generale Giacomo De Asarta,[49] ufficiale al vertice della carriera che si dimostrò subito incapace di fronteggiare gli eventi. Suonarono le campane a stormo, si formarono i primi assembramenti. Correte, armatevi, il nemico è in marcia, vogliono venderci all'Austria: le voci si rincorrevano, si ingigantivano. Creavano agitazione. Un brusco impatto per Antonio Profumo[50], genovese, nominato sindaco appena tre giorni prima. Fu subito evidente che, nella città natale di Giuseppe Mazzini, democratici e repubblicani soffiavano sul fuoco del malcontento. Come Didaco Pellegrini od Ottavio Lazotti, affiliati al Circolo italiano della città, una sorta di enclave democratica contrapposta ai circoli dei liberali moderati. Furono proprio Lazotti e Pellegrini, sostenuti da un ampio consenso popolare, a costituire un Comitato di difesa con il generale della guardia civica, Giuseppe Avezzana.[51]Con loro, altri capi dei rivoltosi: Federico Campanella, Giovan Battista Cambiaso e David Morchio, tutti democratici e repubblicani del Circolo italiano.

L'allora capitano Giuseppe Govone, che faceva parte della 6ª divisione piemontese comandata da Alfonso La Marmora, ricordò che, mentre tornavano a casa dopo la disfatta della Prima guerra d'indipendenza, arrivò la notizia dei moti di Genova accompagnata dall'ordine di «soffocare una nascente guerra civile contro generosi illusi, cui pochi faziosi perversi erano riusciti a far credere che bastasse accrescere il disordine e la discordia per richiamare la vittoria alla nostra bandiera».[52]

Il generale De Asarta aveva chiesto aiuto a La Marmora[53] cui il re decise subito di affidarsi per riprendere in mano la situazione. Vittorio Emanuele, in quei giorni febbricitante per un attacco reumatico, non perse tempo e si convinse senza esitazioni che era giunto il momento di correre in aiuto ai 3700 uomini di guarnigione a Genova, dove il controllo delle strade era ormai in mano ai rivoltosi del Comitato di difesa. In città la gente era sicura di doversi difendere dagli austriaci e per questo pretese di utilizzare le fortificazioni militari dove erano sistemati i soldati piemontesi. Cresceva, senza alcuna conferma, l'illusione che la divisione lombarda del generale Manfredo Fanti, accampata a Tortona, potesse correre in aiuto alla rivolta. Avezzana aveva mandato molti messaggi di soccorso e Fanti, che con la sua divisione aveva da poco prestato giuramento di fedeltà a Vittorio Emanuele, era indeciso. I suoi ufficiali si erano divisi sul da farsi. Alcuni volevano partire per Genova per sostenere la rivolta. Altri erano contrari. Fanti, superata ogni incertezza, raggiunse la sua divisione e convinse il grosso della truppa a prendere le distanze dai ribelli.[54] Intanto De Asarta si era rifugiato al sicuro nell'arsenale militare con tutto il suo quartier generale. Il 30 marzo, in città vennero distribuite molte armi ai civili, mentre dalle zone più povere si mossero centinaia di minacciosi facchini del porto, pronti a menare le mani. Per sicurezza, le caserme dei pochi carabinieri in servizio vennero subito sbarrate. De Asarta era ormai del tutto incapace di risolvere il pasticcio in cui si era cacciato per aver sottovalutato la situazione. Era il 31 marzo. La città era controllata dai rivoltosi, il sindaco fu costretto a farsi da parte. Il giorno dopo, 1° aprile, domenica delle Palme, il re decise senza esitazioni di usare il pugno di ferro contro i genovesi. Anche perché nei tumulti c'erano stati i primi morti illustri di parte piemontese: il maggiore dei carabinieri Angelo Ceppi, ma soprattutto il colonnello Casimiro Morozzo della Rocca, fratello di Enrico aiutante del re,[55] ucciso con un colpo di moschetto. Con loro persero la vita anche un poliziotto e cinque soldati, mentre altri sei militari erano rimasti feriti.

I genovesi gridavano «abbasso i Savoia, viva la Repubblica». Molti credevano realmente di potersi staccare dal Regno di Sardegna. Non c'era tempo da perdere e Vittorio Emanuele inviò a La Marmora precise direttive: «Spiegare molta severità coi militari compromessi, dai tribunali punire chiunque si sia macchiato di delitti, soprattutto contro i nostri ufficiali».[56]

Negli scontri a fuoco contro i carabinieri che precedettero l'arrivo dei bersaglieri di La Marmora, morirono 23 civili e 19 furono feriti.[57] La città era ormai disseminata di barricate in ogni angolo e il generale De Asarta decise di capitolare. Era il 2 aprile, quando militari e carabinieri abbandonarono la città dopo l'accordo tra gli ufficiali piemontesi e i ribelli. Veniva lasciato il campo alle bombe dei bersaglieri in arrivo. Arrivò La Marmora alla testa dei suoi 30.000 bersaglieri. Era il 4 aprile. Raccontò Govone, che prese parte alla spedizione:

> Dalla scarsità di sentinelle che si vedevano sulla cinta, dal fatto che né la vigilia né quel giorno si era fatto fuoco su di lui dai forti, il generale suppose che questi fossero mal guardati e che i ribelli in quei primi giorni di confusione si preoccupassero soltanto di fortificare con barricate l'interno della città.[58]

La Marmora intimò la resa ad Avezzana, ma, come era prevedibile, ne ricevette solo uno sprezzante rifiuto. I genovesi si preparavano a resistere. Alle 10 del 4 aprile furono alzati i ponti e chiuse le porte. Si iniziò a combattere a San Benigno, dove i piemontesi, dopo una serie di scontri sanguinosi, ebbero la meglio. I soldati furono aiutati da qualcuno dall'interno, un doppiogiochista, che riuscì con false voci sull'attacco in arrivo a far spostare il grosso dei rivoltosi verso Porta Pila, lasciando quasi del tutto sguarnita la zona di San Benigno.[59] I bersaglieri riuscirono così a entrare in città. Ad Avezzana fu di nuovo intimata la resa, anche perché il Forte delle Tenaglie era stato conquistato dai bersaglieri. Ma la rivolta non era stata ancora del tutto domata. Si continuava a sparare, anche se i ribelli armati si muovevano senza alcun piano strategico. Con azioni spontanee. Era una rivolta dai tanti protagonisti, animati da spinte diverse: studenti, facchini, avvocati, giornalisti. Morirono in molti. Gli scontri andarono avanti per tutta la giornata del 4 aprile e ripresero il giorno dopo.

Una prima tregua, poi assalti e contro assalti. I bersaglieri si muovevano su quattro colonne, appoggiati dall'artiglieria.[60] Ma la resistenza continuava. E il generale fu costretto, per piegare «quella canaglia», a dare il via a un vero e proprio bombardamento. L'ordine non ammetteva equivoci. Così lo raccontò un testimone rimasto anonimo:

> Gli orrori d'una guerra sleale e veramente fraterna non bastavano a estinguere nei nostri aggressori la sete del sangue. Verso il pomeriggio del dì 5 aprile un fiero bombardamento intronava l'intiera città. Durava per ben 36 ore con breve intervallo di tregua. [...] Le racchette, le bombe, le palle ardeano a diluvio, sfondavano i tetti e profondavano i morti, incendi e rovine. Il quartiere di Portoria ne fu sopra tutti malconcio, e mentre non una sola bomba cadde sovra i signorili palagi, le povere case ed i tuguri de' popolani ebbero forate le mura da quei micidiali tormenti. Anche le navi ancorate nel porto assai danni soffersero.[61]

Venne colpito persino l'ospedale Pammatone. Neanche gli ammalati furono risparmiati: molti ricoverati morirono per il crollo di tredici mura. Tra le macerie si fecero largo, nei quartieri di San Rocco, Degli Angeli, San Teodoro e San Lazzaro, i bersaglieri inferociti e stanchi dopo due giorni di duri scontri. Fu la furia che gli ufficiali non riuscirono a tenere a freno. Vennero sfondate le case di 350 famiglie. Furti, anche stupri.[62] Come sempre accade in questi casi, ci fu chi, tra gli assalitori, tentò di opporsi alla furia dei commilitoni. Come il bersagliere mantovano Alessio Pasini, che cercò di frenare gli atti di violenza gratuita. Per quel gesto di pietà, in segno di riconoscenza il Municipio di Genova donò al militare una daga d'onore.[63] Il 9 aprile la rivolta venne domata. Nel sangue. Ci furono ancora piccoli scontri isolati, che si spensero del tutto l'11 aprile. La ribellione genovese era durata sedici giorni, come testimoniò anche la ricostruzione della Commissione per l'accertamento danni nominata dal municipio. Ne facevano parte nove funzionari,[64] che scrissero di «eccessi deplorevoli» commessi dai soldati piemontesi in diversi luoghi: le colline di Promontorio, Belvedere, Degli Angeli, di San Benigno, San Rocco e nella parrocchia di San Teodoro. Ai commissari arrivarono 467 relazioni di danneggiati che chiedevano un risarcimento.[65] Alla fine degli accertamenti vennero catalogati due diversi tipi di danni: quelli del bombardamento che ammontavano a 75.717 lire e quelli dei saccheggi e furti delle truppe stimati per 645.555 lire.[66]

I commissari rimasero molto colpiti dai racconti dei testimoni. La lettura della relazione restò una fotografia implacabile del comportamento violento dei bersaglieri piemontesi, che per ore si aggirarono nei quartieri più turbolenti a cercare di soffocare la rivolta. L'ingiuria più innocente urlata dai militari fu «siete tutti balilla!».[67]

Minacce, soprusi, furti, saccheggi anche nelle chiese: fu l'immagine di una truppa che non si riusciva, o forse non si voleva, tenere a freno. Eppure La Marmora scrisse nel suo rapporto sull'accaduto: «Io arringai la mia truppa rispettasse religiosamente la proprietà e la vita dei pacifici cittadini; fosse impietosa con chi resisteva».[68]

Anche i prigionieri subirono soprusi di ogni tipo. Scrisse la commissione: «Ogni specie d'insulto e di maltrattamento ebbero a patire. Derubati del denaro, rinchiusi in numero eccessivo in piccole stanze. Per due lunghi giorni ad alcuni non fu somministrato cibo di sorta. Anche l'acqua fu loro talvolta negata, a chi chiedeva acqua rispondevano *bevete l'orina*». La relazione della commissione, ultimata il 14 giugno 1849, riportava che il governo aveva preso le distanze da quegli eccessi. Dichiarazione obbligata. Il ministero dell'Interno promise che avrebbe venduto l'area di Castelletto per indennizzare i danneggiati. Promesse solo in parte mantenute. Chi venne ritenuto con certezza responsabile dell'accaduto furono invece gli undici capi della rivolta, giudicati tutti in contumacia. Accusati di insurrezione armata, il 24 luglio 1849 furono condannati a morte Giuseppe Avezzana, Costantino Reta, David Morchio, Ottavio Lazotti, Didaco Pellegrini, Federico Campanella, Giovan Battista Cambiaso, Giovan Battista Albertini, Nicolò Accame, Carlo Ciro Borzino, mentre a Federico Weber, ritenuto solo complice, venne inflitta la pena dei lavori forzati a vita.[69]

Nella già citata lettera dell'8 aprile 1849 a La Marmora, il re scrisse di aver affidato quell'incarico al generale «perché siete un coraggioso». E aggiunse: «Non potevate fare di meglio e meritate ogni genere di complimenti». Ma La Marmora ricevette anche qualcosa di più: una medaglia d'oro al valor militare con regio decreto del 15 aprile 1849. Vittorio Emanuele non perse tempo per legare a sé i militari fedeli e potenti. Nella motivazione dell'encomio fu scritto: «Incaricato di ristabilire l'ordine nella città, per impedire le conseguenze di un moto insurrezionale, riuscì con molta audacia e somma attività a cacciare gli insorti».

Non si seppe mai con precisione il numero dei morti di quelle folli trentasei ore di bombardamento «amico». Ma a distanza di quasi 160 anni, nei muri di alcune vecchie case genovesi come quelle di Campetto sono ancora conficcate delle antiche bombe piemontesi con tanto di data incisa a lato: 4 aprile 1849. Genova la ribelle, Genova la repubblicana, Genova patria di Mazzini e di sobillatori. Una città che una decina di anni dopo la rivolta veniva guardata ancora con sospetto a Torino. Quando il 7 dicembre 1858 Cavour ricevette per iscritto l'appoggio di alcuni commercianti genovesi, Giuseppe Massari annotò: «È la prima volta che Genova loda così esplicitamente un ministro piemontese». E il generale La Marmora, che aveva bombardato la città nove anni prima, aggiunse: «Si dovrebbe fare una statua d'oro ai genovesi che hanno avuto il coraggio civile di firmare quell'indirizzo».[70]

La guerra vinta dai francesi

Cavour le aveva tentate proprio tutte. Aveva assediato Napoleone III da ogni parte, con ogni strumento a sua disposizione: diplomazia, spie, lusinghe femminili, amicizie personali. Le strategie più varie con un unico traguardo: convincere l'imperatore a mettere a disposizione del Piemonte il suo potente esercito per sconfiggere l'Austria. L'obiettivo era l'annessione della Lombardia e del Veneto fallita in maniera ingloriosa dieci anni prima. Altri tempi, con un sovrano titubante come Carlo Alberto privo di alleati, e soprattutto con uno scenario internazionale dagli equilibri meno favorevoli al Piemonte. Ma anche se il quadro europeo era più roseo di dieci anni prima, con Parigi il conte di Cavour dovette comunque esercitare un tira e molla sfiancante. Colpa soprattutto delle pressioni degli ambienti cattolici francesi, di cui faceva parte la stessa imperatrice, Eugenia de Montijo. Le intenzioni francesi, quando ancora nulla era stato deciso tra Parigi e Torino, erano state anticipate in un opuscolo dal titolo esplicito: «L'imperatore Napoleone III e l'Italia». Una sorta di manifesto politico, che attaccava senza riserve l'Austria e proponeva per la penisola una confederazione di quattro Stati. Per tutto il 1858 gli articoli del «Moniteur» oscillarono tra l'adesione e l'opposizione ai disegni piemontesi, mentre l'Inghilterra, fin quando venne governata dai conservatori, si mostrò più volte contraria alla guerra.[71]

L'assedio psicologico all'imperatore trovò il principale grimaldello in Costantino Nigra, ambasciatore piemontese a Parigi. Si mise d'impegno e per mesi sostenne un intenso calendario di colloqui con Napoleone III. Fu lui a fare da parafulmine alle continue incertezze dell'imperatore. Mutamenti di umore, indecisioni, propositi ondeggianti, descritti in messaggi puntuali spediti a Torino: «Il risultato di questo stato di cose doveva essere necessariamente una sospensione dei nostri piani, con un momento di tregua, per servirmi dell'espressione dell'Imperatore [...]. Ci darebbe campo a fare i preparativi necessari [...] ad assopire nel tempo stesso l'opinione pubblica in Europa ed a tentare la *campagna diplomatica* di cui si è parlato precedentemente».[72]

Il fatto era che, senza la Francia, il Piemonte non poteva imbarcarsi in nessuna guerra. L'esercito di Vittorio Emanuele II era impreparato, nonostante le sue velleità guerriere. D'altra parte, la preoccupazione per i regimi illiberali nella penisola, o per l'ascendenza austriaca su molti sovrani italiani c'entravano poco con gli obiettivi perseguiti da Torino. Se la questione fosse stata solo cercare di estendere l'adozione della Costituzione a tutti gli Stati italiani, il piccolo Stato a ridosso delle Alpi non ci avrebbe guadagnato nulla. Che vantaggio avrebbe ricavato a esportare, come si direbbe oggi, un po' di democrazia liberale negli altri territori sovrani della penisola? In ballo c'erano però anche espansioni territoriali e profitti economici. Risultati difficili da raggiungere senza usare le armi. Una constatazione che, con sincerità, Giuseppe Massari si sentì di annotare nel suo diario il 13 aprile 1859, riprendendo le parole di Farini: «Qualora tutto si riducesse a guarentigie costituzionali nel resto d'Italia [...] il Piemonte perderebbe la sola ragione di essere, cioè la supremazia militare».[73]

L'esercito della cosiddetta «Prussia d'Italia» contava su un organico di 65.000 uomini per cinque divisioni più una di cavalleria e un corpo di volontari che alla fine del 1858, in previsione della guerra, si andava costituendo sotto il comando di Garibaldi: i Cacciatori delle Alpi. Ci si rendeva conto però che, al di là della propaganda di facciata, non si poteva fare molto affidamento sui militari non di professione. Soprattutto perché le risposte di chi accorreva per combattere lo straniero austriaco erano state, specie agli inizi, assai tiepide. Il proselitismo guerriero venne promosso dalla «Società nazionale italiana», creata da Daniele Manin,[74] Giorgio Pallavicino[75] e Giuseppe La Farina,[76] che ne divenne segretario con l'avallo di Cavour. Opuscoli, volantini, articoli prezzolati su giornali, lettere mirate, l'organizzazione pilotata di manifestazioni di piazza furono gli strumenti adoperati dalla Società.[77] Era il periodo in cui Cavour, oltre la presidenza del Consiglio, gestiva anche i ministeri degli Esteri, dell'Interno e della Marina. Si diceva che fosse così impegnato da aver fatto sistemare un letto nei suoi uffici ministeriali, dove poter dormire quando era costretto a fare tardi.[78] Fu il primo ministro torinese a convocare i rappresentanti della rete di comitati locali costituiti dalla Società nazionale, nei primi mesi del 1859. Dovevano studiare nei dettagli i preparativi della «rivoluzione spontanea italiana». Gli incontri con La Farina si tenevano spesso in casa dello stesso Cavour, in via Arcivescovado 13 a Torino. Per esigenze di segretezza, il segretario della Società nazionale veniva ricevuto da un ingresso secondario. Quattro anni di colloqui a partire dal 1856, preceduti da due lunghi incontri del primo ministro con Manin a Parigi. Poi, favorita da La Farina, arrivò la conoscenza personale tra Garibaldi e Cavour. Il generale si mise il vestito buono, il primo ministro trattenne il suo istinto e superò le riserve politiche che invece mantenne sempre su Mazzini. I due si accordarono sulla necessità di mettere via ideali e diffidenze per perseguire l'unità d'Italia in nome di Vittorio Emanuele II. Parole, perché poi i risentimenti ricomparvero dopo la cessione di Nizza. Ma sulla prima impressione ricevuta da Garibaldi, il primo ministro piemontese così parlò a Massari:

> È un galantuomo, si è condotto bene e ce ne serviremo. Ma per ora non ha facoltà di arruolare. È Mazzini che, per odio alla guerra, vorrebbe, per impedirla, spingere alle imprese arrischiate ed ai movimenti prematuri.[79]

Quel colloquio fu un altro successo di La Farina che, senza nascondere una punta d'orgoglio, qualche anno dopo ricordò gli incontri segreti in via Arcivescovado: «Ci si vedeva sempre due o tre ore prima del giorno e sortendo spesso da una scaletta segreta, ch'era contigua alla sua camera da letto, quando in anticamera era qualcuno che lo potesse conoscere».[80] Era proprio La Farina l'anima della Società nazionale, collettore di iscritti che da cospiratori si trasformeranno negli elettori degli amici politici dell'ex segretario. Il foglio di propaganda dell'associazione tirava 10.000 copie, mentre il «Credo politico» fu stampato in 100.000 esemplari. Secondo le stime lasciate da La Farina, alla vigilia della guerra gli affiliati toccarono il numero ragguardevole di 8000, ma si trattava di una cifra probabilmente raggiunta in cinque anni.[81] Nella sua attività di reclutamento di volontari e di preparazione alla guerra contro l'Austria, la Società nazionale aveva programmato con precisione quale doveva essere l'attività degli iscritti. In una lettera inviata l'8 febbraio 1858 a Ermanno Barigozzi di Pallanza, La Farina, che aveva ormai già attrezzato la sede dell'associazione in via Goito 15 a Torino, scriveva così:

> I Comitati istituiti o da istituirsi spediranno, almeno una volta al mese, relazione sullo spirito pubblico del paese in cui sono istituiti, l'elenco dei nuovi soci e tutte quelle notizie che credessero utili siano conosciute dal Comitato centrale.[82]

La Farina e Cavour siglarono una specie di memorandum comune che indicava come organizzare i «moti spontanei» nelle regioni italiane del Centro Nord. Sei punti in cui si promuoveva la costituzione di «bande armate» da far poi convogliare, con arruolamenti, nell'esercito regolare piemontese. Illuminante l'ultimo punto: «Là dove la rivoluzione sia compiuta, si proclami immediatamente lo stato d'assedio; s'istituiscano subito consigli di guerra che giudichino di tutti i reati contro la persona e contro la proprietà; che non sia permesso altro giornale oltre un bollettino governativo».[83] Nel memorandum si entrava nel dettaglio delle regioni da coinvolgere, in testa il Veneto e la Lombardia. In calce al documento, Cavour scrisse «Accettato». In Romagna e in alcune parti della Toscana si registrò il maggior numero di adesioni alla Società nazionale che, in vista della guerra contro l'Austria, cercò di indirizzare in Piemonte solo giovani in grado di combattere. Cavour chiese di dare il via agli arrivi «spontanei» dei volontari non prima del febbraio 1859, per evitare problemi con le diplomazie europee. Quando visionò i primi volontari, La Marmora li bollò subito come «feccia delle popolazioni delle grandi città, che portano nell'esercito le abitudini viziose contratte nelle città popolose».[84]

Dietro l'analisi realistica, c'era anche la spocchia del militare di professione verso volontari non preparati con disciplina alle armi. In Piemonte in quei giorni affluiva gente di ogni tipo: avventurieri, idealisti, delinquenti che cercavano occasioni di guadagni e fortune facili, emigranti di varie zone d'Italia. C'era anche un folto gruppo di ungheresi, circa 3000 uomini, che costituirono la legione omonima. In totale i volontari, più o meno spontanei, giunti in Piemonte fino al 25 marzo 1859 furono 6500, ne venivano esaminati 500 al giorno dalla Commissione d'arruolamento.[85] Ben lontani dai 400.000 che La Farina aveva annunciato di poter coinvolgere nella guerra contro l'Austria. Pochi veneti e trentini risposero alla chiamata. Il primo arruolato era di Pavia e aveva 20 anni. Si chiamava Nicola Brianza. Arrivò il 13 gennaio. Alla fine del reclutamento, i Cacciatori delle Alpi affidati al comando di Garibaldi ammontavano a 9694. Molti anche stranieri. Di quei giovani la maggioranza proveniva da Lombardia e Veneto (4250), appena 20 dalle Due Sicilie (pari allo 0,2 per cento), 29 dalla Sardegna, 123 dall'estero. Numeri che la dicono lunga su quanto era sentita quella guerra nazionale al di sotto dei confini di Roma.[86]

Si trattava in gran parte di artigiani, commercianti, operai. Povera gente in cerca di occasioni per illuminare il proprio futuro. Solo il 6,6 per cento gli studenti e il 5,4 per cento i contadini. Pochi i professionisti, gli artisti o gli impiegati che risposero al richiamo del tricolore.[87] Molti di più furono coloro che avevano problemi di sostentamento. Quasi scontato che quella massa eterogenea di gente prestata alla guerra venisse guardata con estrema diffidenza dai militari di professione. Come La Mármora. Quella fredda accoglienza era alimentata anche da pregiudizi di natura politica, per le loro vere o presunte simpatie mazziniane.[88]

Quella vigilia di guerra venne subito accompagnata anche dalle tradizionali rivalità, che saranno ricorrenti, tra i vertici militari piemontesi. Rivalità alimentate da maldicenze e invidie: a Enrico Morozzo della Rocca si criticava la stretta amicizia con il re, bollandolo come raccomandato; a Enrico Cialdini il pessimo carattere e la sua alterigia; ad Alfonso La Marmora la rapida carriera, al di là delle reali doti di stratega, favorita da una cieca obbedienza ai superiori e dall'incondizionata fedeltà alla dinastia; a Manfredo Fanti i trascorsi mazziniani e le frequenti incertezze; a Giacomo Durando l'età avanzata.[89] Insomma, in quello scenario militare affrontare una guerra contro l'Austria senza il potente alleato francese si sarebbe potuto rivelare un suicidio annunciato.

E per questo Cavour utilizzò ogni strumento a sua disposizione per portare dalla sua parte l'imperatore. Ricorse anche all'aiuto di una delle donne più affascinanti di quel periodo: Virginia Oldoini, contessa di Castiglione.[90] Un aiuto particolare che arrivò sin dal 1855, subito dopo la guerra di Crimea.

Il re e Cavour, con la complicità del generale Enrico Cigala, zio della Castiglione, si unirono per coinvolgere la contessa nell'accerchiamento di Napoleone III. Si avvicinavano i giorni del Congresso di Parigi, che avrebbe sancito le conseguenze politiche della guerra in Oriente, di cui il Piemonte era stato partecipante interessato. Per cogliere qualche frutto in quel congresso dagli esiti incerti, bisognava trovarsi un potente alleato. Chi meglio dell'imperatore, che in gioventù aveva vissuto esule in Italia? Cavour si ricordò della sua lontana cugina, superando qualche diffidenza verso una donna che considerava leggera e inaffidabile. L'avvocato Ranieri Lamporecchi, zio della contessa, era stato assiduo frequentatore dei salotti che avevano ospitato il futuro imperatore a Firenze. Dunque poteva rappresentare un ottimo canale di presentazione della donna nella società parigina. Virginia parlava quattro lingue e stava attraversando uno dei suoi ricorrenti periodi di ristrettezze economiche, nonostante il marito, il conte Francesco Verasis di Castiglione, facesse di tutto per accontentarla. Il generale Cigala le consegnò un documento con i particolari della missione da svolgere in Francia, accompagnato da una lettera di presentazione.[91] A Parigi, Nigra preparava il terreno, mentre Cavour incontrò la contessa per sollecitare il viaggio da affrontare in compagnia del marito. Le scrisse su un foglio intestato «Mission extraordinarie de S.M. le Roi de Sardigne»:

> Mia cara cugina, ho ricevuto ieri sera una lettera per voi di un alto personaggio. L'ho messa in tasca e mi sono recato a casa di lady Holland dove speravo di incontrarvi. Ma voi eravate in uno dei vostri giorni di cattivo umore ed eravate andata a letto. Ve la invio questa mattina.[92]

L'alto personaggio non poteva che essere il re, come dimostrava un passaggio del diario della contessa alla data del 25 febbraio 1856, giorno di apertura del Congresso di Parigi:

«Andata al concerto della Conferenza della pace. Mostrata a Villamarina la lettera del re».[93] Un documento di ringraziamento per l'impegno speso nella missione inconfessabile. Bisognava spingere l'imperatore a simpatizzare per la causa italiana, «con tutti i mezzi che vi pare», aveva detto sibillino Cavour.[94] Virginia aveva solo 18 anni, da due era sposata. Bellissima e intraprendente. Arrivò nella capitale francese con il marito, come da istruzioni. Il suo esordio nella società parigina fu a un ballo alle Tuileries dove, scrisse il conte di Maugny, arrivò «seminuda come una dea dell'antichità».[95] I tempi della relazione tra l'imperatore e la contessa, soprannominata da Massimo d'Azeglio «Nicchia», diminutivo di Virginicchia, coincisero con le prime simpatie di Napoleone III per il Piemonte.

L'infatuazione dell'imperatore, che con malizia l'ambasciatore austriaco Alexander von Hubner[96] trasformò in «pericolosa passione per l'Italia», si accese intensa nel luglio del 1856, dopo il Congresso di Parigi. Nella residenza estiva imperiale a Saint Cloud durante un ricevimento. Nelle settimane successive, l'ambasciatore inglese in Francia, Henry Richard Cowley,[97] scriveva al suo governo che «l'imperatore è molto interessato alla contessa di Castiglione che [...] influisce certamente sulle decisioni dell'Eliseo». Mentre Costantino Nigra inviava a Nicchia questi suggerimenti: «Ho una comunicazione molto importante da farvi, ma non prima di domani a casa mia. Fatevi bionda, tanto bionda perché le bionde piacciono. Bisogna farlo. Mi avete capito?».[98]

Fu a Compiègne che la contessa visse le sue più infuocate notti d'amore con l'imperatore. La prima di queste viene raccontata dalla marchesa Tiesey-Chatenoy, che affermò di averne appreso i dettagli dalla contessa:

> L'imperatore che si offriva ai miei sguardi appariva un semplice mortale. [...] Respinse col piede uno sgabello e vidi la sua ombra avvicinarsi al letto; si abbassò, chiusi gli occhi e il mio

> destino si compì. [...] L'imperatore scomparve, l'uscio si richiuse e io mi ritrovai sola. La pendola suonava le due. [...] Era bastata una sola mezz'ora per fare di me un'imperatrice.[99]

La sensualità della contessa di Castiglione, la pressione diplomatica di Nigra, la tenacia di Cavour. E poi le intercessioni del conte Francesco Arese, aristocratico lombardo amico dell'imperatore dai tempi dell'esilio in Toscana. Era l'unico italiano autorizzato a dargli del tu e a chiamarlo confidenzialmente Louis. A volte lo aiutava anche a stendere i discorsi politici. Nei momenti delicati, come l'attentato di Felice Orsini[100] contro l'imperatore, Cavour ricorreva proprio ad Arese sfruttandone i rapporti di amicizia con Napoleone III. Faceva leva su quella conoscenza personale per rabbonirlo, o avvicinarlo. Insomma, tra cospirazioni, amicizie e vie traverse, il primo ministro torinese svolse un lavoro ai fianchi che raggiunse il risultato voluto: il convegno di Plombières, l'accordo a tavolino. Così nacque la guerra contro l'Austria, preceduta dal famoso discorso di Vittorio Emanuele sul «grido di dolore» del gennaio 1859. Nulla fu casuale. Il discorso del re venne a lungo preparato, limato, concordato con Napoleone III. Cavour lo elaborò, affidandosi alla penna del suo fido Massari. Il re modificò la parte che riguardava le parti finanziarie della guerra. Annunciando: «Leggerò la frase dell'orizzonte *non pienamente sereno* con voce cupa e posata».[101]

Il 7 gennaio arrivò a Torino il parere di Napoleone III sul testo: approvazione complessiva, ma con un'integrazione segnata personalmente dall'imperatore a matita. Conteneva la celebre affermazione «non siamo insensibili al grido di dolore che ci viene da tante parti dell'Italia». Cavour, lette le osservazioni arrivate da Parigi, si rivolse a Massari: «Vada a chiudersi e mi scriva subito un paragrafo in questo senso». Fu fatto. Con questa frase finale: «Dobbiamo rispetto ai trattati, ma non possiamo rimanere insensibili al grido di dolore, che da tante parti d'Italia si leva verso di noi». Alle 5 del pomeriggio, Massari consegnò il testo modificato. Con Cavour convenne che il discorso partorito dopo le osservazioni ricevute dall'imperatore conteneva frasi «più forti di quelle che Napoleone III ha voluto mitigare».[102] Era la conferma che da Parigi si voleva andare fino in fondo.

Si arrivò alla guerra, al comando di fatto dell'imperatore, alla prevalenza dei francesi in tutte le operazioni militari. In Piemonte tutti i poteri costituzionali vennero affidati al re e al governo, con la sospensione del Parlamento. Cavour rimase ministro della Guerra. Al di là della propaganda, gli italiani del Lombardo-Veneto arruolati nell'esercito austriaco restarono fedeli alle bandiere di Vienna e non si imbarazzarono a battersi con accanimento contro i piemontesi.[103] Indifferenza totale nelle campagne, poca simpatia verso i «liberatori». Il generale Paolo Solaroli, aiutante di campo del re, scrisse: «Dopo 17 ore di marcia a digiuno, alloggiai in una casa privata dove non ci avrebbero dato un bicchier d'acqua; gli altri nello stesso caso; che bei compatrioti veniamo a liberare!».[104]

Negli accordi Francia-Piemonte, si era parlato di 100.000 soldati e ben 50.000 riservisti che Torino avrebbe dovuto assicurare. Si riuscì ad arrivare a non più di 60.000 uomini in armi. Mancavano le uniformi per tutti. I piani di battaglia, come sarebbe stato poi costante nella storia d'Italia, non c'erano. Per fortuna c'erano i francesi, che il 4 giugno 1859 prevalsero a Magenta. Invece a San Martino, nell'unico scontro in cui furono impegnati i piemontesi contro gli austriaci, i morti di parte italiana furono solo 200.[105] Cifre da piccola scaramuccia. Dopo Magenta, nell'inferno di Solferino furono soprattutto i francesi a combattere e vincere per i loro alleati.[106] Patrick O'Clery scrisse: «I Piemontesi si vantarono di aver avuto la loro parte nella vittoria, ma per essi Solferino non fu che una sconfitta».[107] Eppure lo storico militare Piero Pieri parlò di «notevolissimo concorso alla vittoria da parte piemontese». Ma poi aggiunse, con analisi tecnica ragionata:

> Mancò di certo un'azione unitaria. Si può dire che vi fossero tre comandanti, Vittorio Emanuele, il suo capo di Stato Maggiore della Rocca e il ministro della Guerra a latere La Marmora; ma nessuna mente che davvero dirigesse e coordinasse la azioni [...] Napoleone si era mostrato un notevole uomo di guerra e l'organismo militare francese aveva mostrato la sua superiorità su quello austriaco.[108]

Per la causa italiana, persero la vita a Magenta 1622 francesi, 8530 rimasero feriti, mentre 1518 furono i dispersi.[109] D'altro canto la Francia aveva preparato le cose per bene: al Corpo legislativo venne chiesto un prestito di 500 milioni, mentre furono arruolati ben 140.000 uomini.[110]

Quanto costò quella guerra organizzata male e vinta di fatto dall'alleato francese? Non essendo sufficienti quei 50 milioni stanziati dal Parlamento, il governo piemontese fu costretto a rivolgersi alle banche straniere: i Rothschild, banchieri di origine austriaca ormai radicati a Parigi, e la banca inglese Hambro di Londra, garantite dall'incremento di tasse, introdotte in Piemonte dal ministro Cavour.[111] A tessere i rapporti con le banche francesi, ci pensò invece il marchese Ottavio Thaon di Revel.[112] Grazie alla carica di ministro delle Finanze, che mantenne anche quando divenne capo del governo nel 1852, Cavour era riuscito a farsi degli amici nel mondo economico europeo. Con il progetto della ferrovia da Torino alle Alpi e poi con il traforo del Moncenisio aveva attirato investimenti stranieri che tra il 1850 ed il 1860 raggiunsero il miliardo di lire.[113] Furono però sempre le guerre la spina nel fianco dei disavanzi di bilancio piemontese. E fu sempre indispensabile, proprio nell'imminenza delle guerre, affiancare ai prestiti pubblici fette consistenti di credito privato. Nutrito il numero delle banche amiche: Rothschild, Laffitte, Hambro, i fratelli Péreire. Poi gli ebrei francesi, contattati da Isacco Artom, proprietari del Crédit Mobilier.[114]

Per la guerra del 1859, un'impresa che aveva bisogno di denaro e non solo di parole, Cavour sfruttò tutte le buone conoscenze acquisite durante la gestione di sette anni di potere ai vertici ministeriali. Ma utilizzò anche amicizie datate, come quella del banchiere Alessandro Bixio,[115] fratello di Nino. Nello stesso periodo in cui promuoveva la legge per lo stanziamento di 50 milioni di lire, seguita da una seconda richiesta di 40 milioni, Cavour aveva deciso di puntare sui Rothschild di Parigi.[116] La trattativa fu lunga ed estenuante e portò a ottenere crediti anche da altri finanzieri, a condizioni di certo non vantaggiose per Torino. Proprio mentre l'ultimatum all'Austria e il messaggio d'intimidazione a Francesco V duca di Modena stavano per raggiungere l'obiettivo sperato. Le esche per provocare il conflitto erano state gettate.

Cavour era abituato ai prestiti stranieri per andare in guerra. Era successo già quattro anni prima, quando per la spedizione in Crimea del 1855 aveva dovuto ricorrere a più banche. Quella volta inglesi. Il primo ministro aveva colto al volo l'occasione di uscire dal guscio della piccola nazione per entrare nel giro delle grandi potenze europee: la guerra in Crimea contro la Russia in difesa della Turchia. Il corpo militare piemontese, affidato ai fratelli Alfonso e Alessandro La Marmora, fondatore del corpo dei bersaglieri che morì di colera nella spedizione, era alleato dei turchi, degli inglesi e dei francesi. Il denaro necessario venne trovato non solo nel solito stanziamento pubblico votato dal Parlamento, ma anche da 25 milioni di crediti bancari inglesi con un tasso d'interesse del 3 per cento.[117] A quello, seguirono altri due prestiti, sempre dalle stesse banche, con interessi pagati fino agli inizi del Novecento e da tutto lo Stato italiano, anche da quei contribuenti che, in quel 1855, non appartenevano di certo al Piemonte.

Alla fine, ancora una volta la buona stella accompagnò i militari piemontesi, che in Crimea erano 18.000. Parteciparono a una sola battaglia, alla Cernaia. Anche allora a sostenere lo scontro principale furono i francesi, mentre i piemontesi li affiancarono con l'artiglieria. Così, O'Clery poté commentare: «La prima vittoria italiana, in seguito all'alleanza con la Francia e l'Inghilterra, non avvenne in Crimea, ma al Congresso di Parigi del 1856 e fu di Cavour».[118] Non a torto. Alla Cernaia i morti piemontesi furono solo 14 e 170 i feriti. Il grosso delle perdite fu provocato dal colera: 1300 morti e un consistente numero di invalidi.[119]

In Crimea arrivò un primo gruppo di 5000 uomini, poi un secondo di 12.500. Il generale Alfonso La Marmora, allora quarantenne, parlava inglese e francese e affascinò molte mogli di ufficiali inglesi con la sua galanteria. Il contingente si sistemò in un campo centrale a Kamara. Con ironia, gli inglesi chiamarono i soldati piemontesi «sardine».[120] Arrivò il Congresso di Parigi del 1856, battistrada dell'alleanza e della guerra di tre anni dopo che ebbe una conclusione sgradita a Cavour. Quando Napoleone III decise, senza consultare Vittorio Emanuele né tanto meno il primo ministro piemontese, di firmare l'armistizio a Villafranca interrompendo la guerra con l'Austria subito dopo la battaglia di Solferino, il conte sbottò in una delle sue più famose sfuriate. Alla presenza di Costantino Nigra, incontrò il re a Monzambano e gli rimproverò a muso duro di aver accettato l'armistizio senza che ne fosse stato compartecipe. Il trattato, da ratificare poi a Zurigo, prevedeva la cessione della Lombardia alla Francia, che l'avrebbe girata al Piemonte. Il Veneto restava nell'impero asburgico. L'Italia centrale doveva far parte di una confederazione di quattro Stati. Cavour parlò di tradimento, alzò la voce. Il re rimase calmo e replicò: «Sta bene, Cavour, io pure avevo pensato molto di quanto lei mi ha detto; ma non è colpa mia se l'imperatore non vuole continuare la guerra».[121] A questa risposta, il primo ministro propose le sue dimissioni. Il re accettò subito, ma si mostrò offeso più da quel gesto che dalle parole che l'avevano preceduto. E alzando man mano la voce, commentò: «Per lor signori le cose vanno sempre perché aggiustano tutto con le dimissioni, ma chi non si può levar d'impaccio così comodamente sono io, io che non posso dimettermi, io che non posso disertare». Poi, troncando sul nascere ogni replica aggiunse: «Ella non è in condizione di continuare questo colloquio, vada a riposare e il riposo le darà calma e consiglio; domani ne riparleremo».[122] Un'altra versione e interpretazione della momentanea rottura tra il re e Cavour la diede Massari, che appuntò sul suo diario: «Il motivo principale per cui il re andò in collera con il conte fu perché questi gli rimproverò di non aver fatto nessun caso di La Marmora al campo. Ciò voleva dire che il re non era un buon generale».[123]

L'offesa personale alla presunzione del re che si reputava un grande stratega: Vittorio Emanuele toccato nel suo amor proprio. Due caratteri irascibili. Si sa poi come andò: a Cavour successe un governo presieduto da La Marmora, uomo di Stato sempre pronto a impegnarsi nei momenti difficili. Ma la sua assenza durò pochi mesi, così come l'esperienza di La Marmora al governo. L'imperatore era pronto a dare il suo via libera alle annessioni nell'Italia centrale, in cambio di Nizza e la Savoia. E pensare che, nell'accordo a Villafranca, i due imperatori, Francesco Giuseppe e Napoleone III, avevano stabilito che in Toscana e a Modena dovessero ritornare i principi che se ne erano allontanati per la guerra, concedendo la Costituzione. I colloqui austro-francesi furono mediati da Girolamo Bonaparte, che stese il testo definitivo anche sulla sistemazione dell'Italia centrale: «Il Granduca di Toscana e il Duca di Modena rientreranno ne' loro Stati, dando un'amnistia generale».[124]

Quanto valessero in quel periodo gli accordi scritti si vide qualche mese dopo. Il cinismo e il lavorio sotterraneo fecero subito dimenticare l'intesa tra imperatori.

Spioni, giornali e sobillatori

I trascorsi di Felice Orsini non davano certo lustro al Piemonte: omicida, per ragioni amorose, di un cuoco dello zio Orso;

rivoluzionario incarcerato dagli austriaci, ma poi, soprattutto, fedele mazziniano protagonista in passato dei moti di Massa e Carrara. Ce n'era abbastanza per prenderne le distanze. E infatti Cavour si affrettò subito a condannare l'attentato a Napoleone III di cui Orsini fu il principale artefice il 14 gennaio 1858. Ma il peccato originale che non si poteva perdonare a Orsini era l'aver simpatizzato per Giuseppe Mazzini, l'esule eterno e rivoluzionario repubblicano che non aveva mai voluto scendere a patti con i Savoia, ricevendone in cambio il perenne rifiuto all'amnistia della sua condanna a morte per i moti genovesi del 1831. Cavour lo considerava un «nemico pericoloso quanto l'Austria».[125] Un ricercato, un cospiratore fuorilegge, accolto a braccia aperte a Londra. In realtà, tra Mazzini e Orsini la rottura era stata consumata un anno prima dell'attentato all'imperatore, nel 1857. E lo stesso Mazzini condannò il gesto dell'ex affiliato alla Giovane Italia, accusando Cavour di aver inaugurato una politica di ipocrisie e menzogne. E non aveva tutti i torti. Al primo ministro piemontese l'esistenza di gruppi di rivoluzionari, teste calde capaci di infiammarsi con poco costrutto, faceva comodo. Gli serviva a dimostrare, quando gli era utile, che nella penisola la situazione era incandescente, come lo scontento diffuso. E che bisognava trovare una soluzione. Alla maniera del governo di Torino, naturalmente.

Con Orsini, però, Cavour sbagliò i conti. Con metodi collaudati, provvide a finanziare i disegni del rivoluzionario che aveva preso le distanze da Mazzini. L'obiettivo era dargli forza contro il fondatore della Giovane Italia. Con ipocrisia si riteneva Mazzini ispiratore dell'attentato a Napoleone III, mentre si erano finanziati i disegni del vero responsabile di quel gesto. Il politico inglese James Stansfeld[126] commentò che «era come se gli ebrei, una volta giunti in vista della terra promessa, avessero condannato a morte Mosè, il loro salvatore».[127]

Attraverso una rete di collaboratori non ufficiali, paragonabili agli attuali servizi segreti, Cavour aveva sovvenzionato di nascosto proprio Orsini e Giuseppe Pieri, complice dell'attentato all'imperatore. Non fu una sorpresa, quindi, che il primo ministro assicurasse in seguito anche una pensione alla vedova di Orsini.[128] Sembrò quasi naturale che, dopo l'attentato, l'imperatore maturasse la decisione di prendere in maggiore considerazione un'alleanza con il Piemonte. Ma lo spettro di un continuo pericolo mazziniano, alimentato dalla voce messa in giro ad arte della preparazione di un attentato al re, assicurò a Cavour anche la possibilità di far passare leggi restrittive sulla libertà d'informazione. Ai giudici fu imposto il pugno di ferro contro la stampa radicale, con sequestri che non badavano alle sottigliezze giuridiche. Con buona pace dello Statuto che all'articolo 28 riconosceva libertà alla stampa, pur annunciando che una legge ne avrebbe represso gli abusi. Il problema era come e chi dovesse riconoscere quegli abusi e cosa si considerasse tale.[129]

La politica dalle due facce: quella ufficiale e quella nascosta. Che fosse necessario controllare l'informazione Cavour lo comprese molto presto. Far circolare notizie interessate, pilotare la pubblicazione di discorsi e interventi, censurare o promuovere prese di posizione e avvenimenti furono i comportamenti di chi aveva già capito molto bene l'evoluzione della società. Il progresso e la diffusione del telegrafo favorivano ormai la rapida circolazione delle notizie. Ragione di più per non lasciarsene sfuggire il controllo. In questo, due furono gli uomini principali di Cavour: Guglielmo Stefani[130] e Giuseppe Massari. Fu Stefani, entrato subito nelle grazie del primo ministro per la sua affidabilità politica e personale ma anche per la sua abilità giornalistica, a diventare perno fondamentale nel controllo dell'informazione in Piemonte. Emigrato a Torino dopo il coinvolgimento nei moti del Veneto del 1849, fu assunto alla «Gazzetta piemontese», organo ufficiale del governo. Redattore e poi direttore, finanziato anche con fondi del patrimonio personale del re. Dopo aver compreso che il futuro era affidato alla capacità di raggiungere con le notizie più parti del mondo con rapidità, seguì gli esempi delle nascenti agenzie di stampa: la Havas in Francia, la Reuters in Inghilterra, la Wolff in Prussia. Anni frenetici: prima la cittadinanza piemontese, poi il trasferimento della direzione della «Gazzetta piemontese» nelle mani di Massari.[131] Cavour aveva capito l'importanza dell'agenzia, che era in grado di diffondere i suoi dispacci ovunque con il telegrafo sostituendo i piccioni viaggiatori, per indirizzare la politica e nascondere eventi sgraditi. Così, promosse molti provvedimenti a favore della nascente Stefani, prima agenzia di stampa nella penisola, come la franchigia sui telegrammi. A nulla valsero le proteste del senatore Ottavio Thaon di Revel. E quali fossero i rapporti tra Stefani, con il suo monopolio sulle notizie internazionali da diffondere a Torino utilizzando accordi con le altre agenzie di stampa europee, e Cavour lo spiega bene una lettera del 3 luglio 1857. Scriveva Cavour al giornalista, che stava lasciando la «Gazzetta piemontese» per fondare l'agenzia:

> Colgo l'occasione per esprimerle la mia soddisfazione per l'appoggio costantemente dato dal giornale ch'Ella diresse al Governo e pel modo con cui seppe estendere all'Estero la pubblicità dei suoi atti. Io non dubito che S.V. Chiarissima sappia in altri non meno utili lavori occupare l'ingegno e l'attività di cui diede tanta prova durante il suo soggiorno in Piemonte; e son certo che in essi Ella acquisterà nuovi titoli alla benevolenza del Paese, e alla benemerenza del Governo. La ringrazio poi dell'offerta dei suoi utili servizi, dei quali desidero che Ella sappia ch'io tengo conto e memoria.[132]

Cavour passò dalle parole ai fatti. Fece approvare dal Parlamento la proposta di un abbonamento del governo alla Stefani. Ci fu chi, come il deputato Filippo Mellana,[133] sostenne che non bisognava concedere privilegi, né monopoli a privati. Nonostante quelle osservazioni, l'agenzia fu finanziata con fondi segreti dal governo. Lo dimostra una lettera di Costantino Nigra a Guglielmo Stefani del 26 giugno 1854: «Il mio rapporto sull'agenzia ebbe l'approvazione del ministro. Nel primo consiglio dei ministri il conte di Cavour proporrà quindi e sosterrà il mantenimento dell'intiero assegnamento».[134] I finanziamenti segreti si aggiungevano alla concessione governativa. Cavour aveva idee spicce sulla libertà di stampa, anche in presenza dello Statuto. Il 5 febbraio 1858 chiese la chiusura del giornale mazziniano «L'Italia del popolo», sgradito a Napoleone III. Quando, nelle ultime fasi della guerra del 1859, l'agenzia Havas diffuse indiscrezioni sulla pace separata tra gli imperatori di Francia e Austria, la Stefani ignorò la notizia. E il solito Massari commentò: «Stefani ha avuto il buon senso di non dar pubblicità a questo dispaccio. È bene che il pubblico sia informato il meno possibile dell'altalena politica attuale».[135]

Il 18 ottobre 1853 c'era stata una dimostrazione a Torino. La folla, esasperata dalla carenza di pane, assalì la casa di Cavour. La «Gazzetta piemontese» raccontò della protesta, ignorando i particolari che coinvolgevano il primo ministro. Analogo il comportamento sulle agitazioni contadine esplose tra il 26 e il 28 dicembre in Valle d'Aosta.[136]

Fu la Stefani lo strumento di condizionamento, attraverso la selezione pro-governo delle notizie, dell'opinione pubblica del Regno di Sardegna. Con la guerra di Crimea, anche il Parlamento vi si abbonò per un anno a 720 lire. Si abbonarono anche una decina di giornali.[137] Fu proprio quel conflitto a segnare la nascita degli inviati di guerra dei giornali, sancendo anche l'importanza del lavoro delle agenzie di stampa ufficiali. La Stefani dimostrò la sua devozione al governo di Cavour anche nei momenti decisivi che portarono alla guerra del 1859. La notizia diffusa sull'attentato di Orsini ignorò che l'imperatore era rimasto ferito, dimenticando pure i nomi dei due attentatori arrestati e parlando di «detonazioni di proiettili vuoti» invece che di bombe. Decisione inversa, invece, per imposizione del primo ministro torinese, quando si conobbe il testo della lettera di Orsini scritta all'imperatore prima di essere giustiziato. Si comprese il grande effetto propagandistico dell'invocazione alla volontà di Napoleone III «per rendere indipendente l'Italia e tranquilla l'Europa».[138] E Cavour impose la pubblicazione integrale del testo a tutti i giornali. La morte di Orsini e Pieri rischiava, invece, di suscitare impressioni negative nei confronti dei francesi: la Stefani così la liquidò in sei parole. Secche: «Orsini e Pieri sono stati giustiziati». Ancora più risibile la notizia della partenza di Cavour per Plombières, dove si sarebbe tenuto il famoso incontro segreto con Napoleone III: «S.E. il conte di Cavour è partito da Plombières giovedì scorso dopo un soggiorno di 36 ore». Nulla sulla cessione di Nizza e della Savoia, nulla sulle Legazioni. Circolò solo qualche indiscrezione rosa sulle nozze tra la principessa Maria Clotilde e Girolamo Bonaparte. La musica non cambiò con la guerra del 1859, anzi. Le dimissioni di Cavour, dopo il burrascoso colloquio con il re, vennero diffuse con quattro giorni di ritardo.[139] Con i telegrafi nelle mani del governo, il loro utilizzo concesso in via privilegiata alla Stefani, il controllo delle notizie era totale. E si trattava ancora di un'attività visibile. Ben diversa dal ruolo svolto dai primi servizi segreti. Furono loro a occuparsi di promuovere, spesso in accordo con la Società Nazionale, le agitazioni nelle Romagne, o a controllare personaggi contrari al governo torinese.

Una pagina poco nota. Svelata da rivelazioni di un agente segreto di Cavour, Filippo Curletti, conservate all'Archivio di Stato di Modena.[140] Romagnolo, probabilmente nato a Piacenza nel 1818,[141] figlio di un magistrato fedele al papa. Giovane sveglio, disposto a tutto, fece parte dei comitati locali della Società nazionale. Entrò in contatto con il marchese Gioacchino Pepoli[142] e Marco Minghetti.[143] E raccontò di essere stato «sedotto dalle loro dottrine», tanto da diventare «uno dei loro agenti più zelanti».[144]

A Torino fu accompagnato da due lettere di presentazione. Arrivò allo studio di Cavour, dove c'erano 50 persone in attesa di essere ricevute. Curletti mostrò le sue lettere, ricevendo subito un incoraggiamento dal primo ministro: «Ho giusto bisogno di un giovinotto ardito e fidato».[145]

La sera stessa venne presentato da Cavour a un generale, che gli fece una specie di interrogatorio sui suoi trascorsi. Poi, quasi a sondarne l'attendibilità e la mancanza di scrupoli, fu incaricato di rapire una ragazza di Moncalieri «il cui fratello poco dopo fu nominato capo uffizio delle Poste».[146] Fu il primo incarico, poi ne seguirono altri al prezzo di 500 franchi al mese. Fu incaricato di diversi pedinamenti, a volte dallo stesso Cavour. Nutrito l'elenco delle persone da tenere sotto controllo: ufficiali, esponenti dell'opposizione moderata, o della sinistra. Come Urbano Rattazzi, Clemente Solaro della Margarita, Ottavio Thaon di Revel, Angelo Brofferio. Un incarico accompagnato da queste parole: «Bisogna che io sappia ciò che fanno ogni giorno, che persone ricevono, a chi scrivono, quali lettere ricevono e infine tutto, voi mi capite, i rapporti devono essere inviati a casa mia».[147]

Addirittura Curletti fu poi incaricato di tenere d'occhio l'imperatore al suo arrivo a Genova e ad Alessandria. Incarico svolto con l'aiuto ben pagato di un ispettore di polizia della casa imperiale, tal Hyrvoix.[148] Si intuisce dal memoriale che, di gente come Curletti, Cavour doveva averne molta a libro paga. Un altro fu Giacomo Griscelli, nato in Corsica, collegato al capo della polizia imperiale Pierre Marie Pietri, suo conterraneo.[149] Griscelli venne utilizzato da Cavour per più incarichi delicati, ma soprattutto per ottenere informazioni sull'imperatore.

Ma Griscelli agì altre volte anche con un altro personaggio oscuro al soldo di Cavour: Pasquale Totti. I due vennero spediti dal primo ministro sardo in Sicilia, durante la spedizione dei Mille. Già al servizio sia di Napoleone III sia del papa, dovevano probabilmente tenere sotto controllo le azioni di Garibaldi e dei suoi collaboratori in Sicilia. Vennero scoperti per lo zelo dell'ammiraglio piemontese Carlo Pellion di Persano, che, ignaro dei veri compiti affidati a Griscelli e Totti, li denunciò a Garibaldi ritenendoli sicari dei Borbone. I due vennero arrestati e la loro vera identità fu scoperta. Ci fu l'incidente: Garibaldi chiese l'espulsione degli arrestati insieme con un altro emissario di Cavour in Sicilia, l'ineffabile Giuseppe La Farina. Scrisse il «Giornale Officiale»:

> Per ordini speciali del Dittatore, sono stati allontanati dall'isola nostra i signori Giuseppe La Farina, Giacomo Griscelli, Pasquale Totti. I signori Griscelli e Totti, corsi di nascita, son di coloro che trovano modo di arrolarsi negli uffici di tutte le polizie del continente. I tre espulsi erano in Palermo cospirando contro l'attuale ordine di cose.[150]

Metodi clandestini. Per controllare amici e nemici. Cavour tentò anche di aizzare la rivolta nei Balcani per aprire un altro fronte che tenesse impegnato l'esercito austriaco. Con manovre tenute nascoste, come l'acquisto di 20.000 fucili dai francesi, per armare i rivoltosi. Quando il primo ministro si dimise dopo l'armistizio di Villafranca, la Francia reclamò i soldi per quella fornitura di armi. Ma nessuno, al ministero degli Esteri, riuscì a trovare documenti che dimostrassero l'esistenza dell'acquisto. Cavour, senza alcun imbarazzo, ormai fuori da incarichi governativi, riuscì poi, in gran segreto, a ottenere dai francesi di mettere tutto a tacere prima che i suoi successori venissero a conoscenza di qualcosa.[151] Ma dove il controllo tra ciò che era e ciò che doveva apparire del nostro Risorgimento trovò la più ampia applicazione fu nelle annessioni delle regioni dell'Italia centrale prima e nella conquista del Regno delle Due Sicilie poi. Le prove generali si ebbero nel 1859, con le commedie delle agitazioni e dei successivi plebisciti in Toscana e nei ducati di Parma e Modena. Proprio gli avvenimenti dei ducati fornirono i primi esempi di annessioni costruite a tavolino.

2
Alla conquista dei ducati

«Consci dinanzi a Dio e dinanzi agli uomini di non aver mai fornito alcun legittimo pretesto al Governo sardo di ammettere per parte sua una così fatta considerazione, dopo averla considerata ingiusta, dobbiamo anche considerarla contraria ad ogni analoga consuetudine internazionale.»

Protesta del duca Francesco V
di Modena, 14 maggio 1859

Non era ancora spuntata l'alba. In quel sabato 11 giugno 1859, Modena si preparava a vivere una giornata storica. Il duca Francesco V stava per lasciare la sua città. Per sempre. Funzionari, gente di corte, servitori si affollarono sulla piazza del Palazzo Ducale. Il duca salì a cavallo, trattenendo a stento l'emozione. A piccolo trotto, tra la gente che voleva salutarlo, arrivò in piazza d'Armi. Lo attendevano i suoi soldati. Immobili e commossi. Schierati in ordine. I soldati della Brigata estense: 3600 fedelissimi che, invece di passare subito dalla parte dei vincitori, scelsero di seguire il loro legittimo sovrano. Dal 30 aprile, la duchessa Adelgonda[1] era già partita per l'esilio viennese. Ora la seguiva il marito, travolto dagli eventi: i territori di Massa e Carrara erano stati aggregati al Regno di Sardegna con un semplice proclama, firmato dal conte Gustavo Ponza di San Martino, il 17 maggio. Niente era casuale in quei rapidi avvenimenti. Già a Plombières era stato stabilito che Vittorio Emanuele II avrebbe dovuto inviare al duca una protesta contro i continui soprusi sui sudditi modenesi. Un'interferenza nel governo altrui. Il Piemonte aveva messo gli occhi non solo sulla Lombardia e sul Veneto, ma anche su quegli Stati preunitari che nel 1815 avevano sottoscritto un trattato di alleanza con l'Austria: il granducato di Toscana, governato da Leopoldo II di Lorena;[2] i ducati di Parma, Piacenza e Guastalla, dove era reggente la duchessa Maria Luisa di Borbone,[3] e quello di Modena, con Francesco V d'Este.

Mai vi fu una dichiarazione di guerra del Piemonte ai tre ducati, mai un atto di ostilità prima di quel 1859. Invasioni contrarie ai trattati internazionali, nonostante le dichiarazioni di neutralità subito diffuse a Firenze e a Parma.

A cadere per prima fu Firenze. Il duca Leopoldo lasciò la sua capitale senza che fosse stato sparato un solo colpo di fucile. Già nel 1858 gli agitatori di piazza, guidati da Filippo Curletti, erano entrati in azione. Raccontò l'agente di Cavour: «I miei uomini dovevano disperdersi per gruppi nei quartieri esterni della città e cominciare a produrre degli assembramenti con le grida di *Viva l'indipendenza, abbasso i Lorena!*».[4]

Erano i famosi comitati predisposti da Torino per provocare le «agitazioni popolari». La Società nazionale eseguiva i suoi piani. Uno degli uomini fedeli al Piemonte, per due anni impegnato a favorire la caduta del granducato a Firenze, era Carlo Boncompagni di Mombello,[5] in quel periodo ambasciatore di Torino presso la corte toscana. Con lui, il barone Bettino Ricasoli,[6] che era stato in anni precedenti collaboratore di Leopoldo II. Fu proprio a Boncompagni che Curletti, con ottanta carabinieri travestiti da popolani, si presentò su indicazione di Cavour. Il piano d'azione venne studiato in una riunione con Bettino Ricasoli, Cosimo Ridolfi,[7] Vincenzo Salvagnoli.[8] Doveva essere organizzata una rumorosa agitazione sotto Palazzo Pitti per mettere le mani sulle casse pubbliche. Ricasoli avrebbe poi dovuto far occupare dai suoi uomini le sedi dei ministeri, delle poste e il palazzo granducale. Rivelò Curletti:

> Il piano riuscì puntualmente; alle 4 del pomeriggio, Boncompagni era installato nel palazzo del Sovrano presso cui era accreditato; alla stessa ora tutte le casse pubbliche erano vuote, senza che una sola lira sia entrata nel tesoro piemontese. Quelli che non avevano potuto prendere parte al saccheggio si installarono chi alle poste chi ai ministeri. Potrei citare più di dieci impiegati delle amministrazioni a Firenze che non posseggono altro titolo pei posti che occupano che l'attribuzione che se ne fecero a quell'epoca di loro propria autorità.[9]

Curletti rivelò di aver ricevuto per quell'azione un compenso di 6000 franchi e spiegò che le rivoluzioni di quel periodo, amplificate da giornali e propaganda, erano in realtà «opera di qualche uomo a cui due o tre funzionari comprati aprono le porte e di cui il popolo, per lo più indifferente alle questioni che si agitano, diventa il complice senza saperlo, prestando loro per curiosità o per desiderio di rumore, il soccorso imponente delle sue masse».[10]

Le «sollevazioni», esplose in città mentre le truppe erano impegnate a difendere i confini da eventuali invasioni, spinsero il duca a nominare un governo reggente e a lasciare Firenze. Non c'erano alternative: non poteva più contare sull'aiuto austriaco e i suoi soldati erano in gran parte già passati con i liberali piemontesi. Corrotti. A guidare l'esercito toscano c'era il tenente generale Federico Ferrari da Grado, che dal 1852 aveva riavviato la riorganizzazione delle milizie del granducato. Inflessibile, si era affidato soprattutto a due uomini: il capitano Giambattista Masini, che era segretario del ministero della Guerra, e Diego Angioletti, suo aiutante di campo. Ma furono proprio quei due uomini i primi a farsi corrompere dal Comitato liberale guidato da Boncompagni. Scrive Paolo Mencacci, ricostruendo le corruzioni dei militari che favorirono la caduta del granducato toscano:

> Guadagnati Masini e Angioletti, compri alcuni capi di corpo, come il maggiore Alessandro Danzino e il maggiore Cappellini, entrambi notissimi per i debiti contratti per le bische e per le cortigiane. A costoro furono pagate molte cambiali in iscadenza, e si giunse a indicarne perfino la somma, cioè lire 42mila al Cappellini e 35mila al Danzini. E perché le firme di essi non avean credito nemmeno presso gli strozzini, furono saldate da un marchese, che non vogliamo nominare, con il ribasso del 40 per cento. Egli si fece poi rimborsare dell'intero dai capi della congiura [...]. Corrotti, per opera di codesti, parecchi ufficiali ed un certo numero di sottufficiali.[11]

Una manovra ben riuscita. Boncompagni era stato istruito da Cavour: bisognava continuare a sobillare i militari del granduca, corromperli. A sorpresa, però, quando si tentò di convincere quei soldati a combattere gli austriaci, loro ex alleati, in molti preferirono disertare.[12] Già il 17 febbraio del 1859, molto prima dello scoppio della guerra contro l'Austria, annotava Massari nel suo diario: «Finisco la sera al Fiorio con Perrone, che parte per Firenze domani; stamane il conte di Cavour gli ha detto a chiare note essere necessario si faccia dell'agitazione in Toscana».[13]

In realtà, l'unico ostacolo a una rapida e indolore acquisizione della Toscana erano le divisioni politiche esplose a Firenze tra chi voleva un'annessione graduale e chi incondizionata a Torino. Vincenzo Salvagnoli, Bettino Ricasoli e Raffaello Lambruschini[14] avevano fondato il giornale «La Patria», che spingeva per l'annessione e criticava l'atteggiamento di Cosimo Ridolfi, in passato esponente del governo costituzionale del granduca.

Fu il 27 aprile 1859 a sancire il vero passaggio di poteri in Toscana. Due giorni prima, l'ambasciatore inglese a Firenze, Peter Campbell Scarlett, scriveva: «Da molte settimane il governo del Granduca credeva che gli intrighi del Piemonte, secondati dal signor Boncompagni, avrebbero aperta la via a un'insurrezione popolare [...] Ieri notte (26 aprile) le truppe, che erano state, come il popolo, da lungo tempo sedotte dagli agenti piemontesi e dai toscani partigiani della causa italiana, disertarono la bandiera del Granduca, inalberarono il vessillo tricolore italiano e fraternizzarono con la folla per le vie».[15]

Il granduca aveva lasciato Firenze, nominando un governo provvisorio. Senza spargimento di sangue, quegli uomini furono però subito messi da parte e sostituiti da un triumvirato, composto da Ubaldino Peruzzi,[16] Vincenzo Malenchini[17] e Alessandro Danzini.[18] La guida dell'esercito fu affidata al napoletano Girolamo Ulloa,[19] esule dal Regno delle Due Sicilie. In un proclama, si annunciò subito che in breve tempo sarebbe avvenuta l'annessione al Piemonte e si ordinò la requisizione di denaro e cavalli per sostenere eventuali spese di guerra.[20]

Ma le cose si erano complicate: tra i nuovi padroni della Toscana perdurava un clima di disaccordo totale. A Firenze, prevaleva la corrente autonomista. Così, Cavour fu costretto a chiedere a Boncompagni di rassicurare i toscani sulla sua intenzione di rispettare gran parte delle autonomie locali. Ma Salvagnoli, il più moderato tra i moderati, temendo rivoluzioni sociali chiese aiuto alle truppe francesi. Girolamo Bonaparte non se lo fece ripetere due volte: si precipitò a Firenze con il suo V corpo d'armata. Si scatenò un mezzo incidente diplomatico. La reazione torinese alla mossa francese fu immediata: il timore per i gruppi autonomisti alimentava il sospetto che la Toscana si appoggiasse al principe Bonaparte, nominando un suo governo costituzionale. Ricasoli prese male la diffidenza e l'interferenza piemontese nelle vicende toscane, considerandole prova di una volontà di annessione immediata, senza rispetto per le decisioni di chi non voleva sentirsi conquistato dal Piemonte. Insomma, contrasti, testimoniati dalla frenetica attività epistolare del presidente del Consiglio torinese.[21] Così, per esempio, scriveva Cavour a Boncompagni il 20 maggio 1859:

> Io non intendo d'invitare V.S. Ill.ma a provocare l'annessione immediata; ma bensì ad intendersi colle persone poc'anzi indicate per prepararla e per dirigere in questo senso la pubblica opinione. Contribuirebbe ad ottenere un tale scopo alcune misure di cui raccomando fin d'ora l'immediata adozione [...]. Avrà cura di studiare il modo più acconcio con cui a tempo debito dovrà aver luogo la manifestazione della volontà nazionale [...] senza ricorrere al pericoloso espediente del suffragio universale od a quello egualmente pericoloso della convocazione d'una assemblea.[22]

La propria volontà sopra ogni cosa, senza alcuna preoccupazione per le aspirazioni dei futuri sudditi. Boncompagni, unico uomo a Firenze di cui Cavour si fidava in quel periodo, bussava a denari. Chiese almeno 6 milioni per le spese di guerra, proponendo di sollecitare la richiesta di un prestito alla Francia.[23] Cavour, dunque, temeva i plebisciti, non comprendendo ancora quanto fossero manovrabili. Ma Napoleone III gli dimostrò come in Francia, con il sistema dei plebisciti, fosse stato facile truccare le elezioni. E come quelle votazioni riuscissero a dare l'illusione dell'esistenza di una spontanea volontà non solo dei «signori», ma anche di gente del popolo.[24] Nei giorni dell'11 e 12 marzo 1860 si andò alle urne. Tutti i maschi maggiorenni, esclusi i nullatenenti e gli analfabeti, potevano votare. In due giorni, si provò l'illusione di un diritto di cittadinanza esteso a tutti. In realtà, si trattava di una concessione a tempo limitato: quando poi si elessero i deputati al Parlamento torinese cui delegare il vero potere politico, si ritornarono ad applicare le ampie restrizioni di censo previste dalle leggi piemontesi. Il quesito proposto in Toscana, ma anche negli altri ducati, fu la scelta tra la monarchia Savoia e un regno separato. Quesito teorico, perché non vi fu alcuna possibilità di propaganda per chi fosse a favore dell'autonomia dal Piemonte. Ricasoli scese in campo con tutto il suo potere: sostituì sindaci, sciolse circoli, trasformò sostenitori del granduca in unitari incalliti. E poi mantenne il divieto alla libertà di stampa fino a cinque giorni prima delle votazioni. Dalla partenza del granduca, nell'aprile del 1859, la stampa in Toscana venne imbavagliata fino al 6 marzo 1860. Un vero esempio di democrazia liberale. Chi aveva influenza guidò colonne di elettori ai seggi. Lo scienziato Filippo Parlatore, originario di Venafro in provincia di Caserta e simpatizzante del granduca Leopoldo di Lorena, lasciò una testimonianza sui giorni che precedettero il plebiscito a Firenze. Parlò di biglietti con il voto del «sì» stampato, esibito sui cappelli e «diffuso dal governo a migliaia e migliaia di copie per ogni parte». E aggiunse: «I signori, i patrizi e gli altri partigiani di questi, perché perseguitati o malvisti dagli agitatori che l'insultavano e fin gli rompevano i vetri delle finestre e eccitavano contro ad essi l'ira del popolo».[25]

Per le strade, affissi sui muri, manifesti inneggianti a Vittorio Emanuele. Tutti con gli stessi caratteri, segno che erano stati preparati in anticipo e dalla stessa tipografia. Il barone Michele de Mosbourg, ambasciatore francese a Firenze, descrisse in un dispaccio del 5 marzo l'aria che tirava in vista dei plebisciti: «Il solo fatto che l'opposizione non abbia né organo, né facoltà di discutere, inficerà sempre la sincerità di questo voto. [...] L'opposizione si tradurrà in astensioni».[26] Il risultato, scontato, furono 366.571 favorevoli all'unione con il Piemonte. Contrari 14.952. Lo spirito di autonomia dal Piemonte dimostrato dal «barone di ferro» Ricasoli, il suo strapotere furono motivi validi per attirargli la diffidenza di Cavour, in un primo tempo contrario a nominarlo governatore della Toscana. Ma il primo ministro dovette fare buon viso a cattivo gioco. In fondo, Ricasoli era pur sempre un moderato, anche se su di lui la pensava così: «Mi è antipatico, non è amministratore, spreca i milioni. E poi mi farebbe la rivoluzione nelle Marche e nell'Umbria».[27]

La Toscana era ormai parte del Piemonte. La solita agenzia Stefani provvide a lasciarne traccia entusiastica ai posteri.

Sedici notizie, tutte pubblicate dalla «Gazzetta piemontese». Quella del 16 marzo 1860, che portava l'orario delle 12,35, è illuminante più delle altre: «Alla piazza della Signoria riunivansi migliaia di cittadini e la città echeggiava di acclamazioni patriottiche. L'entusiasmo al momento della proclamazione è stato indicibile. I forti delle città hanno fatto una salve di 101 colpi di cannone».[28] Nessun accenno critico. Ben altro sarebbe stato l'atteggiamento nel riferire invece l'andamento dei plebisciti per l'annessione di Nizza e la Savoia alla Francia. La notizia del trattato di Torino per la cessione venne ignorata dalla Stefani e diffusa per primo, invece, dal «Moniteur» di Parigi. L'agenzia piemontese, nel dare l'informazione, parlò di «riunione» alla Francia e non di «cessione». Una bella differenza: trasformare una perdita territoriale in una restituzione. Nessun accenno alla cerimonia religiosa, organizzata a Nizza l'11 marzo 1860, a favore della permanenza della città nello Stato del Piemonte. Il 1° aprile, vennero diffuse notizie tranquillizzanti sulla situazione della città in vista del plebiscito. Era il controllo scientifico dell'informazione.

I trentacinque giorni della duchessa

Mettere le mani sul ducato di Parma, Piacenza a Guastalla fu un giochetto da ragazzi. Addirittura, quando gli austriaci si ritirarono da Milano e dalla linea dell'Adda concentrandosi sul Mincio e il Po, i francesi si dichiararono disposti a concedere al Piemonte, tra quelli dell'Italia centrale, solo il territorio parmense. A Parma, da cinque anni Maria Luisa di Borbone guidava le sorti del ducato. Aveva il ruolo di reggente per conto del figlio Roberto, di appena 6 anni. Nel 1854, un mazziniano, il sellaio Antonio Carra, le aveva ucciso il marito, Carlo III,[29] e da allora, di fatto, era lei a capo del ducato. Una donna, l'unica con responsabilità di governo in quell'Italia preunitaria. Anche a Parma, dopo la Toscana, comparvero glì uomini prezzolati di Curletti: «Ebbi l'ordine di rendermi immediatamente a Parma per dare la mano al conte Cantelli.[30] [...] Mi riuscì facile; gli emigrati di Roma, Milano e Venezia mi fornirono gli elementi della mia truppa. Le cose si svolsero a Parma come a Firenze, non si allontanò l'armata, ma il generale Trotti prese il partito più semplice di consegnarla nella cittadella».[31]

Il puntello della «rivoluzione parmense», Girolamo Cantelli, non aveva un passato limpido. Nei giorni dei tumulti del 1848, si era impossessato di 80.000 franchi. Dopo la restaurazione di Carlo III a Parma, era stato condannato a morte e alla restituzione di quella somma. La duchessa lo aveva graziato, consentendogli il ritorno in patria dall'esilio di Genova.[32]

Il 1° maggio 1859, la duchessa lasciò Parma, nominando un governo provvisorio. Interpretando a suo modo le agitazioni provocate dagli uomini di Curletti, «l'Opinione» di Torino tre giorni dopo scriveva: «La popolazione di Parma si riunì in modo considerevole [...] domandando di volersi unire al Piemonte. La Duchessa, anziché aderire al voto della popolazione, se ne fuggì, costituendo una reggenza composta dai suoi Ministri. La popolazione non ha accettata la reggenza e dichiarò di volersi unire al Piemonte immediatamente».[33]

Invece, dopo quattro giorni, Maria Luisa di Borbone ritornò a Parma, scortata dai suoi soldati e tra gente in festa. Scrisse la duchessa: «Ho parlato un poco per ciascuno a tutta questa brava gente. Hanno voluto trascinare la mia carrozza sin presso i Cappuccini e si ostinavano a condurmi fino al palazzo».[34] Fu un'illusione. Che durò appena 35 giorni e terminò il 9 giugno. La polizia parmense scoprì diversi depositi di armi, nascoste dagli uomini della Società Nazionale.

Su incarico del governo piemontese, intanto, si muoveva il generale Ignazio Ribotti[35] al comando di una brigata detta «Cacciatori della Magra». Con una prima violazione delle norme internazionali: senza dichiarazione di guerra e senza alcuna azione ostile del ducato verso le truppe piemontesi, gli uomini di Ribotti varcarono il confine ed entrarono a Pontremoli. Il prefetto, marchese Appiani di Piombino, rifiutò di riconoscere l'autorità piemontese e venne arrestato. Sorte analoga ebbero alcuni gendarmi. Nelle stesse ore, un corpo di 700 toscani si schierò con l'artiglieria non lontano da Pontremoli. Così venne conquistata una città che non si considerava in guerra.[36]

La duchessa tentò di ricorrere alle vie diplomatiche, chiese ragione a Cavour, ribadì la sua neutralità nella guerra in corso contro l'Austria e sollecitò la liberazione del marchese di Piombino. La risposta del primo ministro torinese fu quasi sprezzante: «Il Ducato di Parma, essendo la base d'operazione dell'armata nemica, non è possibile impedire che, anche da parte nostra, non accadano ostilità».[37]

Schiacciata dalle invasioni e dalle rivolte organizzate, la duchessa decise di cedere il 9 giugno. Salutò i soldati e i suoi fedelissimi. Poi, in carrozza, partì, attraversando in perfetta tranquillità tutte le vie di Parma. Lasciò un proclama, in cui invocava a testimoni del suo operato i sudditi e la Storia. E aggiunse: «Idee più ardenti, lusinghiere per menti italiane, sono venute ad inframmettersi ai progressi pacifici e saviamente liberali, ai quali tutte le mie cure erano rivolte. [...] Non riuscendo possibile una situazione neutrale, quale pur sembravano consigliare le condizioni eccezionali fatte da quelle convenzioni del mio territorio, cedo agli eventi che premono».[38]

Lasciò poi istruzioni a un governo provvisorio e un messaggio ai suoi soldati. Parlava di «forze irresistibili» e invitava tutti a «cedere dignitosamente» per evitare inutili spargimenti di sangue. Infine, sciolse tutti dal vincolo del giuramento di fedeltà. Il podestà si dimise subito e alle 4 del pomeriggio il cambio di poteri era già cosa fatta. Venne in poche ore nominata una commissione di governo che soppiantò gli uomini della duchessa. Ne era presidente, naturalmente, Girolamo

Cantelli. Passò poco e il 16 giugno da Torino si provvide a nominare un commissario incaricato di amministrare il ducato di Parma per conto del Piemonte: il conte Diodato Pallieri.[39] Era un vero e proprio governatore, come Ricasoli a Firenze, o Farini a Modena. A Pallieri successe l'avvocato Giuseppe Manfredi,[40] che avrebbe promosso l'unificazione amministrativa di Parma con Modena. Il plebiscito ripropose scene già viste in Toscana. I dati per l'intero territorio dell'Emilia, che includeva la Romagna ex pontificia, Modena e Parma, furono ridicoli: 426.006 favorevoli all'annessione, solo 756 contrari e 750 nulli.

Quasi un secolo dopo, nel 1945, Luigi Salvatorelli avrebbe scritto che «la fusione tra monarchia e popolo fu trovata nei Plebisciti», soluzione che fu «più conforme all'interesse immediato monarchico che all'esigenza democratica nazionale». E aggiunse: «Non c'era scelta tra il ristabilimento dei vecchi governi e l'annessione al regno di Vittorio Emanuele. Invece dell'annessione, sarebbe occorsa, però, la costruzione, cioè la Costituente».[41]

Delle regioni annesse al Piemonte dopo la guerra del 1859, solo alla Lombardia si risparmiò la farsa del plebiscito. La motivazione fu che in quel territorio la popolazione si era già espressa a favore del Regno di Sardegna undici anni prima: l'8 giugno 1848, con una votazione indetta dal governo provvisorio di Milano. Ma per un anno nella Lombardia non più austriaca rimase una guarnigione francese, nonostante la già avvenuta consegna formale al Piemonte. A Torino, si resero conto che l'assorbimento amministrativo di una regione così ricca e comunque ben governata dagli austriaci non fosse cosa facile. E si nominò una commissione, presieduta dal conte Cesare Giulini della Porta,[42] per stabilire i criteri dell'integrazione di leggi e consuetudini. Tra le decisioni, il mantenimento delle barriere doganali con il Piemonte: erano utili al fisco e davano tempo all'industria lombarda di adeguarsi alle tariffe piemontesi. Un riguardo economico che non venne in seguito mantenuto per le regioni meridionali. La commissione suggerì un periodo di studio sui due sistemi amministrativi, quello piemontese e quello lombardo, per consentire il graduale adattamento dei nuovi territori alle norme di Torino. Il generale La Marmora, presidente del Consiglio piemontese in carica, era però di parere diverso, decisamente contrario a perdite di tempo: voleva subito imporre alla Lombardia usi e leggi piemontesi. La decisione venne allora presa con decreto regio. Per fortuna di chi voleva l'annessione immediata, c'era ancora lo «stato di guerra» e il Parlamento non fu convocato per sei mesi: ogni provvedimento veniva approvato con «poteri di emergenza». Comprese questioni tanto delicate e fondamentali per il futuro assetto dell'Italia,[43] come l'estensione delle norme amministrative.

La Brigata che non volle diventare italiana

Le truppe austriache avevano lasciato anche Modena. La sconfitta di Magenta aveva causato la ritirata verso il fiume Mincio. Carri di feriti, vettovaglie, cannoni. Era il 4 giugno 1859, Francesco V era rimasto senza difesa. Proprio lui che, a differenza di Leopoldo di Toscana e di Maria Luisa di Borbone, non si era mai dichiarato neutrale, ritenendosi ancora vincolato al trattato di alleanza con l'Austria di quarantaquattro anni prima. Un accordo che, tra i suoi effetti, prevedeva anche reciproci aiuti militari in caso di aggressione. Le truppe modenesi erano state prese tra due fuochi, senza più alcuna possibilità di difendere il ducato. Ai francesi e ai piemontesi si erano aggiunti i soldati toscani che, sotto il protettorato torinese, si consideravano in guerra contro Modena. Scrisse il «Messaggero di Modena», giornale della capitale estense:

> Il 22 del cadente mese, le forze estensi si ritiravano tranquillamente, stabilendo il successivo giorno 23 i loro accantonamenti oltre il Cerreto nei luoghi prestabiliti. Quanto poteva

temersi accadeva. Dopo il ritiro delle nostre truppe, prima emigrati e guardie nazionali sarde, poi forze più o meno regolari sarde e toscane, impedivano alle Comunità estensi della Lunigiana, e poscia della Garfagnana, il regolare loro andamento, e vi spingevano sopra violentemente quella usurpazione medesima, che già s'era stabilita ed organizzata in Massa e Carrara.[44]

Lo stesso giornale quattro giorni dopo si affrettava ad avvisare che, nonostante le «scorrerie», il ducato si manteneva tranquillo. Ma ecco il primo colpo di mano: il principe Eugenio di Savoia Carignano, luogotenente del re in Piemonte, firmò un decreto per conto del fratello impegnato in guerra. Dichiarava, già a partire dal 28 maggio, che le poste della Lunigiana appartenevano allo Stato sardo. Un primo passo verso il controllo delle comunicazioni telegrafiche. Controllo importante in una guerra in corso. Il provvedimento ebbe ulteriori conseguenze: il Piemonte dichiarò di avere sotto la sua giurisdizione, di fatto, anche gli uffici telegrafici di Massa e Carrara. Un sopruso, accompagnato da un articolo della «Gazzetta piemontese» che il 2 giugno riferiva:

> Massa e Carrara, pronunziatesi spontaneamente e senza alcuna collisione per la causa nazionale, hanno proclamato la dittatura del re Vittorio Emanuele. Essendo quella popolazione minacciata da una colonna di truppe estensi, il Governo, che si considera in istato di guerra col Duca di Modena, ha spedito forze militari per proteggere e mantenere la pubblica tranquillità.[45]

Anche a Massa e Carrara il governo piemontese nominò un commissario straordinario: l'avvocato Vincenzo Giusti. Era il 27 aprile 1859. Solo tre giorni dopo, nel terzo bollettino di guerra pubblicato dalla «Gazzetta piemontese» venne riferito che Torino si considerava in guerra contro il ducato di Modena, che aveva consentito il passaggio delle truppe austriache sul suo territorio. Affermazione mai accompagnata da formale dichiarazione di guerra del Piemonte all'ambasciatore modenese.[46]

In realtà, le truppe austriache passarono sul territorio modenese solo il 2 maggio. La denuncia piemontese risaliva a due giorni prima, mentre le invasioni prive di dichiarazione di guerra erano cominciate già il 26 aprile. L'accusa al duca era dunque un pretesto formale per giustificare un'usurpazione, come tentò di spiegare il «Messaggero di Modena».

Ma non potendo controllare la situazione, Francesco V lasciò Modena, nominando una Reggenza di cinque persone. Durò poco. Il 15 giugno, l'avvocato Luigi Zini, emigrato estense, si insediò con i poteri di commissario straordinario di «Sua Maestà sarda». Suo primo provvedimento fu sequestrare il patrimonio privato del duca. La cassa. Venne appoggiato dai soldati del generale Ribotti, che entrarono in città. L'occupazione era cominciata. Commentò Curletti: «La condotta del duca è inconcepibile, se non si suppone che sia stato ingannato sulla vera situazione delle cose. Sono convinto, per mia parte, che sarebbe bastato un colpo di fucile per mandare a vuoto la cospirazione di Modena».[47]

A sorpresa, il duca si trovò accanto la sua Brigata estense che non lo abbandonò. Erano 3623 uomini. Partirono tutti con lui. Non si fecero intimorire neanche dal decreto di Farini, che subentrò a Zini con il titolo di dittatore delle province provvisorie su designazione del principe di Carignano: il 27 settembre 1859, intimò ai soldati di Francesco V di rientrare, promettendo promozioni a chi obbediva e severe punizioni a chi non rispondeva all'appello. Intimidazioni e lusinghe. Furono in pochi ad ascoltarlo, mentre dal ducato, al contrario, partivano per l'Austria molti giovani modenesi che chiedevano di arruolarsi e unirsi alla Brigata estense. Le truppe in esilio di Francesco V, caso unico tra le milizie dei ducati, raggiunsero in pochi mesi un organico di 5000 uomini.[48] Si sistemarono a Bassano e Francesco V ne scrisse al marchese di Normanby in questo modo: «La mia truppa, divisa dal proprio paese, si è reclutata con volontari assai meglio che quando io teneva l'autorità in mano».[49]

L'organico di quella truppa arrivò a 158 ufficiali, molte centinaia di sottufficiali e il resto soldati. Tutti in armi, tranne 200 che preferirono restare sul suolo austriaco senza continuare il servizio militare. Rimasero in esilio per 52 mesi. Con il loro duca. Pagina poco conosciuta, ma singolare nel Risorgimento italiano. L'Austria già nel 1861 cominciò a provare imbarazzo per la presenza di quelle truppe armate, che appartenevano a un territorio ormai parte integrante del Regno d'Italia. Il Parlamento di Torino invitò l'imperatore Francesco Giuseppe a risolvere la questione definita «anomala». L'anno dopo, il 21 settembre 1862, Vittorio Emanuele II firmò il suo decreto di amnistia politica. Ai militari della Brigata estense si concedevano sei mesi di tempo per tornare in Italia. In caso contrario, avrebbero perso i diritti politici e civili, con il sequestro dei loro beni. Francesco V decise allora di autorizzare il congedo dei suoi soldati a partire dal febbraio del 1863. In pochi utilizzarono quell'opportunità: solo 12 ufficiali e 160 soldati.[50] Una decisione amara, ma realistica. Presa non senza dolore, come testimonia una lettera del duca al suo ex ministro, il marchese Teodoro Bayard de Volo: «La sorte dei vecchi soldati non assicurati è il punto scuro di tutto [...] La dissoluzione attuale rende per se stessa impossibile l'esistenza di Stati piccoli ed impossibile la fedeltà futura, giacché si vede che chi è fedele viene sacrificato dal nemico e dall'amico».[51] Era la premessa all'addio.

Il 24 settembre 1863, la cerimonia del distacco del duca e della duchessa Adelgonda dalle loro truppe fedeli. A Cartigliano Veneto si celebrò una Messa da campo. Gli uomini della Brigata, comandata dal generale Agostino Saccozzi, vennero tutti decorati con una medaglia d'argento appesa a un nastro bianco e blu. Su un lato, l'effigie di Francesco V, sull'altro la scritta «Fidelitate et constantia in adversis, 1863». Erano rimasti, dopo tre anni, 2564 soldati e 158 ufficiali. Il duca tenne un discorso. Augurò a tutti buona fortuna nella speranza di poter rivedere quei suoi uomini attorno alle sue bandiere.[52]

Tra quei soldati, c'era Domenico Panizzi. Ricordò: «Le truppe sfilarono al cospetto dei Sovrani commossi da quella scena straziante [...] Fu vinto d'improvviso il ritegno della militare disciplina ed i soldati, rotte le file, si affollarono intorno alla carrozza della regal Duchessa ed appresso al cavallo dell'amato Sovrano, gridando Evviva ed Addio!».[53]

Al congedo aderirono un ufficiale e 1200 soldati, che tornarono a Modena. Li attendeva una sorte amara. Senza tener conto delle promesse fatte, una circolare del ministero della Guerra, successiva al decreto di amnistia del re, dispose che chi aveva servito il duca dopo il 1859 doveva essere arrestato e giudicato come disertore e renitente. Una beffa. Anche perché gli uomini della Brigata estense, unici tra i soldati in servizio nei ducati preunitari, non erano stati autorizzati a venir meno al loro giuramento di fedeltà fino al 1863.

I 782 militari che preferirono l'esilio al rientro a casa si arruolarono invece tutti nei reggimenti austriaci. Vennero accolti dal tenente maresciallo Luigi Pokorny. Il 5 ottobre 1863, Pokorny diede loro il benvenuto nell'esercito austriaco con un discorso. Parlò di «esempio raro di forza d'animo, fedeltà e attaccamento al Duca». Poi consegnò loro la bandiera del reggimento. Al centro risplendeva lo stemma estense.[54] Una piccola parte del ducato di Modena sopravvisse così nelle divise di quegli uomini, che conservarono, come era regola nell'esercito austriaco,[55] la loro identità di provenienza. Il simbolo del ducato di Modena, così, comparve anche sui campi di battaglia della Terza guerra d'indipendenza. Tre anni dopo.

Il malgoverno di Farini

Partito il duca, investito di pieni poteri, Farini divenne padrone incontrastato di Modena. Curletti raccontò che il primo ordine ricevuto fu quello di impadronirsi di tutte le chiavi del Palazzo Ducale, comprese quelle della cantina. L'argenteria con lo stemma di Francesco V venne fusa. Raccontò l'agente di Cavour al servizio di Farini: «Mi fu ordinato di comunicare ai giornali un articolo, che tutti hanno potuto leggere, nel quale era detto che il Duca, partendo, aveva portato via tutta la sua argenteria e tutti gli oggetti di valore e non aveva, per così dire, lasciato che le quattro mura».[56]

Come riciclare, senza lasciar tracce, beni privati di un sovrano spodestato. Per otto giorni, Farini si approvvigionò dal titolare di un albergo, il «San Marco» di Modena. Il costo del vitto era di 7000 franchi, pagati con un brevetto di colonnello accettato dal titolare dell'albergo. Un cuoco divenne così ufficiale dell'esercito, senza aver mai combattuto. Stessi metodi erano stati usati da Ricasoli in Toscana, dove 6000 franchi dovuti per il nolo di carrozza e cavalli erano stati pagati ad Alfredo Bianchi con una nomina di segretario al ministero dell'Interno.[57]

La cattiva amministrazione e la dittatura assoluta di Farini si nutrirono anche di ricatti a ex simpatizzanti del duca. In cambio di un vuoto di memoria sul loro passato, veniva chiesto denaro. Due banchieri dovettero versare non meno di 4000 franchi a testa per il silenzio. Abusi e strapotere di certo conosciuti a Torino. E motivo di malcelato imbarazzo per lo stesso conte di Cavour, che fu costretto a chiudere gli occhi. Ne diede conferma Massari, che annotò nel suo diario lamentele sul «lusso biasimevole» del dittatore e di 50.000 franchi scomparsi nel nulla, che sarebbero dovuti andare a un giornale. Scrisse il collaboratore di Cavour: «È un caso assai grave, se si sapesse, farebbe molto torto a Farini. Quel benedetto uomo è la leggerezza personificata in cose finanziarie».[58]

Più che leggero, il dittatore mostrava senza maschere il suo temperamento autoritario e la sua ambizione. Era ubriacato dal potere, senza controllo. Il suo compito di regio commissario doveva esaurirsi in un mese, ma la poltrona cominciò a piacergli. E fece sapere a Torino che sarebbe rimasto da cittadino privato a Modena, dove volevano assegnargli anche la cittadinanza onoraria. A Torino si capì l'antifona, nonostante gli imbarazzi per le voci sulla confusione e l'anarchia diffuse nell'ex ducato estense. Trovare un sostituto con uguale potere e capacità di controllo della situazione, un uomo con al soldo tanta gente priva di scrupoli non era facile. Risultato: si trasformò il regio commissario in dittatore delle province provvisorie. Con l'aiuto degli uomini di La Farina e di Curletti, vennero organizzate le dimostrazioni di piazza per spingere Torino a confermare il dittatore destinato a rientrare in Piemonte. Curletti raccontò di aver riunito quasi tutti i suoi uomini sul piazzale del Palazzo Ducale per la manifestazione, aiutati da «tutti i carabinieri e gli agenti di polizia che si trovavano a Reggio, Carpi, Mirandola e Pavullo».[59]

Farini, per undici anni esule, rientrava nella sua terra d'origine. Si insediò nel Palazzo Ducale con la moglie Genevieffa Cassiani, spargendo la voce che non aveva trovato denaro né beni di valore riuscì a non versare soldi all'erario piemontese. Curletti raccontò tanto e fu singolare che, quando venne arrestato per reati comuni nel 1860, fu aiutato a evadere. Probabilmente, era in possesso di carte segrete tali da poter ricattare uomini diventati potenti nel Regno d'Italia in fasce.[60]

Di fatto, Massari annotò che Farini si era circondato di «troppa canaglia».[61] A ottobre del 1859 quella dittatura mostrò il suo volto peggiore, coprendo l'omicidio del colonnello Luigi Anviti, marchese ed ex comandante dei gendarmi della stazione di Pontremoli nel ducato estense. Era rientrato tranquillo nelle sue terre d'origine, perché gli era stato assicurato che non gli sarebbe stato fatto del male. Invece fu vittima di vendette personali per vicende passate. Al confine del ducato, il marchese fu riconosciuto in treno e arrestato. Era il 5 ottobre 1859. Fu trasportato a Parma, scortato da cinque carabinieri. La folla cominciò subito ad assediare il luogo dove il colonnello era stato rinchiuso. I cinque carabinieri non poterono trattenere l'assalto della gente inferocita. Un linciaggio mortale. Torturato per cinque ore lungo le strade di Parma, Anviti venne sgozzato e decapitato. Un'azione forse organizzata ad arte. E Curletti ne fornì conferma con i suoi dubbi sulla spontaneità di un'aggressione incontrollata, nonostante a Parma vi fosse una guarnigione di circa 6000 uomini.[62]

Per l'omicidio, su sollecitazione francese, vennero arrestate ventisette persone, che poi evasero in circostanze misteriose. Curletti riferì di incarichi ottenuti da chi, con la sua negligenza, aveva consentito il linciaggio di un uomo definito da Farini «particolare».[63] Massari annotò: «Farini è disperato, Manfredi è complice del caso Anviti, ai veri colpevoli è stato dato denaro perché vadano via [...] quando fu commesso l'omicidio Anviti, Farini stava in campagna e a tre dispacci elettrici del suo segretario particolare rispose la notte esser tutta per dormire».[64]

Quattro anni prima, il 13 aprile 1855, Anviti era stato vittima di un attentato. La scampò, ma non si riuscì a individuare il vero colpevole. Furono invece arrestati quattro uomini che non c'entravano con l'aggressione. Uno fu condannato a morte e fucilato, un secondo si suicidò in carcere. Gli altri restarono molti anni in prigione. Il comportamento ambiguo tenuto dal colonnello in quella vicenda, il suo atteggiamento spavaldo e arrogante gli avevano procurato molte antipatie. E tante inimicizie, soprattutto negli ambienti vicini alla malavita. Probabile che proprio in quegli ambienti sia maturata la vendetta, sfociata nel brutale e selvaggio linciaggio di cinque ore con tanto di decapitazione e colpi di rivoltella scaricati sul cadavere ormai scempiato. A Farini, poi, non estraneo ai guadagni sui ricatti agli ex simpatizzanti dei duchi in esilio, quella morte poteva far comodo. Poteva suonare come un avvertimento: guardate, se vengono rivelate le vostre antiche passioni politiche, potete rischiare grosso. Interessi coincidenti furono forse all'origine della passività con cui i gendarmi assistettero a un omicidio impunito.[65] Le prime annessioni al Piemonte erano compiute. Con metodi spregiudicati, presto estesi ovunque.

3
L'invenzione delle camicie rosse

«Questa spedizione è assai singolare, e ancor più singolare da parte dei Napoletani che dei Garibaldini. Come è possibile che della gente avvertita in tempo e dotata di forze così ragguardevoli si lasci scacciare dall'isola, dopo aver subito perdite così basse che è perfino ridicolo parlarne?»
Lettera della marchesa Costance d'Azeglio
Alfieri al figlio, 24 giugno 1860

Non cominciò affatto bene quel 1860, sia nella vita pubblica sia in quella privata. Giuseppe Garibaldi aveva 53 anni e alle spalle tante avventure che lo avevano fatto diventare un mito popolare: le guerre in Sudamerica, la difesa della Repubblica romana e la rocambolesca fuga dagli austriaci costata la vita alla moglie Anita, la partecipazione alla Seconda guerra d'indipendenza, l'illusione di essere diventato il comandante della nascente Lega militare di Toscana, Romagna, Parma e Modena. Illusione, perché poi scoprì che, in realtà, il comandante era Manfredo Fanti e a lui, come paravento, era stato riservato solo il ruolo di vice. Ma le disgrazie non erano ancora finite e proseguirono proprio quando sembrava che l'avvicinamento a Cavour e alla dinastia Savoia si fosse compiuto grazie agli eventi positivi del 1859: arrivarono la cessione della sua amata Nizza ai francesi e l'amore per la giovane marchesina Giuseppina Raimondi lo infiammò a tal punto da indurlo a chiederle di sposarlo. Il matrimonio venne fissato per il 24 gennaio 1860. Ma proprio nel giorno del coronamento di quell'amore travolgente, come ne aveva avuti tanti il generale, accadde l'imprevedibile. All'uscita della chiesa, Garibaldi venne raggiunto da un militare. Gli consegnò un bigliettino, lui lesse e cambiò espressione. Il sorriso lieto si era trasformato in rabbia.

Si avvicinò alla marchesina, tra gli sguardi sorpresi degli invitati. La prese per un braccio: «Leggete, è vero? Signora, siete una puttana!».[1]

Garibaldi aveva scoperto che la donna che aveva sposato da pochi minuti aspettava un figlio. Ma che il padre era un altro uomo: Luigi, detto Gigio, Caroli, ex amante della marchesina. Un duro colpo per l'onore privato del generale costretto poi a fare i conti anche con i pettegolezzi su un altro amante della giovanissima moglie, il marchese Rovelli.[2] Di quella vicenda si parlò molto anche a Torino e Massari annotò sul suo diario: «Si ride molto con Hudson del caso di Garibaldi. [...] Entro dal conte, non sa nulla di Garibaldi né dove sia, e si diverte molto sull'aneddoto. [...] Ne ride assai; mi narra che al primo annuncio Vittorio Emanuele fu rammaricato. Ciò fa onore al suo cuore, ma poi stamane rideva, e diceva: "Doveva fare la prova non dopo, ma prima del matrimonio".».[3]

E chissà se l'accaduto, oltre a spingerlo a ritornare alla sua Caprera, non abbia anche contribuito a riprendere i piani di quella spedizione, di cui si parlava da tempo, contro il regno più esteso della penisola, da 126 anni guidato dalla dinastia Borbone: il Regno delle Due Sicilie.

Non si trattò certo di una spedizione segreta, popolare, spontanea, ma piuttosto di un'azione ben organizzata, finanziata, pianificata per tempo, con l'avallo del governo piemontese che, pur non potendole appoggiare apertamente, seguiva e sosteneva le camicie rosse[4] garibaldine.

Di quella spedizione si cominciò a parlare già dall'anno precedente, quando la guerra contro l'Austria era terminata e si stavano sistemando le annessioni dei ducati con i plebisciti. Non fu un caso che la notizia circolasse in Inghilterra, dove partì la mobilitazione per gli arruolamenti e i finanziamenti in appoggio a Garibaldi. Tanto che sir James Hudson, ambasciatore inglese a Torino, cominciò a raccogliere informazioni sui preparativi in corso a Genova per un'azione di Garibaldi a Napoli. Massari rispose sempre di non saperne nulla, ma il diplomatico inglese mostrò di possedere già molte notizie di fonte borbonica. E le rivelò: «Il Governo napoletano ha scritto a Londra che si prepara una spedizione a Genova e Cagliari e si raccomanda perché ciò non avvenga. Lord John scrive chiedendo se è vero e invitando a non fare».[5]

In quell'agosto del 1859, Francesco II di Borbone[6] non credeva «che in Sardegna si complotti per mandare Garibaldi con 14.000 uomini a sommuovere il Regno», annotava Massari.[7] Diverso il parere del generale Carlo Filangieri,[8] allora alla guida del governo borbonico, che prendeva quell'ipotesi molto sul serio.

E mancavano ancora nove mesi alla partenza dei Mille da Quarto. L'isolamento politico delle Due Sicilie era stato preparato nel tempo. A Parigi, dove si erano riuniti nel 1856 i rappresentanti degli Stati vittoriosi in Crimea, si parlò anche della situazione di Napoli, nonostante nessun diplomatico della corte borbonica fosse stato invitato. Tra timide proteste austriache, Cavour denunciò l'assenza di libertà nel Regno del Sud Italia. L'Inghilterra aveva da tempo conti aperti con Ferdinando II di Borbone. Nel 1836, c'era stata la «questione degli zolfi», una delle principali materie prime dell'epoca. Il re Borbone aveva osato sottoscrivere un accordo con le società francesi Tayx e Aycard per l'estrazione e la vendita dello zolfo siciliano. Un accordo più conveniente a Napoli. Gli inglesi, che dagli anni in cui erano stati alleati di Ferdinando IV[9] ne gestivano il commercio, protestarono. Invocarono il rispetto del trattato del 1816. Minacciarono guerra, aprendo una profonda crisi diplomatica su cui cercarono di mediare i francesi. Londra, che dalle parole passava subito ai fatti, inviò una squadra navale a minacciare Napoli. In quei giorni, il Regno rischiò grosso con i «baccalaiuoli» (venditori di baccalà) di Londra, come re Ferdinando II definiva gli inglesi.[10] Il sovrano Borbone non era tipo da intimorirsi e mise in allarme il suo esercito, ordinando l'embargo alle navi inglesi. Ma la guerra fu evitata. Si arrivò all'accordo con l'interessata mediazione di

Luigi Filippo di Francia, marito della zia del re di Napoli, Maria Amelia di Borbone: Ferdinando fu costretto ad annullare il contratto con i francesi, pagando un indennizzo. Anche gli inglesi ci guadagnarono un bel rimborso per i soldi persi durante i mesi della lite. Il re Borbone aveva ceduto alla forza, ma con dignità.[11]

In realtà, nel basso Mediterraneo la flotta mercantile napoletana rischiava di dar fastidio agli inglesi che in Sicilia, dai tempi di Ferdinando IV, facevano buoni affari: vino, zolfo, commerci. Il re Borbone rivendicava l'autonomia del suo Stato, sicuro che l'acqua di mare a sud e l'acqua santa a nord lo avrebbero sempre protetto. Orgogliosa indipendenza da ogni pressione straniera. Anche nei confronti dell'Austria, che aveva ritirato le sue truppe a protezione del Regno sin dal 1825. Negli anni di Ferdinando II, le Due Sicilie potevano considerarsi uno Stato davvero italiano, con una dinastia radicata da tre generazioni nella penisola. Ma fu proprio in quel periodo che i rapporti tra l'Inghilterra e Napoli cominciarono a raffreddarsi. E, nel 1859, iniziò a maturare negli inglesi la convinzione che sulla penisola sarebbe stato meglio intrecciare rapporti preferenziali con un grande Stato in grado di bilanciare la potenza francese, piuttosto che avere a che fare con gli ostinati e imprevedibili Borbone.

Il capitalismo avanzava, le politiche di chiusura doganale erano contrarie agli interessi economici di Stati dinamici e liberali come l'Inghilterra. Non meravigliava, quindi, che i preparativi di Garibaldi raccogliessero molte simpatie a Londra, dove, tra l'altro, viveva da tempo in esilio anche Mazzini. Spedizioni armate nelle Due Sicilie ce ne erano già state due in passato: quella dei fratelli Attilio ed Emilio Bandiera nel 1844[12] e quella di Carlo Pisacane nel 1857.[13] Tutte fallite nell'indifferenza generale, anzi con l'ostilità delle popolazioni che erano andati a «salvare».

Garibaldi non era uno sprovveduto. Non si impegnava mai in un'impresa in cui non si intravedessero margini di successo.

Nessuna mossa imprudente. Voleva che in Sicilia, dove avrebbe dovuto sbarcare, fossero pronti appoggi logistici, con bande di ribelli organizzati. Voleva denaro, armi. E si mosse Giuseppe Mazzini, che dal suo esilio considerava ancora incompleta l'opera di unificazione del 1859. Dieci anni prima, il fondatore della Giovane Italia aveva già cercato di convincere Garibaldi a sbarcare in Sicilia, ma senza successo. Nel 1859, Mazzini tentò ancora di forzare la mano. Inviò sull'isola due suoi fedelissimi: Rosolino Pilo[14] e Francesco Crispi.[15] Al governo piemontese i mazziniani chiesero appoggi finanziari. Ricevettero un secco no: era presto. Ma le voci su una spedizione contro le Due Sicilie cominciavano a circolare. In realtà, Mazzini cercava di accelerare i tempi. Garibaldi invece, come sempre, calcolava bene possibili esiti e probabilità di successo. Ponderava. A Londra, si tennero diverse riunioni dei mazziniani per organizzare l'impresa. Vi partecipò, tra gli altri, anche l'esule tedesco Karl Blind, che raccontò come non tutto veniva riferito a Garibaldi per paura che potesse assumere un ruolo di informatore di Vittorio Emanuele II.[16] Fu proprio Mazzini, in quei mesi, a farsi carico dell'organizzazione del reperimento dei fondi, puntando sui suoi appoggi londinesi nei circoli repubblicani e nelle logge massoniche con cui era in contatto, pur non essendovi mai stato formalmente iscritto.[17] Con il tempo, Mazzini aveva conquistato le simpatie di gente in vista e facoltosa. Come James Stansfeld, proprietario di una fabbrica di birra a Fulham; Peter Stuart, armatore di Liverpool; John McAdam di Glasgow; Peter Taylor, vicepresidente dell'industria tessile Courtauld; l'industriale Joseph Cowen di Newcastle, titolare di un'azienda di ceramiche e utensili esportati in tutta Europa. Molti di loro finanziavano già da mesi il partito per l'Italia unita e la scuola di Mazzini a Hatton Garden.[18] Dopo il famoso pamphlet di denuncia del deputato liberale lord William Gladstone contro il sistema carcerario borbonico, le simpatie inglesi per la causa mazziniana erano cresciute. Ma come erano nate quelle denunce?

Con il pretesto di dover curare la figlia per problemi respiratori, Gladstone era partito per Napoli con tutta la famiglia. Sua vera missione era assistere, per fornirne relazioni al governo inglese, agli eventi del 1848.[19] Il deputato assolse al suo incarico, inviando, nel 1851, due lunghe lettere al ministro degli Esteri inglese, lord George Hamilton Aberdeen. Si trattava di vere e proprie accuse, in cui si diceva che il comportamento del governo di Napoli era «un oltraggio alla religione, alla civiltà, all'umanità e alla decenza».[20] Quegli scritti furono in realtà il risultato di una macchinazione politica realizzata per creare argomenti denigratori contro l'amministrazione borbonica. Il Regno delle Due Sicilie venne bollato come «la negazione di Dio, la sovversione di ogni idea morale e sociale eretta a sistema di governo», sulla base di descrizioni di un sistema carcerario che in realtà nulla aveva di diverso da quello in vigore in quegli anni in Inghilterra o in Sardegna. Parole di fuoco sulla prigionia di Carlo Poerio[21] o del barone Sigismondo di Castromediano.[22] A 40 anni da quelle denunce, lo stesso sir Gladstone dovette ammettere di essersi inventato ogni descrizione, di non aver mai visitato di persona le carceri borboniche,[23] pur avendo presenziato, regolarmente autorizzato dalle autorità borboniche, al processo contro la setta «Unità d'Italia».[24]

Il governo napoletano provò a smentire a voce e per iscritto il contenuto delle lettere di Gladstone. Non servì a nulla. Ci avrebbe pensato invece il disincantato Ferdinando Petruccelli della Gattina,[25] già deputato a Napoli nel 1848 e poi nel Parlamento italiano tra i banchi della sinistra estrema, a chiarire la questione, parlando di Carlo Poerio, capo della «consorteria napoletana» e deputato del centro, in un articolo pubblicato il 22 gennaio 1861 sul giornale «Unione» di Milano: «Poerio è un'invenzione convenzionale della stampa anglo-francese. Quando noi agitavamo l'Europa e la incitavamo contro i Borbone di Napoli, avevamo bisogno di personificare la negazione di questa orrida dinastia, avevamo bisogno di presentare ogni mattina ai credenti reggitori d'una Europa libera una vittima vivente, palpitante, visibile, che quell'orco di Ferdinando divorava a ogni pasto. Inventammo allora il Poerio. [...] Gladstone fece come noi; magnificò la vittima onde renderne più odioso l'oppressore; esagerò il supplizio, onde commuovere a maggiori ire la pubblica opinione».[26]

Ma le simpatie inglesi per la causa italiana, sponsorizzata dai circoli liberali vicini a lord Palmerston, trovavano giustificazione culturale anche nei sentimenti religiosi britannici. A Londra montava l'anticattolicesimo, alimentato da crescenti spinte antipapiste di matrice protestante che consideravano lo Stato pontificio una sciagura per gli equilibri mondiali.[27] Nel 1851, subito dopo la diffusione delle lettere di Gladstone, anche a Londra era stata costituita un'associazione di «Amici dell'Italia», con 800 iscritti di cui un quarto scozzesi. Del comitato centrale, facevano parte sei deputati ed esponenti di punta dell'Inghilterra vittoriana. Naturalmente, Mazzini ne era animatore, dandosi da fare senza tregua con comizi e riunioni in cui caldeggiava la causa del partito nazionale italiano.[28]

Attraverso la sua rete di amicizie e appoggi, consolidata in dieci anni di permanenza londinese, Mazzini sapeva come muoversi per promuovere una raccolta seria di denaro da investire in un'eventuale spedizione in Sicilia. Si cercavano donazioni e prestiti. I McAdam spedirono da Glasgow 500 sterline. A Malta e in Sicilia, grazie al buon lavoro di Rosolino Pilo, furono creati depositi di armi. Vicino a Genova, in una fabbrica gestita dai fratelli Orlando già sostenitori della Giovane Italia, vennero invece confezionate delle bombe. Tutto doveva servire a convincere, con una proposta concreta, Garibaldi che, dopo la delusione amorosa con la Raimondi, si era rinchiuso a Caprera. Nel marzo 1860, il generale riteneva ancora insufficiente l'organizzazione. Fu allora che si mosse di nuovo Rosolino Pilo, stavolta con Giovanni Corrao.[29] Era giunto il momento di sondare gli umori tra la gente che contava in Sicilia. Compito di Pilo e Corrao era di raccogliere consensi sull'isola.

Non solo simpatizzanti politici, ma soprattutto uomini pronti a menar le mani, specie in ambienti popolari, prospettando il miraggio di buone occasioni future, di mutamenti che avrebbero portato vantaggi. Pescarono in più aree, ma sapevano che, nel sistema ancora feudale dei latifondi siciliani, chi comandava erano i baroni, veri sovrani sui loro pezzi di terra. Quei baroni che controllavano piccole milizie personali in armi, ufficialmente messe in piedi a difesa dei loro terreni contro le scorrerie di banditi. Quei baroni che potevano tornare molto utili alla spedizione. Bastava convincerli che cacciare i Borbone, «i napoletani» come li definivano loro, poteva rendere più autonomi i siciliani. Un miraggio. I mazziniani, La Masa[30] e Crispi in testa, premevano su Garibaldi per convincerlo che l'impresa era sicura e che in Sicilia ci sarebbe stata presto una consistente ribellione armata. E il generale solo allora decise di uscire allo scoperto, utilizzando anche il suo nome per la raccolta del denaro necessario alle armi. Tanto che, nonostante i fucili acquistati con il «Fondo del milione» venissero bloccati dal governo sardo, il colonnello americano Samuel Colt spedì un centinaio di pistole di sua creazione che erano state tanto efficaci in Texas. Fucili modernissimi a canna rigata vennero invece spediti dalle officine del Commissariato britannico. Anche la Ansaldo, che produceva armi, fornì sostegno nascosto alla spedizione in allestimento. Per non parlare della Società nazionale, disposta a cedere un migliaio di moschetti. Pazienza se si trattava di vecchi arnesi, potevano tornare sempre utili per gli assalti alla baionetta.[31]

Quando circolò la voce che la spedizione avrebbe avuto al comando Garibaldi, di colpo si incrementò la raccolta di denaro privato. Nacque il Fondo per Garibaldi, promosso sempre dai mazziniani. Ne venne nominato tesoriere William Ashurst, amico personale di Mazzini. Vi confluirono anche 40 sterline donate da lady Anne Byron e 50 del duca di Wellington.[32] Vi arrivarono anche somme consistenti dalle città di Parma e Pavia.[33] Il solito pragmatismo britannico considerava sicuro solo ciò che era visibile e per questo l'attività dei comitati londinesi a favore di Garibaldi si intensificò subito dopo lo sbarco a Marsala l'11 maggio 1860. Il «la» era stato dato e i quotidiani londinesi cominciarono a promuovere ulteriori sottoscrizioni. Quelle attività provocarono polemiche politiche, ma il governo di Londra, a conti fatti, fece capire che non avrebbe ostacolato iniziative spontanee di ispirazione privata a favore di Garibaldi.[34] Vennero così raccolte molte sterline, poi trasferite in Italia. Nessuno seppe come furono impiegati e dove finirono tutti i soldi, che solo da maggio ad agosto 1860 arrivarono alla ragguardevole cifra di 2750 sterline. Solo dalla Scozia erano arrivate oltre 2530 sterline.[35] Alla fine, si raggiunse il totale di 5614 sterline e Mazzini ammise di averne prelevato una parte per le spese sostenute dalla sua organizzazione: si trattava di almeno 1000 sterline.[36] Ci fu chi avanzò sospetti sull'uso di quel denaro e sulla sua gestione. Come il «Daily news», che a novembre pubblicò una lettera di John Peard.[37] Qualche mese dopo, il comitato del «Fondo per Garibaldi» venne sciolto tra le polemiche, anche per le dure accuse lanciate persino da Charles Forbes,[38] che aveva partecipato alla spedizione dei Mille: nel suo libro sull'impresa, denunciò che a Londra furono raccolte ben 30.000 sterline, ma ne erano state impiegate solo 3000.[39] Dove erano finite le altre 27.000?

Gli inglesi però non si limitarono a raccogliere soldi. Passarono dal sostegno economico all'aiuto militare diretto: fu promosso l'arruolamento di una legione garibaldina a Londra. I volontari venivano registrati come escursionisti del monte Etna. Viaggiatori, insomma. Fu il «Daily news» ad appoggiare apertamente l'impresa con una serie di articoli. E annunci come questo: «Il capitano Edward Styles, già dei fucilieri della Guardia, e ora nello Stato Maggiore di Garibaldi, sarà a Londra per pochi giorni. [...] Se qualcuno dei nostri volontari, con gusto per l'avventura e un buon addestramento militare, pensasse di scambiare per un po' di tempo i campi di battaglia di Hampstead o Bromley con quelle Calabrie in questa stagione di vacanze, riceverebbe una calda accoglienza da parte di Garibaldi».[40]

L'annuncio fu ripetuto da molti altri giornali inglesi. Styles era stato inviato in missione dalla Sicilia per raccogliere volontari. Mercenari, che avrebbero avuto diritto a regolare paga dopo aver superato la selezione affidata a Boyle Minchin. Si presentarono in 1500, ne vennero scelti mille. Sul Volturno, ne arrivarono 800. In gran parte, si trattava di ex militari che avevano fatto parte dei corpi volontari inglesi combattendo in Crimea o in India. Molti erano teste calde. Indisciplinati e violenti. Cinque volontari inglesi furono arrestati per furto e rimasero in carcere alcuni mesi. Poi la loro pena venne condonata. Agli interrogatori dichiararono che il loro corpo militare era stato sciolto, facendo il nome dei loro comandanti:[41] il brigadiere Giovanni Dunn,[42] il colonnello Charles Forbes, il tenente colonnello Percy Wyndham.[43] La gente impazziva per sostenere Garibaldi, divenuto l'idolo del mondo protestante contro gli abusi del papato. Eroe popolare. Il duca Edward Seymour di Somerset si unì ai volontari garibaldini, a Londra vennero venduti quasi un milione di ritratti del generale per raccogliere contributi, mentre i lavoratori di Glasgow rinunciarono addirittura alle loro vacanze per fabbricare munizioni da inviare in Italia. In una sola serata, all'Athenaeum furono raccolte 300 sterline.[44] Il capitano Styles sistemò il suo ufficio di reclutamento in Salisbury Street e, l'11 settembre 1860, due articoli del «Daily news» riferirono che gli agenti di Cavour in Inghilterra avevano acquistato a Liverpool il piroscafo *Cambria*, costato 9000 sterline, mentre quarantasette volontari si erano offerti come «escursionisti per Napoli».[45] Il giorno dopo, sullo stesso giornale, sia il capitano Styles che il capitano de Rohan, definito aiutante di campo navale di Garibaldi, chiesero la consegna di tutti i fondi raccolti dai vari comitati. Si trattava delle famose 3000 sterline contestate da Forbes, da utilizzare per i contratti di fornitura di armi e munizioni sottoscritti dagli stessi comitati. I costi però risultarono maggiori del denaro raccolto e il generale fu costretto a firmare cambiali per 12.000 sterline. Tutto il denaro gestito nella spedizione dei Mille, quello raccolto in Inghilterra come i fondi delle sottoscrizioni private in Italia, confluì nella Cassa di soccorso a Garibaldi, amministrata dal medico Agostino Bertani,[46] repubblicano radicale. L'ammontare finale, nel consuntivo di ventisei pagine dei mesi tra il 1860 e il 1861, venne calcolato in 629.106.013 lire. Di quel denaro, ben 500.765.545 lire provenivano dai depositi del governo borbonico in Sicilia. Confische di conquistatori. Nei rendiconti, erano elencate anche le spese: abbigliamento, armi, munizioni, paghe, trasporti, acquisti di navi, viaggi, corrispondenze, soccorsi. La spesa era stata di 612.534.538 lire. L'attivo residuo, quindi, risultò di 16.571.475 lire. Dove finirono quei soldi? Mistero. Anche perché le cambiali, emesse a favore dei fratelli Rocca di Genova in scadenza il 30 ottobre e il 30 novembre 1860, non furono mai pagate.[47] Bertani cercò di giustificare, voce per voce, ogni operazione, collegandola alla provenienza del denaro: corporazioni, comitati, associazioni, municipi, privati. Annotò donazioni in arrivo persino da Calcutta, Egitto, Africa e America.

Quanto costò la gestione dittatoriale garibaldina in Sicilia? Non si seppe mai. Un po' di luce avrebbe potuto farla il carico di casse e documenti trasportato dal vapore *Ercole.* A bordo c'era Ippolito Nievo,[48] che aveva svolto funzioni di cassiere della spedizione in collegamento con Bertani a Genova. La nave naufragò in circostanze misteriose. Nievo era partito da Napoli il 15 febbraio 1861, a bordo del vapore *Elettrico.* Tre giorni dopo, giunse a Palermo per recuperare tutta la documentazione sulla gestione dittatoriale garibaldina in Sicilia. La chiedevano a Torino, per denigrare l'allegro governo degli uomini di Garibaldi. La sollecitavano anche i garibaldini, sicuri di poter dimostrare la loro correttezza. Nievo non aveva mai avuto buoni rapporti con Nicola Fabrizi e Giuseppe Paternò di Spedalotto, i due ministri della Guerra dei governi prodittatoriali. Contestava loro la confusione sui ruoli nominativi degli arruolati, la paga effettiva da dover versare ai soldati, i costi delle forniture militari, l'amministrazione dei feriti negli ospedali. Ruberie e caos, su cui Nievo avrebbe potuto raccontare molto.[49] Invece, nel viaggio di ritorno sull'*Ercole* con una mezza dozzina di bauli e quattro addetti all'Intendenza, l'imprevedibile. La nave, una vecchia carretta al comando di Michele Mancino con 12 passeggeri, 63 marinai e 233 tonnellate di merci, si inabissò. Erano i primi di marzo del 1861. Il mare non era particolarmente agitato, si diffusero sospetti su un naufragio provocato da esplosioni dolose. Un attentato, come avrebbe cercato di dimostrare anni dopo il pronipote di Nievo: Stanislao. Il relitto giace ancora a 3000 metri di profondità nel mare delle bocche di Capri. Di certo, la verità sull'amministrazione della dittatura garibaldina a Palermo fu inghiottita dal mare. Il naufragio legittimò le insinuazioni dei cavouriani contro gli amministratori garibaldini, ma anche le accuse delle camicie rosse che parlarono di misteriosi agenti del primo ministro piemontese in azione per paura della verità.[50]

Restò una gestione dalle molte ombre. Rinvio dopo rinvio, le passività furono fatte confluire nel bilancio centrale del nuovo Stato italiano.[51] Uno sperpero di risorse, a voler salvare la buona fede, difficoltà a motivare illecite appropriazioni personali secondo molti. Dalle sottoscrizioni, nel corso della spedizione si passò alle requisizioni, ai sequestri di beni dei Borbone e di depositi bancari. Eppure, il colonnello Cesare Cesari, che visionò i documenti dell'Ufficio storico dell'esercito, scrisse di fondi iniziali della spedizione limitati a 90.000 lire portate da Milano, unite a 30.000 lire di sottoscrizioni private. Secondo Cesari, alla partenza da Quarto i Mille avrebbero avuto in tasca appena 155.000 lire.[52] Fu quella la verità ufficiale affidata alla Storia.

Il 16 settembre, quattro mesi dopo lo sbarco di Marsala, dalla stazione di Shoreditch partì la prima legione garibaldina inglese. Si imbarcò per l'Italia sul piroscafo *Milazzo*. Seguì un altro contingente e si arrivò a 800 volontari di nazionalità britannica. Per tutti erano pronte le camicie rosse. Fecero in tempo a partecipare alla battaglia del Volturno e a qualche scontro sotto le mura di Capua. Nessuno impedì le due spedizioni. Il governo inglese sapeva, ma non fece nulla. In barba allo strombazzato principio del «non intervento» nelle vicende del Regno delle Due Sicilie.[53]

Di certo, Garibaldi fu sempre cosciente di aver ricevuto un consistente sostegno economico, militare e diplomatico, oltre che logistico dall'Inghilterra. E si mosse a guidare la spedizione in Sicilia soltanto dopo aver ottenuto segrete garanzie che Londra non sarebbe rimasta a guardare. Lo dichiarò lo stesso generale quattro anni dopo la sua impresa. Nel 1864, per venticinque giorni in viaggio in Inghilterra, fece riferimento, nei discorsi pubblici, agli aiuti ricevuti dai tre lord: Palmerston, Russel e Gladstone. Al Christal Palace, in un famoso intervento disse, tra l'imbarazzo di molti politici presenti: «Parlo di ciò che so, perché la regina e il Governo inglese si sono stupendamente comportati verso la nostra natia Italia. Senza di essi noi subiremmo ancora il giogo dei Borbone a Napoli; se non fosse stato per l'ammiraglio Mundy, non avrei mai potuto passare lo stretto di Messina».[54] Per poi aggiungere, più esplicito: «Il popolo inglese ci ha assistito nella nostra guerra nel Sud d'Italia».[55]

Tutto predisposto, aiuti compresi. Tutto preparato nei particolari per ridurre al minimo i rischi di fallimento. Come lo sbarco, tutt'altro che fortuito, a Marsala.

La Marsala inglese

Il 7 aprile si tenne l'incontro decisivo per la spedizione in Sicilia. A Torino, con Francesco Crispi e Nino Bixio.[56] La macchina organizzativa della spedizione si era messa in moto. Per convincere il generale, ma soprattutto per fornire un pretesto all'intervento, era stata provocata in Sicilia la rivolta detta della Gancia. Artefice, per conto della Società nazionale di La Farina con cui era in contatto, fu il siciliano Rosolino Pilo. Con lui, a organizzare i primi fuochi siciliani, c'era anche Giovanni Corrao. A Nicola Fabrizi[57] la Società nazionale inviò a Malta 15.000 lire per l'acquisto di fucili. Garibaldi aveva già informato il re, sondando la disponibilità a ottenere appoggi dall'esercito regolare piemontese. La rivolta della Gancia cominciò il 4 aprile, venne domata dalle truppe borboniche pochi giorni dopo. Il 12 aprile, il generale si riunì di sera con Giacomo Medici,[58] Bixio, Bertani e Giuseppe Finzi.[59] Si decise di rompere ogni indugio: la spedizione doveva partire. Accanto a Garibaldi, in quei giorni, sedeva anche un misterioso personaggio inglese: Laurence Oliphant, agente del governo britannico. Avventuriero di nobile famiglia scozzese, scrittore e giornalista, divenne anche parlamentare e ambasciatore a Tokyo. Seguì il generale come un'ombra, gli prospettò persino la possibilità di organizzare una rivolta per bloccare la cessione di Nizza alla Francia. Il 13 aprile aveva partecipato con Garibaldi ai colloqui frenetici per dare il via all'avventura siciliana. Fu anche lui, probabilmente, a mettere al corrente il generale delle attività in corso a Londra per appoggiare la spedizione. Un tramite con il governo inglese.[60]

Nel torbido, per alimentare agitazioni indispensabili a giustificare la partenza da Quarto, pescavano Pilo e Corrao, arrivati in Sicilia il 26 marzo. Sbarcati a Messina, avevano ricevuto dalla loggia massonica «Trionfo ligure» un finanziamento di 250.000 lire per la partenza del grosso dei volontari. La stessa loggia, cui era affiliato Bixio, arrivò a stanziare ben 450.000 lire. Finanziamenti inglesi, sottoscrizioni private, fondi della Società nazionale, denaro delle logge massoniche: i soldi della spedizione dei Mille provenivano davvero da molte fonti.

Pilo e Corrao furono ispiratori e organizzatori delle rivolte che provocarono lo «stato d'assedio» in Sicilia. Dal 3 al 7 maggio, tra le truppe borboniche gli allarmi si intensificarono. Gli emissari garibaldini reclutavano gente, offrendo una paga di 4 tarì al giorno (pari a 1,70 franchi). I giovani si organizzarono in bande sulle montagne, ben rifornite di armi da Malta. I soldi non mancavano: venivano pagati da quelli che i siciliani chiamavano, senza alcuna distinzione, «piemontesi».[61]

Si presero presto accordi con i baroni e gli uomini giusti per spianare la strada e favorire i reclutamenti. Corrao e Pilo sapevano come agire nella loro terra.[62] A fine aprile, muovendosi con tranquillità, i due avevano già visitato molti centri costieri arrivando fino a Palermo. In quel periodo, solo Massimo d'Azeglio era contrario a un'aggressione armata contro le Due Sicilie senza una preventiva dichiarazione di guerra. Ma il marchese era un romantico legalitario, che stonava con il cinico pragmatismo imperante a Torino.[63]

Le persone con cui Garibaldi limò gli ultimi dettagli prima di partire furono La Masa per gli aspetti logistici in Sicilia, Bertani per quelli finanziari, La Farina per le questioni politico-organizzative e i contatti con Cavour. Di certo, il terreno era spianato e le spalle erano coperte. Da Genova, il generale ebbe anche il tempo di tornare a Caprera per sistemare questioni private. Poi ritornò in Liguria il 30 aprile. Si sistemò in casa di un suo vecchio commilitone dei tempi della difesa di Roma: Candido Augusto Vecchi. A Villa Spinola.

Reperire i piroscafi necessari a portare in Sicilia i primi 1089 volontari, testa di ponte per le successive spedizioni, fu un gioco da ragazzi. Tre anni prima, la compagnia armatoriale Rubattino di Genova aveva già messo a disposizione il piroscafo *Cagliari* utilizzato nella spedizione di Pisacane. Ora si ripeteva, sicura di poterne trarre ancora vantaggi. La persona adatta per fare da contatto con gli organizzatori della spedizione era Giovanbattista Fauché, rappresentante della compagnia di cui era amministratore con poteri decisionali. Fu lui a mettere a disposizione il vapore che trasportò Garibaldi a Caprera e poi lo riportò a Genova. Subito dopo, si dichiarò disponibile a reperire prima uno, poi due piroscafi necessari alla partenza per la Sicilia.

Cambio alla mano, tra sterline, lire e franchi, nel vortice dei diversi finanziamenti su cui cercò di stendere un velo il consuntivo preparato da Bertani, la spedizione aveva a disposizione fondi sicuri per 2 milioni di franchi oro, affidati da Cavour alla Società nazionale di La Farina per scopi utili alla conquista delle Due Sicilie: corruzioni di notabili, ufficiali e funzionari borbonici. Poi c'erano 3 milioni di franchi francesi raccolti dalle logge massoniche scozzesi, sparse tra Inghilterra, Canada e Stati Uniti. Denaro da utilizzare per le armi e le prime esigenze logistiche. Infine, i fondi di origine privata gestiti da Finzi: gli unici citati nei documenti ufficiali. Erano le famose 90.000 lire di cui parla Cesari, con 25.000 lire donate personalmente da Bixio.[64] La leggenda della spedizione senza mezzi, sprovveduta e improvvisata, venne alimentata anche con riferimento sempre e solo a quei pochi spiccioli, dimenticando il resto dei fondi ottenuti da più parti.

Ma come riuscirono a partire i volontari? In cambio di promesse di pagamenti e futuri contratti per i collegamenti marittimi con la Sardegna, Fauché mise a disposizione un primo piroscafo con il relativo equipaggio: il *Piemonte*. Poi, visto che i volontari erano più del previsto, aggiunse anche una seconda nave: il *Lombardo*. Naturalmente, sarebbe stata organizzata una messinscena, per fingere che le navi erano state prese con la forza.

Sul *Lombardo*, venne fatto trovare materiale prezioso per la spedizione: le carte topografiche della Sicilia portate da Napoli, dove il piroscafo aveva fatto scalo pochi giorni prima. Si trattava di dieci copie, con dodici mappe del Regno di Napoli, spedite dall'ambasciatore piemontese nelle Due Sicilie, Salvatore Pes di Villamarina. Le mappe potevano aiutare gli spostamenti dei volontari. Destinatario formale delle carte era il governo piemontese, tanto per salvare la faccia. Nulla, davvero, venne lasciato al caso.[65] Con un pretesto, Cavour cominciò a far presidiare i mari in prossimità delle coste meridionali: con la scusa di aver ricevuto notizie su maltrattamenti di sudditi piemontesi, si disse «costretto» a inviare due navi da guerra per verificare. Cominciava così, nell'aprile 1860, l'attività di avvicinamento piemontese alle coste del Regno delle Due Sicilie. Un sostegno non da poco per i volontari. Venne inviato in Sicilia il *Governolo* comandato dal marchese Alessandro Amero d'Aste. Il primo ministro piemontese avvisò Nigra, per informare Napoleone III della sua iniziativa. Era il 18 aprile 1860, Cavour scriveva da Firenze in francese.[66] Al *Governolo* fu aggiunta anche la *Authion*, altra nave da guerra. Il 28 aprile 1860, l'affollamento di imbarcazioni sarde era incredibile: tre pirofregate (*Maria Adelaide*, *Vittorio Emanuele*, *Carlo Alberto*) pattugliavano le coste meridionali della Sardegna; il *Governolo* stazionava a Palermo, sempre per «proteggere i sudditi sardi».[67]

Era l'avvio dei giorni fatali per Francesco II, da solo un anno succeduto al padre Ferdinando II di Borbone.[68] Il giovane re ventiquattrenne dimostrò iniziale fermezza nei dispacci ispirati da Filangieri. Come nelle indicazioni trasmesse a Paolo Ruffo, principe di Castelcicala,[69] luogotenente in Sicilia dal 1854. Raccomandò prudenza, ma anche attenzione. E sull'arrivo della nave piemontese *Governolo* a Palermo scrisse: «Disporrò che si tengano le pratiche da farsi perché quel legno di guerra lasci cotesta stazione e qualunque altra in Sicilia il più presto possibile». Poi, nel fornire direttive su come soldati e navi avrebbero dovuto comportarsi in caso di aggressione in presenza di piroscafi piemontesi, aggiunse: «La bandiera amica non covre un atto della maggiore ostilità qual è quello di sbarcare sulle coste di un paese col quale si è in pace, coloro che a mano armata vengono a manomettere l'ordine pubblico, la vita e le sostanze dei pacifici abitanti [...] Un legno siciliano o napoletano avrebbe tutto il diritto di colare a fondo anche navigli di potenza amica che in quell'atto diventi colpevole di un misfatto di pirateria».[70]

Altro che sprovveduto o ingenuo. Il re Borbone si era chiarito le idee con i suggerimenti di Filangieri. Ma di quelle indicazioni nessuno tenne conto. E qualche sospetto su tanta imperizia, nonostante ordini così precisi, resta legittimo. Nel frattempo, Cavour andò persino a Genova per controllare di persona i preparativi della spedizione. Scrisse a Farini il 24 aprile:

> Sono giunto ieri sera a Torino dopo visitato La Spezia e dimorato in Genova per più di 24 ore. In quest'ultima città trovai gli animi assai inquieti per le mene di Garibaldi, attorno al quale si rannodano i Mazziniani che cominciano a rialzare la testa. [...] I fautori di Garibaldi parlano direi quasi in nome del Re e purtroppo le apparenze, in ispecie la presenza a Corte di Trecchi danno a queste voci un solido fondamento.[71]

Il riferimento al marchese Gaspare Trecchi, aiutante di campo del re, non era casuale. Era il tramite di Garibaldi nei rapporti con Vittorio Emanuele. E il generale scrisse a Trecchi di assicurare al re che «l'onore italiano rimarrà illeso».[72] Ma intanto, preso dalla necessità di salvare la faccia nei documenti ufficiali, Cavour fece sapere all'imperatore francese, attraverso il solito Nigra, che avrebbe fatto «tutto il possibile perché essa (la spedizione) non conduca a nuove complicazioni». Aggiungendo: «Non ho impedito a Garibaldi di dar seguito al suo progetto, perché per riuscirci sarebbe occorso usare la forza. Ora, il ministero non è in grado di sfidare l'immensa impopolarità che l'avrebbe colpito se avesse voluto fare arrestare Garibaldi».[73] Lo stesso primo ministro sapeva, dai dispacci di Villamarina, che il governo napoletano considerava il Piemonte «complice dello sbarco dei volontari a Marsala». E lo scrisse a Nigra.[74]

Nel frattempo, sempre per caso, in una situazione dove tutto doveva essere tenuto segreto, anche le navi inglesi cominciarono ad aumentare di numero. Al comando dell'ammiraglio Rodney Mundy.[75] La spedizione fu nascosta solo a chi nel Regno delle Due Sicilie doveva evitare l'invasione armata? Niente affatto. Già da aprile, il re e il governo borbonico vennero avvisati che si stava organizzando una spedizione per la Sicilia. Il 27 aprile, con una lettera riservata, il direttore del ministero degli Esteri, Luigi Carafa di Traetto,[76] informava il direttore del ministero della Polizia che «da Livorno ogni giorno partono alla spicciolata individui per unirsi a Genova e quindi imbarcarsi sul legno americano o sardo per Cosenza. Forse domani partirà ancora Garibaldi con Medici e Bixio aiutanti».[77]

Le navi inglesi avevano il controllo di una buona fetta di coste siciliane. A Marsala erano ancorate due *sloops* della *Mediterranean fleet*: l'*Argus* e l'*Intrepid* al comando del capitano Winnington-Ingram e del capitano Marryat. Nella rada di Napoli, dall'8 luglio 1860 al 1° marzo 1861 stazionò l'*Hannibal* di sir Mundy, rimasto a Palermo per tutto il periodo degli scontri tra borbonici e garibaldini. A dar man forte alla flotta, anche la *Amphion* comandata dal capitano Cockran. L'ammiraglio aveva ricevuto istruzioni dal suo governo: avrebbe dovuto proteggere i sudditi britannici e le loro proprietà in Sicilia, dove era scoppiata «l'insurrezione napoletana contro il Governo borbonico».[78] A Palermo erano ancorate anche la pirofregata francese a ruote *Vauban* del comandante Lefebvre e le famose due navi sarde *Governolo* e *Authion* del marchese d'Aste.[79]

Tutto era pronto. Cavour aveva ordinato all'ammiraglio Carlo Pellion di Persano, protetto di d'Azeglio, di spostarsi a Cagliari. Se le due navi dei garibaldini salpate da Quarto si fossero fermate in Sardegna, la marina sarda non avrebbe potuto far finta di niente. Avrebbe dovuto fermarle. Altrimenti il passaggio dei volontari doveva essere agevolato, salvaguardato da brutte sorprese. Persano con l'ambasciatore a Napoli, Salvatore Pes di Villamarina, e Giuseppe La Farina furono gli uomini del primo ministro sardo nella fase d'avvio della spedizione garibaldina. Dal marzo precedente Persano aveva preso il comando di una flotta con tre pirofregate a elica (*Maria Adelaide*, *Vittorio Emanuele*, *Carlo Alberto*), la pirocorvetta a ruote *Governolo*, gli avvisi a ruote *Malfatano* e *Authion*.[80]

Il mare era sotto controllo, la faccia era formalmente salvata con le diplomazie europee. Agli inizi di maggio, si tenne un colloquio tra Cavour e il re in seguito alle proteste dell'ambasciatore napoletano Francesco Canofari sui preparativi in corso a Genova. La conclusione del colloquio fu che bisognava «lasciare Garibaldi libero di salpare».[81] Il 6 maggio le due navi partirono. I volontari iniziali erano 1089.[82] Ma Cesari, che attinse a fonti dell'Ufficio storico dell'esercito agli inizi del Novecento, fornisce altre cifre: 1084 volontari sbarcati a Marsala, di cui 60 imbarcati a Talamone e 78 livornesi alla calata Sgarallino. Avevano a bordo 1019 fucili, ricevuti da La Farina il giorno prima.[83] Il piccolo nucleo iniziale era organizzato come una vera struttura militare, descritta nei particolari dallo scrittore garibaldino Cesare Abba.[84] Capo del quartier generale era l'ungherese Stefano Türr, con Giuseppe Sirtori, ex monaco difensore di Venezia nel 1849. I volontari erano suddivisi in otto compagnie: la prima comandata da Bixio; la seconda dei livornesi affidata inizialmente a Vincenzo Orsini, siciliano, ex allievo della scuola militare Nunziatella[85] di Napoli; la terza dei calabresi guidata dal barone Francesco Stocco; la quarta del siciliano Giuseppe La Masa; la quinta guidata dal parmigiano Faustino Tanara; la sesta del capitano Giacinto Carini; la settima degli studenti pavesi comandata da Benedetto Cairoli; infine l'ottava del bergamasco Francesco Nullo. Poi, c'era il nucleo dei tiratori scelti: i carabinieri genovesi, al comando di Antonio Mosto, tutti armati di proprie carabine e tutti già nei Cacciatori delle Alpi l'anno precedente. Infine, ventitré guide al comando di Giuseppe Missori, l'intendenza affidata a Giovanni Acerbi, il corpo sanitario coordinato dal dottor Pietro Ripari di Solarolo, l'artiglieria e il genio, creati dopo la sosta a Talamone, affidati a Vincenzo Orsini che dovette lasciare l'iniziale comando dei livornesi. Nel genio c'erano diciotto operai.[86]

Insomma, il nucleo iniziale di uomini attesi dalle squadre siciliane aveva già le caratteristiche di una piccola armata. Uomini con esperienze militari acquisite nella guerra dell'anno precedente. Lo dimostrarono anche i documenti trovati addosso a diversi prigionieri garibaldini poco prima della battaglia del Volturno. Un Luigi Fanfani era stato medaglia al valor militare e aveva il «congedo assoluto» dell'esercito sardo. Il soldato Casimiro Conrad era di Parma ed era stato congedato solo poche settimane prima della partenza da Genova. Pietro Pesante, volontario nella guerra del 1859, nizzardo, aveva in tasca un passaporto che attestava la sua buona condotta in guerra. Il milanese Carlo Mussi aveva condotto l'intera campagna a fianco dei francesi. E così via per storie quasi tutte simili di gente umile, che nella vita civile dichiarava di lavorare come cameriere o artigiano. Pochi sapevano leggere e scrivere. Erano partiti nella speranza di dare una svolta alla loro esistenza. Quasi tutti avevano con loro anche «Il libretto del soldato», il regolamento militare dell'esercito di Vittorio Emanuele II.[87]

Di meridionali, almeno nel nucleo iniziale, ce ne erano ben pochi. Tra i 1089, invece, 443 lombardi, 160 veneti, 80 toscani, 38 emiliani, 30 piemontesi, 20 friulani, 14 trentini, 11 marchigiani, 10 laziali, 4 umbri, 3 nizzardi, 1 savoiano, 1 sudtirolese, 8 stranieri, 1 corso, 2 svizzeri, 3 sardi. Nativi delle Due Sicilie erano 45 siciliani, 20 calabresi, 19 campani, 5 pugliesi, 1 lucano, 1 abruzzese per un totale di 91 uomini su oltre 1000. Poca cosa.[88] Naturalmente, alla partenza i volontari erano già informati che i napoletani avevano attivato quattro navi da guerra per incrociare eventuali spedizioni di «filibustieri», come venivano definiti nei documenti ufficiali borbonici i garibaldini. Erano le navi *Valoroso*, *Stromboli*, *Partenope* e *Capri*. Ma, attivate per vigilare tra capo San Vito, Mazara, comprese le isole di Levanzo, Marettimo e Favignana, a est di Trapani, per passare poi a capo Passero, le imbarcazioni napoletane persero tempo. E il 3 maggio erano ancora lontane dai punti di osservazione loro assegnati dal luogotenente Castelcicala. Cominciavano le strane inerzie, già con un primo nome e cognome: il brigadiere Francesco Cossovich, allora sessantunenne.[89] Il 6 maggio, l'alto ufficiale della marina borbonica si fece burocrate e scrisse al luogotenente Castelcicala di avere «scarsi mezzi a disposizione onde assolvere cos'importante mandato». Sollecitando con urgenza di «colmare le deplorate manchevolezze».[90]

Le navi napoletane, così insolitamente ritardatarie, non erano nel punto dello sbarco garibaldino, mentre c'erano gli inglesi: la *Argus* e la *Intrepid*, ancorate fuori il porto di Marsala. Era proprio in quella cittadina che dalla Sicilia si consigliava l'approdo alle camicie rosse: l'alto numero di sudditi britannici presenti avrebbe impedito una reazione energica delle navi borboniche, offrendo un paravento credibile alle eventuali pecche difensive. Da tempo, infatti, a Marsala viveva una folta colonia di cittadini inglesi, con interessi nelle aziende vinicole locali. Loro viceconsole era Richard Brown Cossins.

A Marsala, a inizio maggio, era arrivato il generale borbonico Giuseppe Letizia[91] per reprimere le agitazioni esplose il 7 aprile. Intimò la consegna delle armi a tutti, ma gli inglesi si rifiutarono. Quell'episodio offrì il pretesto per la richiesta di protezione al Comando navale inglese di Malta. La firmò Cossins. E arrivarono i due *sloops*: l'*Intrepid* del capitano Marryat e l'*Argus* del capitano Winnington-Ingram.[92] Gli stabilimenti vinicoli Ingham, Woodhouse e Florio potevano stare tranquilli, mentre le guardie urbane conservavano le loro armi, su intercessione del sindaco, per proteggere la città e le aziende da malintenzionati.[93] Il generale Letizia fu impegnato nella missione a Marsala dal 28 aprile al 1° maggio. Poi i suoi 700 uomini ripartirono per Palermo, via Alcamo, a bordo di barcacce messe a disposizione dagli imprenditori vinicoli del posto. Le stesse che avrebbero poi aiutato i volontari di Garibaldi a sbarcare.[94]

Ironia della sorte, in una lettera il sindaco Giulio Anca Amodei manifestava a Letizia, arrivato il 3 maggio a Trapani, la sua gratitudine, esprimendo fedeltà al re. E Letizia gli rispondeva: «Sono felice di essere partito da Marsala con l'acquisto della sua benevolenza e di quelle di tutti gli ottimi cittadini d'essa».[95] Otto giorni dopo, quello stesso sindaco avrebbe firmato l'atto di decadenza della monarchia borbonica che gli sottoponeva Francesco Crispi.[96]

Marsala. Le voci sulla rivolta siciliana di aprile erano arrivate a Genova molto confuse. Circolava invece l'indiscrezione su un focolaio ancora aperto proprio nel porto antistante alle aziende vinicole inglesi. A sostenere l'ipotesi dello sbarco sul molo di Marsala c'era anche Raffaele Motto che, al timone del piroscafo su cui avevano viaggiato per la Sicilia Rosolino Pilo e Giovanni Corrao, si era fatto una chiara idea sulla costiera siciliana di quei giorni. Motto sconsigliava sbarchi a Messina e Palermo perché troppo sorvegliate. Meglio l'area in provincia di Trapani. In quel momento, solo a Palermo c'erano 20.000 soldati borbonici. E appaiono davvero illuminanti le direttive che Francesco II di Borbone dettava già il 7 maggio a Castelcicala, sempre su ispirazione dell'acume militare del generale Filangieri che di certo in materia non era uno sprovveduto:

> L'importanza di non isperperare le nostre forze mena naturalmente alla necessità di tenere, a mio credere, concentrate per ora in due punti forti colonne a tutela della costa meridionale ed occidentale dell'isola, che sembrano le più minacciate [...] Ho indicato Salemi poiché trovasi quel comune di un dipresso equidistante dalle marine di Campobello, di Mazzara e di Marsala [...] Lo indicato comune di Salemi io ve l'addito come posizione di aspettazione.[97]

Il re indicava già Salemi, luogo dove i volontari garibaldini avrebbero proclamato la dittatura sull'isola. Ma Castelcicala sottovalutava ancora il pericolo, tergiversava. Anche se era sull'isola con pieni poteri e autonomia decisionale. Come dimostra la lettera che il re gli scrisse il giorno dopo: «Vi ripeto un'altra volta che io do consigli e non ordini e che non posso essere a giorno di ciò che già avete fatto nel momento che scrivo».[98]

Lasciata sguarnita dai borbonici la favorevole posizione di Salemi, fu invece presto raggiunta da Garibaldi, che era stato ben informato. Illuminante il dispaccio telegrafico inviato al re da Castelcicala alle 10,10 del mattino dell'11 maggio, quando ancora lo sbarco a Marsala non era avvenuto: «L'agitazione qui cresce. Le bande si riproducono. Un rinforzo è di precisa necessità».[99] Nulla sulla destinazione eventuale dei rinforzi. Poche ore dopo, a sbarco avvenuto, il luogotenente in Sicilia ne dava notizia chiedendo «rinforzi e vapori».[100] Poi, invocò nuove brigate da destinare a Palermo passando per Marsala. Parole e dispacci privi di decisioni immediate. Ce ne era abbastanza per le accuse che Castelcicala avrebbe ricevuto in seguito: traditore, o incapace. E fu messo sotto inchiesta, per essere poi spedito in esilio a Parigi. Premesse di «strani comportamenti» di chi avrebbe dovuto difendere il Regno delle Due Sicilie. Lo sbarco ci fu. E senza alcun danno per i volontari.

Le campane suonavano il mezzogiorno

John Woodhouse da Liverpool era stato il primo. Si era reso conto che con i vigneti di Marsala si potevano guadagnare molti soldi. Comprò una vecchia tonnara e la trasformò in un magazzino con tanto di «bagli»,[101] realizzando una specie di fortezza. Sette acri di terreno con alte mura di protezione. Poi arrivò anche Benjamin Ingham da Leeds. Infine, giunsero negli anni anche altre famiglie inglesi per fare affari: Hopps, Wood, Corlett. Si stabilirono tutti nella Sicilia occidentale. Una bella e ricca rappresentanza di sudditi britannici impegnati a produrre vino, tessuti e velluti, con olio e agrumi.[102]

Il viceconsole inglese a Marsala, Richard Brown Cossins,[103] in quel maggio 1860 svolgeva le funzioni diplomatiche in sostituzione del console Benjamin Ingham junior, in viaggio negli Stati Uniti con la moglie Emily per schivare i pericoli della rivoluzione in arrivo. L'azienda Woodhouse era invece amministrata da Humphrey Hervey. Di certo, sull'isola le presenze inglesi rappresentavano una potenza economica, con influenze politiche dovute ai mai recisi legami con la madrepatria. Una quindicina di ditte britanniche avevano in mano l'esportazione del redditizio zolfo. Nella produzione del vino, i sudditi della regina Vittoria erano al primo posto. E poi il commercio degli stracci, essenziali per le cartiere britanniche, gestito dalle famiglie Ingham, Whitaker, Horner, Bentley e Routh.[104] Nel Mediterraneo, la Sicilia rappresentava un'importante area strategica per l'organizzazione di operazioni militari e commerciali. Un puntello importante in un regno con cui i rapporti non sempre, dall'avvento del re Ferdinando II, erano stati buoni.[105]

Il molo di Marsala, realizzato da Ingham per agevolare le esportazioni del suo vino sulla sua flotta mercantile, era efficiente e ampio abbastanza da contenere i due piroscafi partiti da Genova. Nel corso della traversata, nei pressi delle Egadi un veliero commerciale britannico partito proprio da Marsala informò Garibaldi che da quelle parti non c'erano navi napoletane. Man mano che i volontari si avvicinavano, s'imbatterono in paranze di pescatori che confermarono quanto era stato detto loro dai britannici: i soldati erano partiti otto giorni prima, in porto erano rimasti solo gli inglesi. Il capitano Alberto Strazzera, che guidava la paranza e aveva trasportato qualche giorno prima i soldati del generale Letizia, si offrì di dare una mano. Fu lui a prendere il timone del *Piemonte*. Trasportati dalle barche dei pescatori, salirono sul *Lombardo* dove c'erano Nino Bixio e anche il barone Michele Mokarta, Giuseppe Buscaino Campo, Michele Marceca, Giacomo Curatolo e Giovanni Nicolosi. Tutti siciliani e tutti si dissero in fuga dalla polizia che li cercava. Avrebbero aiutato loro il piroscafo ad arrivare sano e salvo in porto.[106]

I due piroscafi, dunque, procedevano tranquilli. Era passato mezzogiorno quando avvistarono Marsala. Sull'*Argus* e l'*Intrepid* sventolava la bandiera britannica, messa in bella mostra anche sui tetti degli stabilimenti vinicoli. Il *Piemonte* arrivò indisturbato fino al molo, attraccando proprio dinanzi la fabbrica

Woodhouse. Il *Lombardo*, che era più pesante, si arenò a poca distanza dal faro. Ci pensarono i pescatori marsalesi, con le loro barche, ad accompagnare a terra i volontari. Ebbero in cambio promesse di denaro. Alle 2 del pomeriggio arrivarono le navi napoletane: la corvetta a vapore *Stromboli* e la fregata a vela *Partenope*. Intanto lo sbarco proseguiva indisturbato. I garibaldini pensarono solo ad affrettarsi. E riuscirono tutti ad arrivare a terra senza un graffio. Il rapporto del capitano Marryat raccontò le fasi incredibili dello sbarco sotto gli occhi delle navi napoletane:

> Gli uomini armati, in apparenza ben disciplinati, marciavano in perfetto ordine. [...] L'altro vapore era però arenato, quando i legni napoletani furono a portata con i loro cannoni. I parapetti erano già calati ed i legni a posto; noi seguivamo con ansietà per vedere il risultato della prima scarica. [...] Invece di cominciare il fuoco, abbassarono un battello e lo mandarono verso i vapori sardi, ma a nostra sorpresa ecco che il vapore napoletano spinge la sua macchina verso l'Intrepido, invece di impedire più oltre lo sbarco della spedizione.[107]

Il comandante della nave napoletana, Guglielmo Acton,[108] si comportava a Marsala come a un'esercitazione. Chiese ai suoi colleghi inglesi se vi erano truppe britanniche tra quelle sbarcate, poi sollecitò il rientro sulle navi degli ufficiali che erano a terra. Mentre l'ufficiale borbonico discuteva, lo sbarco venne concluso. Con garbo, Acton informò il capitano Ingram e il viceconsole Cossins che doveva cominciare a far fuoco. Gli inglesi non obiettarono, chiedendo solo il rispetto della loro bandiera, ovunque sventolasse. A mare come a terra. Un bel modo davvero di impedire un'aggressione armata sul territorio sovrano delle Due Sicilie. Scrisse ancora il capitano Marryat: «Il capitano non mancò di scusarsi per la poca elevazione ch'ei dava ai suoi proiettili, dicendo ch'era suo desiderio di risparmiare la città e solo colpire gli insorti che marciavano dal molo alla porta della città».[109]

Nel rapporto dell'ufficiale inglese, si leggeva tra le righe un vero e proprio atto di accusa al comportamento militare di Acton. A Napoli, furono poi inviate relazioni che coprivano l'incomprensibile atteggiamento del capitano borbonico con una bugia: non si sparò sui volontari, perché sulla traiettoria dei cannoni si erano frapposte le navi inglesi. Sul punto, scrisse Marryat: «Inutile che aggiunga che la relazione che corse a Napoli è al tutto senza fondamento; dire che è maliziosa è troppo poco».[110]

I colpi andarono quasi tutti a vuoto. Solo una palla entrò nello stabilimento vinicolo Woodhouse, riempiendo di spavento la signora Hervey. Nessuno tra l'equipaggio delle due navi napoletane si preoccupò di sbarcare per inseguire i garibaldini, che poterono riposare indisturbati fino alle cinque del mattino. Protetti dai carabinieri genovesi, appostati con le loro carabine al riparo dei «bagli» delle aziende vinicole. In guardia sul molo. Marryat sbagliò le previsioni sull'inizio del fuoco, credeva infatti iniziasse almeno un'ora prima di quanto avvenne in realtà. E spiegò che, per quest'evenienza, aveva già dato ordine ai suoi uomini di spostare le navi per evitare che si trovassero in mezzo alle bombe. Invece delle cannonate, arrivò Acton che, partito la mattina da Sciacca per Trapani, riuscì solo a rimorchiare a Napoli il *Piemonte*, lasciando il *Lombardo* arenato a pochi metri dal molo. Partiti i garibaldini, i pescatori marsalesi si precipitarono a bordo per saccheggiare quanto potevano dalle stive.[111]

Nel viaggio di avvicinamento a Marsala, Acton aveva perso ben due ore al largo per caricare a bordo due cannoni. Se l'era presa comoda. La sua condotta a Marsala non fu certo encomiabile. E, di fatto, facilitò la marcia di Garibaldi. A cose fatte arrivarono a Marsala anche altre navi napoletane: il brigantino *Valoroso* e il vapore armato *Capri*, che erano state impegnate in ampi quanto inutili giri al largo per avvistare ulteriori imbarcazioni nemiche. Il capitano Marino Caracciolo,[112] tanto per dare un segno della sua presenza, fece sparare giusto qualche colpo. Finirono in gran parte in mare, altri uccisero un cane e ferirono di striscio due garibaldini a riva.[113]

Lo sbarco durò meno di due ore. Senza l'aiuto dei pescatori marsalesi, ci sarebbe di certo voluto più tempo. Trasportarono a terra, oltre agli uomini, anche 51 colli e 22 ballotti, oltre ad armi e munizioni. Sette barche di Stefano Parrinello, 1 dello stabilimento Ingham, 2 dell'azienda vinicola Florio. Otto mesi dopo, il comune ricompensò quegli uomini con 20 tarì ciascuno.[114] Nell'archivio comunale di Marsala, sono conservati cinque fogli con le note dei pagamenti a persone che avevano aiutato lo sbarco dell'11 maggio 1860.[115]

Naturalmente, gli inglesi si dimostrarono ospitali con gli sbarcati. Tanto che Garibaldi, prima di allontanarsi, donò al viceconsole Cossins la bandiera del *Lombardo*. E Cossins, in sella al suo cavallo, accompagnò per qualche miglia i volontari. Ritornò con in tasca alcune lettere da spedire. Le avevano scritte Garibaldi, Stefano Türr, Giuseppe Sirtori. Indirizzate alle loro mogli e figlie.[116]

Garibaldi fu ben ospitato a Marsala. Il 13 maggio ringraziò Cossins così: «Lei fu tanto gentile con me che mi fo ardito di inviarle le annesse lettere perché si compiaccia di spedirmele a Genova. Comandi in ogni occasione».[117] Il console rispose che avrebbe spedito le lettere via Malta, le comunicazioni con Palermo erano infatti interrotte. Cossins continuò a far da tramite anche per le lettere da spedire a giornali. Un collegamento importante. Attraverso Francesco Crispi, Garibaldi fece cercare il sindaco e i decurioni comunali[118] per convocarli al Palazzo di città. Ne vennero trovati solo dieci su trenta. La loro presenza era necessaria per dare parvenza di validità formale alla dichiarazione di decadenza della dinastia borbonica con il passaggio dei poteri a Vittorio Emanuele attraverso la dittatura di Garibaldi. I decurioni, non potendosi opporre a quegli uomini armati, cercarono di prendere tempo nascondendosi dietro un vizio formale: erano stati convocati in violazione del regolamento, senza alcuna notifica scritta nei tempi previsti.

Nel frattempo, era tornato in città anche il sindaco. Fu gentile, offrì da mangiare e dormire al generale, firmò il documento facendo proprie le riserve dei decurioni. Solo dopo il proclama di Salemi del 14 maggio, l'atto di Marsala venne dichiarato valido da sindaco e decurioni. Il vento stava cambiando, meglio guardarsi le spalle. Un altro documento, invece, era stato redatto senza difficoltà dal percettore Bartolomeo Accardi: la consegna della cassa comunale. Si trattava di 890 ducati e 45 grana. Con il cambio dell'epoca, erano 3560 lire. Il verbale sembrava una normale consegna a un'autorità statale già costituita. Era invece denaro pubblico del legittimo Stato borbonico.[119]

All'alba del 12 maggio, con un clima da scirocco, i garibaldini lasciarono Marsala. Due giorni dopo, il famoso proclama a Salemi: un decreto nominava Garibaldi dittatore dell'isola in nome di Vittorio Emanuele. In quel momento, l'esercito di volontari era già cresciuto. Erano stati 1089 solo al momento dello sbarco. Appena tre giorni dopo, Türr scriveva in una lettera affidata a Cossins: «Abbiamo più di 15.000 uomini».[120]

Solo un'ora e mezza dopo l'arrivo dei garibaldini in Sicilia, il luogotenente Castelcicala telegrafava al re che «lo sbarco de' filibustieri à avuto luogo a Marsala».[121] Aggiungendo: «La crociera non à impedito questo attentato, tuttoché da me prevenuti più volte, anche nella giornata di ieri i comandanti de' legni».[122] Il 15 maggio, appena quattro giorni dopo lo sbarco delle camicie rosse a Marsala, Castelcicala sarebbe stato sostituito con il nuovo luogotenente Ferdinando Lanza.[123]

E la «maffia» non sta a guardare

Salvatore Maniscalco conosceva bene la sua isola. La sua gente. Era uno «sbirro» che veniva dal popolo. Del siciliano aveva la dignità, l'orgoglio, la diffidenza. Lo avevano bollato come «sgherro dei Borbone», ma in realtà dietro questa definizione c'era tutto il timore dei delinquenti verso uno che il suo mestiere di direttore di polizia a Palermo sapeva farlo bene. Con metodi drastici e duri, soprattutto con i gruppi di delinquenti organizzati. Quelli che a Palermo qualcuno chiamava «picciotti di maffia».[124] Maniscalco aveva dato tanto fastidio che fu vittima di un attentato: il 27 ottobre 1859 venne aggredito alle spalle da un uomo, Vito Farina soprannominato «Farinella»,[125] che lo accoltellò ai reni. L'aggressore portava una barba finta. Fallì: Maniscalco guarì in pochi giorni. I mandanti erano alcuni esponenti dei circoli liberali palermitani, l'esecutore un giovane vigilato dai numerosi precedenti penali, che accettò di uccidere in cambio di 600 ducati, pari a ben 2400 lire dell'epoca.[126] Segno che il direttore di polizia era temuto. E il fatto che fosse invece assai stimato dal generale Filangieri, che lo aveva nominato ai vertici della polizia sin dai tempi della sua luogotenenza sull'isola, la diceva lunga sull'efficienza di quell'alto funzionario borbonico.[127] Che, anche in quei giorni di crisi con Garibaldi sbarcato in Sicilia da poche ore, aveva ben chiara la situazione. Tanto da scrivere, proprio al suo referente Filangieri, appena tre giorni dopo lo sbarco a Marsala:

> La Sicilia non vuole l'annessione al Piemonte e si è servita come mezzo ad altro fine del nome di Vittorio Emanuele [...]. La gente onesta e dabbene è spaventata dalla rivoluzione e per timore la plaude e l'appoggia. Si aspettano ulteriori sbarchi di emigrati e l'anarchia sarà completa in tutta la Sicilia.[128]

La Sicilia non voleva diventare italiana. Semplicemente era stanca di essere napoletana, di rinunciare alla sua autonomia, alla sua capacità di decidere da sola sulle sue ricchezze. Non era nato in Sicilia, nel 1812, il primo Parlamento della storia del Regno? Così come nel 1848, anche con lo sbarco di Garibaldi si sperava di conquistare finalmente una piena autonomia dagli amministratori del continente. E questo, Maniscalco, siciliano puro, lo aveva capito bene. Non era l'isola in mano ai baroni, a chi gestiva il potere economico con la proprietà delle terre?

Del resto, nonostante nel 1812 fosse stata decretata la fine del sistema feudale, le cose erano rimaste uguali. Ai feudatari si erano sostituiti i baroni, proprietari di grossi latifondi. Nei loro confronti, il potere statale appariva una semplice impalcatura formale. I baroni, nobili, ricchi e potenti, potevano persino permettersi il lusso di avere al servizio agguerrite milizie private. Uomini decisi a tutto, spesso con qualche omicidio da farsi perdonare. Uomini che vivevano anche di espedienti poco leciti in combutta tra loro. Un sistema che già nel 1838 aveva saputo descrivere Pietro Calà Ulloa,[129] futuro ultimo primo ministro borbonico con il re Francesco II, allora procuratore generale a Trapani. Che scrisse:

> Vi ha in molti paesi delle fratellanze, specie di sette che diconsi partiti, senza colore o scopo politico, senza riunione, senza altro legame che quello della dipendenza da un capo, che qui è un possidente, là un arciprete [...]. Sono tante specie di piccoli Governi nel Governo. La mancanza di forza pubblica ha fatto moltiplicare il numero dei reati! Il popolo è venuto a tacita convenzione coi rei. [...] Molti possidenti perciò han creduto meglio divenire oppressori che oppressi, e s'iscrivon nei partiti.[130]

L'analisi continuava implacabile, descrivendo connivenze negli uffici pubblici, nella magistratura. E poi la dissoluzione di Palermo, dove allora vi erano 40.000 proletari costretti spesso a vivere di espedienti.[131] La terra passò dagli aristocratici ai borghesi, mentre i contadini svolgevano anche funzioni di loro guardie armate: erano i cosiddetti «campieri», cui, per ricompensa dei servigi resi, i proprietari concedevano il fitto di porzioni di latifondo. E i «campieri» si trasformarono in «gabellotì», affittuari di terre in grado di intimorire i baroni con la loro prepotenza.[132]

In tutti gli isolani era forte il senso della «sicilianità», del fare da soli. Chi li governava era sempre uno «straniero» venuto da lontano contro cui poter sfogare violenze tribali, senza freni. Era successo nel 1848-49, quando esplose la ribellione contro lo Stato che aveva nella lontana Napoli la capitale. In nome del liberalismo, con l'aiuto dell'Inghilterra che voleva difendere i suoi interessi economici e marittimi sull'isola. La Sicilia voleva staccarsi dal Regno delle Due Sicilie. Fare da sola. E ci vollero le maniere forti, l'abilità militare del generale Carlo Filangieri per mantenere l'isola nel regno. Nella seduta dell'8 febbraio 1849, il generale Filangieri raccontò la spedizione vittoriosa, rispondendo all'interpellanza presentata dai deputati del Parlamento napoletano «sulla voce corsa degli atti di crudeltà che si sarebbero commessi, allorché fu presa Messina, dalle truppe napoletane».[133] Il generale Filangieri, uomo pratico e di esperienza, esordì dicendo che «la guerra è sempre una sequela di atti omicidi, di cui il terribile scopo è, sventuratamente, la distruzione e la morte del nemico».[134]

Poi citò un po' di cifre: il 6 settembre 1848, dopo tre giorni di cannoneggiamento, erano entrati a Messina 6400 uomini, con 255 ufficiali. Le perdite erano state, anche a causa dei combattimenti sostenuti strada per strada, 46 ufficiali e 1023 uomini di truppa. Il generale concluse in maniera sibillina: «Quali sarebbero i destini dell'Irlanda, se il governo britannico volesse a se stessa abbandonarla ivi affidando la pubblica tranquillità ad un esercito esclusivamente indigeno?». Non senza aver descritto le crudeltà subite dai suoi uomini: «I siciliani infiggevano sulle picche le teste dei cadaveri napoletani bruciati ed oltraggiati e ne vendevano le parti gridando: "Ad un baiocco il rotolo la carne napoletana". A ciò facevano anche seguito scene di vero cannibalismo».[135]

Nella rivolta del 1849, aristocratici e baroni avevano già

sperimentato l'alleanza con quei popolani di cui aveva parlato Ulloa. Fu in quella ribellione che si formarono molti protagonisti della spedizione garibaldina: Francesco Crispi, Rosolino Pilo, Giuseppe La Farina. Dodici anni più tardi, i comitati liberali intenti a preparare il terreno all'arrivo di Garibaldi si resero conto di aver bisogno, come nel 1848, di agganci nei ceti popolari. Quelli pronti a menar le mani. «Bisognava, per quanto era possibile, non aver contatti con la mafia», scrisse De Cesare.[136] Ma il contatto fu inevitabile. Alla fine di febbraio 1860, il comitato liberale, in cui esponenti principali erano Michele Amari, il marchese Torrearsa, Filippo Cordova, Mariano Stabile, Matteo Reali, Vito d'Ondes Reggio, agganciarono Francesco Riso, maestro fontaniere, e Salvatore La Placa, sensale di bovini. Erano dei capipopolo, in grado di raggruppare gente sveglia.[137] Poi fu necessario incontrare i baroni e attraverso loro i vari «gabelloti» di riferimento per preparare lo sbarco di Garibaldi. Incaricati di questa missione, furono Giovanni Corrao e Rosolino Pilo, uomini che conoscevano bene come muoversi nella loro Sicilia. All'arrivo a Marsala, Garibaldi si aspettava già di essere ricevuto da migliaia di squadre pronte all'azione. Così gli aveva assicurato Crispi, che faceva affidamento sui «picciotti» di Stefano Triolo, barone di Sant'Anna[138] che dovevano arrivare da Alcamo. Si fecero vedere lungo la strada che da Marsala andava verso Salemi. Giuseppe Bandi li descrisse come gli «arabi di Sant'Anna».[139]

Raccontò il barone Brancaccio di Carpino: «Si andava giornalmente nelle vicine campagne per arruolare sotto la bandiera tricolore quei contadini animosi, che per istinto nativo odiavano la tirannide [...]. Era dura necessità reclutare gente di ogni risma; vi si era costretti da forza maggiore, e non potendo essere arbitri della scelta, si doveva accogliere tutti coloro che dicevano essere pronti alla scelta».[140]

Le bande di «picciotti» accompagnarono i primi sbarcati fino allo scontro di Calatafimi. Mentre i «picciotti» del barone di Sant'Anna parteciparono alla battaglia, gli altri si sistemarono lungo le colline circostanti. In attesa. Le camicie rosse diedero prova dei loro assalti alla baionetta, mentre migliaia di «montanari armati fino ai denti con certe facce sgherre e certi occhi che paiono bocche di pistola»[141] osservavano urlando. E terrorizzando i soldati borbonici, impegnati nel combattimento. Pronti a intervenire, ma anche a utilizzare i vantaggi a cose fatte. Fu la prima verifica sul campo, dopo l'iniziale diffidenza, dell'affidabilità e del coraggio di quegli stranieri, gli «italiani», sbarcati pochi giorni prima. Scrisse George Trevelyan, descrivendo ciò che accadde la sera del 12 maggio 1860:

> Quella sera a Rampagallo si unì a loro la prima vera *squadra,* contadini robusti, con buoni cavalli e le armi alla sella. Alcuni erano arrivati al seguito del barone Sant'Anna, il grande proprietario terriero di Alcamo, altri di don Alberto Mistretta di Salemi e Rampagallo.[142]

Fu lo stesso storico inglese a descrivere i componenti di quelle «squadre»: contadini coraggiosi vestiti con pelle di pecora, o gente a cavallo con giacche di velluto e stivaloni bassi. Tutti erano armati di fucili a pietra focaia e archibugi. Giovanissimi, a volte neanche ventenni, indisciplinati, «si limitavano a seguire come una mandria il loro ex signore feudale fino a quando sentivano di doverlo seguire».[143]

Mentre i garibaldini avanzavano con prudente cautela, le squadre dimostrarono subito di sapere ben controllare il territorio. Di conoscerne ogni metro a memoria. L'incontro di Garibaldi con il barone Stefano Triolo di Sant'Anna, alla presenza di Stefano Türr e Giuseppe Sirtori, fu molto cordiale. Discussero delle premesse fondamentali di una collaborazione destinata al successo: appoggi logistici, guide sul terreno, rifornimenti, controllo dei loro conterranei. Le «squadre» erano il lasciapassare delle camicie rosse. Il 14 maggio, sempre il viceconsole di Marsala, Richard Brown Cossins, inviò a Malta una lettera: descriveva l'arrivo degli uomini di Sant'Anna, ma soprattutto annunciava l'imminente arrivo di volontari da Trapani e da Monte San Giuliano. Era la gente di Giuseppe Coppola da Monte Erice, che giunse in gran numero e a cavallo, e del barone Michele Mokarta.[144] Arrivarono anche una «squadra» dal comune di Santa Ninfa con una bandiera tricolore e una dal comune di Vita, armata di picche e tromboni.[145] Fu però il barone Salvatore di Rainò, erede a Gangi della ricchezza e del potere accumulato dal XVI secolo dalla famiglia Li Destri, a mettere completamente a disposizione di Garibaldi tutti i suoi mezzi. E la sua influenza: controllo esteso del territorio, capacità di avere a disposizione molte braccia armate.[146] Non per nulla il barone venne poi premiato con una medaglia d'oro per l'attività di quei giorni.

Tra quegli uomini, c'erano violenti e anche contadini che speravano non certo di entrare a far parte dell'Italia unita, ma di ottenere terre in ricompensa. Consigliato da Corrao, La Masa e Pilo, il generale provvide a firmare decreti che dovevano rappresentare un segnale per quella gente semplice: il divieto del baciamano, l'abolizione del «voscenza», la distribuzione delle terre demaniali a chi si sarebbe battuto per la patria.

I baroni siciliani si erano subito prestati ad appoggiare Garibaldi, per controllare ogni pericolo di rivoluzione sociale. C'era solo da liberarsi dei Borbone, che avevano declassato la Sicilia, con tutti i privilegi che deteneva quando re Ferdinando IV, protetto dagli inglesi, si era rifugiato a Palermo, provincia periferica del regno. Sostituirli con un'altra dinastia, per restare padroni dell'isola. Otto anni prima, due decreti[147] voluti da Ferdinando II avevano tentato di ridurre i poteri baronali, prevedendo il frazionamento e la vendita di terre demaniali. Volontà accolte molto male in Sicilia.

Ai baroni non restò che cercare l'appoggio e l'alleanza di gente come Giuseppe Coppola, Santo Mele e Salvatore Miceli, da anni riferimenti mafiosi. Divennero «patrioti» e «garibaldini», come decine di altri capi dei «picciotti» che seguivano i baroni a cavallo.[148] Molti erano evasi dalle galere e molti, specie nelle città, approfittarono della loro nuova veste per consumare vendette e saldare conti con gli odiati «sbirri», chiamati «sorci» perché costretti a nascondersi nelle fogne. In piazza Marina e alla Badia di Palermo gli episodi più violenti: quindici morti pugnalati. Circolarono anche tariffe sulla «carne» da massacrare: valeva più un soldato che un gendarme.[149] Ma furono perseguitati e braccati con violenza soprattutto gli uomini che una volta erano stati agli ordini di Maniscalco. Approfittando della confusione, vennero compiuti anche delitti tra cosche avverse: a Bagheria fu ucciso un capobanda. Anche a Corleone, un capocosca approfittò della situazione. Si chiamava Luca Cuccia e trucidava tutti i sospetti borbonici. Sterminò un'intera famiglia: quella dei Lojacono. Una vendetta privata.[150] Nel 1860, la mafia non era ancora un'organizzazione compatta e centralizzata, ma un insieme di gruppi e sottogruppi, cosche e «fratellanze», spesso in lotta tra loro a difesa di interessi parassitari: estorsioni, violenze, piccoli traffici illeciti del contrabbando.[151]

I baroni riuscirono a ottenere la legittimazione patriottica di fatto per le loro bande armate. Per le milizie personali, che divennero manovalanza violenta da utilizzare anche contro chi entrava in contrasto con i loro interessi. Dichiarò qualche anno più tardi il duca Gabriele Colonna di Cesarò, dinanzi alla Commissione parlamentare d'inchiesta sulle condizioni agrarie della Sicilia:

> Credo che la maffia sia un'eredità del liberalismo siciliano perché quando cadde il feudalesimo, o dirò meglio, quando il feudalesimo rinunziò da se stesso al suo potere (nel 1812), i Borbone ruppero la fede giurata alla Sicilia e da allora cominciò una lotta continua, implacabile, tra la Sicilia e i Borbone [...]. Tutti i baroni, tutti i proprietari tanto della città come

> dell'interno hanno sempre avuto una forza che stava attorno a loro e della quale essi si sono sempre serviti per farsi giustizia da sé senza ricorrere al governo e della quale forza si sono serviti ogni qualvolta si è dato il segnale della rivoluzione [...]. Naturale che quando si doveva fare una rivoluzione non si badasse tanto pel sottile alle fedi di perquisizione di coloro cui si ricorreva [...]. Per me qui sta l'origine della maffia.[152]

Senza quegli appoggi così influenti, potenti e in grado di condizionare ogni rivoluzione siciliana, Garibaldi avrebbe avuto molti più problemi: nell'avanzata lungo l'isola, nello scambio di informazioni e negli scontri con i borbonici. I mafiosi facevano da contrappeso alle ingerenze del potere statale negli interessi baronali. E anche durante la spedizione garibaldina quella regola venne rispettata.

Santo Mele, uomo grande e forte, mafioso conosciuto nella zona di Trapani, era nelle squadre del barone Sant'Anna. Cesare Abba scrisse che era tenuto a freno dagli altri. Dagli inizi della rivoluzione aveva cominciato a impossessarsi di beni pubblici, incendiando anche il villaggio di Calamina.

Sempre Abba lo descrisse così: «I siciliani che dall'esilio erano tornati nell'isola dicevano che colui doveva essere maffioso; e spiegavano ai compagni la natura d'una tenebrosa società, che aveva le sue fila per tutta l'isola, in alto, in basso, nelle città, nelle campagne, dappertutto».[153]

Santo Mele scomparve dal campo garibaldino, dove era stato imprigionato per delle sue intemperanze. La «maffia potentissima gli aveva dato aiuto», sentenzia Abba. Così potente da farsi gioco di migliaia di uomini in armi. Segno che doveva avere buone complicità in quelle squadre, dove Mele era rispettato nonostante i suoi trascorsi.

Nessuno dei due siciliani che, per conto di Garibaldi, avevano spianato la strada alla spedizione prendendo contatti con i baroni e i loro «gabelloti», rimase in vita a lungo. Rosolino Pilo fu ucciso negli scontri alle porte di Palermo il 21 maggio

1860. Una morte sospetta: Pilo fu colpito alle spalle, come se lo sparo fosse partito dalle fila delle squadre garibaldine.[154] Vittima, mentre stava scrivendo una lettera a Garibaldi, di un regolamento di conti interno. Tre anni dopo, anche Giovanni Corrao ebbe morte violenta. Rozzo e primitivo, ma sempre generoso, uomo di animo semplice nominato generale da Garibaldi, Corrao partecipò anche all'avventura dell'Aspromonte nel 1862. Aveva amicizie e contatti con gente come Turi Miceli, Giuseppe Badia, Lorenzo Minneci, Giuseppe Scordato, Domenico Abbadessa, che avevano a che fare con la mafia con tanto di picciotti agli ordini. Un anno dopo l'Aspromonte, Giovanni Corrao fu trovato morto. Venne ucciso in un piccolo podere a Monreale, tra gli agrumeti della Conca d'oro. Era il 3 agosto 1863, chi lo ammazzò si era travestito da carabiniere. In perfetto stile mafioso. Pilo e Corrao non avrebbero mai potuto raccontare a nessuno come avevano contribuito a spianare la strada a Garibaldi.[155]

La camorra diventa Stato

Ma se la mafia non stette a guardare, anche la camorra a Napoli sfruttò la grande opportunità dell'arrivo di Garibaldi. Strutturata come organizzazione piramidale, con base nei dodici quartieri cittadini ognuno con un gruppo guidato da un «capintrito», la camorra era stata considerata dai Borbone solo una temibile forma di delinquenza da reprimere. Nulla di più: un potere violento in grado di controllare gli ambienti popolari della capitale. Un potere parallelo.[156] Le cose cambiarono alla vigilia dell'arrivo di Garibaldi a Napoli: i camorristi vennero legittimati come potere sociale. Dopo i successi garibaldini in Sicilia, nel timore che le camicie rosse sbarcassero anche in Calabria, Francesco II seguì i suggerimenti dell'imperatore Napoleone III: ripristinò la Costituzione congelata dal febbraio 1849 e nominò un governo con ministri di simpatie e trascorsi liberali.[157] In quel trapasso istituzionale, i gendarmi vennero lasciati senza precise direttive sui comportamenti da assumere nei confronti dei sorvegliati politici liberali. I disordini furono inevitabili.[158] L'amnistia favorì le scarcerazioni di camorristi e delinquenti che, senza opposizione, assaltarono i commissariati di polizia. Dal 26 al 28 giugno, la città restò in balìa di agitazioni prive di obiettivi politici. Scrisse nel 1868 lo storico borbonico Giacinto De Sivo:

> La rivoltura del '60 si dirà de' Camorristi, perché da questi goduta. [...] Uscita la Costituzione... [...] Il Comitato d'ordine comandò s'abbattessero i Commissariati di polizia; e die' anzi prescritte le ore da durare il disordine. Camorristi e baldracche con coltelli, stochi, pistole e fucili correan le vie gridando Italia, Vittorio e Garibaldi [...]. Seguitavanli monelli e paltonieri, per buscar qualcosa, gridando Mora la polizia! Assalgono i Commissariati.[159]

Erano le premesse per lo «stato d'assedio»: gli incidenti dal 26 al 28 giugno giustificarono le iniziative del prefetto di polizia Liborio Romano,[160] che coinvolse i camorristi nel mantenimento dell'ordine pubblico. Marianna De Crescenzo, detta la «Sangiovannara», proprietaria di una taverna di infima fama e cugina del «capintesta» Salvatore, era alla guida delle donne inferocite. Alcuni storici liberali l'avrebbero definita una patriota, ardente garibaldina desiderosa di unire Napoli al Piemonte. Tra i capi della folla c'erano dunque il già citato Salvatore De Crescenzo, Nicola Jossa, Ferdinando Mele. Provenivano in gran parte dai quartieri della Pignasecca e Montecalvario.[161] Fu pugnalato un confidente del direttore di polizia Michele Ajossa,[162] chiamato Peppe Aversano. Qualche ispettore di polizia cercò di difendersi, ma ebbe la peggio: fu malmenato, salvandosi a stento, l'ispettore Cioffi; fu ucciso, abbandonato dai suoi uomini impauriti, il più giovane ispettore Perrelli nella zona di Santa Maria la Carità nelle vicinanze di Toledo. Un vero e proprio linciaggio, come quelli già visti per le vie di Palermo ai danni dei gendarmi. I disordini proseguirono il giorno dopo: archivi distrutti, carte bruciate, commissariati in fiamme. Era la rimozione delle tracce delle magagne passate, materiale prezioso per ricostruire le caratteristiche dei delinquenti di Napoli fu cancellato per sempre. L'episodio più grave restò il ferimento dell'ambasciatore francese a Napoli: il barone Anatole Brenier.[163] Il re Francesco II visitò il diplomatico francese in ospedale e fu costretto anche a scusarsi con Napoleone III di cui, in fondo, in quelle ore aveva seguito i consigli. Conseguenza diretta del grave ferimento di Brenier fu anche la dichiarazione dello stato d'assedio, annunciata in un manifesto firmato da Liborio Romano, affisso per tutta la città.[164] Per anticipare prevedibili proteste, Liborio Romano, l'uomo più potente a Napoli in quei giorni, decise di ricorrere al «partito del disordine», come scrisse nelle sue *Memorie*. Ai camorristi,[165] che furono riconosciuti come autorità e legittimati. L'amnistia del 3 luglio fornì appiglio formale all'intuizione di don Liborio. Se venivano azzerate le responsabilità penali, ci si poteva liberamente rivolgere ai capi della camorra, ripuliti di colpe passate. Il direttore di polizia pensava soprattutto all'immediato futuro, alla sempre più vicina partenza del re, alla transizione con l'arrivo di Garibaldi con cui era in contatto. Convocò a casa sua Salvatore De Crescenzo, il capo dei capi, omicida ed estorsore. L'uomo gli baciò la mano, ossequioso. Ascoltò le proposte di don Liborio: redimersi per diventare guardia cittadina con quanti «compagni» avesse voluto, per assicurare l'ordine.[166] In cambio, applicazione incondizionata dell'amnistia, stipendio governativo, rispetto. Tore si prese un'ora di tempo per rispondere, poi tornò con un suo compagno di reati, dando la sua parola e fornendo assicurazioni sul fatto che, da quel momento, Napoli sarebbe stata sotto il controllo della camorra. Scrisse Liborio Romano, ricordando quei giorni:

> Le antiche guardie di polizia ed i gendarmi, fatti segno alla pubblica esecrazione, erano fuggiti per salvare la vita, sulla milizia regolare non potevasi fare assegnamento. [...] D'altra parte, la reazione, comunque sgominata, serpeggiava latente e faceva temere che si collegasse col partito sanfedista, a fin di seppellire nel saccheggio e nel sangue le libere istituzioni. Anch'essi, i camorristi, dubbiosi ed incerti, aspettavano il modo di profittare di qualsivoglia perturbazione avvenisse. Or come salvare la città in mezzo a tanti elementi di disordine e d'imminenti pericoli? Fra tutti gli espedienti che si offrivano alla mia mente agitata per la gravezza del caso, un solo parsemi, se non di certa, almeno probabile riuscita; e lo tentai. Pensai prevenire le tristi opere dei camorristi, offrendo ai più influenti loro capi un mezzo di riabilitarsi; e così parsemi toglierli al partito del disordine, o almeno paralizzarne le tristi tendenze, in quel momento in cui mancavami ogni forza, non che a reprimerle, a contenerle.[167]

Tore il sanguinario, Tore l'omicida si commosse per le proposte di quel «grand'uomo». Nella stanza della Prefettura, dove si tenne il colloquio con Liborio Romano, il «capintesta» disse, in un italiano stentato condito da espressioni dialettali: «Eccellenza, state sicuro che tutti i compagni sono stati avvertiti. Disponete pure della nostra vita».[168]

Nacque così una «specie di guardia di pubblica sicurezza», come la definì proprio il prefetto di polizia. Vennero tutti armati dall'autorità costituzionale. Tra i nuovi gendarmi, c'erano ormai decine di camorristi, organizzati in compagnie e pattuglie, pronti a controllare tutti i quartieri della città.[169] Si attuò in quel modo la più tremenda e sconvolgente epurazione di polizia. Fu forse quello il periodo di maggiore potenza della camorra cittadina a Napoli. Il 7 luglio, un decreto ratificò l'azione del prefetto. Divennero commissari un tal Cozzolongo, già cameriere in una locanda, Ferdinando Mele, che aveva ucciso l'ispettore Perrelli, e il taverniere Callicchio. E poi Nicola

Jossa e Nicola Capuano, che faranno carriera nella Questura. Il 14 luglio, quando Liborio Romano da prefetto divenne anche ministro e direttore di polizia, la strana riforma delle guardie di pubblica sicurezza era compiuta.[170] Negli organici, ai vertici c'erano ormai quattro capi della camorra: De Crescenzo, Jossa, Capuano, Mele. Furono loro a controfirmare tutti i fogli del decreto del 19 luglio che diede il nuovo assetto alla polizia, creando 12 capisquadra e centinaia di agenti già inquadrati in via provvisoria negli organici della guardia di sicurezza qualche giorno prima.[171] Tra gli agenti molti «picciotti di sgarro», fino a qualche giorno prima dall'altra parte. Si invertirono i ruoli tra guardie e ladri registrati negli atti ufficiali.[172] Fu Nicola Jossa[173] a essere inviato al commissariato del quartiere Mercato. I camorristi, in divisa e con coccarda tricolore in petto,[174] bene armati tutelavano l'ordine pubblico, tenendo d'occhio soprattutto i fedeli al re Borbone e i nostalgici del precedente governo non costituzionale. Eseguivano le disposizioni del ministro Romano. E proprio il 15 luglio, quando la guardia reale tentò una specie di colpo di Stato subito represso, quella polizia ebbe modo di farsi apprezzare da chi l'aveva creata, controllando disordini e raggruppamenti di persone in via Toledo, largo di Palazzo e del Castello, San Potito, San Giovanni a Teduccio e Antignano.[175] Nessuno, tra chi allora aveva voce, si indignò dell'utilizzo dei delinquenti come gendarmi. Anzi, facendone motivo di vanto e riempiendo le cronache di dettagli folkloristici, alcuni giornali pubblicati a Torino descrissero compiacenti l'utilizzo dei camorristi nella polizia e l'adesione del «popolo» alle nuove idee liberali.[176] E anche la guardia nazionale controllata da don Liborio, che contava centinaia di camorristi, divenne una realtà: 9600 uomini, armati di 1200 fucili. L'organico sarebbe stato poi portato a 12.000 uomini il 27 agosto 1860.[177]

Qualche giorno dopo, senza alcun problema, anche se in città c'erano truppe borboniche, Garibaldi riuscì ad arrivare a Napoli. Con pochi uomini e in treno. Era il 7 settembre

1860, il re era partito il giorno prima. Nessuno osò toccarlo, i militari rispettavano gli ordini di Francesco II che aveva lasciato la capitale per evitare spargimenti di sangue, spostandosi con le truppe fedeli tra le fortezze di Capua e Gaeta. La sua resistenza armata, negli scontri di Caiazzo, Pontelatone, Triflisco, Roccaromana, del Volturno e del Garigliano, di Capua, Mola e Gaeta, durò sei lunghi mesi. Dal 6 settembre 1860 al 14 febbraio 1861, i soldati borbonici dovettero fronteggiare i garibaldini, ma anche oltre 30.000 uomini dell'agguerrito esercito sardo, che, il 12 ottobre 1860, senza alcuna dichiarazione di guerra, invase il regno borbonico unendosi alle camicie rosse.[178]

Nel periodo della dittatura di Garibaldi a Napoli, il contrabbando aumentò a dismisura, raggiungendo livelli mai toccati prima. Con guadagni rilevanti per la camorra ed entrate risibili per le imposte e i dazi governativi. Situazione che si mantenne anche durante i governi luogotenenziali che dal 3 gennaio 1861 presero il posto delle due amministrazioni dittatoriali in rappresentanza del re Vittorio Emanuele II.[179] I re di questi affari furono Salvatore De Crescenzo e il suo rivale Pasquale Merolle.

Durante i due governi dittatoriali, i camorristi facevano incetta di vestiti da rivendere, portati in città via mare e via terra. La dogana arrivò a perdere, in quel periodo, introiti pari a 40.000 ducati al giorno. Con nodosi bastoni, giovanotti decisi scortavano la merce in entrata a Napoli e, quando venivano fermati dagli agenti della dogana per la verifica delle casse e dei pacchi sistemati su carretti, ripetevano una frase diventata quasi un lasciapassare: «È roba d'o zì Peppe». Che poi era «zio» Giuseppe Garibaldi, allora chiave d'accesso per tutto ciò che avveniva a Napoli. I doganieri chiudevano gli occhi e si tappavano le orecchie, lasciando correre. Era lo scotto da pagare per i favori ottenuti dalla camorra nel mantenimento della tranquillità.[180] La camorra controllò anche i successivi plebisciti: i «guaglioni» in coccarda rossa, bene armati di bastoni e coltelli, vigilarono le urne palesi il 21 ottobre 1860. Una votazione-farsa, che doveva sancire il passaggio di poteri, mentre l'esercito borbonico era ancora in guerra sulla linea del Volturno. Scrisse il cappellano militare borbonico Giuseppe Buttà:

> Dopo il Plebiscito, le violenze de' camorristi e dei garibaldini non ebbero più limiti: la gente onesta e pacifica non era più sicura né delle sue sostanze, né della vita, né dell'onore [...]. I camorristi padroni di ogni cosa viaggiavano gratis sulle ferrovie allora dello Stato, recando la corruzione e lo spavento nei paesi vicini.[181]

Mano pesante a Bronte

Un conto erano i decreti, un altro la loro applicazione. Promettere le terre ai contadini era una buona propaganda, per convincere meglio i «gabelloti» a seguire i baroni latifondisti. Se non ci fossero stati loro, gli arruolamenti in Sicilia nell'esercito, diventato «meridionale» per decreto di Garibaldi, sarebbero risultati assai scarsi. Lo riconobbe Bixio anni dopo: «La Sicilia, anche in momenti solenni, s'è rifiutata di pagare in persone quello che lo stesso dittatore le domandava; [...] il dittatore ordinava la leva, ma nessuno voleva presentarsi».[182]

Credendo negli annunci di Garibaldi, i contadini esplosero in una, questa volta sì, rivolta spontanea e occuparono le terre. Tra il giugno e il luglio 1860, cominciarono dimostrazioni nei latifondi demaniali in molti paesi nelle province di Messina, Catania, Palermo, Caltanissetta, Enna, Caronia, Cesarò, Mirto, Biancavilla, Bronte, Castiglione, Cefalù, Collesano, Petralia, Niscemi, Cerami, Nicosia, Regalbuto.[183]

Ma fu solo a Bronte che il generale decise di usare tutta la sua autorità. E la forza, affidata al suo uomo più determinato: Nino Bixio. Va bene l'appoggio dei contadini guidati dai baroni, va bene le promesse, ma quando si toccavano gli interessi dei latifondisti e degli inglesi che avevano appoggiato la spedizione da cui si aspettavano vantaggi, allora bisognava agire. E a Bronte i veri proprietari erano inglesi.[184]

All'avanzata di Garibaldi, i contadini-vassalli di Bronte si ribellarono. Era la caccia ai signori. Ci furono disordini, con sedici morti. Libertà, gridavano in tanti, sperando nell'abolizione della feudale «ducea».[185]

Era troppo, il console inglese a Catania, John Goodwin, sollecitò il generale Garibaldi, accampato a sud di Messina, a difendere i diritti dei cittadini inglesi. Garibaldi fu sommerso da pressioni, telegrammi e anche Crispi, diventato ministro dell'Interno nel governo dittatoriale, consigliò di intervenire. Il console era stato tempestato da richieste di aiuto dai fratelli Guglielmo e Franco Thovez, amministratori della ducea per conto della baronessa Bridport che viveva in Inghilterra. L'incarico fu affidato a Bixio.[186]

La rivolta esplose violenta tra il 29 luglio e il 6 agosto 1860. Il 4 agosto giunse una compagnia della guardia nazionale da Catania. Inutilmente. Il 6 agosto arrivò Nino Bixio con due battaglioni di bersaglieri. Prese alloggio al collegio Capizzi, dove rimase tre giorni. Gli insorti più violenti erano fuggiti. Come primo atto, Bixio decretò lo stato di assedio e la consegna delle armi imponendo una tassa di guerra. Fece affiggere un avviso che dichiarava il paese di Bronte «colpevole di lesa umanità».[187] Poi, per dimostrare che non scherzava, diede il via a una veloce rappresaglia senza alcuna concessione a garantismi di sorta. Bisognava dimostrare agli inglesi che nessuno poteva toccare impunemente gli interessi britannici. Fu costituita una «commissione mista di guerra» per celebrare un simulacro di processo. Tutto fu liquidato in poco tempo, senza riconoscere alcun diritto di difesa. La causa fu discussa in appena quattro ore. Era la sera del 9 agosto, sul banco degli imputati sedevano quasi tutti analfabeti. Nonostante ciò, venne data loro appena un'ora di tempo per presentare, per iscritto, le ragioni a loro discolpa. In quattro impiegarono due ore e il tribunale respinse il documento. Alle 8 di sera, era già tutto deciso: cinque persone vennero condannate a morte. Tra loro, l'avvocato Nicolò Lombardo, notabile locale e vecchio liberale, che si era spontaneamente presentato a Bixio riconoscendone l'autorità. Non era bastato. Lombardo, espressione degli interessi comunali, fu riconosciuto colpevole di non aver saputo tenere a freno la violenza contadina. Con lui vennero condannati i popolani Nunzio Spitaleri Nunno, Nunzio Samperi Spiridione, Nunzio Longhitano Longi, Nunzio Ciraldo Fraiunco, che era lo scemo del paese, totalmente infermo di mente. Vennero indicati come i promotori dei disordini. Il 10 agosto, all'alba, furono tutti fucilati dinanzi all'intera popolazione di Bronte nella piazzetta della chiesa di San Vito.

«Sono innocente come Cristo», urlò Lombardo. Un ufficiale lesse la sentenza. Le scariche di fucileria, poi i corpi caduti uno sull'altro. Il matto del paese era ancora vivo, implorò «grazia, grazia», ma venne finito da un ufficiale che gli sparò il colpo di grazia con una rivoltella. I corpi dei giustiziati furono lasciati fino a sera sul luogo dell'esecuzione, come monito intimidatorio.[188]

La rivoluzione garibaldina mostrava il suo volto: non doveva disturbare gli interessi degli uomini che si riconoscevano in Vittorio Emanuele. Gli interessi della borghesia nei latifondi. E degli inglesi che facevano affari in Sicilia. Al primo processo sommario ne seguì un secondo dinanzi la Corte d'assise di Catania. Andò avanti per tre anni e si concluse solo nel 1863 con trentasette condanne, tra cui venticinque ergastoli. Giustizia era fatta.

Il 12 agosto, Bixio si sentì in dovere di annunciare agli abitanti della provincia di Catania che a Bronte era stata ripristinata la legalità. Scrisse:

> Gli assassini e i ladri di Bronte sono stati severamente puniti [...]. Le Autorità dicano ai loro amministrati che il governo si occupa di apposite leggi e di opportuni legali giudizi pel

> reintegro dei demani. Ma dicano altresì a chi tenta altre vie e crede farsi giustizia da sé, guai agli istigatori e sovvertitori dell'ordine pubblico sotto qualunque pretesto. Se non io, altri in mia vece rinnoverà le fucilazioni di Bronte se la legge lo vuole.[189]

Un avvertimento a futura memoria. Anche un modo per rassicurare i baroni e i signori arricchiti dei latifondi che non c'era pericolo di rivolte sociali, con la Sicilia in mano al dittatore Garibaldi. I soldati borbonici erano partiti. In Sicilia, la bandiera delle Due Sicilie sventolava solo sulla piazzaforte di Messina.

1. Ferdinando II di Borbone sul letto di morte a Caserta.

4

Corruzione e cinismo

«Una guerra ingiusta e contro la ragione delle genti ha invaso i miei Stati, nonostante ch'io fossi in pace con tutte le potenze europee. [...] La guerra si avvicina alle mura della città, e con dolore ineffabile io mi allontano con una parte dell'esercito, trasportandomi là dove la difesa dei miei diritti mi chiama.»

Proclama di Francesco II di Borbone,
6 settembre 1860

Solo. A prendere decisioni che avrebbero dovuto salvare il trono dove nel 1734 si era seduto, per primo, il suo avo Carlo III. Solo, a 24 anni, a tentare di salvare il Regno e il futuro della dinastia. Un fardello davvero pesante per Francesco II, re da appena sedici mesi. Poco prima di morire, il padre Ferdinando II gli aveva raccomandato di diffidare dei piemontesi e degli inglesi. E di affidarsi ai consigli esperti del generale Filangieri. Lui aveva ascoltato il genitore. Poi, si era dovuto rivolgere all'imperatore Napoleone III. Dopo lo sbarco di Garibaldi in Sicilia, la carta diplomatica tentata a Torino aveva poche probabilità di successo: Cavour, troppo scaltro, prendeva tempo in attesa che le camicie rosse ottenessero successi militari. Così, Giovanni Manna e Antonio Winspeare, i due diplomatici napoletani inviati in Piemonte nel luglio del 1860 per cercare di chiudere un accordo con il governo di Torino, vennero solo presi in giro. Il primo ministro piemontese prima non volle riceverli, poi tergiversò. E infine, quando ormai arrivavano notizie positive sull'avanzata siciliana dei garibaldini, rifiutò la proposta di un trattato per realizzare una confederazione di Stati italiani: Piemonte al Nord, le Due Sicilie al Sud.[1] Eppure, i due Stati erano ancora in pace tra loro ed entrambi erano riconosciuti da tutte le nazioni europee.

In Francia, Francesco II aveva inviato in missione il marchese Augusto La Greca per ricevere appoggi e consigli in grado di scongiurare l'ulteriore avanzata di Garibaldi. Tentativi diplomatici perché, fino agli inizi di settembre, il re Borbone si considerava ancora in pace con tutti. Nonostante l'invasione dei volontari in camicia rossa che, in pochi giorni, erano aumentati di numero con gli uomini sbarcati in successione protetti dalle navi sarde e inglesi. Su due battelli a vapore erano arrivati i 3500 uomini di Giacomo Medici con 8000 fucili e 400.000 cartucce, guardati con favore da Cavour che chiese all'ammiraglio Persano di favorirne lo sbarco in Sicilia.[2] Erano poi sbarcati anche i quasi 1000 volontari inglesi. Fino al 26 giugno, giunsero indisturbate in Sicilia ben diciassette spedizioni con rinforzi e armi. Il 12 giugno, si era unito ai volontari anche il gruppo di 2000 uomini al comando di Enrico Cosenz. Molti vapori, per copertura formale, esibivano la bandiera americana.[3] E Manna, a Torino dal 16 luglio, spiegò a Cavour: «L'apparente debolezza del Governo è causata dalla novità, dal disordine morale che producono le spedizioni, dalla divisione che si è cercato mettere nell'esercito. [...] La forza e l'energia verrebbero immediatamente, se l'Italia superiore non ripugnasse tanto ad avvicinarsi a Napoli».[4]

Ingenuità. Mentre Vittorio Emanuele II scriveva a Garibaldi le due versioni della famosa lettera in cui esprimeva il suo parere sul passaggio dei volontari in Calabria: una, ufficiale, chiedeva al generale di desistere; l'altra, ufficiosa, lo invitava a proseguire. Su consiglio di Napoleone III, credendo che la questione in ballo fosse solo la trasformazione delle Due Sicilie in una monarchia liberale, Francesco II aveva riportato in vita la Costituzione voluta dal padre dodici anni prima. Aveva indetto le elezioni, concesso un'amnistia, adottato il tricolore con al centro lo stemma della dinastia e nominato un nuovo governo con esponenti liberali. A presiederlo Antonio Spinelli, che tutti sapevano iscritto alla Massoneria. Ma il ministro più influente e di potere era certamente Liborio Romano, che era già in contatto con Cavour. Uno dei tanti a fare il doppiogioco in quel confuso e difficile momento di trapasso per l'intero Mezzogiorno. E che la questione non fosse solo, anzi per nulla, il mutamento di forma istituzionale del regno, lo capì bene a Torino proprio l'inviato napoletano Giovanni Manna, che nel suo diario sulla missione diplomatica annotava:

> Dopo le concessioni delle nuove istituzioni nel regno è poco esplicabile lo scopo a cui possono servire tante migliaia di armati, che non hanno alcun vero nemico da combattere. Se si crede che il Paese aspiri ad altre novità politiche, è strano che si pensi andargliele ad imporre con la forza. Se al contrario si crede che il Paese voglia resistere, sia per conservare la propria autonomia ed istituzioni, sia per difendere la sua antica Dinastia, è ancor più strano che Italiani vadano a combattere altri Italiani per costringerli a fare delle trasformazioni che quelli non credono di loro interesse.[5]

Era il succo di ciò che stava accadendo nelle Due Sicilie: non si trattava di imporre «democrazia liberale» in quello Stato. Il punto era ampliare il Regno del Piemonte anche al Sud, sotto il paravento dell'unità d'Italia. L'ammiraglio Persano e l'ambasciatore Villamarina erano in contatto con Liborio Romano e il barone Nicola Nisco, uno dei condannati nei processi per le vicende del 1848, ormai coperto dall'amnistia. Fu Nisco a interpellare lo zio del re: Leopoldo, detto Poppi, conte di Siracusa.[6] Aveva sposato una Savoia: la principessa Maria Vittoria Filiberta di Carignano. Ospitava i rappresentanti del Piemonte e tramava con loro, ostentando animo di artista e convinzioni liberali. Il conte di Siracusa si fece convincere a far arrivare al nipote una lettera che gli aveva confezionato Nisco: un invito a lasciare Napoli e il trono nelle mani dei Savoia per il bene del regno.

La confusione aumentava per le trame della cosiddetta «camarilla», il gruppo vicino alla regina madre Maria Teresa contrario alla Costituzione. Ne era animatore anche un altro zio del re: Luigi Carlo, conte d'Aquila.[7] Su segnalazione di Liborio Romano, Francesco II fu costretto a firmare il provvedimento di espulsione proprio dello zio conte d'Aquila, ritenuto promotore di un fantomatico colpo di Stato reazionario. Il re scrisse una lettera allo zio, piena di parole affettuose: esprimeva, in quel modo, il suo dolore per una decisione presa soltanto per cercare di salvare il trono.[8]

Ma la dissoluzione intorno a Francesco II era evidente. Il salto di molti sul carro del probabile vincitore era in maturazione. A sorpresa, passò con chi stava invadendo il Regno anche uno dei principali beneficiati dalla dinastia Borbone: il generale Alessandro Nunziante.[9] Amico e consigliere di Ferdinando II per dieci anni, era in quel momento aiutante del giovane re. Uno dei potenti dello Stato borbonico, insomma. Veniva per questo consultato di continuo da Francesco II, insieme con un ristretto gruppo di persone di cui facevano parte il duca Riccardo De Sangro[10] e il generale Filangieri. Il 2 luglio, Nunziante inviò le sue dimissioni da generale. Non ebbe risposta e dopo due settimane scrisse al re una seconda lettera. Per i suoi trascorsi e quelli della famiglia cui apparteneva Francesco II gli concesse allora il ritiro all'estero. Ma Nunziante, già in contatto con Cavour e Persano che lo ritenevano l'uomo in grado di far passare in blocco tutto l'esercito borbonico dalla parte del Piemonte prima dell'arrivo a Napoli di Garibaldi, cercò il gesto a effetto. Quando inviò la seconda lettera di dimissioni, restituì anche tutte le onorificenze ricevute – ed erano le più importanti in quel momento nel regno – scrivendo che non poteva portare sul petto le decorazioni di un governo che «confonde uomini onesti, retti e leali con quelli che meritano disprezzo».[11] Anche la moglie abbandonò il suo incarico di dama di corte. Nunziante fu inviato da Cavour in missione a Berna, poi diffuse un appello al corpo dei Cacciatori borbonici di cui era stato comandante in capo, invitandoli a passare con il Piemonte. Senza alcun esito. Scrisse Cavour a Persano, subito dopo la partenza da Napoli del conte di Capua, zio del re:

> Nunziante partirà questa sera. Se ne valga, e metta fuoco ove abbisogna. Consulti Villamarina; ma nei casi dubbi segua le sue pregiate ispirazioni.[12]

Nunziante partì da Genova dopo aver avuto un lungo incontro con Cavour a Torino. Era stato abile nel contrattare il suo passaggio sotto le bandiere piemontesi, ingigantendo le sue reali capacità persuasive verso gli alti comandi napoletani. Di certo, il ruolo ricoperto nelle Due Sicilie lo rendeva personaggio influente e importante, che si poteva esibire a Torino come simbolo della disgregazione dello Stato borbonico. Arrivò a Napoli sul vapore *Costituzione*, con una lettera di Cavour da mostrare a Persano. Era il 15 agosto 1860. Con il contributo di ufficiali della marina piemontese stabilitisi a Napoli in case prese in affitto, venne organizzata una manovra sotterranea per un capovolgimento istituzionale che anticipasse l'avanzata di Garibaldi. Un modo per evitare il passaggio della capitale borbonica nelle mani garibaldine. Era pronto anche del denaro, per corrompere chi si prestasse a favorire il disegno cavouriano. Persano era stato autorizzato a darne a Nisco: l'istituto finanziario «De la Rue» di Genova avrebbe aperto a Napoli un credito illimitato dal banchiere «De Gas».[13]

Il 20 agosto, per forzare la mano, Liborio Romano scrisse una lettera al re. Gli raffigurò un regno in dissoluzione, lo invitò a lasciare la capitale abdicando senza condizioni. Chiarendo, forse senza ipocrisie, cosa stava realmente accadendo: «Il Piemonte non cammina più isolato e senza appoggio. Le due grandi potenze occidentali, Francia e Inghilterra, stendono la mano, benché con vario scopo, protettrice sul Piemonte. Garibaldi non è evidentemente che lo strumento di questa politica, oggi fatta potentissima».[14]

Il colpo di mano, che doveva essere favorito da Nunziante, fallì. La maggior parte dell'esercito era fedele alla dinastia, oppure attendeva il corso degli eventi. Il ministro della Guerra, Salvatore Pianell,[15] che aveva guidato il dicastero per tutto il periodo dell'avanzata garibaldina, lasciò la capitale solo quando partì anche il re. Pianell si trasferì subito a Torino, pronto a passare con l'esercito piemontese. Eppure, aveva scritto Cavour a Persano: «Se la rivoluzione non si compie prima dell'arrivo di Garibaldi, saremo in condizioni gravissime». Per queste sollecitazioni governative, l'ammiraglio si vide costretto a prelevare i primi 3500 franchi alla banca «De Gas» per finanziare il Comitato d'ordine e promuovere una rivolta.[16] Troppo tardi: la marcia di Garibaldi, quasi indisturbata per le defezioni, i tradimenti e la confusione dei militari borbonici, fu rapida. A differenza che in Sicilia, tra Calabria e Puglia si sparò pochissimo. Per le camicie rosse fu una passeggiata, con molti punti oscuri. E il re, per risparmiare sangue alla capitale e salvarne i monumenti secolari, decise di spostarsi a Gaeta. Non una fuga, come avrebbe fatto Vittorio Emanuele III da Roma ottantatré anni dopo, ma il tentativo di combattere il nemico in una posizione strategica più favorevole: tra il Volturno e il Garigliano, con le truppe coperte dalle fortezze di Capua e Gaeta. In quel momento, l'esercito piemontese non aveva ancora invaso il territorio delle Due Sicilie. C'erano solo i garibaldini da fronteggiare, una resistenza armata era possibile. Così, il re finalmente firmò un decreto in cui dichiarava, a quattro mesi dallo sbarco garibaldino, le Due Sicilie «in istato di guerra». Per quel momento eccezionale, autorizzò l'arruolamento di soldati stranieri, sull'esempio di quanto già avveniva tra i garibaldini. Promise anche che chi lo seguiva sul Volturno avrebbe avuto conteggiato doppio, nell'anzianità di servizio, quel periodo di guerra. Francesco II partì con la morte nel cuore, seguito dalla sua giovane moglie diciottenne che più volte lo aveva invitato a mettersi alla testa delle sue truppe per combattere Garibaldi. Poche navi lo seguirono, diversi dignitari di corte preferirono restare a Napoli, come gli ambasciatori di Inghilterra e Piemonte. Il giorno dopo, Liborio Romano era pronto a ricevere Garibaldi, che entrava indisturbato nella capitale favorito dalle disposizioni del re che aveva ordinato ai 10.000 militari rimasti in città di presidiare le fortezze senza sparare. Quasi tutti quegli uomini, tra gli sguardi ammirati dei garibaldini, lasciarono poi la capitale, per raggiungere il loro re sul Volturno. Partirono anche molti giovani allievi della Nunziatella, adolescenti a volte di soli quindici anni. Con il re, sulla linea del fronte all'inizio c'erano circa 50.000 uomini. Di questi, solo 4000 facevano parte delle cosiddette brigate estere: bavaresi e svizzeri. Una percentuale minima, dopo lo scioglimento, un anno prima, dei quattro reggimenti svizzeri rimasti per trentacinque anni al servizio delle Due Sicilie. Insomma, a combattere con Francesco II c'erano 45.000 uomini originari delle Calabrie, della Campania, dell'Abruzzo, della Sicilia, della Puglia, della Lucania, del Molise. Meridionali che difendevano quella che, in quel momento, sentivano la loro patria. Una patria in cui erano cresciuti e si erano formati. Stava per iniziare una guerra di sei mesi di italiani contro italiani.[17] Una guerra in cui tradimenti e corruzioni, che avevano già agevolato l'avanzata garibaldina, avrebbero avuto un ruolo importante.

Il re partì dunque il 6 settembre, dopo aver salutato governo e dignitari a Palazzo Reale. Lasciò un proclama, preparato in bozza dal prefetto Giuseppe Bardari, che emendò e integrò di persona. Diceva: «Fra i doveri prescritti ai Re, quelli dei giorni di sventura sono i più grandiosi e solenni, ed io intendo compierli con rassegnazione scevra di debolezza. [...] Discendente di una dinastia che per ben 126 anni regnò in queste contrade continentali [...] io sono napoletano, né potrei senza grave rammarico dirigere parole d'addio ai miei amatissimi popoli, ai miei compatrioti».[18]

Tradimenti e leggerezze

Alfonso di Borbone conte di Caserta,[19] fratello del re, aveva le idee chiare sul crollo della dinastia. Le espresse in una lettera poco nota, scritta al maggiore Pietro Quandel, allora amministratore dei beni del principe Pasquale, conte di Bari. Era il 20 settembre 1873 e il fratello del re scriveva: «I fatti di Sicilia fecero palese il tradimento di vari generali ed ufficiali che avevano ivi comandato: furono mandati ad Ischia, ma non giudicati; se lo fossero stati secondo le leggi militari e secondo il merito rispettivo, è molto probabile che i fatti di Calabria tanto vergognosi per i generali che vi comandarono non sarebbero avvenuti».[20] E poi, ancora, sulla partenza del fratello da Napoli, che non aveva condiviso per il modo in cui era maturata: «Il Ministero infedele, i Comitati stabiliti nella capitale, gli affari della guerra e della marina posti nelle mani dei traditori venduti al Piemonte, il lavorio della corruzione che si continuava apertamente tra gli ufficiali, sottufficiali e soldati, le trame che si ordinavano sotto la direzione dei disertori del '48 [...] avevano tolto ogni timore ai tristi ed ogni influenza al giovane Re sia nelle cose civili che in quelle militari».[21]

Un'analisi lucida, che sottolineava l'evidente «impunità goduta dai generali ed ufficiali che avevano fatto la catastrofe in Sicilia».[22]

Il re fu comprensivo con quegli alti ufficiali. Debolezze di un giovane sovrano che, in fondo, si affidava a chi, militari e alti dignitari, era al vertice dello Stato ereditato dal padre. Ma che qualcosa di sospetto già stesse erodendo le fondamenta del Regno, lo si era avvertito già un anno prima: nell'estate del 1859, quando si ribellarono le quattro compagnie di soldati svizzeri, che rappresentavano un'istituzione, una sicurezza per l'esercito borbonico. Quei militari, chiamati «tatò» dai napoletani, erano entrati al servizio di Francesco I di Borbone nel 1825, dopo la partenza dei soldati austriaci, troppo costosi per le casse dell'erario. Furono firmate delle convenzioni, rinnovabili, con i cantoni elvetici, riconoscendo paghe particolari a quei soldati di professione e ai loro ufficiali, concedendo loro la possibilità di conservare la religione protestante e di impartire gli ordini in tedesco. Privilegi, spesso materia di gelosie tra gli ufficiali napoletani. Gli svizzeri si rivelarono una forza inarrestabile in due occasioni: nei tumulti tra le strade di Napoli nel maggio 1848 e nella guerra per la riconquista della Sicilia del 1848-49.

Nel luglio 1859, accadde a Napoli qualcosa di strano. La convenzione con i cantoni elvetici era in scadenza. In Svizzera si era deciso che i battaglioni elvetici in servizio nelle Due Sicilie non avrebbero più potuto esibire le bandiere cantonali di origine. Alcuni soldati rumoreggiarono, temevano di perdere la cittadinanza e i diritti legati al vincolo con la madrepatria.[23] Dei quattro reggimenti svizzeri tre erano acquartierati a Napoli, uno a Palermo. Fu una parte del 3° reggimento a ribellarsi, l'agitazione esplose il 7 luglio 1859. Li fronteggiarono i loro commilitoni del 3° reggimento e del 13° cacciatori svizzeri. Si sparò, tra il terrore della gente. Alla fine, i morti furono 21, con 49 feriti, 9 dispersi e 231 prigionieri.[24] Si disse che in quegli incidenti vi fosse la mano ispiratrice dei comitati liberali in contatto con il Piemonte. Sospetti, privi di certezze, ma di sicuro chi più di altri decise di usare la mano pesante nel reprimere la rivolta fu il generale Nunziante, che appena un anno dopo avrebbe tradito. Fu proprio lui, con il principe di Ischitella e in parte il generale Filangieri, a convincere il re a sciogliere i reggimenti svizzeri diventati un pericolo interno. Uno dei pilastri militari dell'esercito borbonico, compatto e omogeneo oltre che ben guidato, veniva abbattuto. A nulla valsero le rassicurazioni dei generali Giovan Luca Von Mechel[25] e Agostino de Riedmatten,[26] che tentarono di scongiurare lo scioglimento. Furono imbarcati 3000 soldati. Erano i famosi stranieri del re Borbone: 3000 su un esercito di 40.000 uomini. Vennero sostituiti da battaglioni di esteri: tre di carabinieri e cacciatori, uno di veterani svizzeri. Restarono ufficiali fedeli come Von Mechel, de Riedmatten, il capitano Errico Fevot.[27] Addosso a molti svizzeri caduti nella ribellione del 1859 furono trovate lire piemontesi. Una coincidenza, o davvero nella rivolta c'era lo zampino di agenti infiltrati? Non si seppe mai.

Un anno dopo, la Sicilia si rivelò ancora la vera spina nel fianco della dinastia. Fu nell'isola, dove le condizioni socio-economiche erano avverse ai Borbone, che il conte di Caserta, dodici anni dopo, individuò le radici del tracollo del regno. Il conte di Cavour comprese che il controllo dei mari era fondamentale per la conquista delle Due Sicilie. Mantenne così il ministero della Marina e assegnò all'ammiraglio Persano il compito di corrompere quanti più ufficiali della flotta borbonica fosse possibile. Il 4 settembre 1860, due giorni prima della partenza di Francesco II da Napoli, Persano scriveva a Cavour: «La flotta napoletana verrà a noi. Gli stati maggiori sono fermi in questo».[28]

La perdita della marina fu una delle principali cause militari delle sconfitte napoletane: a Milazzo, battaglia decisiva per la Sicilia, fu il cannoneggiamento dal mare, eseguito dalle ex navi borboniche passate con i garibaldini, a contribuire in modo determinante alla vittoria sulle truppe borboniche. Anche sul Garigliano, il fianco scoperto dal mare lasciò i soldati in balìa dei cannoni delle navi. E poi, il mancato blocco delle spedizioni navali in arrivo consentì l'arrivo continuo di forze fresche tra i volontari garibaldini in Sicilia. L'elenco degli ufficiali di marina che voltarono le spalle a Francesco II fu consistente: Francesco Cossovich, distratto nell'impedire l'arrivo delle due navi con a bordo i garibaldini, messo sotto inchiesta e prosciolto; Guglielmo Acton, flebile oppositore dello sbarco di Marsala; Marino Caracciolo, in ritardo ingiustificato nell'appoggio alle navi impegnate a ostacolare lo sbarco a Marsala, processato ma assolto dalla Corte marziale il 13 agosto 1860. Erano solo i primi tra gli ufficiali entrati in contatto con i garibaldini già a Marsala. Ma significativo fu il comportamento di Amilcare Anguissola che disertò nel luglio 1860.

Con la pirofregata *Veloce*, doveva scortare la nave da trasporto *Brasile* che portava truppe a Milazzo. Invece di rientrare a Messina dopo la missione, si diresse a Palermo dove mise se stesso e la sua nave a disposizione di Persano. L'ammiraglio piemontese, che in quel momento non poteva esporsi direttamente, imbarazzato, girò la richiesta a Garibaldi: la *Veloce* venne subito ribattezzata *Tuckory*, dal nome dell'ungherese caduto a Palermo con i garibaldini. La *Tuckory* partecipò dal mare agli scontri di Milazzo, cannoneggiando le truppe borboniche. Anguissola fu seguito da Giovanni Vacca, che prese contatti con Persano cui offrì la propria fedeltà e quella di alcuni commilitoni. Il capitano Napoleone Scrugli fu invece il vero artefice della diserzione in massa della flotta al momento della partenza del re da Napoli. E Garibaldi lo nominò ministro della Marina nel primo governo dittatoriale costituito a Napoli. Anche Carlo Luigi Chretien fu giudicato e assolto per il suo comportamento in Sicilia. Ma la commissione che doveva giudicare gli ufficiali dell'armata di mare, presieduta dal retro ammiraglio Vincenzo Lettieri, fu di manica larga: nessuna condanna per negligenza o tradimento.[29]

Quando il re partì, lasciando Napoli a bordo del *Messaggero* pilotato dal fedelissimo Vincenzo Criscuolo, quattro navi in rada su cinque ignorarono l'invito a raggiungere Gaeta. Si perfezionava la diserzione definitiva della marina: trenta navi su trentasei abbassarono il tricolore con lo stemma dei Borbone, sostituendolo con la bandiera dei Savoia. A nulla valsero, naturalmente, i processi celebrati a Gaeta in contumacia contro ufficiali della marina come Giovanni Vacca, Luigi Matteo Civita, Anguissola, Cesare Sanfelice, Giuseppe Cacace. Vennero ritenuti colpevoli di «ribellione e fellonia», ma le pene restarono solo sulla carta. La condanna più pesante risultò così la scarsa considerazione che di loro mantennero i nuovi superiori piemontesi. Ne è illuminante esempio una lettera di Cavour, ministro della Marina, a Vittorio Emanuele II. Nel commentare le decisioni di Garibaldi e Persano, larghi in promozioni e prebende per gli ufficiali napoletani, il primo ministro piemontese si lasciò andare a giudizi sferzanti:

> Rispetto alla Marina Napoletana, era impossibile il riconoscere le ultime promozioni fatte da Garibaldi, ch'io non esito a qualificare scandalose. I contro ammiragli Vacca, Anguissola, Scrugli ecc. erano capitani di fregata nello scorso luglio, sono di sei o dieci anni meno anziani dei nostri capitani; non si sono mai battuti, hanno navigato pochissimo; non hanno saputo né servire il loro Re, né dichiararsi per la loro patria, hanno sino all'ultimo cercato a tenersi la via aperta per approfittare degli eventi qualunque essi fossero.[30]

Qualcuno di quei cinici ufficiali fu tra i responsabili della disfatta italiana di Lissa contro gli austriaci, sei anni dopo. Come Giovanni Vacca, che divenne uno dei principali accusatori del suo iniziale nume tutelare: il conte di Persano. Ma se la defezione dell'armata di mare fu clamorosa, non meno inquietanti si dimostrarono i comportamenti di alcuni alti ufficiali dell'esercito, impegnati in Sicilia e Calabria: al loro ritorno a Napoli furono relegati sull'isola di Ischia, in attesa di essere giudicati da una commissione per il loro comportamento nel fronteggiare i garibaldini.

La lista è aperta da Paolo Ruffo, principe di Castelcicala, luogotenente del re in Sicilia richiamato sul continente subito dopo lo sbarco di Garibaldi che non aveva saputo impedire. Tra incertezze e timori, il sessantanovenne principe riuscì a inviare contro le camicie rosse, già in marcia sull'isola, solo la colonna del generale Francesco Landi. Non utilizzò la brigata Bonanno, giunta di rinforzo da Gaeta. Il re gli risparmiò il giudizio della commissione, ma gli mostrò tutto il suo disprezzo, giudicandolo pavido e incapace. Non lo incontrò, né lo volle a Gaeta. Lo inviò invece in missione a Roma, senza alcun compito specifico. Castelcicala capì l'antifona: partì per Parigi dove morì, in esilio, nel 1865.

Il generale Francesco Landi, che guidò i soldati borbonici a

Calatafimi, fu bollato da subito con il marchio di «traditore». A 67 anni, era vicino alla pensione e viaggiava in carrozza. A Calatafimi, terrorizzato dalle colonne di «picciotti» che in attesa circondavano la zona, impiegò meno della metà delle forze a disposizione: 2000 uomini contro 1400 garibaldini, rinforzati dai «picciotti» del barone di Sant'Anna. I borbonici stavano per prevalere, ma avevano bisogno di rinforzi per chiudere la partita. Non arrivarono. Il generale Landi fece suonare la ritirata. Fu relegato a Ischia, retrocesso alla seconda classe e messo in pensione. Morì prima della caduta di Gaeta, il 2 febbraio 1861. Si disse – e lo storico borbonico Giacinto De Sivo lo scrisse – che fosse morto di crepacuore per aver scoperto di essere stato ingannato dai garibaldini: per la sua ritirata, gli avrebbero promesso una polizza di 14.000 ducati depositata al Banco di Napoli; ne avrebbe trovati invece solo 14. I figli, tutti ufficiali nell'esercito italiano, cercarono di riabilitarne la figura parlando di una lettera di Garibaldi che lo scagionava. Lettera mai trovata.[31]

Il successore di Castelcicala a Palermo fu Ferdinando Lanza, che aveva 75 anni e fu consigliato al re da Filangieri. Pur avendo 20.000 uomini a disposizione, seppe solo asserragliarsi a difesa nella capitale siciliana. Anche Lanza fu inviato a Ischia in attesa di essere giudicato. Venne poi assolto, ma messo subito in aspettativa. Il re lo considerò un inetto e Lanza, quando Francesco II lasciò Napoli, fu tra i primi a recarsi a Palazzo d'Angri, dove si era sistemato Garibaldi, per ossequiarlo.

E gli altri ufficiali impegnati in Sicilia? Gennaro Gonzales, prima a Messina, poi in Calabria, riuscì a perdere un'intera brigata senza sparare un colpo. Giudicato a Gaeta con l'eccessiva benevolenza che contraddistingueva il re, cui facevano pena quegli ufficiali settantenni, venne assolto. Si ritirò a vita privata. Giuseppe Letizia consigliò a Lanza di prolungare la tregua con i garibaldini, arrivando a firmare in tutta fretta una capitolazione quando a Palermo c'erano ancora migliaia di soldati a disposizione. Naturalmente, fu inviato a Ischia, dove si dette da fare per cercare raccomandazioni e uscire indenne dal giudizio. Ma il re non volle mantenerlo in servizio attivo e ordinò fosse relegato alla seconda classe. Eppure, potenza dei sotterfugi e dei manipolatori, il generale Letizia riuscì a farsi ammettere nell'esercito piemontese. Riciclato tra i vincitori. Con Letizia, responsabile della capitolazione di Palermo fu il colonnello Camillo Bonopane: spedito al domicilio coatto a Ischia, chiese il ritiro già nel luglio 1860.

Il record di processi subiti in pochi mesi appartenne però a Francesco Bonanno. Inviato in Sicilia in aiuto di Landi, venne inspiegabilmente sbarcato a Palermo invece che a Marsala. Restò inutilizzato. A Ischia, nel luglio 1860, riuscì a ottenere la reintegrazione in servizio. Ma le sue poco onorevoli azioni militari erano destinate a ripetersi. Venne inviato in Puglia, al comando del maresciallo Filippo Flores. Nella confusione, perse la sua brigata. Fu per questo di nuovo processato, stavolta a Capua. Ancora un'assoluzione, ancora qualche settimana di inglorioso servizio. Anche lui, guarda caso, riuscì poi a strappare una pensione al governo italiano. Che dire, poi, del maresciallo Flores, comandante in capo in Puglia, che invece di combattere avviò subito una trattativa con il generale garibaldino Stefano Türr? Dopo un'anonima carriera sedentaria, era diventato maresciallo a soli 51 anni. Andò subito a omaggiare Garibaldi a Napoli e chiese di entrare nell'esercito italiano, ma la sua fama di inetto e vile lo aveva preceduto. Così fu messo a riposo. Aveva solo 54 anni.

Diversa la storia di Tommaso Clary, comandante territoriale in Sicilia, ritenuto il vero responsabile della perdita definitiva dell'isola, anche per le decisioni prese a Catania. Qui, dove i borbonici erano usciti vittoriosi, invece di consolidare le posizioni favorevoli, smembrò le forze inviando truppe a Messina e a Milazzo. A Ischia, non vollero sentire ragioni: lo relegarono alla seconda classe, mettendolo a riposo. Quando il re si trasferì a Gaeta, Clary lo raggiunse per mettersi ai suoi ordini. Fu accolto invece da un ordine di arresto, con l'invito a lasciare il regno. Francesco II era pietoso, tollerante, ma quando si convinceva che qualcuno fosse incapace non riusciva a perdonarlo. Eppure Clary si dimostrò testardo: si presentò dal re in esilio a Roma e propose di organizzare la guerriglia armata del brigantaggio, di cui fu poi uno dei promotori.

Se in Sicilia a sospetti tradimenti si aggiunsero incapacità e paure, in Calabria le cose andarono peggio. Sull'isola si era almeno combattuto: a Calatafimi, Milazzo, Catania, Palermo. In Calabria, solo simulacri di battaglie: ignobili rese e intere brigate disperse. Simbolo dello sfacelo calabrese fu il generale Fileno Briganti, che aveva lasciato Reggio nelle mani dei garibaldini senza colpo ferire. Fu riconosciuto da alcuni suoi soldati mentre si trovava a cavallo a Mileto. Venne disarcionato, al grido di «fuori il traditore». Fu ucciso a colpi di fucile. Era il 25 agosto 1860. Qualche ora prima, era stata intercettata una lettera di Garibaldi che invitava il generale a un incontro segreto. Si diffuse nella truppa la convinzione che i loro comandanti li stavano mandando allo sbaraglio. Che li tradivano. E in quei soldati, che poi raggiunsero in gran numero il re a Capua e Gaeta, crebbe la rabbia. Della fama negativa di Briganti, avrebbe poi scritto Berardino Milon, capo di stato maggiore della III brigata con Briganti: «La sua condotta fu riprovevole sotto ogni rapporto; nulla, assolutamente nulla, fece quella Brigata; ed invece era nell'invidiabile posizione di salvare l'onore delle Armi napoletane».[32]

L'elenco della vergogna borbonica in Calabria non finiva certo con Briganti. Nicola Melendez fu l'altro responsabile dell'abbandono di Reggio. Fu giudicato a Gaeta e assolto. Giuseppe Caldarelli capitolò subito a Cosenza, contrattando il via libera per Napoli senza combattere Garibaldi. I soldati lo minacciarono e Caldarelli fu costretto a chiedere la protezione dei garibaldini. Sciolse le truppe e giurò subito per le camicie rosse. Giuseppe Ghio subì una sorte drammatica quasi quanto quella di Briganti. Con 10.000 uomini accettò di capitolare a Soveria Mannelli. Come Briganti e Caldarelli, fu circondato dall'ostilità dei suoi uomini, che lo consideravano un traditore. Chiese a Garibaldi di proteggerlo e poi, a Napoli, si presentò in uniforme piemontese dal dittatore entrato nella capitale. Fu nominato comandante della piazza, ma qualcuno ricordò che era stato tra gli ufficiali che avevano affrontato Pisacane e i suoi uomini. Per questo, venne destituito, processato, imprigionato. Al loro arrivo, i piemontesi lo liberarono, ma lo misero in pensione a 42 anni. Quattordici anni dopo, Ghio fu trovato morto a Napoli. Alcune fonti dicono che si era suicidato, altre parlano di un omicidio dagli oscuri moventi.

Così come era accaduto per Clary, comandante territoriale in Sicilia, anche per Giovan Battista Vial, comandante territoriale in Calabria, il giudizio del consiglio di guerra a Ischia non fece sconti. A 50 anni, venne ritenuto colpevole per la sua indecisione. Gli fu riconosciuta una sola attenuante: era riuscito a salvare la cassa dei reggimenti poi servita a finanziare la campagna sul Volturno. Venne dichiarato «incolpabile» per incapacità e tradimento. Andò a Roma, ma anche in esilio Francesco II non volle affidargli alcun incarico. Così tentò di prendere servizio nell'esercito italiano, ma gli andò male anche lì: lo misero a riposo già nel marzo 1861. Di quei generali, che prima di passare dall'altra parte non avevano neanche tentato di salvare la faccia, l'Italia non sapeva che farsene. Scrisse Cesare Morisani, figlio del tenente colonnello Domenico testimone del linciaggio del generale Briganti:

> Che Briganti abbia tradito è indubitato, ma che Melendez abbia gravissima colpa per non essersi adoperato onde fare svanire e vincere i concerti di quell'infelice Generale è certo.[33]

In totale, sedici ufficiali furono ritenuti responsabili diretti dei tracolli militari in Sicilia, Calabria e Puglia. Incapaci, forse pavidi, altri probabilmente corrotti. Di certo, molti furono solo cinici calcolatori. Scelsero per opportunismo, quando le cose stavano cambiando. Per preservare anche con i Savoia i privilegi acquisiti con il re Borbone. Qualcuno si suicidò; altri, passati con l'esercito piemontese poi italiano, furono umiliati, guardati con diffidenza e messi subito in pensione. Solo in tre, quelli più in alto nella catena di comando durante l'avanzata garibaldina, furono giudicati responsabili, degradati e messi a riposo dal consiglio di guerra borbonico riunito a Ischia. Tutti, comunque, anche quelli assolti, rimasero senza incarichi di responsabilità nei mesi della resistenza dell'esercito napoletano tra il Volturno e il Garigliano, o negli assedi di Gaeta, Messina e Civitella del Tronto.[34] Scrisse ancora Alfonso di Borbone conte di Caserta: «Io credo che un semplice caporale di buona volontà in quell'epoca, se avesse comandato, avrebbe battuto Garibaldi e tutti gli addetti della rivoluzione».[35]

Bombe sui civili

Di certo, prima del concentramento delle truppe sul Volturno, l'esercito borbonico non era preparato a una guerra. Francesco II si sentiva in pace con tutti, sottovalutava il pericolo dei volontari garibaldini. E non prendeva proprio in considerazione un'aggressione piemontese. Invece fu smentito. Il 12 ottobre le truppe di Vittorio Emanuele, senza dichiarazione formale di guerra e senza l'avallo di alcuna volontà popolare, varcarono il Tronto. E sconfinarono nelle Due Sicilie. L'avanzata in Abruzzo e nel Molise fu agevole. Nessuno si aspettava un'aggressione da quella parte, mentre Francesco II aveva concentrato le sue forze sul Volturno per la battaglia decisiva contro le camicie rosse, diventate ormai 25.000. Sconfitto al Macerone il generale Luigi Douglas Scotti,[36] passato dalla parte nemica Luigi De Benedictis[37] comandante territoriale dell'Abruzzo, la macchina da guerra piemontese penetrò nel Regno. Si trattava di ben 46 battaglioni con 39.000 uomini. Con i garibaldini, costituivano una consistente forza di 64.000 uomini contro circa 50.000 napoletani. Le vicende della battaglia del Volturno sono note: i garibaldini, rinforzati da un battaglione di bersaglieri, due compagnie di fanteria piemontesi e una ventina di artiglieri, dopo due giorni di combattimenti riuscirono a frenare l'offensiva borbonica verso Napoli. Dopo un primo giorno favorevole ai napoletani, giocarono a favore delle camicie rosse l'uso delle riserve garibaldine e la scelta tattica dei borbonici di non impiegare tutte le forze disponibili, ma solo la metà. Gli eserciti contrapposti rimasero, dopo il 2 ottobre 1860, nelle posizioni di partenza. I piemontesi, intanto, marciavano verso Capua. Inutili erano stati i successi dei napoletani nel settembre 1860: a Caiazzo, Roccaromana, Pontelatone, sotto le mura di Capua, dove i garibaldini avevano avuto la peggio. Poi, nell'assedio alla fortezza di Capua, le camicie rosse passarono la mano all'esercito regolare piemontese. Italiani in divisa contro altri italiani in divisa. Una guerra d'invasione: truppe del Nord contro truppe del Sud. Basti pensare che tra i garibaldini al Volturno i napoletani erano appena sessanta.[38]

Con l'appoggio dal mare delle navi passate al Piemonte, le truppe dei generali Enrico Cialdini ed Enrico Morozzo della Rocca sconfissero i borbonici sul Garigliano. Ci furono episodi di valore tra i napoletani, come la morte del generale Matteo Negri.[39] Ma le truppe, rimaste prive di copertura dal mare nonostante le rassicurazioni dei francesi, furono costrette ad arretrare. Via via, arrivò il disastro di Montesecco e Mola di Gaeta. Poi, dall'11 novembre 1860 al 14 febbraio 1861, l'epopea dell'assedio di Gaeta, fortezza diventata l'ultimo baluardo delle Due Sicilie con le piazzeforti di Messina e Civitella del Tronto. L'assedio è ancora oggi una delle pagine più avvincenti e «romantiche» della storia della difesa del trono di Francesco II e della regina Maria Sofia, emblema della dignità di una dinastia prossima a chiudere il suo ciclo regnante nel Sud dell'Italia.

Gli assedi di Gaeta e Capua rappresentano però anche una pagina oscura del Risorgimento per i cinici e ostinati bombardamenti contro i civili delle due cittadine perpetrati dalle artiglierie piemontesi. Centinaia e centinaia di morti. Senza nome e senza volto. Nell'urgenza di affrettare la resa di Francesco II per la convocazione del primo Parlamento italiano, i piemontesi non andarono tanto per il sottile. E si affidarono ai cannoni rigati. Cannoni precisi, in grado di raggiungere obiettivi distanti. Con quelle armi, di cui i borbonici erano quasi del tutto sprovvisti, si potevano evitare rischiosi e sanguinosi assalti. Bastava sparare e attendere. Anche se a morire erano inermi civili: gli abitanti di Capua e Gaeta.

Fu a Capua, dove il generale della Rocca prese il comando delle operazioni di assedio, che venne provata la potenza dei cannoni rigati. Undicimila soldati, assediati e tagliati fuori da ogni possibilità di aiuti e rifornimenti, in compagnia di migliaia di civili. In gran parte famiglie dei militari impegnati nella guerra. La bandiera rossa che segnalava l'inizio dei cannoneggiamenti venne issata alle 4 del pomeriggio del 31 ottobre 1860. I tiri non furono indirizzati solo su bersagli militari. Non era possibile, per l'alta densità di abitazioni civili. E si vissero ore d'inferno: freddo, pioggia, morte. Il sindaco Pietro Del Vecchio e il cardinale Giuseppe Cosenza furono costretti a chiedere un colloquio al comandante borbonico Raffaele De Corné.[40] Molte famiglie avevano avuto la casa distrutta, i morti tra i civili erano stati decine. Scrisse il generale della Rocca, che era anche aiutante del re: «Avendo soltanto batterie da 16, spedii ordini a Napoli e preghiera al Valfré, comandante generale dell'artiglieria, perché me ne venissero mandate in quantità sufficiente e di più grosso calibro. Ventiquattr'ore dopo mi arrivarono 20 pezzi».[41]

Il generale promise al re che Capua sarebbe stata piemontese nel giro di tre giorni. Naturalmente intensificando i bombardamenti. All'interno, come scrisse lo stesso generale torinese, c'erano 5000 tra vecchi, donne e bambini.[42] Il sindaco Del Vecchio cercò di convincere il generale De Corné ad arrendersi. Mise per iscritto che c'erano state «intere abitazioni incendiate, con masserizie di ufficiali e paesani» e che molte famiglie avevano avuto vittime tra cui «diversi ragazzi e talune donne». Che il bombardamento non avesse risparmiato nessuno, veniva sottolineato da un'ultima frase: «Solo qualche casa non ha sofferto».[43]

Mancava anche da mangiare. Prospettive funeste. E anche il cardinale scrisse una supplica al comandante De Corné. Tra il 1° e il 2 novembre, erano stati sparati su Capua 821 colpi in quattordici ore. La resa era inevitabile: venne siglata, dopo vari tira e molla, il 2 novembre. Il comandante borbonico dovette cedere per evitare una strage di civili. Nessuno ha mai quantificato ufficialmente quanti furono i morti senza divisa di quel primo bombardamento piemontese sulle popolazioni che dovevano essere «liberate» dal «giogo borbonico».

Ma anche a Gaeta si agì allo stesso modo. A comandare le operazioni di assedio c'era stavolta il generale Enrico Cialdini, che mantenne sempre un atteggiamento sprezzante e impietoso verso i civili gaetani. Atteggiamento condiviso da molti politici di parte piemontese. Lo dimostra una lettera che Luigi Farini scrisse a Marco Minghetti. Diceva, descrivendo l'uscita di centinaia di persone dalla fortezza:

> Gaeta si vuota di tutti i poveri, di tutte le donne, i vecchi, i ragazzi, i malati, i soldati che non si vogliono battere; i francesi ricevono tutta questa gente e ce la regalano.[44]

Due tregue, favorite dalla flotta francese che impediva alle navi piemontesi di bloccare il golfo. Poi, la partenza delle navi di Napoleone III che, pressato da Cavour, decise che era giunta l'ora della caduta del Regno delle Due Sicilie. Mandò messaggi a Francesco II, fece scrivere dall'imperatrice una lettera alla regina Maria Sofia. Assicurò assistenza ai due sovrani in caso di resa. Infine, ordinò la partenza delle sue navi. Il 21 gennaio 1861 si scatenò l'apocalisse. Le batterie tuonarono da una parte e dall'altra. Gaeta era oppressa da un'epidemia di tifo. Scarsa igiene, cadaveri e macerie ovunque. Si moriva per malattia e per le bombe. Il 5 febbraio esplose la batteria Sant'Antonio, provocando la morte dei due comandanti dell'arma del genio: il generale Francesco Traversa[45] e il tenente colonnello Paolo de Sangro.[46] Poi, nonostante l'imminenza della capitolazione che sarebbe stata firmata di lì a tre ore, i piemontesi mirarono alle diverse brecce già aperte sulle mura. In quel modo intendevano premere per ottenere la resa definitiva. Venne centrata la batteria Transilvania. Le vittime furono due ufficiali e cinquantuno soldati. Morti inutili, quando si sapeva che sarebbe stata siglata la resa e le trattative erano già in corso. Inutili come le bombe cadute sugli ospedali, o sulla chiesa di Gaeta. Ma Cialdini rifiutò di sospendere il fuoco. Nello scoppio della Transilvania perse la vita anche un giovane alfiere di 17 anni, partito dalla Nunziatella per difendere il suo re: Carlo Giordano. Con lui rimase ucciso anche l'alfiere Giovanni Pannuti. Nello scoppio, morirono pure due civili, mentre due donne rimasero ferite. Vittime senza divisa. La popolazione civile di Gaeta pagò con la decimazione l'ospitalità al suo re fino ad allora legittimo. In occasione del centenario dell'unità d'Italia, a Gaeta organizzarono una manifestazione con discorsi ufficiali. Parlò anche l'allora sindaco Pasquale Corbo, che disse: «La città di Gaeta vide decimata la sua popolazione e, oltre alla rovina delle case, usciva dall'assedio con centinaia di morti e centinaia di feriti. Molte di quelle rovine esistono ancora».[47]

I danni stimati nella città ammontarono a 2 milioni di lire, valuta del 1861. Di certo, il censimento del 1861 contò 109 case vuote su 2490, con un indice di coabitazione che riguardava 363 famiglie pari al 13,22 per cento dei circa 14.000 abitanti. Le case inagibili erano tutte danneggiate dalle bombe dell'assedio.[48] Nel 1960 a Gaeta esisteva ancora un monumento commemorativo a forma di piramide tra viale Napoli e via Veneto. Sempre in occasione dei preparativi per le manifestazioni del centenario, il monumento venne abbattuto per far posto a delle scuole. Scavando, gli operai scoprirono centinaia e centinaia di scheletri. Probabilmente, una fossa comune dove erano stati gettati cadaveri, non dichiarati, di vittime del tifo e dei bombardamenti dell'assedio. Tra loro, almeno a guardare i resti degli abiti, molti erano civili.[49]

Secondo le cifre ufficiali, che includevano anche i morti negli ospedali nei mesi successivi alla capitolazione, al 6 giugno 1861 le vittime militari dell'assedio erano state 895, senza tener conto dei 200 «dispersi» di cui si perse traccia.[50] E i civili? Secondo le stime del maggiore Pietro Quandel, autore del diario dell'assedio su incarico dello stato maggiore borbonico, gli abitanti di Gaeta rimasti uccisi nei bombardamenti furono non meno di un centinaio.[51]

Il 25 febbraio 1861, il principe Eugenio di Carignano, luogotenente del re a Napoli, stanziò 2350 ducati per «gli indigenti di Gaeta, che hanno più sentite le conseguenze dell'assedio». Dai 18.000 abitanti prima dell'assedio, i gaetani si ridussero a 14.000. Negli archivi comunali, figurano anche i nomi di alcuni civili uccisi dai bombardamenti. Come Carmina Barone, moglie di Pasquale Trecentese, di cui esiste un certificato di morte rilasciato a un anno dal decesso. La donna era tra i gaetani morti per lo scoppio della polveriera Sant'Antonio del 5 febbraio 1861.[52]

Tra stime diverse e certificati di morte nell'archivio comunale, una sola verità: Gaeta uscì devastata e ridotta a cumuli di macerie. Centinaia e centinaia furono i cadaveri senza sepoltura, carogne in putrefazione erano visibili ovunque. Quando i soldati piemontesi entrarono nella fortezza, furono oppressi da un insopportabile tanfo di morte. Fu sparsa calce bianca in quantità dappertutto, nel tentativo di scongiurare la diffusione del tifo che aveva decimato la guarnigione borbonica e i civili nei giorni dell'assedio. Eppure, nel 1881, quando erano passati ormai venti anni da quegli avvenimenti, gli abitanti di Gaeta si videro ancora costretti a implorare il pagamento dei danni subiti.[53] L'economia gaetana venne messa in ginocchio: 300 frantoi devastati dalle bombe, la flotta di pescatori distrutta. In 30 anni, fino al 1901, partirono da Gaeta 10.000 emigranti. Risorgimento pagato a caro prezzo.

Senza quartiere

Le date segnarono, implacabili, le tappe di una violazione internazionale: quella dell'invasione di uno Stato amico. Il 12 ottobre, il IV e il V corpo d'armata piemontese sconfinarono nelle Due Sicilie; il 17 a Napoli erano già sbarcati 2000 bersaglieri per un totale di dieci battaglioni; il 19 le truppe di Cialdini erano in Abruzzo e il giorno dopo si scontrarono contro i borbonici al Macerone. Solo il 21, infine, si tennero le votazioni-farsa del plebiscito. Quando il Regno era già invaso, non solo dai garibaldini, ma anche dalle truppe regolari piemontesi. Una vera e propria conquista territoriale, senza preventiva adesione popolare.

Nelle votazioni si ripeterono scene già viste a Nizza, nella Savoia, in Toscana e nelle Romagne. Urne pubbliche, seggi vigilati dai camorristi con appuntata la coccarda tricolore, dai garibaldini e dai militari piemontesi. Assenza di liste elettorali, votazioni consentite anche ai non residenti, come i garibaldini. Votarono persino gli ungheresi e gli inglesi, mentre le migliaia di militari borbonici tra il Volturno e il Garigliano, o anche nelle fortezze di Capua e Gaeta non poterono esprimere la loro volontà. Del resto, stavano già manifestando come la pensavano combattendo per il loro re, nonostante le paghe bloccate e i sacrifici da sostenere. Per una volta, l'agenzia Stefani diffuse la verità sostanziale su ciò che accadeva nella «Bassa Italia». Nel descrivere l'ingresso di Garibaldi a Napoli il 7 settembre 1860, l'agenzia diceva: «Il generale Garibaldi è entrato solo ed è stato accolto con entusiasmo. Consegnò la flotta e l'arsenale all'ammiraglio Persano. Proclamò Vittorio Emanuele e i suoi discendenti Re d'Italia».[54]

Una proclamazione da conquistatore. Il plebiscito venne

convocato dai prodittatori Antonio Mordini a Palermo e Giorgio Pallavicino Trivulzio a Napoli. Annessione rapida, senza condizioni né concessioni alle autonomie o alla storia del Regno. Sei giorni prima, Garibaldi aveva già firmato il suo decreto numero 275 che, senza preamboli, dichiarava le Due Sicilie «parte integrante dell'Italia».[55] Gli inglesi, così ben disposti verso il processo di unificazione italiana, non poterono ignorare l'inganno in atto nelle votazioni napoletane. L'ambasciatore Henry Elliot constatò che «appena 19 tra 100 votanti sono rappresentati dalle votazioni in Sicilia e Napoli, ad onta di tutti gli artifizi e violenze usate».[56] E aggiungeva: «Il voto è stato la farsa più ridicola che si poteva immaginare e non c'era stata nemmeno la pretesa di limitarlo a quelli che erano qualificati».[57] L'ammiraglio inglese George Rodney Mundy, controllore dei mari durante le spedizioni garibaldine, aggiungeva: «Un Plebiscito a suffragio universale regolato da tali formalità non può essere ritenuto veridica manifestazione dei reali sentimenti di un paese».[58] Dal ministro degli Esteri britannico, lord John Russel, un giudizio ancora più severo: «Questi voti sono mera formalità dopo un'insurrezione, o una ben riuscita invasione; né implicano in sé l'esercizio indipendente della volontà della nazione, nel cui nome si sono dati».[59]

Fu in Sicilia che si verificò il più alto numero di irregolarità. Le intimidazioni dei «picciotti», unite alla voglia di autonomia dell'isola speranzosa di ottenere ampie concessioni amministrative, ottennero risultati sorprendenti: compravendite di schede elettorali al prezzo di 2 scudi e smarrimento di certificati elettorali furono regole diffuse. A Caltanissetta fu proibita la propaganda per il «no»; a Siracusa si votò formando un registro con le preferenze. In 238 distretti sui 292 totali in Sicilia, non ci fu neanche un «no» e solo in 18 vennero registrate schede nulle o bianche. A Patti ci furono solo 1646 «sì», mentre a Palermo su 40.000 votanti si dichiararono 4000 astenuti e soltanto 20 «no». A Messina i «no» furono appena 8 contro 24.000 «sì».[60] Poi, in alcuni seggi, più voti che elettori effettivi. Lo raccontò anche il colonnello garibaldino Wilhelm Rustow, che parlò di 167 votazioni espresse da soli 51 ufficiali.[61] L'avvocato Enrico Cenni, liberale moderato napoletano, scrisse che i voti contrari erano un falso, necessario per fingere operazioni regolari perché «niuno avrebbe osato emettere voto negativo».[62] Alla fine, i numeri ufficiali furono: 1.302.064 «sì» nelle province napoletane con 10.302 «no». In Sicilia i «sì» furono 432.053 con appena 709 «no». Gli elettori convocati furono appena un quarto degli abitanti del regno, ma dei convocati se ne presentarono alle urne il 79 per cento. Con quella «volontà popolare» così poco rappresentativa il Mezzogiorno entrò a far parte dell'Italia. Annessione affrettata dai ceti che avevano in mano il potere economico, in gran parte latifondisti, timorosi del pericolo garibaldino e delle possibili rivolte contadine. Solo la «normalizzazione», un esercito regolare, il mantello di una dinastia appoggiata in tutt'Europa potevano evitare che la rivoluzione politica si trasformasse anche in rivoluzione sociale. E bisognava fare presto. Quanto quell'adesione fosse calcolata e poco sentita, lo descrisse ancora una volta l'ambasciatore inglese Elliot scrivendo a lord Russel: «Vittorio Emanuele non è stato ricevuto per niente in modo entusiastico, sebbene tutta la città fosse ansiosa della sua venuta».[63]

Ma quel plebiscito divenne subito un alibi per i continui abusi. Il paravento giuridico-formale per giustificare repressioni, fucilazioni, arbitri assoluti degli ufficiali piemontesi in tutto il Mezzogiorno: se il popolo aveva deciso per l'unione con il Piemonte, chi si opponeva con le armi difendendo la vecchia patria napoletana doveva considerarsi fuorilegge. Eppure, il re Borbone era ancora nel suo Stato e ci sarebbe rimasto per altri quattro mesi, con le sue truppe in armi. Anzi, sicuro che sarebbe presto rientrato a Napoli con l'aiuto di Austria e Francia, Francesco II dava disposizioni per un'eventuale gestione del potere in vista del suo ritorno. Il 1° novembre 1860, infatti, il re firmò un «atto sovrano» che istituiva, in caso di una sua momentanea partenza dal regno, un Consiglio di reggenza provvisorio dello Stato.[64] Venivano designati a farne parte il cardinale Sisto Riario Sforza,[65] con funzioni di presidente, Nicola Maresca di Serracapriola[66] e Alberto Statella, principe di Cassero.[67]

Nell'atto, si disponeva che il Consiglio di reggenza gestisse il potere amministrativo in via provvisoria, su delega del re, «in caso di una restaurazione armata», per evitare «rischi di anarchia nella capitale». Condizione indispensabile, naturalmente, era la presenza nel regno dei tre componenti del Consiglio di reggenza, che avrebbero dovuto «indirizzare tutti gli sforzi e impedire, con il concorso delle persone più adatte, che il Paese cadesse in mano all'anarchia».[68] Era l'ingenua speranza del re a prendere forma in quel documento. La speranza di ritornare sul trono, alimentata da una resistenza armata. Anche dopo il plebiscito, l'esercito regolare napoletano avrebbe infatti combattuto ancora contro i piemontesi a Capua, sul Garigliano, a Montesecco, Mola, Gaeta, Messina, Civitella del Tronto. Ciononostante, tutti i civili in armi venivano considerati «briganti». Il 25 ottobre, il generale Morozzo della Rocca scriveva alla moglie Irene:

> I briganti sono qui in grandissimo numero; raccomandiamo ai soldati di non stare mai isolati, abbiamo decretato che gli uomini presi con le armi alla mano siano subito fucilati.[69]

Già due giorni dopo la proclamazione dei risultati del plebiscito, il luogotenente generale Manfredo Fanti, comandante in capo del «corpo di operazione» piemontese nella «Bassa Italia», da Isernia aveva diffuso un bando molto indicativo su ciò che si preparava. Parlava di «atti nefandi che si vanno commettendo da bande armate e brigantaggio», annunciava dure reazioni per difendere i beni e la vita degli abitanti. E quindi stabiliva l'istituzione di tribunali militari che avrebbero giudicato con il codice penale di guerra chi veniva sorpreso a commettere «atti di brigantaggio, di saccheggio, di incendi, ferimenti e uccisioni». E aggiungeva che tutti coloro che non facevano parte dell'esercito regolare borbonico, se si opponevano alla «truppa di Sua Maestà armati» senza far parte della guardia nazionale, avrebbero subìto la stessa sorte. Era la concessione di poteri illimitati agli ufficiali piemontesi. Potere di vita o di morte verso chi ancora non poteva considerarsi suddito del nuovo Regno. Un atto di guerra. Era il 23 ottobre 1860.[70]

In Abruzzo e nell'alta Irpinia montava già la rivolta armata. Anche perché da Gaeta il re aveva autorizzato l'istituzione di milizie mobili, agili e svincolate dalle truppe regolari, con il compito di aggirare il nemico e spingere la popolazione civile a ribellarsi ai soldati piemontesi. Milizie affidate a ufficiali come il barone Teodoro Federico Klitsche de la Grange,[71] l'alsaziano Théodule Émile de Christen,[72] o il capitano Francesco Saverio Luvarà.[73] Ottennero anche vittorie militari, come a Tagliacozzo, dove ebbe la peggio una colonna di 400 piemontesi. Di pari passo agivano bande di volontari borbonici, come quella guidata da Teodoro Salzillo, ricco possidente di Venafro che riuscì a riunire ben 1000 uomini al suo comando. Una milizia composita, formata da ex soldati sbandati, gendarmi fedeli al re Borbone, guardie urbane. Riuscirono a occupare paesi come Fornelli e Venafro, partecipando alla ribellione di Isernia. Ma per i militari piemontesi quelle colonne armate dovevano essere considerate già briganti. La loro eredità sarebbe stata presto raccolta da migliaia di contadini, appoggiati dai comitati borbonici di Roma e Marsiglia coordinati da ufficiali come Tommaso Clary e Pietro Vial.

Conti disastrosi

Francesco II era sicuro che la lontananza da Napoli sarebbe durata poco. E aveva lasciato gran parte dei suoi beni nella capitale: argenterie, vestiti, biancheria. Anche la regina Maria Sofia aveva deciso di non portare con sé tutto il suo guardaroba. Fiducia ingenua che spinse i due sovrani persino a non muovere il loro denaro da Napoli. Mentre Ferdinando II aveva depositato i suoi ducati alla Banca d'Inghilterra, il figlio decise di riportare quei soldi nella sua capitale, come «gesto patriottico». Quando il re partì per Gaeta, lasciò tutti i depositi privati del Banco di Napoli al loro posto. Compresi gli 11 milioni di ducati, circa 50 milioni di franchi d'oro, che appartenevano al patrimonio privato del sovrano Borbone. Poca roba di valore fu portata a Capua: due ritratti di Van Dyck, una Madonna di Raffaello e un Ufficio della Vergine di Giulio Clovio. Quattro dipinti cui il re era molto affezionato per motivi personali. Restarono a Napoli monili, vasellame d'oro e argento. Tutto scomparve con l'arrivo dei garibaldini.[74] Anche la dote personale di Maria Sofia venne depredata dai nuovi conquistatori. Il ducato valeva al cambio quattro volte la lira piemontese e a Torino la sessione legislativa del 1861 si aprì con un disavanzo di 500 milioni di lire, in gran parte causato dalle continue spese di guerra. Al momento della conquista, il debito pubblico delle Due Sicilie era di 26 milioni di lire contro i 64 del Piemonte. Naturalmente, con l'annessione i due debiti, così come era avvenuto per tutti gli Stati preunitari, furono riunificati. Lo stabilì una legge del 4 agosto 1861. Alla vigilia della spedizione dei Mille, tra fondi pubblici e depositi privati il Banco di Napoli gestiva una somma pari a 33 milioni di ducati, mentre in Sicilia c'erano depositi nelle banche per 30 milioni di ducati. Una vera manna dal cielo per le disastrate casse piemontesi. Al suo arrivo a Napoli, Garibaldi trovò denaro e bilanci solidi, oltre che un consistente patrimonio personale del re Borbone, che non sarebbe mai stato restituito.[75]

Bastarono le poche settimane di amministrazione dei due governi dittatoriali per provocare lo sfascio. A 27 giorni dalla partenza di Francesco II da Napoli, l'ambasciatore Villamarina scrivendo a Torino parlava di un «disordine spaventoso in tutte le branche dell'amministrazione», citando una concessione ferroviaria rilasciata a cinque persone: Adami, i due fratelli

Bertani, Brambilla, Lemmi. Un concessione che valeva ben 800 milioni.[76] Lemmi era iscritto alla Massoneria e i beneficiati bruciarono agguerriti concorrenti, come i Rothschild. Da Torino venne mandato a Napoli, con l'incarico di viceconsole, Francesco Astengo. Era uomo di fiducia di Cavour ed ebbe anche l'incarico di raccogliere informazioni sulla gestione garibaldina. Non tradì il suo mandato e scrisse:

> Indescrivibile è lo sperpero che si fa qui di denaro e di roba; furono distribuiti all'Armata di Garibaldi, che non arriva a 20 mila uomini, 60 mila cappotti e un numero proporzionato di coperte; eppure la gran parte dei garibaldini non ha né cappotti né coperte. In un solo mese, si pagarono dalla Tesoreria, oltre alle ordinarie, 750 mila ducati per le spese straordinarie dell'Armata non giustificate, si vuotarono gli arsenali di armi e munizioni, i magazzini di oggetti di vestiario e di buffetterie di cui riboccavano, senza che siasi riusciti a vestire e armare completamente questa gente. Le imposte non sono pagate e, se pagate, si sciupano senza controllo. Dalle province i governatori non solo non mandano denaro, ma anzi ne chiedono.[77]

Un vero caos. Agostino Bertani, nominato segretario della dittatura, riuscì a pagarsi delle cambiali in scadenza con i soldi dei fratelli Rocca di Genova, beneficiari, da azionisti della società Adami, delle concessioni ferroviarie nel Mezzogiorno. Ne diede notizia il 7 ottobre Francesco Guglianetti, segretario generale del ministero dell'Interno torinese, scrivendo a Farini. Ma fu il colonnello ungherese Fidél Kupa a tratteggiare con tinte ancora più cupe la realtà amministrativa napoletana, dopo la partenza del re Borbone. Tornando da Napoli, l'ufficiale consegnò un rapporto a Cavour. Era il 18 ottobre 1860 e il colonnello Kupa parlava di disordine, assenza di disciplina e confusione, con spese giornaliere al di là di ogni immaginazione. Per 25.000 uomini erano state acquistate dalle Intendenze

80.000 razioni di viveri. Poi la descrizione del «garibaldinismo», l'azione di uno sciame di approfittatori dell'ultima ora che indossavano la camicia rossa senza aver mai combattuto contro le truppe borboniche. Sfaccendati, parassiti che ingrossavano le fila dei volontari. E che chiedevano paghe, si facevano arroganti. Scriveva ancora il colonnello Kupa nel suo rapporto: «Più di 800 ufficiali a Napoli non prestano alcun servizio, ma percepiscono il soldo. Si danno brevetti a questo e a quello che propone di formare un Corpo [...]. La truppa manca di cappotti e di fucili perché gli uni e gli altri vengono venduti per pochi quattrini dai soldati appena li ricevono».[78]

Confusione anche nei corpi, che mutavano soldati di continuo: c'era chi passava da un corpo all'altro, riscuotendo più volte la paga. Il calcolo finale del colonnello Kupa contava più di 150 milioni di franchi spesi dalla dittatura garibaldina, con le casse ormai a secco. Ed era passato solo un mese e dodici giorni dalla partenza del re. Impietoso, il rapporto proseguiva: «Garibaldi ordinò che si intimasse ai banchieri di somministrare denaro sotto minaccia di fucilazione se ricusassero. A questo modo venne uno dei primi banchieri di Napoli e sborsò uno o due milioni. A giudizio di molte persone pratiche, Napoli non si trovò mai in tante strettezze come si trova adesso».[79]

Cominciò anche la compravendita degli impieghi. Diede l'esempio lo scrittore Alexandre Dumas, che si sistemò nel Casino borbonico al Chiatamone con la sua giovane amante Emilie Cordier. Ebbe i soldi per aprire il giornale «L'Indipendente», che diresse. Poi fu anche nominato direttore degli scavi di Pompei ed Ercolano. Ma si diedero incarichi da 10.000, 15.000 e 18.000 lire a «gente inettissima o infame», come scrisse l'economista ed esule napoletano Antonio Scialoja.[80] I ministri della dittatura e poi delle luogotenenze alimentavano clientele, ricevevano i camorristi che avevano contribuito a mantenere l'ordine pubblico a Napoli. Il saccheggio dei beni personali dei Borbone venne legalizzato con un decreto del 23 ottobre, che confiscò alla Casa reale 6 milioni di ducati. C'erano anche i famosi depositi che Francesco II aveva lasciato nella capitale, dopo averli ripresi dal Banco d'Inghilterra. La confisca doveva servire a risarcire chi aveva patito «sofferenze passate» durante il Regno borbonico. Inutile dire che si moltiplicarono i liberali, gente che non si era mai vista nei moti del 1820, 1830 o 1848, rivendicando patimenti da risarcire. A far la parte del leone gli esuli in Piemonte rientrati nell'antica patria: Raffaele Conforti, che si assegnò 60.000 ducati di stipendi arretrati per 12 anni; Antonio Scialoja si fece versare 200.000 franchi per sé e il padre; Filippo Agresta 12.000 franchi; Pier Silvestro Leopardi una pensione di 18.000 franchi; Aurelio Saliceti, che aveva prestato solo 10 anni di servizio in magistratura, ottenne una pensione di 2250 ducati. Era la cifra che spettava a un consigliere di Cassazione con 40 anni di servizio.[81] L'Italia unita cominciava subito male: favoritismi, clientele, opportunismi, ruberie. Gli esuli, soprattutto quelli del 1848, che rientravano si portavano dietro un carico di risentimenti e di acredine da sfogare. Eppure erano stati proprio loro, dopo la frattura politica con la dinastia Borbone, ad alimentare in Piemonte il mito del Mezzogiorno felice e ricco. Con un semplice cambio di dinastia e soprattutto con il potere politico gestito dai liberali moderati, quel Regno poteva risolvere tutti i problemi finanziari del Piemonte: era la loro illusoria rappresentazione della realtà.

Nelle tasche dei nuovi padroni di Napoli finirono anche 184.608 ducati che Ferdinando II aveva lasciato in eredità ai suoi dieci figli: 5415 a Francesco II come principe ereditario, che non erano mai stati spesi; 67.509 ducati delle doti delle principesse e dell'eredità lasciata da Maria Cristina di Savoia, madre del re, cui si aggiungevano gli interessi maturati in ventitré anni.[82] Naturalmente, vennero assegnate pensioni anche alle donne dei camorristi, come Marianna la Sangiovannara. Era la corsa all'arricchimento, alla spogliazione, approfittando del trapasso e della confusione. Le cose non mutarono molto con i governi luogotenenziali. In un anno, da Torino furono prelevati dalle casse dell'ex Regno delle Due Sicilie oltre 80 milioni di lire. Molti prelievi e pochi investimenti nel Sud limitati a sole 390.625 lire oltre alla concessione di 10 milioni alla Tesoreria di Napoli. Denaro concesso solo sulla carta, mai realmente versato. Un quadro descritto a Cavour da Liborio Romano, che conosceva a fondo Napoli.[83]

Alla voracità si aggiungeva la diffidenza e la spocchia verso la città dimostrata da chiunque arrivava da Torino. Scriveva il luogotenente Farini all'amico Marco Minghetti:

> Napoli è tutto; la provincia non ha popoli, mandre: qualche barone o di titolo o di gleba la mena. Nella capitale son dodici mila paglietta, cioè avvocati, rabule, torcileggi, storpiacodici, lingue da tanaglia, coscienze da galeotto. Costoro son quelli che fanno tutto in piazza, nel foro, nella borsa, ne' ridotti, ne' teatri. Or con questa materia che cosa vuoi costruire?[84]

Era lo stesso Farini, già campione di ruberie a Modena, che sintetizzava ancora meglio il suo pensiero in questo modo: «Altro che Italia! Questa è Africa, i beduini a riscontro di questi caffoni, son fior di virtù civile».[85]

Con tali premesse, fu quasi naturale che il controllo delle ex Due Sicilie diventasse difficile. Da quel momento avrebbe regnato l'insicurezza e la precarietà. Cominciò la sanguinosa guerra civile del brigantaggio, si radicò il senso di estraneità meridionale per tutto ciò che rappresentava uno Stato imposto e non realizzato con la propria volontà.

5
Guai ai vinti

> «Ho visto una serie di decreti che mi addolorano. Milioni assegnati non so a quali martiri; nuovi impieghi creati, concessioni date a Nisco ed altri, insomma l'applicazione del sistema che consiste nel conciliarsi gli animi a spese del tesoro dello Stato [...] Questo sistema è fatale, il seguirlo ci trascinerebbe a sicura rovina, siamo minacciati da una crisi finanziaria spaventevole.»
>
> Lettera del conte di Cavour
> a Costantino Nigra, 4 marzo 1861

L'ingresso a Napoli di Vittorio Emanuele II non fu dei più felici. Quel 7 novembre 1860 la pioggia rovinò le decorazioni di cartapesta allestite per le strade e l'acqua cambiò il colore ai capelli del re che, per sembrare più giovane, usava tingerseli di scuro. Il futuro sovrano d'Italia si sistemò al pian terreno del palazzo abbandonato da Francesco II appena due mesi prima, mostrando subito insofferenza verso una città in cui si sentiva un estraneo. E in lui fin dall'inizio fu sempre viva la voglia di tornare a Torino. Tanto che al colonnello Giovanni Genova Thaon di Revel,[1] nominato direttore del ministero della Guerra della luogotenenza guidata da Farini, il re confidò: «Lei resta a Napoli, ma io per fortuna me ne vado».[2]

Nell'ex capitale borbonica, sarebbero rimasti i luogotenenti, che avrebbero governato in una città in preda al caos e all'incertezza. Per i militari napoletani sconfitti si preannunciava un futuro tormentato. Appena otto giorni dopo la capitolazione di Gaeta, Cavour liquidò chi per sei mesi, nel rispetto del giuramento alla bandiera nazionale delle Due Sicilie, aveva combattuto con Francesco II. In Abruzzo e Calabria cresceva la ribellione armata e il primo ministro scrisse, in una circolare: «Tutti gli stranieri, che furono o pretendono di essere al servizio militare delle cessate dinastie, se trascorsi quindici giorni faranno parte delle bande degli insorti saranno considerati non più come prigionieri di guerra, ma come rei di delitti comuni».[3]

I reduci di guerra, di solito, tornano nelle loro case, dalle loro famiglie. Ma i soldati borbonici non avevano più patria, almeno non quella in cui erano cresciute quattro generazioni di napoletani. Non avevano più riferimenti, per loro c'era solo incertezza sul futuro. «Sbandati», come venivano bollati nei documenti ufficiali della luogotenenza. Dopo la battaglia del Volturno, 2000 napoletani erano finiti prigionieri dei piemontesi. Alla caduta di Capua, il numero era cresciuto: si erano aggiunti altri 10.000 uomini, di cui scrisse il «Times» di Londra:

> Non possiamo che lodare questa porzione di esercito che ha seguito il Borbone. [...] Essi si sono condotti generalmente in una maniera la quale, se non del tutto eroica, ha superato ogni aspettazione formatasi circa le truppe napoletane. [...] Quegli italiani hanno avuto le loro fila assottigliate da vera strage, senza fare spettacolo dei loro morti e senza mandare agli ospedali uomini cui era stato graffiato solo un dito.[4]

Un riconoscimento a chi, per 180 giorni, aveva combattuto senza farsi abbindolare dalle lusinghe del cambio di bandiera. Dal settembre 1860 al febbraio 1861, tra gli uomini dell'esercito borbonico c'erano stati 2500 morti e quasi 3000 feriti nei combattimenti contro garibaldini e, a partire dall'ottobre 1860, anche contro l'esercito regolare piemontese. Poi, dopo la sconfitta, iniziò il peregrinare dei prigionieri che cominciarono a diventare un problema per il governo di Torino. A partire dal 3 novembre 1860, vennero inviati in treno in Piemonte e Lombardia, accompagnati da offerte di vantaggi in caso di immediato passaggio alla bandiera piemontese. La maggioranza rifiutò, sperando che, finita la guerra, la loro prospettiva fosse tornare a casa. A Genova, Brescia e Milano vennero allestiti alcuni centri di smistamento per gli uomini in arrivo sui convogli dalla Bassa Italia.[5] Qualcuno dei prigionieri riuscì a fuggire, preparandosi a un incerto e lungo viaggio di ritorno. Una circolare piemontese di metà ottobre aveva già invitato i napoletani a confluire nelle file garibaldine per evitare di essere considerati disertori.[6]

Un successivo bando del generale Fanti aveva poi bollato come briganti chi combatteva i piemontesi, senza far parte dell'esercito regolare borbonico. I prigionieri napoletani venivano smistati al Nord, mentre chi tra loro tornava a casa era guardato con sospetto e diffidenza. A rientrare furono in prevalenza gli oltre 17.000 uomini che il re non aveva potuto accogliere a Gaeta nel novembre del 1860: i soldati che erano stati costretti a ripiegare nello Stato pontificio, dopo 50 miglia di marcia, per consegnarsi ai francesi in attesa di nuovi ordini. Quando rividero le loro case, furono accolti ovunque da una generale ostilità.[7]

Chi avrebbe dovuto occuparsi del futuro degli ex borbonici e dei volontari garibaldini era il ministero della Guerra della luogotenenza. Ne fu delegato il colonnello torinese Thaon di Revel, costretto ad affrontare situazioni difficili soprattutto dopo le capitolazioni di Gaeta e Messina. Gli accordi della resa prevedevano che, dopo due mesi di prigionia, gli sconfitti dovessero decidere il loro futuro. Dal Piemonte si premeva per recuperare più truppa possibile dalle annessioni, anche se si guardavano con sospetto i soldati rimasti con Francesco II fino alla caduta di Gaeta. Una norma punitiva inserita negli accordi delle capitolazioni bloccava i gradi di tutti, ufficiali e sottufficiali, al 6 settembre 1860. La data della partenza del re Borbone da Napoli. Significava non riconoscere le promozioni conquistate sul campo in sei mesi di guerra. Ma anche azzerare, nella memoria collettiva, la resistenza dell'esercito regolare napoletano, senza tener conto che, fino alla caduta di

Gaeta, le Due Sicilie erano formalmente ancora uno Stato, riconosciuto da tutte le nazioni. I conquistatori, insomma, sminuivano il valore dei vinti, esaltando, all'opposto, il loro. Ne fu esempio il largheggiare di encomi e decorazioni riconosciute a ufficiali e soldati piemontesi per la campagna della Bassa Italia: 5 medaglie d'oro, 2098 d'argento, 98 onorificenze dell'Ordine militare di Savoia, 21 onorificenze dell'Ordine dei santi Maurizio e Lazzaro, 1967 menzioni onorevoli, 34 promozioni diverse solo per l'assedio di Gaeta. Con quelle per gli assedi di Messina e Civitella del Tronto, facevano un totale di 4606 ricompense.[8]

Con almeno quattordici anni di servizio, gli ufficiali borbonici potevano chiedere il ritiro, ricevendo una pensione dal nuovo Stato. Gli altri avevano davanti la prospettiva del congedo per intraprendere un'attività tutta da costruire, oppure una oscura carriera nell'esercito italiano offuscata dai colleghi piemontesi. Presupposti giuridici alla prosecuzione della carriera militare dovevano essere l'immediata adesione al Regno dei Savoia, che fu espressa da 2019 ufficiali napoletani, seguita da un esame dei titoli dinanzi una commissione militare. In caso poi di superamento del giudizio, era d'obbligo il giuramento formale al nuovo ordine di cose. La commissione valutava il curriculum, il ruolo svolto nella guerra del 1860, le attitudini, il grado del militare da esaminare.

Ma le diffidenze per i napoletani si dimostrarono difficili da superare. Il 19 febbraio 1861 Silvio Spaventa, direttore di polizia nella luogotenenza, fece arrestare decine di ufficiali borbonici. A Costantino Nigra, segretario del luogotenente, il principe Eugenio Savoia di Carignano, cugino del re, scrisse che quei militari non potevano essere considerati prigionieri di guerra, ma «ribelli al re e alla Nazione».[9] Secondo Spaventa, chi aveva continuato a combattere dopo il plebiscito si era messo fuori dalla legge. Come gli ufficiali arrestati che, in quel momento, avevano espresso solo una semplice adesione al nuovo Stato, senza aver ancora affrontato il giudizio della commissione di scrutinio. Altri ex soldati borbonici, quelli provenienti dallo Stato pontificio, non avevano potuto ancora esprimere la loro adesione e Spaventa riteneva dovessero escludersi da ogni riconoscimento giuridico, quasi come dei briganti.[10] Anche Farini un mese prima aveva subito manifestato chiaro e tondo il suo pensiero sui militari napoletani: «Io scommetto che, tra gli ufficiali borbonici, non ce n'è trecento che meritino di essere posti nell'Esercito. I generali e i colonnelli sono quasi tutti vile e disonorata gente. Quegli stessi che il ministero della Guerra aveva presi in considerazione si erano fatto spacciati oppositori del governo. I Marra, i Polizzi, i Liguori, i D'Ambrosio, i Barbalonga, ecc. sono fior di canaglia».[11]

Il 21 aprile 1861, venne sciolta l'Intendenza borbonica. L'intera gestione economica e amministrativa degli ex ufficiali borbonici passava formalmente alla luogotenenza. Alla competenza del colonnello Thaon di Revel, cui spettava risolvere i problemi pratici dei militari napoletani anche se ne nutriva scarsa considerazione. E lo scrisse: «L'Esercito napoletano era animato da niun retto principio, istrumento di deplorevole politica antinazionale».[12]

Alla fine, venne nominata la commissione che doveva esaminare gli ufficiali da inserire nell'esercito nazionale. Ne facevano parte il generale Cesare Ricotti, il colonnello Genova Thaon di Revel, il colonnello Arborio Mella per i piemontesi; il colonnello Bartolo Marra,[13] il maggiore Federico Verdinois[14] e il maggiore Luigi Carrano[15] per i napoletani. Presidente, ma senza voto deliberativo, il generale napoletano Roberto de Sauget.[16]

Le riunioni si tennero nella sede del ministero della Guerra napoletano, già all'epoca fornita di ascensore. Una vera fortuna per de Sauget, che zoppicava per una ferita all'anca e a 75 anni aveva problemi a salire gli alti scaloni. Vennero esaminati 3600 ufficiali, divisi in tre gruppi: chi aveva abbandonato l'esercito borbonico prima del 9 settembre 1860 era parificato a un ufficiale italiano; chi si era unito alle camicie rosse ne seguiva la sorte amministrativa; chi era capitolato a Gaeta e nelle altre fortezze combattendo fino alla resa subiva un rigoroso accertamento sulla carriera passata. Ma i militari che avevano subito voltato le spalle alla bandiera borbonica protestarono sulle opportunità concesse agli altri ex commilitoni. A quelle proteste, però, il ministero della Guerra rispose che, dovendo scegliere, erano preferibili i soldati che avevano combattuto a Capua e Gaeta, rispettando il giuramento prestato, a quelli che si erano «col mantello della patria, tenuti al sicuro dalla guerra».[17]

Nell'esercito italiano furono ammessi 2311 ex ufficiali borbonici: 927 vennero impiegati in forza attiva, mentre ai servizi sedentari ne furono assegnati 862.[18] Diversi i criteri seguiti per i soldati semplici: in attesa della chiamata di leva, furono rispediti a casa. Qualcuno non sapeva dove andare e per questo venne creata una compagnia di veterani, spedita al Nord con compiti di semplice guardia agli uffici militari.[19] Le quattro classi di leva successive furono poi tutte mandate in servizio nell'Italia settentrionale. Lontani da casa. Ma peggio andò a chi, restio a proseguire la ferma militare con il nuovo Stato, fu costretto a lunghe e dure prigionie in campi del Nord.

I prigionieri senza nome

Chi tornava da Gaeta veniva trattato con ostilità, evitato, anche per il timore che fosse contagiato dal tifo. Dalla fine di febbraio 1860, decine di reduci dell'assedio morirono per l'infezione contratta nella fortezza. Gli ospedali di Aversa, Maddaloni, Santa Maria di Caserta e Falciano si riempirono di reduci da Gaeta: 800 uomini erano tornati ammalati o feriti. Gli ufficiali, come prevedeva la capitolazione, furono trasferiti agli arresti sulle isole del golfo napoletano. Peggio andò per i soldati. Disprezzati, bollati come ingovernabili, ignoranti, rozzi, ribelli. Prigionieri di una guerra non dichiarata. Il 17 febbraio

1861, il colonnello Genova Thaon di Revel scriveva al generale Alessandro Della Rovere:

> Della guarnigione di Capua non si può trarre partito. Non è possibile riordinare quegli uomini demoralizzati, animati da spirito ostile e senza sentimento di disciplina verso i loro ufficiali. Buona parte se ne è mandata a Torino. Gli altri, per mancanza di trasporti, si sono riuniti a Maddaloni, Nola e Nocera.[20]

Anche sui capitolati di Gaeta, il colonnello Thaon di Revel aveva idee non certo lusinghiere: «Si tratta di 11.000 uomini, dei quali non si può per ora trarre partito. Proporrei quindi di disporre per questi prigionieri di guerra quanto già si fece per quelli di Capua».[21] Con il ministro della Guerra, Manfredo Fanti, Thaon di Revel fu ancora più esplicito lasciandosi andare a giudizi sprezzanti in una lettera destinata a Torino: «Garibaldini, capitolati di Capua e Gaeta, reduci dallo Stato romano, insurrezionali, aggiunti ai vagabondi soliti di Napoli, formano una massa infetta in tutta questa regione, che sarebbe gran bene lo sperperare».[22]

Cominciarono i viaggi per il Nord Italia di gruppi di soldati, considerati soltanto numeri, uomini in divisa di cui i nuovi conquistatori mostravano sempre più scarsa considerazione. Uomini che in tanti, a Torino, ritenevano solo dei fuorilegge. Briganti. Anche se si trattava di soldati regolari di uno Stato sconfitto. Nel suo diario, l'ambasciatrice americana a Torino, Caroline Marsh, annotò alcune impressioni sui soldati dell'ex esercito delle Due Sicilie. Impressioni probabilmente condivise dalla buona società torinese che frequentava i salotti dove l'ambasciatrice era sempre ospite gradita: «È lodevole la politica umanitaria del governo italiano di incorporare nell'esercito i fuorilegge catturati nell'Italia meridionale anziché chiuderli in prigione, ma c'è da sperare che venga impedito che molti di loro si ritrovino insieme nello stesso posto».[23]

Anche Cavour provava disprezzo per quegli uomini, contadini, pastori, artigiani, povera gente di tutte le regioni meridionali, cresciuti nel culto della dinastia Borbone. Così il primo ministro ne scrisse a Vittorio Emanuele: «I vecchi soldati borbonici appesterebbero l'esercito».[24] Del resto, spocchia e scarsa considerazione erano riservate anche ai deputati meridionali neoeletti al Parlamento italiano. Basta leggere ciò che Nigra scriveva a Cavour per rendersene conto: «Oggi Le spedisco i deputati e i senatori. V.E. vedrà che roba. Ma è malleabile. Sappia tirarne il meglio che potrà a vantaggio dell'Italia. Di "ministeriabili" non ne veggo uno».[25] Se non erano parole di conquistatori, ne avevano di certo le apparenze. L'integrazione era difficile, ma per i reduci borbonici si provava anche un senso di rivalsa. Come se si fosse voluto far scontare ai soldati il ritardo di una conquista immaginata più rapida e agevole. Tra gli ufficiali piemontesi, quei sei mesi di combattimenti dopo la partenza di Francesco II da Napoli bruciavano ancora.

Furono attivati campi di prigionia temporanei al Nord: Torino, Genova, Milano, Alessandria, Bergamo, Rimini, Brescia. In marcia dal Sud, via nave per Genova, poi in treno o a piedi verso la destinazione ricevuta.[26] Scrisse lo storico borbonico Giacinto De Sivo: «Tenevano i napolitani prigionieri in castelli subalpini, barbaramente, su fradicia paglia affamati, con panni di state in crudo verno! Sì tartassandoli per indurli a pigliar livrea. Sempre rispondeano No. Messi in luoghi stretti e umidi, gridavano "viva Francesco!". Ligati talora a due a due, e mandati in fortilizi lontani, come potevano fuggivano, o a casa, o a' Tedeschi».[27]

Erano così tanti i militari meridionali catturati da rendere necessario potenziare i servizi di trasporto via mare da Civitavecchia, o Terracina, verso Genova. Lo sollecitò a più riprese, nel novembre 1860, il generale Fanti. A Torino, si parlava spesso di quei prigionieri e del problema che rappresentavano. Annotò la Marsh nel suo diario il 22 agosto 1861: «Pare che a

Fenestrelle ci siano quasi seimila di questi malintenzionati ed è un numero eccessivo che potrebbe causare problemi».[28]

Nella speranza di poter aumentare gli organici militari piemontesi, già nel novembre del 1860 Cavour chiese al generale La Marmora una relazione sui prigionieri meridionali detenuti a Milano. Si trattava essenzialmente dei circa 10.000 capitolati di Capua. Il primo ministro, in una lettera del 10 novembre 1860, ne ricevette un quadro nero: su 1600 uomini, solo 100 avrebbero accettato di prendere servizio nelle file piemontesi. Anche perché quasi tutti sostenevano di aver già giurato per Francesco II. Concludeva La Marmora: «Non so per verità cosa si potrà fare di questa canaglia».[29]

Da qui le successive valutazioni di Cavour, scettico sulla possibilità d'integrazione dei soldati meridionali nell'esercito piemontese tanto da metterne al corrente anche Vittorio Emanuele. Circa 6700 i soldati cosiddetti «sbandati» non vollero rispondere alla leva militare piemontese nel 1860.[30] Preferirono essere considerati disertori, rischiando la detenzione nei campi al Nord. Chi era stato prigioniero dopo le sconfitte raccontò al ritorno le sue peregrinazioni. Come Filippo Gasparrini, secondo sergente dei dragoni, catturato il 2 ottobre 1860 e trasportato da Napoli a Genova senza possibilità di lavarsi o cambiarsi la divisa: «Ho patito sofferenze mentre ero nel Regno sardo dove, con false rappresentazioni, volevano farmi prendere servizio, ma io, con fervide preghiere, davo le mie raccomandazioni a Dio».[31] Sei mesi di prigionia, «senza soldo, mangiare come una belva».[32]

Il sergente Gasparrini era tra quei 12.000 uomini finiti nei campi di prigionia tra ottobre e novembre 1860. Poi ne arrivarono altri 11.000 tra febbraio e marzo 1861. Gente senza nome, senza più patria. Sradicati, senza possibilità di futuro che non fosse confluire nell'esercito piemontese, tra mille diffidenze e ostilità. E per giunta lontanissimi da casa.

Cavour si rese conto che, tra i circa 30.000 soldati borbonici reduci dai sei mesi di guerra tra il Volturno e il Garigliano, non ce ne sarebbero stati molti pronti ad aderire al nuovo esercito. E non poteva certo rinchiuderli tutti, anche perché il numero era destinato ad aumentare con gli 11.000 che avevano sconfinato nello Stato pontificio su ordine di Francesco II. Così il primo ministro maturò l'idea di congedare tutti coloro che avevano più di due anni di servizio, mantenendo gli altri sotto le armi «per amore o per forza». Basta viaggi di prigionieri a Genova, dunque. Da Napoli la vedevano diversamente: il principe Eugenio di Carignano, luogotenente del re a Napoli, premeva per spedire ad Ancona altri 3000 ex borbonici che non sapeva dove mettere.[33] Dell'alto numero di meridionali e anche ex soldati pontifici rinchiusi al Nord si occuparono i giornali antiunitari «l'Armonia» e la «Civiltà cattolica», denunciando la stretta repressiva dopo la conquista delle Due Sicilie. Laceri e sporchi, migliaia di militari borbonici arrivavano incolonnati a Genova, accolti tra grida e sputi della gente in attesa. Senza alcuna garanzia giuridica, senza la certezza di essere considerati prigionieri di guerra in un conflitto del resto mai dichiarato, esploso per la necessità di «liberare popolazioni oppresse».

Ma il peggio doveva ancora arrivare. Mentre i «campi di prigionia» avevano carattere temporaneo, i successivi «campi di rieducazione» furono invece creati per rinchiudere gente riottosa all'integrazione e all'ordine disegnato a Torino: ex militari o anche briganti. Chi accettava di arruolarsi nell'esercito piemontese, o chi si mostrava accondiscendente, veniva liberato. Gli altri erano destinati al forte di San Maurizio Canavese a Genova, o alla rigida fortezza di Fenestrelle.[34] Agli arruolamenti piemontesi nei quattro contingenti risposero alla chiamata solo 5400 su oltre 20.000 militari prigionieri. Tutti gli altri, i recalcitranti, considerati renitenti alla leva se non disertori, vennero trattenuti nei «campi» di Genova e Torino, o a Milano nel Castello Sforzesco. A volte, si disposero veri e propri rastrellamenti al Sud per trovare giovani che si erano nascosti per evitare il servizio militare. Molti restavano in prigione senza alcun processo, né sentenze. Un abuso partorito da una situazione di ordine pubblico sempre più incerta nel Mezzogiorno. Stava ormai esplodendo la ribellione del brigantaggio, alimentata da centinaia di quei soldati «sbandati», reduci senza più casa né patria. Scrisse la «Civiltà cattolica»:

> Per vincere la resistenza dei prigionieri di guerra, già trasportati in Piemonte e Lombardia, si ebbe ricorso ad uno spediente crudele e disumano, che fa fremere. Quei meschinelli, appena coperti da cenci di tela, e rifiniti di fame perché tenuti a mezza razione con cattivo pane e acqua e una sozza broda, furono fatti scortare nelle gelide casematte di Fenestrelle e di altri luoghi nei più aspri siti delle Alpi. Uomini nati e cresciuti in clima sì caldo e dolce, come quello delle Due Sicilie, eccoli gittati a spasimar di freddo e di stento tra le ghiacciaie.[35]

La fortezza di Fenestrelle era attiva dai primi del Settecento. Avamposto di confine dei Savoia, ma anche carcere militare. Nel 1860 fu il luogo di pena dei soldati pontifici e borbonici catturati dai piemontesi. Edificio a scaloni, immerso nella neve in inverno a quasi 2000 metri di altezza sulla sinistra del Chisone. Nonostante il rigore della prigionia, il 22 agosto 1861 scoppiò una rivolta subito repressa. Ne parlò il giornale «l'Armonia».[36] Scrisse ancora De Sivo: «I serrati in Fenestrelle congiurarono, per impadronirsi del forte il 22 agosto; e stettero a un punto ché scopertosi poche ore prima la trama, vennero disarmati».[37]

In quel periodo nella fortezza erano rinchiusi 1000 prigionieri, altri 6000 erano ammassati a San Maurizio Canavese sotto il controllo di due battaglioni di fanteria. Quando nel settembre 1861 i ministri Bettino Ricasoli e Pietro Bastogi visitarono il campo di San Maurizio Canavese, vi trovarono rinchiusi ancora 3000 soldati borbonici.[38] Anche qui esplosero piccole rivolte subito controllate dall'imponente guarnigione di bersaglieri. Ma la durezza delle condizioni igieniche, il cibo scarso, la lontananza da casa e un clima insopportabile per chi era nato ad altre latitudini non riuscirono a piegare quei detenuti. Molti, per sfuggire alla detenzione, accettavano l'arruolamento. Ma poi, appena liberi, disertavano. Un problema non da poco, tanto che il generale Alfonso La Marmora, diventato prefetto di Napoli e comandante del VI dipartimento militare, rifiutò di inserire nel 1° e 13° battaglione bersaglieri un contingente di 200 militari napoletani provenienti dai campi di prigionia.[39] A Fenestrelle la vita media non superava i tre mesi. Alla fine, come riferì il ministro Della Rovere, circa 80.000 meridionali rifiutarono di servire sotto la bandiera italiana.[40] Fuori dai campi di prigionia, i militari si rifugiavano nello Stato pontificio, magari offrendo i propri servigi al re in esilio a Roma. Oppure finivano nelle bande di briganti a combattere i soldati italiani, che continuavano a chiamare piemontesi. In tanti non tornarono vivi da quella prigionia. Altre vittime della guerra di conquista nel Mezzogiorno. Vittime di un Risorgimento violento cui si opponevano da sconfitti della storia. A Fenestrelle ci fu il maggior numero di morti. La calce viva scioglieva i corpi di chi non ce l'aveva fatta a superare il rigore del freddo e della fame. L'ospedale della fortezza era sempre affollato di ammalati. E nei registri parrocchiali si annotavano i nomi dei soldati meridionali deceduti dopo il ricovero. Morti senza lapidi e senza identità. In numero maggiore di quelli registrati. Per ragioni igieniche, i morti non potevano essere seppelliti in alcun luogo della fortezza e si usò una grande vasca di calce viva per gettarvi i cadaveri. La vasca è ancora visibile, dietro la chiesa principale del forte. Nel registro sono annotati cinquantuno nomi: il più giovane aveva 22 anni, il più vecchio 32. Sono solo una minima parte di quelli che morirono per essersi opposti all'Italia unita. Italiani anche loro, ma vinti e dimenticati.[41]

Il benservito ai Mille

Migliaia di uomini in camicia rossa si aggiravano tra Napoli e dintorni dopo la battaglia del Volturno. Sfaccendati, spesso rissosi. Gente originaria di molte parti d'Italia. Dopo la partenza di Francesco II da Gaeta accorsero anche tantissimi meridionali. Se il 1° ottobre 1860 avevano combattuto non più di 24.000 uomini, in giro per la ex capitale se ne vedevano almeno il doppio. Era la moltiplicazione dei volontari garibaldini. Un fenomeno italico: anche dopo la Resistenza lievitò il numero di partigiani, nonostante molti non avessero mai visto le montagne, né si fossero mai scontrati con un nazifascista.

Quando cominciò a diffondersi la voce di possibili pensioni, vantaggi e gratificazioni per gli uomini di Garibaldi, ecco il miracolo. Con la scusa, naturalmente, che si doveva essere pronti per l'assalto a Roma, i volontari si moltiplicarono a dismisura. L'esercito meridionale, così battezzato per decreto da Garibaldi, chiamato da Enrico Morozzo della Rocca «Armata sorella», cominciò a dare problemi. Da più parti si premeva per una «normalizzazione» del Mezzogiorno: nelle province i latifondisti chiedevano sicurezza ai soldati regolari piemontesi; i liberali moderati temevano che tra i garibaldini si nascondessero repubblicani e sobillatori. L'8 novembre, dopo aver diffuso un altisonante e retorico proclama ai suoi «compagni d'arme di dieci battaglie», Garibaldi partì. Ma restarono i suoi uomini: il quartier generale delle camicie rosse si trasferì da Caserta a Napoli, al vicolo San Pasquale nei pressi della riviera di Chiaia. Il generale Sirtori, alter ego di Garibaldi, era rimasto per tenere a bada i volontari. Li richiamò alla disciplina, anche perché si era diffusa la notizia che, per essere ammessi nell'esercito regolare piemontese, i garibaldini avrebbero dovuto passare attraverso il giudizio di una commissione di scrutinio. Era la stessa procedura adottata per gli ex ufficiali borbonici. A presiedere la commissione era stato designato il generale della Rocca, che cercava di non inimicarsi nessuno e di conquistare la benevolenza delle camicie rosse con continue parole di apprezzamento. Con lui il generale Paolo Solaroli, altro aiutante del re e futuro deputato. Poi, i commissari garibaldini: Sirtori, Medici e Cosenz. Tre le possibilità: l'ingresso nell'esercito piemontese con gli stessi gradi ottenuti durante l'avanzata nelle Due Sicilie; la liquidazione di una pensione per i mutilati e tutti gli inabili per le ferite di guerra; l'assegnazione di pensioni temporanee per chi voleva tornare a casa. Si trattava di pensioni di tre mesi per i soldati e sei per gli ufficiali. Al diffondersi di quelle voci serpeggiarono i malumori e a fine novembre Sirtori dovette fare un nuovo richiamo alla disciplina.

Nel gennaio 1861, si istituirono quattro depositi per i volontari: a Mondovì per la divisione Türr; a Biella per la divisione Medici; ad Asti per la divisione Cosenz; a Vercelli per la divisione Bixio. Per questi uomini, Garibaldi e i suoi fedelissimi pensavano alla creazione di un corpo speciale autonomo, magari denominato «Cacciatori delle Alpi». Ma la proposta era ostacolata. Anche perché c'era un'evidente sproporzione tra truppa e ufficiali, che nell'ottobre del 1860 erano diventati addirittura 7300.[42]

Gli approfittatori si moltiplicavano. Il colonnello Genova Thaon di Revel li definì «sciame di locuste abbassatosi sopra il Napoletano».[43] Per risolvere il problema, subito dopo la partenza di Garibaldi si invitarono «tutti i volontari oziosi a Napoli» a presentarsi nella caserma di Resina al comando del colonnello anglo-italiano Charles Forbes. Si pensò che un inglese, abituato al pugno di ferro nelle esperienze di guerra in India, fosse l'uomo giusto per tenere a bada uomini indisciplinati da «istruire nei principi fondamentali del milite».[44]

Ma intanto sedicenti ufficiali cercavano di accaparrarsi dei comandi in vista di benefici futuri: per tutta Napoli si leggevano proclami con inviti all'iscrizione nei ruoli di corpi in formazione. Nomi di truppe agguerrite da istituire, come «la legione della Morte che sarà la prima ad affrontare il nemico».[45]

Raccontò il colonnello Thaon di Revel:

> Venuto a Napoli in novembre andai a pranzare all'albergo d'Inghilterra, vi trovai, con una assisa fantastica di capitano di stato maggiore garibaldino, un individuo che ricordai aver visto nell'estate girare per le vie di Milano, con un cane, ed assai male in arnese. Pareva un commesso di negozio. Alloggiato e nutrito a spese del Comune, percepiva la paga dall'Intendenza dei Volontari, e se la godeva in Napoli senza aver mai oltrepassato la linea daziaria. A metà gennaio sparì *insalutato hospite,* ed in dicembre 1862 lo trovai come prima per le vie di Milano.[46]

Un ufficiale garibaldino si presentò dal maggiore di cavalleria piemontese Giuseppe Colli, comandante militare di Caserta. Requisì cavalli, carri e viveri. Motivò la richiesta con una non precisata missione. Quando l'ufficiale piemontese cercò di verificare ciò che gli era stato raccontato, apprese che il garibaldino era partito per Genova. Partì una segnalazione alla polizia e l'uomo, individuato, venne pedinato dagli agenti fino ad Alessandria. Perquisito, gli fu trovato addosso ogni ben di Dio. Persino pentole rubate nel Palazzo Reale di Caserta. Naturalmente si trattava di un ufficiale che non aveva mai combattuto.[47]

Approfittatori, ladri, speculatori. Falsi ufficiali e sfaccendati: alla fine del 1860, Napoli era piena di quella gente arrivata da ogni dove. Nel Sud, c'era da rubare e mangiare a sbafo, per l'assenza totale di controlli. I volontari erano cresciuti fino a diventare 51.400 e il colonnello Thaon di Revel, che faceva parte della commissione di scrutinio, scrisse al generale Fanti il 17 gennaio: «Spero, se sono sostenuto da V.E., di venire un po' in chiaro in questo caos. Devonsi distinguere i veri dai falsi Garibaldini. [...] Non doversi assimilare chi giunse a Marsala con Garibaldi, o si unì a lui nella marcia battagliera, con quell'accozzaglia che piombò su Napoli dopo il 7 settembre, per carpire dolosamente gradi, stipendi, vantaggi senza nemmeno andare al campo».[48]

Della commissione di scrutinio facevano parte per i piemontesi anche il brigadiere Emilio Ferrero e il generale Alessandro Gozani. Tutti si rendevano conto dell'impopolarità delle loro decisioni. Come si direbbe oggi, dir male dei volontari non era «politicamente corretto», avrebbe potuto scatenare reazioni e critiche. I distinguo così erano difficili, il conformismo dominante, come in tutte le epoche, non favoriva la «normalizzazione». Il più accanito censore dei falsi volontari fu il colonnello Thaon di Revel, che il generale Morozzo della Rocca cercò di tenere a bada per evitare scontri accesi con Sirtori, che invece difendeva a spada tratta tutti i garibaldini senza alcuna distinzione. Cauti nei giudizi rimasero invece Medici e Cosenz più moderati nelle loro posizioni. Non esistevano elenchi scritti di volontari, mentre a Napoli arrivavano pressioni alla commissione e i timori di incidenti erano sempre in agguato. Così, il 23 gennaio 1861, il generale Fanti decise di trasferire a Torino la commissione di scrutinio. Anche perché le continue raccomandazioni si facevano assillanti. Tra i più accesi sponsor di segnalazioni a favore di ufficiali e corpi di volontari c'erano Liborio Romano, Silvio Spaventa, Pasquale Stanislao Mancini. Per questo, il 7 febbraio, il generale Fanti scrisse a Napoli che, come ministro della Guerra, non avrebbe tollerato intromissioni nel lavoro della commissione di scrutinio, qualificando come «imbecille» l'ufficiale che era stato raccomandato da Spaventa.[49] Le legioni di fresca creazione spuntavano come funghi: i Cacciatori dell'Ofanto, del Vesuvio, del Taburno, del Gran Sasso; i legionari dei Diavoli rossi, o neri; la brigata Penceta. Anche Luigi Farini perse la pazienza: «I Garibaldini che stanno ancora qua, costando somme enormi che spendiamo senza possibile sindacato, sono la sola forza, la sola speranza della setta mazziniana».[50]

Sirtori protestò per il trasferimento al Nord del comando garibaldino e della commissione, ma Cavour gli replicò che la decisione era stata presa «nell'interesse del tesoro e della regolarità del servizio».[51] Se tutte le legioni e le brigate erano uguali, una era più uguale delle altre: la Legione ungherese. A sostenerla e raccomandarla, intervenne addirittura Cavour, preoccupato di possibili contrasti con Stefano Türr che godeva di appoggi e popolarità. La Legione ungherese fu messa alle dirette dipendenze del ministero della Guerra, saltando le procedure seguite per gli altri. La ragione era politica: Cavour, attraverso Lajos Kossuth, sperava in una rivoluzione in Ungheria che fosse d'aiuto all'ingresso piemontese in Veneto.

Il 1° febbraio un decreto del re scioglieva il comando generale del Corpo dei volontari, trasferendo la commissione di scrutinio da Napoli a Torino. Ma il caos cresceva. Molti volontari violenti, spesso meridionali dell'ultima ora, delusi, confluivano nelle bande di briganti in rivolta. Il generale della Rocca considerava il suo incarico «un vero ginepraio di odiosità» e non vedeva l'ora che il lavoro della commissione finisse.[52]

Fu nell'aprile del 1861 che lo scontro sui volontari si inasprì. Il Parlamento affrontò la questione, partendo dalla relazione del ministro Fanti sul riordino dell'esercito. Tre giorni di confronto acceso, tra il 18 e il 20 aprile. Garibaldi intervenne il 19, sostenendo l'immediata ricostituzione del suo esercito di volontari da inquadrare in un corpo d'armata. Si accesero contrasti in aula. Il generale, che non era un oratore, farfugliò e saltò molti passaggi del suo discorso scritto. Polemizzò con Cavour, contro cui il risentimento era aperto dai giorni della cessione di Nizza. E provocò le critiche dei moderati persino per l'abbigliamento, presentandosi con il suo poncho sudamericano senza badare alle formalità. Cavour replicò duro, Bixio cercò di mediare. Dopo la seduta, il generale Cialdini si sentì in dovere di scrivere a Garibaldi una lettera polemica in cui sminuiva l'importanza dei volontari, affermando che l'esercito piemontese aveva salvato le camicie rosse dal tracollo, sconfiggendo i borbonici che si stavano riorganizzando.[53]

L'Italia in fasce sperimentava eterni contrasti: moderati contro democratici, demagogia contro realismo, spontaneismo volontario contro formalismo, opportunismo contro onestà. Nelle camicie rosse, in pochi mesi, confluì di tutto: tensioni, ideali, furbizie, inspiegabili arricchimenti, sacrificio personale. L'Italia dalle tante, eterne, facce.

Il problema dell'esercito meridionale fu risolto solo dal governo presieduto da Urbano Rattazzi nel 1862. Un decreto del 27 marzo sciolse il Corpo volontari italiani, inserendo nell'esercito regolare gli ufficiali che avevano superato il giudizio della commissione scrutatrice: 1584, tra cui 12 generali, sui 7300 dichiarati a Napoli.[54] Penoso fu il successivo accertamento dell'elenco preciso dei volontari sbarcati a Marsala cui spettavano una medaglia e una pensione particolare. Si scoprì che, al primo accertamento del 23 ottobre 1860 a Napoli, 244 nomi erano stati inseriti senza averne diritto, ottenendo la medaglia prevista. Quattro anni dopo si decise di istituire un giurì d'onore, con Nino Bixio a presiederlo. Alla fine, nel gennaio 1864, un decreto stabilì che i Mille di Marsala riconosciuti ufficialmente erano 1084, ma in 12 si resero nel frattempo indegni di portare la medaglia commemorativa: ne restarono 1072, ma molti erano morti.[55] Miserie di una spedizione, da sempre circondata da leggenda e mito. I volontari, anche dopo l'Aspromonte, erano stati «normalizzati». Almeno per legge.

Le casse piangono

L'Italia unita partì subito con il suo bel deficit di bilancio. Era l'eredità dello Stato piemontese che, in quindici anni di guerre, aveva investito tantissimo per armamenti e soldati. La spedizione in Crimea, la Seconda guerra d'indipendenza, ma in parte anche la campagna nella Bassa Italia furono possibili solo con prestiti bancari francesi e inglesi. Naturale che, subito dopo le annessioni, la preoccupazione del governo di Cavour fosse assicurare vantaggi a chi aveva economicamente aiutato il Piemonte. Dal 1848 al 1859, a partire quindi dalla Prima guerra d'indipendenza, il Regno sardo aveva maturato un disavanzo totale di 369.308.006 lire. Il debito pubblico era invece di 58.611.470 lire.[56] Nel marzo 1861, all'inaugurazione del Regno d'Italia a Torino, si partiva con un ulteriore debito di 500 milioni di lire. La guerra tra italiani nel 1860-61 era costata altri 150 milioni di debiti al Piemonte e 13 milioni di ducati, pari a 55.248.618 lire, alle Due Sicilie. E non era finita. Nel 1862, il bilancio di previsione stimava un disavanzo di 308.846.372 lire.[57] La riunificazione del debito pubblico (quello più consistente del Piemonte assorbiva quello inferiore delle Due Sicilie) portò all'estensione delle tasse sarde nelle nuove province. Fu un trauma per il Sud, abituato a sole cinque imposte applicate nel Regno borbonico.[58] Ventidue erano state invece le tasse introdotte in Piemonte dal 1850. C'erano anche le imposte sulle successioni e le donazioni, sull'assistenza sanitaria, le pensioni, i mutui, sconosciute al Sud. Per estinguere i suoi debiti, il governo piemontese era stato costretto a vendere molti gioielli di famiglia: proprietà statali, come lo stabilimento metallurgico di San Pier d'Arena, ceduto ai privati, oppure alcuni tenimenti tra Torino, Genova e Cuneo.[59] Nulla sarebbe stato inventato 147 anni dopo. Era stato già tutto sperimentato nel regno piemontese, che travasò le sue leggi, abitudini e finanze nello Stato italiano.

Naturale che il governo luogotenenziale, subito dopo la disastrosa esperienza amministrativa dei due governi dittatoriali istituiti da Garibaldi, bussasse a denari. Nel gennaio 1861, fu chiuso un contratto di finanziamento per 5 milioni con i Rothschild di Parigi in cambio della vendita della rendita napoletana. Da Torino si promettevano per decreto altri 11 milioni per i lavori pubblici. Ma a Napoli non si videro che in minima parte.[60] Per conquistare più consensi possibili, assai tiepidi anche per l'annuncio di sacrifici economici in arrivo, i governi luogotenenziali ricorsero alla pratica della clientela.

Favoritismi, impieghi, sovvenzioni a liberali vecchi e di ultimo conio. Persino Cavour lo giudicava un «sistema fatale».[61]

L'integrazione tra Nord e Sud era difficile. Problemi di ordine pubblico, sollevazioni sociali dei contadini, la classe dei latifondisti meridionali assetati di sicurezza. E in più, incomprensioni culturali tra i funzionari che arrivavano dal Piemonte e la classe dei burocrati meridionali, preoccupati di perdere impiego e denari. Le promesse di investimenti ferroviari, considerati la vera panacea per tutti i mali del Mezzogiorno di recente conquista, furono mantenute con molto ritardo. Ci fu un avvicendamento tra la prima società concessionaria Adami-Lemmo e la Vittorio Emanuele che la sostituì. Ma i lavori di ampliamento della rete ferroviaria partirono realmente solo dal 1865. Napoli viveva la crisi della ex capitale, cuore pulsante di tutto un regno, da sola in grado di assicurare pane e lavoro a burocrati, impiegati e ad attività legate alla presenza di uffici pubblici in una grande città. In tre anni la realtà era mutata. Erano entrate in crisi le aziende intorno alla capitale, che vivevano soprattutto di commesse pubbliche. Cominciò lo stillicidio dei licenziamenti di impiegati e operai alla Stamperia nazionale, alla Zecca, al Lotto, all'Arsenale, ai Cantieri navali di Castellammare.[62] Aumentava il peso fiscale e diminuivano le commesse. Tempi duri anche per il grande stabilimento ferroviario di Pietrarsa, ceduto a un privato, Jacopo Bozza, proprietario del giornale «Patria». Il lavoro si era ridotto, a favore della aziende del Nord. Degli oltre 800 operai di Pietrarsa, Bozza ne riassunse solo 440, rinviò ogni decisione sugli altri costretti a vivere con mezza paga. Agli annunci dei licenziamenti definitivi esplosero tumulti, repressi dai bersaglieri che caricarono i dimostranti. Pesante il bilancio: quattro morti e molti feriti. Bozza passò la mano, ma lo stabilimento, abituato a lavorare in regime di monopolio nell'ex regno, non poteva reggere alla concorrenza delle fabbriche del Nord gestite con criteri flessibili e favorite dalle commesse statali. Il risultato finale furono gli annunci di altri 150 licenziamenti.[63]

All'alba dell'unità d'Italia la strada dei licenziamenti al Sud era ormai spianata: 1000 operai armieri all'arsenale di Napoli e Torre del Greco; altre centinaia nei cantieri di Castellammare e nella società concessionaria delle ferrovie. Lo stabilimento manifatturiero di Salvatore Sava, che aveva l'appalto esclusivo per la fornitura di divise alle truppe borboniche, fallì. A nulla valsero le cause in tribunale dell'imprenditore contro lo Stato italiano, che non solo non gli riconosceva i contratti di fornitura già siglati, ma gli proibì di utilizzare la manodopera di carcerati come gli consentiva il governo borbonico. L'ex capitale era piombata in piena crisi economica, il mercato libero si era rivelato una condanna per l'industria meridionale. Aboliti gli alti dazi borbonici era venuto meno il protezionismo economico che tanto aveva aiutato l'industria delle Due Sicilie. La tasse in aumento aggravarono la situazione. Quando poi nel 1865 fu introdotta l'imposta sui redditi di ricchezza mobile, inesistente nel Regno borbonico, le proteste aumentarono.[64] La eccessiva rapidità del processo di unificazione produceva le prime vittime economiche. In più, con le tasse e con la vendita di beni demaniali nel Mezzogiorno, consistenti risorse finanziarie prendevano la strada del Nord. Si trattava di 600 milioni per la vendita dei beni del demanio ed ecclesiastici,[65] che solo in minima parte furono reinvestiti nell'area geografica di provenienza.[66] Esempio illuminante i lavori ferroviari: dal 1863 al 1898, si spesero 1.400.000.000 nell'Italia centro-settentrionale; solo 750 milioni in quella meridionale e insulare.[67]

E non era finita. Anticipando scenari futuri, il governo liberale consentì alla Banca nazionale del Regno d'Italia, che aveva sede in Piemonte, di aprire filiali nel Sud, mentre negò al Banco di Napoli di allargarsi al Nord. E fu un esule campano, vissuto per anni a Torino lontano dalla patria d'origine come Nicola Nisco, a proporre che il mercato del Sud fosse aperto all'istituto di credito piemontese. Nisco era allora direttore del dicastero dell'Agricoltura e del Commercio nella luogotenenza di Napoli. Inviò a Cavour una relazione sulla situazione creditizia nelle ex Due Sicilie. Il primo ministro gli rispose: «Concordo pienamente di estendere senza indugio all'Italia meridionale l'azione della Banca nazionale che da tanti anni e con tanta soddisfazione del paese agisce nell'Italia settentrionale. [...] Sono lieto di poter annunciare alla S.V. che i Signori Reggenti la Banca medesima sono disposti a dar pronta attuazione al progetto».[68]

Gli amministratori della Banca, ben sostenuti in alto, si fecero i loro conti e decisero di aumentare il capitale dell'istituto da 40 a 100 milioni, per aprire sedi a Napoli, Palermo e in altre province. A investitori di Napoli e Sicilia veniva data la possibilità di acquistare azioni dell'istituto di credito torinese che, in quel modo, acquisiva insperata liquidità fresca. Cavour annunciava poi che alla Banca nazionale si sarebbero aggiunte, con filiali al Sud, le Casse di sconto e le Banche agrarie.[69] L'unificazione era a senso unico: il Mezzogiorno si rivelava mercato utile per gli ingrandimenti delle istituzioni economiche settentrionali. Soprattutto del Piemonte.

E solo nel 1865, con il trasferimento della capitale a Firenze, anche il Banco di Napoli riuscì ad allargarsi più a nord, ostacolato però dalle due principali banche toscane. Di fatto, nei primi anni dell'unità, fu favorito il trasferimento di capitali dal Mezzogiorno al Nord, ostacolando il contrario. Era ancora in vigore la piena convertibilità della moneta con l'oro. E la Banca nazionale studiò una speculazione in grande: vendeva al Sud titoli di credito pubblici, ricevendo in cambio moneta del Banco di Napoli che poi convertiva in oro agli sportelli dell'Istituto di credito meridionale. In questo modo cominciarono a diminuire le riserve auree del Banco: da 78 milioni nel 1863 a 41 milioni nel 1866. Al contrario, come era logico, le riserve auree della Banca nazionale del Regno d'Italia aumentarono di 6 milioni.[70] A coronamento di tutto ci fu la famosa legge del 1° maggio 1866 sul corso forzoso: la moneta del Banco di Napoli poteva essere convertita con l'oro dei depositi della banca meridionale, mentre si dichiarava «inconvertibile» la moneta emessa dalla Banca nazionale. L'oro piemontese veniva messo in salvo, mentre quello custodito al Sud fu sostituito da monete di carta straccia, deprezzate dalla continua inflazione. Il tanto vituperato Banco di Napoli finì per salvare dal fallimento l'istituto di credito piemontese, garantito dalla «non conversione» delle monete di sua emissione. Nel 1898 si mise fine alla pluralità delle banche che potevano emettere moneta. Nacque la Banca d'Italia: al Mezzogiorno ne furono concesse 20.000 azioni contro le 280.000 del Centro Nord. La sola Liguria ne possedeva più di 120.000.[71] Le ex Due Sicilie continuavano a essere considerate terra di conquista. Non solo militare, ma anche e soprattutto economica.

2. Nino Bixio.

6
La guerra contadina

> «Fra le non poche soddisfazioni ch'io pure provai nell'avventurosa mia vita, io ricordo con viva compiacenza la maggiore, la più splendida, quella cioè che accompagnò il mio ingresso nella città di Melfi, capoluogo di circondario. [...] I nemici della reazione furono proscritti, le loro case saccheggiate, i loro beni confiscati.»
>
> Carmine Crocco, 1903

Le prime rivolte esplosero in Abruzzo. Fu proprio in quella regione che Francesco II, ancora a Gaeta, spedì le truppe irregolari di Klitsche de la Grange e Luvarà, per creare disturbo dietro le linee piemontesi, con l'appoggio dei contadini. A loro si unì anche il conte alsaziano Émile de Christen. Le condizioni logistiche aiutavano quel piano: in Abruzzo la fortezza borbonica di Civitella del Tronto resisteva ancora alle truppe piemontesi. Proprio come avveniva a Gaeta e Messina. Nell'ottobre del 1860, si intravedevano già tutte le premesse militari e sociali per la successiva guerra definita del «brigantaggio postunitario». Avezzano e Castel di Sangro con tutta la Marsica erano una miccia pronta a esplodere. Il colonnello Klitsche de la Grange, rispettando le istruzioni ricevute, riuscì a riconquistare, strappandole ai volontari garibaldini, Pontecorvo, Teano, Sora, Venafro, Piedimonte d'Alife e Isernia. I suoi uomini prevalsero anche a Civitella Roveto contro i «Cacciatori del Vesuvio» guidati dal colonnello Teodoro Pateras.

Contro i focolai di rivolta si organizzarono i latifondisti: reclutarono gente decisa, pronta ad arruolarsi tra le camicie rosse per difendersi dai moti sociali contadini dagli esiti ancora imprevedibili. Oltre ai «Cacciatori del Vesuvio», si formarono i «Volontari del Matese», al comando di Francesco De Feo, e gli «Uomini nel Molise», guidati dal tenente colonnello Giuseppe Fanelli con la Legione ungherese di Stefano Türr. La situazione rimase incerta per l'intero mese di ottobre, con decine di piccoli centri, tra Abruzzo e Molise, in preda alla rivolta antigaribaldina. Poi, arrivò l'invasione delle truppe regolari piemontesi, lo scontro del Macerone, l'affrettato plebiscito. E i proprietari terrieri si rincuorarono.

Gli episodi più cruenti si registrarono a Isernia e a Pettorano, dove furono trucidate decine di garibaldini. Cominciava una spietata guerra civile, fatta anche di risentimenti personali e contrasti locali. Il tam tam della ribellione si diffuse. Ad Ariano Irpino, in provincia di Avellino, furono massacrati 140 liberali e guardie nazionali. A Montemiletto e in altri sei paesi vennero uccisi i notabili locali.[1] Al centro dei contrasti c'era l'annoso problema dei cosiddetti «usi civici», la possibilità di sfruttare aree di pascolo, o di usufruire delle fonti d'acqua sulle terre demaniali. Proprio i terreni pubblici da oltre cinquanta anni rappresentavano la ricchezza nuova su cui avevano messo gli occhi i ricchi di sempre: i proprietari terrieri. E poi all'orizzonte si profilavano le opportunità di acquisizione delle proprietà ecclesiastiche requisite dai garibaldini, che i latifondisti, in possesso dei capitali necessari, potevano accaparrarsi con facilità. I contadini, nonostante le promesse garibaldine in cui tanti avevano creduto, restavano esclusi dalla suddivisione delle ricchezze favorita dal rimescolamento degli equilibri di potere. I borbonici divennero così la speranza cui si aggrapparono i «cafoni» contro i ricchi «galantuomini». Irpinia, Lucania, Calabria le zone pronte ad accendersi. In Abruzzo continuava l'attività dei corpi militari irregolari voluti da Francesco II. La situazione era così instabile e pericolosa per i governi locali appoggiati dai garibaldini, che l'arrivo delle truppe regolari piemontesi fu accolto come un'ancora di salvezza. La confusione e l'incertezza dominavano: a sindaci liberali in pochi giorni si avvicendavano sindaci di fede borbonica. In un'alternanza frenetica, al suono delle armi. La battaglia del Macerone fu il segnale concreto che le truppe piemontesi facevano sul serio. Subito dopo la vittoria, il generale Cialdini diffuse un bando in cui annunciava con chiarezza che avrebbe fucilato «tutti i paesani armati»: le richieste di soccorso dei notabili meridionali liberali sembravano aver trovato terreno fertile a Torino. Quando Cialdini mise per iscritto le sue intenzioni nei confronti dei civili armati, mancavano ancora ventiquattro ore alle votazioni del plebiscito. Tre giorni dopo, il generale Fanti, comandante in capo delle truppe piemontesi nella campagna della Bassa Italia, affidò ai tribunali militari, creati di fatto sul territorio conquistato, la competenza sui reati di brigantaggio, saccheggio, incendio, uccisioni e resistenza contro l'esercito di Vittorio Emanuele. Chi veniva sorpreso armato e non faceva parte delle truppe regolari borboniche era considerato fuorilegge. Un brigante. Cominciò il governo militare, la cieca repressione della rivolta contadina, l'atteggiamento da conquistatori dei soldati piemontesi nel Mezzogiorno. Il 1° novembre, i governatori civili vennero autorizzati a dichiarare, in caso di pericolo, lo stato d'assedio nei loro paesi. Un'anarchia amministrativa totale. Un'intera area geografica veniva militarizzata. A Terni, era accampata la colonna mobile dell'esercito piemontese comandata dal generale Ferdinando Pinelli. Su sollecitazione dei latifondisti della provincia di Ascoli, l'ufficiale decise di marciare in Abruzzo per reprimere le sommosse contadine. Il 25 ottobre 1860, Pinelli entrò all'Aquila e rastrellò l'intera zona, incoraggiato dall'alibi giuridico del plebiscito e dal bando del generale Fanti, premesse formali alla violenta repressione militare. Anche Pinelli lasciò il segno della sua autorità e diffuse un bando, che indignò persino i suoi superiori. Scrisse: «Ufficiali e soldati! Voi molto operaste, ma nulla è fatto quando qualcosa rimane da fare. Un branco di quelle progenie di ladroni ancora si annida tra i monti, correte a snidarli e siate inesorabili come il destino. Contro nemici tali la pietà è delitto».[2]

Eppure, ipocrisia nell'ipocrisia, entrando in Abruzzo Vittorio Emanuele aveva salutato le popolazioni delle Due Sicilie affermando, conciliante: «Non vengo a imporvi la mia volontà, ma a ripristinare la vostra».[3] Il novembre del 1860 rimase un mese di confusione: a Gaeta, cominciava l'assedio alla fortezza dove si trovavano Francesco II, la regina Maria Sofia e il loro legittimo governo con molti diplomatici stranieri. Vittorio Emanuele II, invece, decideva di sciogliere l'esercito garibaldino, lanciando l'arruolamento per le più giovani classi di leva meridionali.

Le decisioni prese a Torino complicarono le cose: in tutte le province, i giovani sfuggivano all'arruolamento temendo di essere spediti lontano da casa, mentre molti garibaldini, specie quelli dell'ultima ora, si dispersero. A quei potenziali «ribelli» al nuovo ordine di cose si aggiunsero i reduci borbonici, i soldati che tornavano nelle loro terre, convinti di essere stati traditi dai loro ufficiali. Che identificavano le alte gerarchie militari borboniche con i galantuomini, i signori locali padroni delle terre già seduti alla tavola del nuovo governo liberale. Quei soldati divennero gli sbandati citati in tanti documenti piemontesi. Le bande di ribelli, che si riunivano nei boschi e sulle montagne, si moltiplicarono in modo spontaneo. Scrisse Tommaso Cava, già ufficiale borbonico, a giustificazione dei furti e dei ricatti estorsivi compiuti dai tanti briganti:

> Il reazionario puro fa la guerra nel modo più leale possibile. Egli ha bisogno di denaro e di viveri e ne impone la somministrazione ai suoi nemici politici. Un esercito in campagna non impone forse contribuzioni eccezionali ai paesi che occupa? Ebbene, il reazionario che non è, né più né meno di un soldato di campagna, impone l'obbligo del suo mantenimento materiale a colui che è stato la causa efficiente di condurlo a quella vita anormale. Egli non può mica imporre la contribuzione alle casse del governo, suo principale nemico, deve

perciò rivolgersi ai proprietari e fra questi a coloro che hanno contribuito alle attuali sventure del regno.[4]

Da queste premesse, a Torino si capì subito che le ex Due Sicilie sarebbero state un osso molto più duro della Toscana, delle legazioni o dei ducati. Nelle terre meridionali, dove Cavour non mise mai piede, la «normalizzazione» si sarebbe rivelata molto più difficile. Sarebbe arrivata dopo molti anni e soltanto con l'aiuto di cannoni e fucili. Gli ufficiali piemontesi si sentivano estranei in quel Paese conquistato. Il generale Morozzo della Rocca scriveva che «le impressioni ricevute nelle prime settimane a Napoli furono tutt'altro che favorevoli alle popolazioni».[5] Lo stesso Vittorio Emanuele contò con ansia i giorni per il suo rientro in Piemonte, che arrivò finalmente il 26 dicembre 1860, dopo quasi due mesi di permanenza al Sud. A rappresentarlo arrivò il cugino Eugenio di Carignano, il nuovo luogotenente giunto per sostituire Luigi Farini. Le prime repressioni furono gestite dal generale della Rocca, l'aiutante del re nominato a Napoli comandante dell'esercito nel Mezzogiorno. Ecco la sua testimonianza: «La reazione alzava la testa in molti punti dell'ex regno; le bande armate che infestavano le campagne s'ingrossavano di tutti i malcontenti e dei disoccupati che, condotti da qualche ufficiale borbonico, o da qualche altro poco accetto nell'esercito garibaldino, scorrazzavano sulle frontiere e anche nelle province napoletane. Dovetti mandare truppe per difendere gli abitanti dai cosiddetti barbacani. Mi toccava dividere, suddividere le truppe poco numerose, per mandarne in distaccamento dove occorresse».[6]

Esplosero agitazioni nelle province di Caserta e Benevento, e presso la frontiera pontificia in corrispondenza dell'attuale Ciociaria. A Napoli, della Rocca fece i conti con la crescente militarizzazione del Sud, avendo a disposizione poche truppe: il grosso dell'esercito piemontese era ancora impegnato a Gaeta, agli ordini di Cialdini, o in Sicilia, al comando del generale Filippo Brignone. Ricordò della Rocca, spiegando le sue decisioni: «Feci fucilare alcuni capi e pubblicai che la medesima sorte sarebbe toccata a coloro che si fossero opposti, armata mano, agli arresti. Erano tanti i ribelli, che numerose furono anche le fucilazioni e da Torino mi scrissero di moderare queste esecuzioni, riducendole ai soli capi».[7]

Troppi morti, troppi «ribelli». Che figura avrebbero fatto di fronte all'Europa cui bisognava dare l'idea di un Paese che aspettava solo l'unità d'Italia e l'arrivo di Vittorio Emanuele? Fucilare solo i capi, ma i comandanti dei distaccamenti trovarono un escamotage: moltiplicare il numero dei capi rispetto al totale dei componenti della banda. Trucchetto semplice, seguito in quasi tutti i rapporti militari. Lo ammise anche della Rocca, che scrisse ancora: «Fanti, a cui il numero dei capi parve straordinario, mi invitò a sospendere le fucilazioni e a trattenere prigionieri tutti gli arrestati. Le prigioni e le caserme rigurgitarono; il numero dei carcerati crebbe a dismisura e così pure crebbero i disordini, specie dopo la presa di Gaeta».[8]

Arrivarono i rinforzi da Torino: l'intera brigata Pisa. Cafoni, barbacani, repubblicani, papalini, borbonici: era nutrito il campionario di definizioni affibbiate ai ribelli nei rapporti ufficiali militari.[9]

Nella sola città di Napoli, dal settembre 1860 all'aprile 1862, la Gran corte criminale depositò 291 sentenze per reati come «cospirazione contro il nuovo regime», «voci tendenti a spargere il malcontento contro il governo», «attentato contro la sicurezza interna dello Stato». In totale, vennero incriminate 980 persone, di cui 132 donne, il 13,47 per cento della popolazione.[10]

Bastone e carota: Pinelli fu trasferito dopo il suo infelice proclama. Al suo posto venne inviato il generale di origini napoletane Luigi Mezzacapo, con l'incarico esplicito di costringere alla resa la fortezza di Civitella del Tronto. Tra i ribelli, nel frattempo confluirono anche molti garibaldini delusi. Il 24 marzo 1861, ci fu una protesta in via Toledo a Napoli. Intervenne la polizia, un garibaldino fu ucciso, quattro rimasero feriti e tre vennero arrestati. Molti chiedevano assistenza, denaro. Antonio Laterza, direttore delle Finanze nella luogotenenza, definì quella gente «ciurma di chiassatori chiedenti soccorso, nella quale ravvisansi uomini dalle camicie rosse, vagabondi e luride pitocche».[11] Per prevenire altri disordini, si decise di distribuire 450 ducati, pari a 1800 lire, a 950 «sedicenti garibaldini, tra cui 95 ufficiali e 300 sottufficiali».[12]

Insomma, all'alba dell'unità d'Italia il Mezzogiorno si rivelava una vera e propria polveriera. Il generale della Rocca, che il re soprannominava «Macigno», ne ebbe abbastanza. Dopo quattro mesi, mollò e tornò a Torino. Al comando generale del Sud lo sostituì il generale Giovanni Durando, che dovette affrontare l'inizio dell'anno più cruento della rivolta: il 1861. Dopo la caduta di Gaeta, il re Borbone, in esilio a Roma, era ancora indeciso sull'opportunità di appoggiare le bande in armi. Poi si convinse. Nacquero i comitati borbonici a Roma e Marsiglia per reclutare ufficiali, soprattutto stranieri, in grado di partire per la Calabria a guidare le agitazioni contro i piemontesi. La Lucania divenne l'epicentro della rivolta: in quella regione un capobrigante, Carmine Crocco, riuscì a riunire sotto il suo comando fino a 1000 uomini.

Il volto dei briganti

Le ribellioni aumentavano. Nel 1861, le campagne meridionali divennero un vulcano in ebollizione. Le cifre lo confermavano: 39 bande in Abruzzo, 42 al confine con lo Stato pontificio, 15 nel Molise e nel Sannio, 47 tra l'Irpinia e la provincia di Salerno, 47 in Basilicata, 34 in Puglia, 33 in Calabria, 6 in provincia di Napoli.[13] Ogni capo aveva una sua storia, una sua personale motivazione per darsi alla macchia. C'entravano la rivalsa, la fame, l'assenza di prospettive di vita, il bisogno di terra, la lontananza ideale da quel nuovo Stato, i timori della leva militare. Poi, entrarono in ballo i contatti con gli emissari borbonici e la lotta divenne sociale e politica insieme, o almeno fu così nei primi due anni, dal 1861 al 1862. Gli appoggi forniti dagli abitanti, la conoscenza capillare del territori, la rete diffusa di spie e informatori sui movimenti delle truppe resero le bande agguerrite e imprendibili. Il generale Morozzo della Rocca lasciò Napoli contento di togliersi dagli impicci: evitava di impegolarsi in un conflitto «sporco» che nei rapporti non si poteva neanche definire «guerra». Ufficialmente si doveva parlare solo di operazioni di repressione poliziesca. Ma il numero dei coinvolti sembrava più da conflitto civile.

L'assenza di una strategia unitaria tra le diverse bande complicava l'intervento militare: difficile applicare tecniche operative sperimentate altrove. La Basilicata era il cuore della rivolta per la consistenza della banda guidata da Carmine Crocco. Originario di Rionero, era stato bracciante e vaccaro, disertore borbonico dopo aver ucciso un commilitone, garibaldino e infine brigante dal novembre 1860. Aveva cambiato bandiere, sperando nella rimozione del suo passato di omicida: aveva ucciso un notabile locale, per vendicare un'offesa alla sorella che aveva portato alla pazzia la madre. Crocco fece comodo a molti: la famiglia dei Fortunato, latifondisti di Rionero, che agli inizi si barcamenava tra regime borbonico e garibaldini, lo stipendiò per stare tranquilla.[14] Crocco riuscì a raggruppare fino a 1000 uomini, in gran parte ex soldati borbonici che avevano combattuto in Sicilia o sul Volturno, o erano stati a Gaeta. C'erano anche 250 uomini a cavallo, divisi in 5 squadroni comandati dal suo braccio destro: Nicola Summa, detto «Ninco Nanco», originario di Avigliano. E poi Giuseppe Schiavone e un gentiluomo bretone: Augustin Marie Olivier de Langlois.[15]

Ad aprile 1861, quando anche Civitella del Tronto si era arresa, partì la marcia in Basilicata della banda Crocco da Lagopesole. Nell'ombra, gli appoggi di famiglie legittimiste legate all'ex re Borbone, come i Doria. Ai soldati sbandati, poco a poco si unirono povera gente e contadini affamati e carichi di quella violenta disperazione che spesso sfociava in crudeltà. La marcia passò da Ripacandida, Venosa, e arrivò fino a Melfi. Il 21 aprile, l'ingresso a Calitri. Nessuno si oppose, ovunque si innalzava la bandiera gigliata delle Due Sicilie, si inneggiava al re Francesco, si cantavano *Te Deum* in chiesa. Era la dimostrazione che il territorio non era per nulla controllato dallo Stato italiano in fasce. Raccontò Crocco:

> Ero acclamato quale novello liberatore ed accolto con onori veramente trionfali. [...] Le armi ci erano fornite segretamente; i cavalli in parte requisiti, in parte ricevuti in dono. Comitati reazionari con arruolamenti segreti fornivano l'elemento uomo, onde in breve io ebbi ai miei ordini un piccolo esercito del quale ebbi il comando quale generale ufficialmente riconosciuto.[16]

La tattica di Crocco era semplice: marciava ed entrava nei paesi poco vigilati, poi si spostava rapidamente. Sfuggiva allo scontro aperto. Compiva azioni di guerriglia acclamato dalla povera gente, che lo sosteneva e appoggiava con provvidenziali aiuti logistici. C'era anche il sostegno del clero e di parte della nobiltà locale. Ma sui consensi a Crocco pesò l'azione decisa dal governo piemontese nel febbraio 1861, quando i reparti militari rastrellarono i paesi in cerca di giovani renitenti all'arruolamento disposto due mesi prima. Si cercavano giovani d'età compresa tra i 20 e i 25 anni. A Latronico e Castelsaraceno, paesini della Basilicata, i giovani che non fecero in tempo a nascondersi o a fuggire furono fucilati sul posto, senza alcuna spiegazione.[17] A Scurcola, furono massacrati 117 uomini delle truppe irregolari di Luvarà, rimasti in paese a curarsi le ferite.[18] Qualche giorno dopo, il generale Maurizio De Sonnaz entrò nell'abbazia di Casamari, dove si erano rifugiati gli uomini del conte de Christen. Mille soldati piemontesi irruppero nel luogo sacro, in cerca dei briganti. L'abbazia, fondata da san Bernardo e ricca di oggetti di valore storico e artistico, fu incendiata. I contadini della zona si fecero in quattro per spegnere il fuoco, riuscendo a stento a salvare gli oggetti più importanti.[19]

La repressione senza alcuna spiegazione, la distanza culturale tra gli ufficiali piemontesi e la gente del Sud contribuirono a trasformare quei militari venuti dal Nord in estranei. Nessuno riusciva a sentirli come soldati del proprio Stato in cui riconoscersi. Per tutti erano conquistatori che volevano imporre usanze e culture lontane. «Piemontisi». Molti ufficiali parlavano francese e furono costretti ad avvalersi di interpreti per parlare con le popolazioni locali di cui non comprendevano lo sconosciuto dialetto.

Rivolte sociali, ma all'inizio anche rivendicazione politica della spodestata dinastia borbonica. Da Roma, partirono decine di nobili di diversa nazionalità, desiderosi di mettere alla prova coraggio e ideali «legittimisti». In tanti posavano la spada ai piedi della regina Maria Sofia, promettendo che avrebbero fatto di tutto per farle riavere il trono. Mentre de Christen finiva in carcere, arrestato a Napoli per aver partecipato a una congiura borbonica, altri si univano alle bande di briganti. Venivano in gran parte da Spagna, Belgio, Austria, Germania e Francia. I più noti furono Alfredo de Trazegnies, Edwin Kalckenkreuth, Ludwig Zimmermann, Raffaele Tristany, Augustin de Langlois e Borjes.

Figlio di un ufficiale spagnolo fucilato nel 1833 durante la guerra civile, Borjes aveva comandato reparti carlisti. Era un esperto di guerriglia e fu contattato a Marsiglia dal generale Tommaso Clary, esponente di punta del comitato borbonico in cerca di comandanti per le rivolte nelle Due Sicilie. I generali di Francesco II consideravano poco onorevole mischiarsi con soldati sbandati, contadini, gente di provenienza dubbia. E i comitati furono costretti a pescare tra gli ufficiali stranieri, gente della buona nobiltà tradizionalista europea. A Borjes fu prospettata una situazione idilliaca: intere regioni in armi, bande pronte a combattere in attesa di un legittimo comandante. All'ufficiale spagnolo, che doveva sbarcare in Calabria ripercorrendo la marcia del cardinale Ruffo nel 1799,[20] vennero affidate dodici istruzioni. Avrebbe dovuto arruolare uomini, ripristinare le amministrazioni borboniche nei paesi, organizzare corpi militari con denominazioni precise, diffondere proclami, impadronendosi delle armi e delle munizioni disponibili in Calabria. Diretto superiore di Borjes era solo il generale Clary. Da Marsiglia a Malta, poi in Calabria. Con l'ufficiale spagnolo, all'inizio c'erano appena diciassette volontari. Tra loro, un solo ufficiale dell'esercito borbonico: Achille Caracciolo di Girifalco, che abbandonò dopo qualche giorno. Il 14 settembre 1861, lo sbarco in Calabria. Attorno, il deserto; ad attenderli non c'era nessuno. I primi contatti con la banda Mittica, poi l'impatto con Crocco. Lo spagnolo ne intuì le capacità, il grande carisma che godeva su masse prive di cultura. Ma Crocco e Langlois gli mostrarono diffidenza, temevano di perdere potere, di essere controllati. Borjes si aggregò alla banda e partecipò alla conquista di molti paesi, come Trivigno, Aliano, Craco. Sull'opportunità di entrare a Potenza, la spaccatura decisiva: Borjes avrebbe voluto tentare il colpo grosso, Crocco era contrario perché temeva i militari piemontesi. Il capobrigante aveva una sola strategia: la guerriglia, con azioni rapide. La conquista di Potenza avrebbe avuto bisogno di milizie organizzate, in grado di difendere il capoluogo e resistere ai prevedibili attacchi successivi. Fu la spaccatura definitiva, il fallimento dell'unica spedizione promossa dai comitati borbonici con obiettivi militari definiti. Borjes abbandonò Crocco e il 29 novembre cominciò, con pochi uomini, la marcia per raggiungere il confine pontificio. Traditi, ad appena 10 chilometri dalla frontiera, l'ufficiale spagnolo e diciassette suoi uomini, quasi tutti suoi connazionali, furono catturati a Tagliacozzo dopo uno scontro a fuoco. Cinque di loro morirono nel combattimento. Era l'8 dicembre 1861. Il maggiore Franchini, che lo aveva catturato, cercò di interrogarlo dopo aver rifiutato la spada che il prigioniero gli offrì in segno di resa.

Borjes non rispose alle domande dell'ufficiale piemontese. Furono tutti fucilati senza processo. Lo spagnolo chiese di guardare in faccia il plotone di esecuzione, venne invece fucilato alla schiena. Come un brigante. Solo uno degli uomini, Pietro Martinez, lasciò un appunto: «Siamo rassegnati ad essere fucilati. Ci troveremo nella valle di Giosafat. Pregate per noi».[21]

Nella borsa di Borjes fu trovato un diario sulla spedizione che durò dagli inizi di settembre alla fine del novembre del 1861. Fu pubblicato già nel 1862 da Marco Monnier, cui le autorità militari affidarono una copia del documento. L'obiettivo di quella pubblicazione era politico e propagandistico: la conoscenza delle osservazioni sfiduciate dello spagnolo, che descriveva con amarezza le difficoltà incontrate, poteva mettere in cattiva luce ogni tentativo di riconquista delle ex Due Sicilie. Inoltre, il diario poteva contribuire a dipingere la ribellione nel Sud come semplice forma di criminalità. Borjes era riuscito a scrivere anche una lettera da far arrivare a Clary. Gliela trovarono in borsa. Ribadiva un concetto: se avesse potuto disporre di 300 uomini disciplinati, sarebbe riuscito a provocare la reazione nel Mezzogiorno. Poi aggiungeva:

> Lo spirito delle cinque province da me percorse è eccellente, o per meglio dire, vi sono nove realisti su dieci persone. Se Crocco volesse disciplinarsi e io potessi avere un po' di denaro e 500 fucili, la insurrezione sarebbe terminata.[22]

Crocco fu tradito da uno dei suoi uomini, Giuseppe Caruso, che si costituì e accettò di guidare le truppe del generale Emilio Pallavicini alla ricerca dei briganti in libertà. Isolato, dopo aver perso molti dei suoi uomini, il capobrigante fu costretto a rifugiarsi nello Stato pontificio. Qui fu arrestato e finì in carcere. Vi rimase anche dopo l'arrivo a Roma delle truppe italiane, quando la pena di morte gli fu commutata in ergastolo. Fu proprio in carcere, nel penitenziario di Santo Stefano, che a partire dal 1889 dettò le sue memorie al capitano Eugenio

Massa, che le pubblicò nel 1903. Crocco morì nel carcere di Portoferraio due anni dopo: nel 1905, a 75 anni. Caruso, invece, riabilitato per la sua collaborazione definita nei particolari in un contratto, ottenne un lavoro di guardia forestale. Nicola Summa, detto Ninco Nanco, morì in circostanze poco chiare, dopo essere stato individuato dai soldati su indicazione di Caruso. Gli sparò un maresciallo dei carabinieri a bruciapelo, nonostante si fosse arreso. Qualcuno insinuò che l'uccisione a freddo fosse stata voluta dai notabili locali, timorosi delle rivelazioni di Ninco Nanco sulle loro connivenze con le bande di briganti.

Alla frontiera pontificia, era in azione un'altra banda consistente: quella di Luigi Alonzi detto «Chiavone», ciociaro di Sora. Era stato sergente dell'esercito borbonico, poi guardaboschi. A differenza di Crocco, Chiavone era in contatto continuo con i comitati borbonici di Roma. Anche perché si muoveva a ridosso dello Stato del papa. La sua banda era organizzata con rigore militare. Con lui, un folto gruppo di legittimisti stranieri: il colonnello Henri Arnous de Riviere, il tenente colonnello Kalckenkreuth, il maggiore Zimmermann che facevano parte dello stato maggiore.[23] Poi, 8 compagnie con altri 5 stranieri tra gli ufficiali. In tutto, 430 uomini di cui 20 ufficiali, un medico, 59 sottufficiali e caporali, 7 trombettieri.[24] Tra loro anche alcuni ex ufficiali borbonici. Poi, quattro cannoni e l'appoggio logistico dei frati di Casamari, Trisulti e Scifelli. Della banda, per tre giorni fece parte anche il marchese belga Alfredo de Trazegnies, 29 anni, imparentato con una delle prime famiglie di Francia e con la contessa di Montalto, moglie dell'ambasciatore italiano a Bruxelles. Catturato dai piemontesi a San Giovanni Incarico, fu fucilato senza processo l'11 novembre 1861. Chiese che non gli si sparasse alla schiena, ma, trattato da brigante, non fu accontentato. Per la consegna del corpo alla famiglia intervenne la diplomazia francese. Il governo italiano lo consegnò senza ostacoli ad alcuni ufficiali francesi.[25] Il corpo venne sepolto a Roma, nella chiesa di San Gioacchino e Sant'Anna al Quirinale, dove una lapide con lo stemma della famiglia ricorda che la morte avvenne nel regno di Francesco II «invaso dai subalpini».[26] Anche il conte Edwin Kalckenkreuth fu arrestato e fucilato dalle truppe italiane.[27]

La presenza di questi ufficiali e nobili stranieri nelle bande di briganti, soprattutto in quella di Chiavone, dimostrava la simpatia goduta negli ambienti legittimisti europei dal deposto re Borbone. Trieste era un centro di reclutamento per lealisti e mercenari di nazionalità diverse: austriaci, prussiani, bavaresi soprattutto. Il comitato borbonico triestino era presieduto dal console delle Due Sicilie: il principe di Petrulla. Il 23 maggio 1861, lo raggiunse il conte Giuseppe Veneziani, ufficiale della guardia d'onore di Francesco II, per reclutare volontari. Da Trieste passarono Zimmermann e Tristany. Nel 1862, a San Severo sbarcarono 300 uomini che poi si dispersero, mentre a Civitavecchia giunsero molti bavaresi.[28] Tutti, agli inizi, disposti a combattere per la causa di Francesco II. A Marsiglia, il comitato borbonico era presieduto dal generale Clary, che si dimostrò molto attivo nell'intrecciare contatti senza ottenere, però, risultati concreti. Un dispaccio del 19 gennaio 1862 informò il governo italiano che dal porto francese erano partiti tre ufficiali dell'armata imperiale «arruolati nel partito borbonico».[29] E non furono pochi i francesi che chiesero di combattere per la dinastia Borbone: da de Christen al conte de Coataudon fino a Louis Robert de Noe o a de Langlois. Anche a Barcellona e in altri centri della Catalogna si attivarono comitati borbonici per reclutare volontari. Il 20 ottobre 1861, consapevole che la presenza di nobili stranieri nelle bande di briganti alimentava un'immagine negativa sul nuovo Stato italiano, il generale Cialdini inviò una richiesta a sette comandanti militari delle province meridionali: «Mi preme di essere informato della nazionalità dei briganti che muovono in combattimento e sono fucilati, perché presi armata mano».[30]

La presenza di Tristany, che denunciò a Roma la cattiva organizzazione dei 200 uomini al comando di Chiavone, si rivelò motivo di disturbo tra le bande al confine pontificio. Forte dell'appoggio di Clary, convinto che ne avesse l'autorità, ordinò la fucilazione di Chiavone dopo averlo sottoposto a un processo. Era il 18 giugno 1862. Il capobrigante fu accusato di privilegiare i saccheggi, senza badare a organizzare la reazione borbonica. Francesco II disapprovò l'iniziativa di Tristany: si rendeva conto che le bande di briganti erano tenute insieme soprattutto dal carisma dei capi dalle origini sociali comuni ai loro uomini. I contadini, gli ex caporali o ex sergenti diventati di colpo generali si erano trasformati in tanti piccoli sovrani sui territori in cui si muovevano. Alcuni portavano al dito l'anello di zinco coniato per i reduci di Gaeta.

Dalla Basilicata alla frontiera pontificia, fino in Puglia. La rivolta di Gioia del Colle fu tra gli episodi più noti della rivolta del 1861. Protagonista fu Pasquale Domenico Romano, figlio di pastori, sergente nell'esercito borbonico in cui militò per dieci anni. Era tra i delusi che, tornati a casa, non tollerarono la derisione e la diffidenza che li circondava. Aderì allora al comitato borbonico di Gioia, la sua città natale. In 50 furono arrestati, Romano riuscì a fuggire e decise di formare una banda di uomini per liberare i prigionieri che condividevano i suoi ideali. Ad arruolarsi accorsero molti contadini ed ex soldati. Era l'estate del 1861. La banda si ingrandì. A Gioia del Colle cominciarono gli scontri. La guardia nazionale affrontò i filoborbonici che cercavano di liberare i loro parenti in prigione. Gli uomini di Romano parteciparono agli scontri. Poi arrivò la truppa piemontese. Nell'alternanza, si consumarono vendette dall'una e dall'altra parte. Decine di morti. Sette guardie nazionali uccise, anche un bambino di 7 anni che ne portava la divisa. All'arrivo del 30° di linea al comando del capitano Berti, che si era unito alla guardia nazionale dei paesi vicini, la rappresaglia divenne feroce. Provocò cinquantuno morti, di cui diciannove fucilati.[31] Il sergente Romano riuscì a salvarsi, diventando poi il vendicatore della povera gente di Puglia. Nella sua banda confluirono altri ex soldati sbandati. Molti pugliesi, ma anche un toscano e due piemontesi. Tra loro, un soldato disertore di Biella, Carlo Antonio Gastaldi, ex operaio. Aveva combattuto in Crimea, decorato, era poi sceso al Sud a combattere i briganti con il 16° reggimento fanteria. Numero di matricola 17.056.[32] Il sergente Romano si faceva chiamare «Enrico la morte», per intimorire i nemici. Aveva un suo codice d'onore: chiunque decideva di entrare nella sua banda doveva prestare un giuramento sacro sul Vangelo, con tanto di formula scritta. Non si sentiva un fuorilegge, ma un combattente per la patria delle Due Sicilie. Gli uomini al suo comando dovevano rispettare un regolamento. Il sergente Romano, appoggiato dai comitati borbonici di Roma e Parigi, sperava nell'unione di tutte le bande in rivolta tra Puglia e Lucania. Sognava di federare le sue forze a quelle di Crocco. Ogni suo uomo prendeva una paga di 50 grani al giorno se era a cavallo, 25 gli altri. Le comunicazioni erano scritte in codice, mentre armi e munizioni arrivavano nei dintorni di Taranto su battelli partiti da Civitavecchia. Poi il passaggio attraverso decine di masserie pugliesi, centri di appoggio logistico per la banda Romano.[33] Per un anno e mezzo, Enrico la morte fu il terrore dei comandi militari. Come un vero generale, cadde in battaglia. Lo scontro fatale il 5 gennaio 1863. La banda, braccata da tre mesi da guardie nazionali e militari, fu scoperta e affrontata nel bosco della Vallata, non lontano da Gioia del Colle. La assalirono sessanta cavalleggeri di Saluzzo appoggiati da cinquanta guardie nazionali. Lo scontro fu durissimo: fucilate, corpo a corpo. Enrico la morte venne colpito, cadde ferito. Chiese di essere fucilato come un soldato, ma fu finito a sciabolate. Morirono venti briganti, solo due furono catturati: uno fu subito fucilato, mentre il quindicenne Ignazio Semeraro rimase in vita solo per la sua giovane età. Si salvarono in pochi, fingendosi morti, o riuscendo a fuggire con fortuna. Il cadavere di Romano, come si usava, venne esposto per una settimana a Gioia del Colle come monito per eventuali ribelli.[34] Una leggenda popolare raccontava che il corpo non fosse il suo, perché il sergente era immortale grazie a una medaglietta ricevuta in dono da Pio IX.[35] Come Chiavone e tanti altri capi briganti, i racconti contadini accompagnarono per anni la sua morte. Storie e tradizioni popolari.

Anche Cosimo Giordano era stato sergente nell'esercito borbonico. Fu lui a guidare la banda più pericolosa tra il Matese e il Sannio. Riuscì a fuggire nello Stato pontificio e poi a Marsiglia, dove si diede al commercio di frutta. Riconosciuto, fu denunciato e arrestato. Processato, fu condannato ai lavori forzati. Morì nel carcere di Favignana nel 1888.

In provincia di Napoli, invece, agivano soprattutto i fratelli La Gala e Antonio Cozzolino detto Pilone, nelle zone vesuviane. Cozzolino riuscì per anni a prendersi gioco di soldati e polizia, nonostante avesse ai suoi ordini pochissimi uomini. Rapì persino il direttore del Banco di Napoli per intascare un riscatto. Fu ucciso a tradimento a Napoli, nella centrale via Foria. Era il 14 ottobre 1870.

I fratelli Cipriano e Giona La Gala, bottegai di Nola e poi capobriganti, furono al centro di un conflitto diplomatico. Mentre fuggivano sulla nave francese *Aunis*, vennero bloccati a Genova per essere arrestati. Erano in cinque: i due fratelli con tre gregari della banda che aveva seminato il terrore nella zona di Nola, vicino a Napoli. Era il 10 luglio 1863. I francesi non vollero consegnare subito i cinque passeggeri all'Italia, opponendo l'immunità diplomatica della loro nave. Fu chiesta l'estradizione. I due fratelli avevano ucciso, preteso riscatti. Erano arrivati a disporre di una banda di 500 uomini. Su di loro si raccontavano molte leggende macabre: si disse persino che si cibassero dei corpi dei soldati uccisi. L'estradizione, alla fine, venne concessa: i due fratelli furono condannati ai lavori forzati a vita. Morirono in carcere. Sulle loro vicende, si scatenò una vasta letteratura popolare, con romanzacci in cui si raccontavano le loro gesta di briganti cannibali.[36] La realtà del brigantaggio divenne una fonte d'ispirazione per leggende fantasiose a beneficio degli editori.

Si trattava però di finzioni, scritti di propaganda militare che contribuivano a occultare le feroci repressioni in atto. Nel Sud era guerra e i briganti erano più motivati dei militari che dovevano fronteggiarli: in gioco per loro c'era una vita tutt'altro che tranquilla. Sempre all'aperto, costretti a cambiare nascondiglio di continuo. Riuscivano a mangiare solo con l'aiuto di complici, che i rapporti militari definivano «manutengoli». Cibo spesso avariato, quasi sempre carne di pecora e pane, come risultò dai sequestri fatti nei campi poco prima abbandonati dalle bande. Gli indumenti venivano trovati con più facilità grazie alle incursioni nei paesi o nelle masserie. Si servivano per lo più di fucili, più spesso di doppiette, archibugi o coltelli. Per i feriti le prospettive di cavarsela non erano rosee. Chi veniva colpito dava impaccio e non era raro che i compagni lo uccidessero o lo abbandonassero alla sua sorte. Troppo pericoloso portare un ferito con il resto della banda, o farlo curare. Non erano inusuali le presenze di donne. Anche in questo caso, i rapporti militari furono poco lusinghieri nelle definizioni. «Drude» era il termine usato per le brigantesse. Donne che seguivano i loro uomini nella macchia, condividendone i pericoli. Molte furono uccise, fucilate. Così Crocco descrisse i suoi uomini, in un realistico affresco:

> Avevo un piccolo esercito con quadri completi di appartenenti al disciolto esercito borbonico. Seicento soldati di tutti i corpi. Che importa se costoro erano pastori, contadini, cafoni? Forse che gli eserciti attuali non sono composti tutti di figli della miserabile plebe? Che se poi dovessi scegliere fra due reggimenti uno di studenti, l'altro di pastori o di contadini sarei sempre pei secondi, perché avvezzi al freddo, alla fame, alle fatiche, a camminare.[37]

Cafoni e galantuomini era il binomio in contrasto nella guerra contadina. Per i contadini, i pastori, gli ex soldati sbandati, i meridionali esclusi dal potere e dalle decisioni dei notabili, dei latifondisti, degli intellettuali liberali, il nemico era il «galantuomo». Il liberale ricco che ora aveva anche il potere di prendere parte alle scelte politiche statali, sedendo in Parlamento. Gli esclusi di sempre erano loro: i «cafoni». Vittorio Emanuele, non a caso soprannominato «re galantuomo», era il sovrano dei nemici liberali difesi dai fucili dei soldati. E anche quando il Regno d'Italia avrebbe avuto tre anni, la truppa sarebbe stata sempre chiamata «piemontese» nelle province e nelle campagne meridionali. Devoti alle loro Madonne nere, con al collo sacchetti pieni di crocifissi o reliquie sacre, superstiziosi, i briganti erano della stessa pasta delle popolazioni che li aiutavano. Nei boschi, sui monti, nelle campagne, trovavano sempre un massaro pronto a dar loro da mangiare, o a fornire informazioni sui passaggi delle truppe. E la prima mossa strategica dei soldati, come per ogni tipo di guerriglia, fu fare terra bruciata attorno alle bande: divieto di trasportare quantità eccessive di cibo, sorveglianza stretta dei parenti dei briganti, controlli rigorosi su chi si spostava fuori dai paesi.

Il trapasso tra le Due Sicilie e l'annessione italiana non fu semplice. Epurazioni vere o presunte, vendette e rancori personali tra potenti vecchi e nuovi. Confusione amministrativa. Scrisse il generale Giuseppe Govone, che, nel periodo tra il maggio 1861 e settembre 1862, fu per sedici mesi al comando delle truppe prima all'Aquila e poi a Gaeta: «Alla rivoluzione i nuovi potenti si dissero liberali e chiamarono borbonici gli altri. Fra i primi ho conosciuto onesti liberali, ma ancora molti individui cui la bandiera è solo di circostanza ed i moventi sono l'odio, l'invidia e talora un processo per interessi pendenti con chi viene da loro battezzato borbonico. Fra i secondi vi sono alcuni di tendenze borboniche, ma assai più individui colpevoli solo di aver destato invidia per maggiore censo, o maggior rispettabilità personale e onestà».[38]

La repressione «piemontese»

L'unica ricetta individuata dai comandanti militari a Napoli per controllare l'ordine pubblico fu per mesi la richiesta di più truppe. Anche il generale Durando sollecitò rinforzi. Tre luogotenenti si avvicendarono in pochi mesi nella ex capitale: Farini, il principe Eugenio di Carignano, Gustavo Ponza di San Martino. Poi la svolta. Arrivò un luogotenente che era anche un comandante militare: il generale Enrico Cialdini, nominato nel luglio del 1861, che si impegnò a risolvere il «problema brigantaggio» senza chiedere rinforzi. Erano già arrivati 4 reggimenti granatieri, 30 reggimenti fanteria, 19 battaglioni bersaglieri, 4 reggimenti cavalleria. La guardia nazionale era stata rinforzata, mentre i carabinieri, distribuiti in maniera capillare sul territorio, avevano raggiunto un organico di 5000 uomini.[39] A rinforzare le forze regolari, si aggiunsero squadre di volontari guidate da proprietari terrieri locali, nonché la Legione ungherese che si distinse nelle azioni «più sporche», conquistando triste fama tra i contadini. Il territorio venne diviso in zone e sottozone militari. Se alla fine del 1860 nelle regioni meridionali erano presenti 30.000 soldati piemontesi, dal 1861 al 1863 furono impiegati dai 90 ai 120.000 uomini.[40] Erano agli ordini del VI gran comando di Napoli. I proclami minacciosi degli ufficiali erano la regola. A Teramo, il generale Giuseppe Gabriele Galateri annunciò: «Vengo per difendere l'umanità e il diritto di proprietà e per sterminare il brigantaggio. Gentile coi buoni, sarò inesorabile, terribile coi briganti. Chiunque ospiti un brigante sarà fucilato senza distinzione di età, sesso o condizione e le spie faranno la stessa fine». E ancora: «Chiunque non collabori con la forza pubblica per scoprire la posizione e i movimenti dei briganti vedrà la casa saccheggiata e bruciata».[41] Era il giugno del 1861.

L'unica tattica individuata era creare il deserto attorno alle bande. Isolarle. Mostrare il pugno di ferro a chi le aiutava. Il maggiore Pietro Fumel promise 100 lire a chi consegnava un brigante vivo o morto. E altrettanto assicurò al brigante che uccideva un suo compagno. Poi devastazioni, fucilazioni, incendi di case e paesi se non c'era collaborazione con le truppe. Chi portava del pane fuori dai centri abitati, nel sospetto che volesse assicurare viveri alle bande veniva fucilato. Per il maggiore Fumel c'erano solo due alternative in quella guerra: a favore o contro i briganti. Per questo avrebbe considerato complici «gli indifferenti», perché «in tempo di emergenza la neutralità è un crimine».[42] In tutte le disposizioni di comandanti e ufficiali si invitava la popolazione alla collaborazione, alla delazione dei briganti. E si minacciavano fucilazioni, distruzioni di case e di interi paesi. Era una repressione violenta. Scrisse lo storico borbonico Giacinto De Sivo: «Sorsero le bande armate, che fan la guerra per la causa della legittimità; guerra di sangue, di distruzione, guerra efferata, fratricida, ma guerra di buon diritto perché si fa contro un oppressore che viene gratuitamente a metterci una catena di servaggio. [...] I piemontesi incendiarono non una, non cento case, ma intieri paesi, lasciando migliaia di famiglie nell'orrore e nella desolazione; fucilarono impunemente chiunque venne loro alle mani, non risparmiando vecchi e fanciulli».[43]

Dall'estate 1861 all'autunno dell'anno successivo, furono saccheggiati e incendiati sedici paesi, per un totale di 49.366 abitanti. Lo scrisse il giornale «Il commercio», che pubblicò tutti i nomi dei paesi, con relativo numero di abitanti.[44] Qualche dubbio sulla volontà popolare espressa nelle ex Due Sicilie cominciò a venire anche ai più accesi sostenitori della politica cavouriana come Massimo d'Azeglio, che scrisse a Nicola Matteucci:

> Bisogna sapere dai napoletani un'altra volta per tutto, se ci vogliono, sì o no. Capisco che gli italiani hanno il diritto di far la guerra a coloro che volessero mantenere i tedeschi in Italia; ma agli italiani che restando italiani non volessero unirsi a noi, credo che non abbiamo il diritto di dare delle ar-

> chibugiate, salvo che si concedesse che, per tagliar corto, noi adottiamo il principio in cui nome Bomba bombardava Palermo, Messina, ecc.[45]

Spesso la repressione militare si incattiviva per le proibitive condizioni logistiche in cui le truppe dovevano operare: territori insalubri, impervi, sconosciuti. Le mappe geografiche erano rare e non aggiornate, spesso imprecise. Bisognava così ricorrere a guide locali, di cui spesso gli ufficiali diffidavano per le sospette connivenze con i briganti. Costretti a lunghe marce, i soldati erano dotati di un pesante equipaggiamento, del tutto inadatto a fronteggiare rapide azioni di guerriglia. I piedi, dopo estenuanti marce, erano spesso piagati poiché non esistevano ancora scarpe differenziate per piede destro e sinistro. Si modellavano con l'uso. Il clima caldo, l'atmosfera di generale ostilità della gente, la diffidenza reciproca e l'incomprensione anche dei dialetti locali alimentava atteggiamenti da conquistatori. Nella divisione territoriale di Salerno, all'interrogatorio di un complice delle bande e di alcuni testimoni ci fu bisogno di due ufficiali meridionali «interpreti dal dialetto napoletano all'italiano».[46] Anche a Gaeta un sottotenente venne «comandato» per tradurre le dichiarazioni di imputati e testimoni meridionali nelle udienze al tribunale militare.[47] Era lo scontro tra culture e storie diverse: le tradizioni contadine, con l'abitudine ai silenzi, alla diffidenza, alla conservazione contro l'efficientismo cinico e la dinamicità culturale degli ufficiali che scrivevano e si esprimevano più di frequente in francese. Le malattie infettive decimavano i reparti: malaria, tifo e contagi venerei. In Puglia, solo nel luglio 1863, furono registrati 100 soldati contagiati da malattie veneree, 10 ne morirono.[48]

Il «cafone» veniva considerato sempre un potenziale nemico. I pregiudizi nei confronti dei meridionali si accrebbero e si nutrirono anche dei racconti e delle esperienze di chi combatté quella sporca guerra civile. I «galantuomini» meridionali si nascondevano dietro i militari piemontesi: chiedevano protezione, senza esporsi troppo. Alla sola frontiera pontificia, nell'autunno del 1861, furono fucilati 46 briganti, 109 vennero uccisi in combattimento, 120 arrestati.[49] Il presidente del Consiglio, Bettino Ricasoli, subentrato a Cavour che era morto due mesi prima, scrisse sprezzante a Nigra che l'obiettivo perseguito con la soppressione della luogotenenza era anche di limitare il ruolo di Napoli «cloaca massima ove tutti gli uomini più onesti sono destinati a perire».[50] Naturale che con queste convinzioni si pensasse solo a reprimere le ribellioni contadine con il consenso dei notabili locali. La stretta si accentuò nel 1862, dopo la crisi dell'Aspromonte. Partendo dalla Sicilia, con l'iniziale acquiescenza delle autorità locali, Garibaldi aveva raggruppato nuovi volontari dirigendosi verso Roma. Le camicie rosse, in tutto 2000 uomini, arrivarono in Calabria, ma furono fermate dalle truppe del colonnello Emilio Pallavicini di Priola. Il 29 agosto 1862, ci fu uno scambio di fucilate sull'Aspromonte tra soldati regolari e volontari garibaldini. Il risultato fu di 7 morti e 20 feriti tra i militari, 5 morti e 24 feriti, tra cui Garibaldi, tra i volontari. Il governo presieduto da Urbano Rattazzi fu costretto a prendere quella decisione impopolare per evitare la crisi diplomatica con la Francia, schierata a difesa dello Stato pontificio. La classe dirigente liberale tirò un sospiro di sollievo. Ma la crisi dell'Aspromonte portò alla proclamazione dello stato d'assedio in tutto il Mezzogiorno. A gestirlo, il 10 agosto, due settimane prima dello scontro in Calabria, fu designato l'uomo che già altre volte aveva tolto di impaccio la dinastia Savoia: il generale Alfonso La Marmora. L'uomo delle crisi e dei momenti difficili. Fu nominato, insieme, prefetto e comandante militare. Nelle sue mani si concentrarono tutti i poteri. Il nemico dello Stato italiano in quel momento era doppio: le rivolte nel Mezzogiorno e le spinte garibaldine. Fu dichiarato lo stato d'assedio, che significò istituzionalizzare il potere militare che controllava già da un anno la situazione nel Sud. Per mesi, lo Statuto era stato calpestato, le fucilazioni sommarie erano diventate la regola. Come i rastrellamenti e le devastazioni nei paesi. Tra agosto e ottobre, vennero chiusi alcuni giornali e inviati sei nuovi prefetti nelle province. La metà erano settentrionali.[51]

La stretta repressiva veniva applaudita anche dai liberali meridionali al potere. Come Luigi Settembrini, che sosteneva che «senza un espediente forte, qui non ci sarà mai quiete, né mai possibilità di governare». E aggiungeva: «Percuotere pochi e gli altri staranno cheti come olio, ubbidiranno come vilissimi schiavi. Pane e libertà con la balestra».[52] E il prefetto di Avellino, Nicola De Luca, arrivava a sostenere che «il brigantaggio non si vince con il codice».[53] Il generale La Marmora si vide allora incoraggiato a pubblicare rigide disposizioni ai comandanti delle zone militari per controllare i movimenti dei contadini, impedendo che portassero viveri fuori dai centri abitati e chiudendo le masserie isolate. E poi più arresti senza prove, fucilazioni senza processi. Un quaderno dell'esercito con le approssimative statistiche sulle perdite subite dai briganti tra il giugno 1861 e il febbraio 1863 indicava ben «1038 fucilati, 2413 morti in combattimento, 2768 arrestati, 923 costituitisi».[54] Tra i militari, invece, erano stati annotati 412 morti e 269 feriti fino al 31 dicembre 1862.[55] Numeri da guerra civile. Tra militari e magistratura le incomprensioni erano all'ordine del giorno: i giudici si vedevano scavalcati e si rendevano conto di quanto fosse calpestato nelle regioni meridionali lo Statuto Albertino. La Marmora, nonostante tutto, mostrava ottimismo: «Il brigantaggio non è certamente finito, ma credo difficile si sviluppi su una grande scala».[56]

Eppure, nel 1862 la banda Crocco era sempre attiva in Basilicata. In Puglia, dove le azioni del sergente Romano creavano scompiglio, le proteste dei notabili locali portarono alla sostituzione del generale Luigi Seismit Doda con Gustavo Mazé de la Roche.[57] Era un'altra stretta repressiva. Il generale de la Roche non andava tanto per il sottile e si distinse per la sistematica fucilazione dei prigionieri. Giustificandosi così: «Siccome i prigionieri facevano il gesto di slegarsi chiamando in loro soccorso i banditi, i soldati hanno cominciato a ucciderli; sbarazzatisi così di loro, essi hanno potuto, malgrado il loro numero, trarsi d'impaccio».[58]

L'Irpinia e la provincia di Benevento erano diventate zone del tutto insicure. Le bande di briganti controllavano le vie di comunicazione: l'ex caporale Agostino Sacchetiello, Cosimo Giordano, Libero Albanese, Nunzio Di Paolo erano i nomi dei capi più temuti. In provincia di Salerno, invece, agivano i gruppi di Gaetano Manzo, Antonio Maratea, Giuseppe Tardio. Alla frontiera pontificia, la banda Chiavone viveva il periodo di maggiore potenza. In Abruzzo, invece, si muoveva Berardino Viola. Nel 1863, aumentò il numero dei detenuti. Con gli arresti, si sperava di controllare i focolai di ribellione, togliendo consensi alla rivolta «antipiemontese». E le cifre degli imprigionati aumentarono: 1400 a Salerno, 1100 a Potenza, 700 a Lanciano, 1013 a Campobasso e ben 11.635 nel solo distretto di Corte d'appello di Napoli.[59] Il 14 ottobre 1861, cinquanta avvocati napoletani si sentirono in dovere di pubblicare sulla «Gazette de France» una protesta contro le violazioni sistematiche del codice. Esordendo così: «Sono ormai due mesi che un'arbitraria severità regna nella direzione delle prigioni».[60] Gli avvocati non potevano incontrare i loro assistiti prima del processo e molte restrizioni erano state introdotte nelle visite dei familiari. Nella protesta si inseriva un ragionamento che può apparire scontato solo per un sistema penale garantista: «Se la legge riconosce la possibilità e anche il bisogno di difesa, come il ministero del difensore nelle cause criminali prima dell'atto di accusa, ogni ostacolo che si interpone tra i difensori ed i clienti è abusivo ed illegale».[61]

Le cinquanta firme comprendevano tutti i più noti penalisti napoletani dell'epoca. La protesta venne anche tradotta in italiano e pubblicata, due giorni dopo, sul giornale «Armonia». Dal settembre 1860 all'aprile 1862, prima dello stato d'assedio, la Gran corte criminale di Napoli emise 291 sentenze, con 980 incriminati. Si trattava quasi sempre di processi per presunte cospirazioni politiche di borbonici. Quando venne abolito lo stato d'assedio e si applicò un'amnistia per i reati politici, approvata soprattutto per aiutare Garibaldi, il Mezzogiorno era sempre in fiamme. Si usarono sistemi diversi per controllare la situazione. Anche le taglie, nella speranza di sollecitare la collaborazione delle popolazioni locali: 600 ducati per la testa di Crocco, 500 per quella di Coppa e 400 per Caruso.[62] Gli ufficiali che, in quella guerra, si facevano prendere dagli scrupoli venivano considerati degli ingenui. Nella sottoprefettura di Sala Consilina, in provincia di Salerno, furono presi tre briganti. Erano disarmati: prima della cattura erano riusciti a nascondere fucili e coltelli. L'ufficiale che li aveva in consegna pose un quesito ai suoi superiori: che fare di quegli uomini? La risposta fu raggelante: «Mi pare che il Comandante militare, come il sotto prefetto, sia eccessivamente buono per fare un quesito di questa natura». Inutile dire che, dopo quella risposta, i tre briganti furono subito fucilati.[63]

Alla fine del 1861, le statistiche registrarono 4300 reati di sangue, 47.700 persone in carcere e ben 15.665 fucilati.[64] Secondo lo storico borbonico De Sivo, solo a metà agosto del 1861 c'erano stati 8968 fucilati, 10.604 feriti, 6112 prigionieri. E poi 64 sacerdoti uccisi, 918 case bruciate, 6 paesi distrutti, 12 chiese saccheggiate. Tra i morti, anche 60 ragazzi e 48 donne. Dati comparsi sui giornali dell'epoca.[65] Statistiche che facevano impallidire le vittime di tutte le guerre d'indipendenza del Risorgimento. Era l'obolo di sangue versato dal Sud per il processo unitario.

Tempo di leggi speciali

Assalti a convogli, aggressioni a piccole compagnie militari, richieste estorsive a proprietari di masserie e sindaci di paese. E poi, uccisioni di informatori dell'esercito, di guardie nazionali, di chi non voleva aiutarli. I briganti non scherzavano. Nella nuova frontiera italiana, dominava l'insicurezza. Ai notabili «galantuomini» arrivavano biglietti sgrammaticati e approssimativi con richieste di denaro e minacce di morte. Più passava il tempo e più le bande si ingrossavano di ex soldati e contadini che l'accaparramento delle terre nelle mani di pochi rendeva sempre più poveri. Il 2 aprile 1861 si tenne in Parlamento il primo dibattito sulle condizioni delle province meridionali. Fu Giuseppe Massari a presentare un'interpellanza. Nell'introdurla, il collaboratore di Cavour disse con chiarezza: «I briganti sono materia di polizia, non di uomini politici».[66] In quest'affermazione, l'interpretazione riduttiva del brigantaggio come problema di ordine pubblico. Una questione criminale e null'altro. Aggiungendo: «Altro caso è quello degli sbandati. Sono stati accordati congedi più o meno limitati, e credo anche taluni illimitati ai soldati, che facevano parte dell'Esercito borbonico». E ancora: «Che cosa, o signori, arrechino questi soldati quando tornano nelle loro province, io non ho mestiere di dirvi; certo che non vi arrecano né principi d'ordine, né principi di nazionalità».[67]

In quel dibattito, Massari precisò di non volere poteri eccezionali, anche se auspicava maggiore fermezza. Poi lui, che a Torino viveva da anni ed era stato esponente di rilievo di quegli esuli che avevano dipinto sempre una realtà poco realistica sulle loro terre d'origine, negò che nel Sud vi fossero sentimenti antipiemontesi. Ironizzò sulla parola «piemontesismo» tanto diffusa a Napoli. Alle interpellanze, per la prima volta nella storia d'Italia, un ministro dell'Interno, allora Marco Minghetti, parlò della situazione dell'ordine pubblico nel Mezzogiorno. In 147 anni, avrebbe avuto molti emulatori. Minghetti sminuì il problema del brigantaggio, accennò al milione di lire stanziate per sussidi ai «martiri politici». Poi, sull'ordine pubblico, auspicò un coinvolgimento maggiore dei carabinieri nella repressione. Dal dibattito emersero le difficoltà dell'annessione: gli impiegati borbonici da recuperare, gli ex soldati delle Due Sicilie «sbandati», gli investimenti ferroviari da avviare, le opere pubbliche da progettare, le amministrazioni pubbliche da moralizzare. La discussione andò avanti anche il 4 aprile successivo. E le parole più toccanti, espressione di una sensibilità estranea ai deputati meridionali, furono pronunciate da Giuseppe Ferrari,[68] il filosofo milanese seguace delle teorie federaliste di Cattaneo. Disse:

> Parliamo del popolo. Vi siete voi fatti amare? Perché l'amore, in fondo, è la base dei troni, la base degli Stati. [...] Io non vi parlerò dei briganti, dei ladri, ed intendo benissimo che il furto sia delitto assolutamente estraneo alla politica. Ma se la sicurezza pubblica trovasi minacciata, se il vostro Governo è sì impotente che il brigantaggio pesa ormai come un potere dello Stato, a chi la colpa? A Garibaldi forse?[69]

Quante volte, nei decenni successivi, sarebbero riecheggiate espressioni simili a quelle di Ferrari? Il deputato milanese esaminò la proposta di inviare al Sud «baionette da Torino». E parlò di «controsenso», affermando: «La bassa Italia si offre, si dà, vuol essere di Vittorio Emanuele, si sottomette, sanziona la propria dedizione con un voto unanime, e credete che abbia bisogno di gendarmi spediti dal Piemonte?».[70] Erano le contraddizioni dell'unificazione meridionale a prendere forma in quelle parole. Nell'aula risuonò una verità dura da digerire per chi vantava il liberalismo democratico del Piemonte: negli ultimi due anni, lo Statuto era stato violato più volte. Era successo nel 1859, con i pieni poteri affidati al governo. Poi, nel 1860, con la riduzione dei deputati. Ferrari avanzò l'unica richiesta possibile: la costituzione di una commissione d'inchiesta parlamentare per studiare la situazione delle province meridionali. Naturalmente, i deputati meridionali, esuli in Piemonte da diversi anni, fecero a gara per denigrare il governo borbonico, unico argomento per giustificare ogni azione del governo di Torino, anche le più violente, nel Sud. Lo fece per esempio Antonio Scialoja. Alla fine, la proposta di nominare una commissione parlamentare venne respinta. Fu approvato solo un generico ordine del giorno, in cui si invitava il governo a fare tutto il possibile per rimediare alla difficile situazione nelle nuove province meridionali. Nessuno voleva assumersi responsabilità politiche, nessuno affrontò le questioni sociali all'origine delle proteste e delle rivolte in corso. In assenza di conoscenze e seri approfondimenti sulla situazione, l'unità d'Italia veniva mantenuta dalle baionette. Quattro generali si avvicendarono al comando delle truppe meridionali: Enrico Morozzo della Rocca, Giovanni Durando, Enrico Cialdini, Alfonso La Marmora. L'ultimo restò in quell'incarico più degli altri: andò avanti dal 1° novembre 1861 al settembre 1864. Fu lui a insistere sul pieno decentramento delle decisioni operative nelle diverse zone militari. E fu sempre lui a ottenere il numero più consistente di truppe: 120.000 uomini. Il VI gran comando militare dispose nel 1861 di 17 reggimenti di fanteria, 22 di bersaglieri, 8 unità di cavalleria, uomini di artiglieria e del genio per un totale di 105.209 militari. Erano compresi 6353 carabinieri.[71] L'azione di La Marmora spianò la strada ai successi del generale Emilio Pallavicini. La «sporca guerra» si dimostrò una palestra importante per gli alti ufficiali piemontesi ormai italiani. Fu l'unica possibilità di azione fino al 1866, unica opportunità per far carriera. E nel Sud, dal 1861 al 1869 furono inviati ben 53 tra generali e colonnelli. Erano loro i veri padroni del Mezzogiorno, in grado di influenzare prefetti e sindaci, di tenere a bada giudici troppo osservanti del codice, di decidere della vita e della morte delle popolazioni locali. Un potere di fatto, poi sancito dallo stato d'assedio e giustificato anche da una legge speciale. Già all'alba dell'unità, l'Italia appariva divisa in due. Al Nord l'applicazione dello Statuto, le leggi ordinarie. Al Sud una legislazione speciale nel disprezzo delle garanzie statutarie. Era già la politica legislativa del «doppio binario», un'invenzione risorgimentale. Ma a Torino non si vedevano altre soluzioni. E vennero sacrificati molti uomini per le difficoltà incontrate dalla repressione militare. Le prime statistiche del ministero della Guerra mostrarono che dal 1863 all'anno successivo, su organici oscillanti tra i 116.799 e i 92.984 militari, erano stati ben 47.510 i ricoverati negli ospedali per «febbri». Morirono in 1073.[72]

Dal 1861 al 1870, nei primi nove anni dell'unità d'Italia, si avvicendarono ben dodici governi nazionali. Agli inizi, in Parlamento sedevano 29 militari: 25 generali e 4 ammiragli. Alcuni diressero il ministero della Guerra, influenzando le scelte nella repressione al Sud. Il dibattito dell'aprile 1861 ebbe un seguito nel dicembre successivo. Ancora una volta, si propose una commissione d'inchiesta. Un deputato meridionale, il duca Francesco Proto di Maddaloni,[73] eletto a Casoria, cercò di illustrare una sua mozione di denuncia nella seduta del 20 novembre 1861. Gli fu impedito. Depositò comunque il testo scritto. Il documento conteneva pesanti denunce contro le imposizioni piemontesi. Vi si leggeva: «La loro smania di subito impiantare nelle province napoletane quanto più si poteva delle istituzioni di Piemonte, senza neppure discutere se fossero o no opportune, fece nascere sin dal principio della dominazione piemontese il concetto e la voce *piemontizzare*. [...] Questa è invasione, non unione, non annessione!».[74] Chiunque osasse criticare il modo in cui si stava costruendo l'Italia veniva subito accusato di essere antiunitario o, peggio, di avere simpatie borboniche. Dopo pochi giorni, il duca di Maddaloni fu costretto a dimettersi. Si trasferì a Roma. Aveva osato pronunciare parole che molti pensavano, ma che non si potevano ripetere in pubblico: nel Mezzogiorno era in corso una «crudele guerra civile». Subito dopo, il deputato mazziniano Giuseppe Ricciardi[75] annunciò una sua interpellanza sulle condizioni delle regioni meridionali. Come nel dibattito di aprile, anche stavolta serpeggiò l'ipotesi dell'istituzione di una commissione d'inchiesta. Non senza contrasti. Alla fine intervenne Aurelio Saffi.[76] Sostenne che non si poteva impedire la conoscenza della realtà nel Sud. E aggiunse: «È giusto e necessario che gli sconci e i mali di questa parte d'Italia siano esaminati onde procacciare gli opportuni rimedi».[77]

Al terzo dibattito in otto mesi, finalmente l'idea di una commissione d'inchiesta venne accettata. La discussione venne approfondita il 2 dicembre 1861. Cominciò a essere presa in considerazione, sia tra i banchi della destra sia in quelli della sinistra, l'ipotesi di una commissione sul Mezzogiorno. La sinistra fino ad allora aveva temuto che spostare ogni attenzione sul brigantaggio avrebbe allontanato la soluzione della cosiddetta «questione romana». Vale a dire, l'ingresso a Roma delle truppe italiane. Per questo, non fu subito a favore dell'inchiesta parlamentare sul Sud. Ma si dovrà attendere ancora un anno e solo dopo la crisi dell'Aspromonte per tornare a discutere di una commissione. La svolta arrivò il 29 novembre 1862: il generale La Marmora consegnò al Parlamento un rapporto sul brigantaggio, rimasto ignoto. Su quella base, Rattazzi, per sfuggire alle critiche della sinistra, fece nominare da Sebastiano Tecchio, presidente della Camera, una commissione di nove componenti. Oltre a Rattazzi la prima commissione sui problemi del Mezzogiorno era costituita da quattro deputati della destra, uno di centrodestra, tre di sinistra, e si confrontò solo sul documento di La Marmora. Nulla trapelò su quelle sedute segrete, ma di certo i commissari ebbero a disposizione anche il rapporto del generale Teobaldo Franzini, che si limitava a evidenziare la disorganizzazione militare nella repressione delle bande di briganti. Dal confronto emersero anche analisi sulle cause di rivolta sociale del brigantaggio, con proposte di riforme strutturali. La relazione finale, depositata alla Camera dopo pochi giorni di discussione sulla base soltanto della relazione di La Marmora, fu del deputato lombardo Antonio Mosca. Risultò sgradita alla destra di governo, soprattutto nella parte che proponeva una redistribuzione delle terre da togliere a chi se ne era appropriato mettendo le mani su interi latifondi demaniali. Così, la prima commissione venne subito sconfessata. La motivazione ufficiale fu che la serietà della situazione aveva bisogno di verifiche sul campo: viaggi e interrogatori di persone sul posto. In realtà si prendeva tempo, rinviando ogni decisione. La maggioranza voleva affrontare la questione del Mezzogiorno e del brigantaggio senza alterare gli equilibri sociali e, soprattutto, senza infastidire la borghesia latifondista del Sud che sollecitava solo truppe e repressione.

Fu così che nel dicembre 1862, un mese dopo il fallimento dei primi nove deputati, con poteri definiti fu costituita una seconda commissione. Era il 22 dicembre 1862. Ne facevano parte ancora nove deputati: Giuseppe Sirtori, in qualità di presidente, e Nino Bixio, già garibaldini e ora vicini alle forze governative dopo essere entrati nell'esercito regolare; Aurelio Saffi e Stefano Romeo della sinistra democratica; Achille Argentino, che aveva fatto parte della prima commissione, della sinistra; Stefano Castagnola, Antonio Ciccone, Giuseppe Massari, Donato Morelli della destra governativa. I documenti di quella commissione furono ritrovati da Molfese in un sotterraneo del Parlamento. Erano, come scrisse lo studioso, «l'avanzo di un naufragio».[78] Molto materiale era andato distrutto. Omissioni su una parte oscura della nostra storia unitaria. La seconda commissione era stata formata in maniera da non risultare sgradita al governo. Non si potevano rischiare conclusioni di esclusiva analisi sociale, come quelle proposte nel mese precedente dal primo gruppo di lavoro.[79] La commissione si spostò al Sud. Sentì amministratori locali, sindaci, militari, proprietari terrieri. Non fu data voce a contadini od operai, l'idea di partenza era che i briganti fossero dei malfattori aizzati dai comitati borbonici a Roma. Su questa convinzione preconcetta si cercò di adattare ogni deposizione raccolta. Limitando qualsiasi tipo di denuncia sociale. Il lavoro andò avanti dal 13 gennaio al 1° marzo 1863 con la raccolta di testimonianze e documenti. Poi, si acquisirono memoriali, esposti e proposte. Infine, al ritorno a Torino, le riunioni per elaborare il materiale raccolto dall'11 maggio al 23 luglio 1863. Sette mesi effettivi di lavoro. La relazione finale, tenuta da Massari e Castagnola, conteneva una proposta di legge speciale per risolvere in tempi brevi la piaga del brigantaggio. Si parlava delle condizioni di povertà dei contadini, ma si sottolineava l'azione dei comitati filoborbonici favoriti dall'ambigua condotta francese ai confini dello Stato pontificio. Fuori dall'ufficialità, Aurelio Saffi poteva scrivere alla moglie lettere come questa:

> La natura del brigantaggio è essenzialmente sociale e, per accidente, politica. La causa radicale e permanente è la misera condizione de' braccianti lavoratori delle campagne e de' pastori; e lo scoraggiamento dei proprietari, unito alla depressione del partito liberale, depressione cagionata dalla falsa politica del Governo.[80]

Il 3 maggio 1863, Giuseppe Massari lesse in seduta segreta la sua relazione. Esaminava la storia delle rivolte a partire dalla fine del 1860. Poi affrontava più questioni: l'amministrazione locale, le leve militari, la scarsa efficienza della magistratura, le carenze della polizia, il malcontento provocato dalle nuove tasse. Senza dimenticare di evidenziare gli appoggi sul territorio goduti dalle bande di briganti, i consensi che ricevevano. Avendo acquisito molti rapporti militari, la relazione Massari, quasi progenitrice di alcune recenti relazioni antimafia, ripercorse la storia delle azioni di Crocco, o del sergente Romano, o di Chiavone. Infine, l'attenzione era posta sulle difficoltà logistiche dei militari, l'azione delle bande di briganti, con un ampio specchietto illustrativo su quelle in azione. I rimedi proposti erano strade, ferrovie, istruzione, assegnazione di terre demaniali, riassetto amministrativo e riorganizzazione delle forze di polizia.

A colpire i deputati furono soprattutto le cifre contenute nella relazione: dal maggio 1861 al marzo 1863, c'erano stati 21 ufficiali e 286 soldati uccisi per un totale di 307. I feriti, invece, erano stati in totale 86, i dispersi 19 e i prigionieri 6. Commentò Massari: «Si pensi agli strazi crudeli, alle torture immani cui furono assoggettati. Onoriamo di affettuoso compianto la memoria dei prodi infelici».[81]

Non altrettanto commossa fu l'indicazione dei morti tra i briganti. Eppure, si trattava di cifre da brivido: 1038 fucilati e 2413 morti in conflitto per un totale di 3451 uccisi. Gli arrestati furono 2768. Il numero approssimativo tra morti e imprigionati, aggiungendo anche 932 briganti che si erano consegnati ai militari, era stato in meno di due anni di 7151 persone. Un esercito.[82]

Massari rendeva onore, oltre che all'esercito, anche alle squadre di volontari armati nate per dare la caccia ai briganti. Come quella di Davide Mennuni, capitano della guardia nazionale di Genzano, che aveva cominciato con ventidue uomini a cavallo. Il punto più delicato per la successiva organizzazione delle repressione armata fu però l'esplicita ammissione che il brigantaggio aveva provocato una situazione «non dissimile da quella prodotta dallo stato di guerra».[83] Situazione eccezionale, quindi, che divideva in due l'Italia di quei tempi. E Massari lo mise per iscritto: «Non possono essere equiparate le condizioni delle province contristate dal brigantaggio a quelle delle altre che per buona ventura nol sono. [...] Lo stato di brigantaggio è uno stato a parte, uno stato sui generis; affinché cessi è mestieri ricorrere a provvisioni speciali».[84]

Si era arrivati al nocciolo della questione. Alla strada poi seguita tante altre volte nell'Italia unita: leggi speciali, poteri eccezionali, mano forte. E in parti limitate del Paese. Fu proposto quindi un progetto di legge per le province in «istato di brigantaggio». Basta con le fucilazioni sommarie, ma giudizi affidati a tribunali militari sul posto. Il che equivaleva alla stessa cosa. Pena di morte, inflessibilità, benefici ai briganti che si sarebbero pentiti.

Il 15 agosto 1863 venne approvata la legge sul brigantaggio. Prese il nome dal deputato pugliese Giuseppe Pica, che la propose. Nove articoli, validità fino al dicembre successivo nell'area limitata al Mezzogiorno, introduzione del reato di brigantaggio. Poi gli strumenti repressivi: commissioni per inviare al domicilio coatto briganti e camorristi, tribunali militari che avrebbero applicato il codice penale militare. Nei primi mesi, la legge Pica fu applicata su 12.000 persone. I tribunali militari affrontarono 3616 processi con 9290 imputati tra il 15 agosto 1863 e la fine del 1864. Fra i denunciati, 5816 erano contadini, 1266 possidenti.[85]

Il generale La Marmora aveva dichiarato alla commissione d'inchiesta: «Dal mese di maggio 1861 al mese di febbraio 1863 noi abbiamo ucciso o fucilato 7151 briganti. Non so altro e non posso dire niente altro».[86]

L'imbarazzo di chi aveva svolto compiti più da gendarme che da militare. Lo aveva sottolineato anche il giovane tenente Gaetano Negri, impegnato in Irpinia, futuro sindaco di Milano e filosofo, che aveva scritto: «Chi mai avrebbe detto, due anni or sono, che dovevo finire col fare il poliziotto? Eppure è così, questa mia prima impresa esala un certo profumo di sbirraglia che è una delizia!».[87]

Ma la legge Pica era ormai diventata realtà. Calpestando lo Statuto Albertino in almeno quattro articoli. La Costituzione importata dal Regno piemontese proibiva processi non celebrati dal giudice naturale, garantiva la libertà individuale vietando arresti non previsti dalla legge. Inoltre, lo Statuto stabiliva l'uguaglianza di tutti i sudditi dinanzi alle leggi. Proprio ciò che la legge Pica aveva stravolto.[88] Ma, stabilito che si era in guerra, che si era in situazione eccezionale, ecco la soluzione straordinaria. La prima di una lunga serie in Italia.

Alla scadenza della legge Pica, se ne approvò subito un'altra, che prese il nome dal proponente Ubaldino Peruzzi, valida fino al 30 aprile 1864. Era una fotocopia delle legge Pica. Poi altre due proroghe successive, fino ad arrivare al 31 dicembre 1865, con la dichiarazione di «province infestate dal brigantaggio» estesa a tutte le regioni meridionali. Compresa la Sicilia, che inizialmente ne era stata esclusa. Due Italie nella politica della sicurezza. Quale fu il prezzo di vite umane pagato da questa dura repressione militare? Per il decennio 1860-70, alcune fonti parlano di un minimo di 20.000 a un massimo di 70.000 vittime. Una cifra molto superiore a quella dei caduti nelle guerre risorgimentali dal 1820 al 1870.[89]

E le vittime non furono solo uomini. Vi furono anche donne diventate brigantesse per i propri uomini. Come Michelina De Cesare, morta il 30 agosto 1868 in un conflitto a fuoco con le truppe del maggiore Edoardo Lombardi. Faceva parte della banda di Francesco Guerra di cui era l'amante e Giacomo Ciccone, anche loro rimasti uccisi nello scontro. Il cadavere di Michelina De Cesare fu, con crudeltà e dileggio, denudato e mostrato a tutti. A futura memoria.[90]

3. La brigantessa Michelina De Cesare.

7
Fucilateli tutti

«Si è introdotto il nuovo diritto, sul quale le dichiarazioni del ministero non hanno lasciato alcun dubbio; il diritto, dico, di fucilare un uomo preso con le armi in mano. Questa si chiama guerra di barbari, guerra senza quartiere. Ed all'interno, come si chiama? Dateci voi un nome, io non so darlo. E se il vostro senso morale non vi dice che camminate nel sangue, io non so come spiegarmi.»

Intervento dell'onorevole Giuseppe Ferrari
in Parlamento, 29 novembre 1862

Poteva considerarsi davvero un privilegiato. Per svolgere il suo lavoro, gli avevano messo a disposizione addirittura una locomotiva e un intero vagone per raggiungere il più presto possibile Mignano e poi da lì monte Cavallo di Presenzano. Con la sua ingombrante attrezzatura, Emanuele Russi si stava spostando per realizzare una serie di ritratti di briganti. Ordini superiori. Ovvero, richieste ufficiali delle autorità militari che, attraverso il generale Pallavicini, gli avevano procurato ogni comodità per viaggiare sicuro e arrivare nei posti dove erano stati compiuti gli ultimi rastrellamenti. Quell'11 marzo 1868, le bande Ciccone, Marino e Pace avevano subìto una dura sconfitta. Erano morti briganti e brigantesse. Altri erano tenuti prigionieri per essere fucilati da un momento all'altro. Ma anche se Russi fosse giunto dopo la loro morte non c'era da preoccuparsi. Come era successo altre volte, i soldati avrebbero messo in piedi la messinscena di far credere ancora vivi i cadaveri. Bastava alzarli, sorreggerli, spostare un po' la testa, coprire i fori delle pallottole e i rigagnoli di sangue. Il casertano Russi, fotografo di professione, servì l'esercito dal 1864 al

1870. Gli fu chiesto di riprendere i briganti nelle pose più svariate, ma anche di preparare bei ritratti di soldati e guardie nazionali. Bisognava far sapere fuori dalle zone infestate dalle bande che i ribelli erano rozzi criminali, violenti e crudeli. Che i soldati erano laggiù al servizio della civiltà, per assicurare il progresso e la vita delle persone per bene. Quale mezzo migliore della fotografia? Russi venne agevolato in ogni modo nel suo lavoro: mezzi di trasporto, segnalazioni in anteprima di imminenti arresti e fucilazioni. Documentò per tre volte i successi delle truppe di Pallavicini contro le bande Ciccone, Guerra, Fuoco e Giordano. Il generale che sconfisse definitivamente il brigantaggio utilizzava ogni moderno strumento per vincere la sua guerra. Anche le armi della propaganda. Era consapevole che la fotografia possedeva una sua forza deterrente e poteva valorizzare in maniera ineguagliata l'azione repressiva dei militari.

Emanuele Russi scattò centinaia e centinaia di foto. Non tutte sono state salvate. Dietro l'immagine, annotava con cura le generalità del brigante, la località dello scatto e la data del conflitto, aggiungendovi anche qualche suo commento illustrativo. In una foto ripresa dopo lo scontro a monte Cavallo, appuntò per esempio: «I segni neri al volto sono baionette di sangue».[1]

Russi, così come gli altri fotografi che lavoravano su incarico di prefetti e comandi militari, poteva riprendere non solo i briganti morti, ma anche quelli imprigionati in attesa di giudizio. Il loro lavoro, che doveva fissare la verità ufficiale di quella guerra, venne anche utilizzato per studi antropologici sulla natura e l'intelligenza di quei ribelli del Sud. Molte considerazioni «scientifiche» sulle tare ereditarie dei briganti, sulla loro predestinazione fisica alla crudeltà utilizzarono anche quelle immagini fotografiche riprese sul campo. Lo psichiatra Cesare Lombroso,[2] insieme con il sociologo Alfredo Niceforo, scrisse a più riprese che «la ragione dell'inferiorità meridionale risiedeva in una costituzionale e irreparabile inferiorità razziale».[3] I crani dei briganti catturati vennero esaminati, misurati, sezionati e studiati con attenzione da medici militari, seguaci delle teorie lombrosiane. Il tipo del meridionale rozzo, incolto e violento si affermò in quegli studi positivisti. Contribuì in maniera determinante a diffondere pregiudizi e luoghi comuni sugli italiani del Sud. La rivolta contadina postunitaria, spogliata delle sue profonde motivazioni socio-politiche, venne semplificata in una condanna genetica degli abitanti delle ex Due Sicilie. Gli unici che avevano reso difficile l'unità d'Italia e l'annessione al Piemonte. La ribellione venne spiegata in un unico modo: l'inferiorità culturale di quella gente che non riusciva ad apprezzare la civiltà e il progresso che le erano stati offerti. E gli studi, così come le fotografie, ebbero anche l'obiettivo di dimostrare quella teoria. Arretratezza, ignoranza, violenza innata.

Il dottor Lombroso, laureato in medicina e chirurgia, venne inviato nel Sud Italia come componente del corpo di «Sanità militare» di cui faceva parte dal 1859. In Calabria arrivò nel 1862. Suo incarico principale era visitare i giovani da arruolare per la leva militare del novembre 1860. Lombroso avviò uno studio statistico sui meridionali, dedicandosi ad approfondire le «cause delle devianze» che portavano al brigantaggio. Si specializzò, soprattutto, a individuare le cause «fisiologiche» della rivolta. Illuminanti le sue osservazioni sul corpo del brigante Vilella: «Vedendo quel cranio, mi sembrò di avere un'illuminazione sul problema della natura del criminale; un essere attivo che riproduce nella sua persona gli istinti feroci dell'umanità primitiva e degli animali inferiori. [...] L'insensibilità al dolore, la vista estremamente acuta, il tatuaggio, la pigrizia eccessiva, l'amore per le orge, la brama irresistibile per il male in sé, il desiderio di spegnere non solo la vita della vittima ma anche di mutilare il cadavere, di squarciare la sua carne e di bere il suo sangue».[4]

Certo, i briganti non erano delle educande. Terrorizzavano i nemici, infierivano sui loro corpi seguendo dei loro rituali, con l'intento di ammonire le truppe, intimorirle. Sfogando anche la rabbia dell'impotenza contro un nemico molto più numeroso, destinato a vincere. Come le giubbe blu contro gli indiani d'America. Ma Lombroso esasperò le caratteristiche violente delle ribellioni nel Sud, teorizzando il «tipo antropologico del brigante». Un'idea seguita da molti epigoni negli anni successivi. Come il professore Pasquale Penta dell'Università di Napoli, che studiò le fattezze e la psiche di Crocco nel 1901, o il dottor Biagio Miraglia, direttore del manicomio giudiziario di Aversa, che analizzò le caratteristiche dei fratelli Giona e Cipriano La Gala. Su Giona La Gala, il dottore Miraglia annotò: «Uomo volgare che porta in faccia la ferocia e la vigliaccheria insieme; presenta il cranio, che non smentisce l'abuso incorreggibile dei più sozzi e sanguinari istinti, piuttosto piccolo con diametro bi-temporale non molto di minor larghezza di quello fronto-occipitale». E sul fratello Cipriano: «Ha qualche cosa tra l'imbecille e il sospettoso. [...] La regione dei sentimenti è meno bassa e depressa di quella di altri malfattori».[5] Spogliati delle loro storie individuali, i briganti diventavano «casi clinici», deviati da compatire ed emarginare. Gente predisposta al male dalle condizioni sociali e sanitarie in cui erano cresciuti. Razza inferiore.

Fu con il brigantaggio che probabilmente nacque, con l'antropologia criminale, anche la «fotografia criminale», la foto segnaletica realizzata con la collaborazione degli interessati che non sapevano assolutamente cosa ne sarebbe stato di quegli scatti. Oltre a Russi, lavorarono per l'esercito anche Ferdinando Caparelli di Caserta e Giuseppe Chiariotti di Benevento, e il salernitano Raffaele Del Pozzo. Con loro, altri fotografi rimasti anonimi, contattati all'ultimo momento dai comandanti militari. Gente disposta ad accorrere rapidamente sulle zone d'operazione, per ritrarre in presa diretta un capobrigante fucilato, o catturato. Le *cartes de visite*, le foto dei briganti, riempivano le botteghe dei fotografi napoletani. Venivano messe in vendita con successo. Contribuivano a diffondere tra la buona borghesia l'immaginario deteriore sui ribelli nel Sud.

L'unico ad aver svolto attività di fotoreporter in senso moderno fu il francese Alphonse Bernoud. Lavorava per il giornale «L'Illustration» di Parigi e arrivò nell'Italia meridionale per documentare, anche con le immagini, il fenomeno del brigantaggio. Senza pregiudizi e, soprattutto, senza vincolarsi alle autorità militari cui avrebbe dovuto pagare dazio in termini di libertà giornalistica. Prese invece da solo contatto con la banda di Chiavone. La corrispondenza apparve sul secondo numero del gennaio 1862 dell'«Illustration». Il titolo era *Une visite à Chiavone.*[6]

Bernoud vide e documentò uccisioni e storie di briganti. Da Sora, con quattordici casse piene di strumenti fotografici, si spostò con un giornalista e l'aiuto dell'intendente Francesco Homodei. Con tre muli e quattro asini raggiunse il quartier generale di Chiavone a Scifelli. Chiese al capobrigante il permesso di ritrarlo. Ecco il racconto di quell'avvenimento, come comparve nell'articolo del giornale parigino:

> Verso le otto del mattino preparammo gli strumenti fotografici e fu fatta una prima fotografia di Chiavone in costume ordinario. Poi lo pregammo di indossare la sua famosa uniforme. Il brigante, che ormai faceva tutto quello che noi volevamo, inviò qualcuno a cercare i suoi abiti e noi facemmo il suo ritratto.[7]

Il risultato fu un reportage completo di cinque pagine, tra illustrazioni e testo. Un lavoro ben diverso da quello svolto dagli altri ritrattisti dei briganti dell'epoca, che invece aveva finalità strumentali assai evidenti in alcune immagini molto note. Come nella foto del brigante irpino Nicola Napolitano, detto «Caprariello», ripreso dopo la fucilazione. Un bersagliere con fucile in pugno gli tira i capelli per alzargli la testa. Il brigante, messo seduto, è ormai morto e in una pozza di sangue. La lingua penzoloni, gli occhi nel vuoto. Un trofeo ostentato, senza alcuna pietà. Un'immagine animalesca, come l'idea che si voleva tramandare del morto.[8]

Il corpo senza vita di Ninco Nanco venne fotografato dopo la sua misteriosa uccisione. Occhi chiusi, riverso, il brigante non perde la sua fiera bellezza. Orrendamente trucidati appaiono invece i corpi e i volti del capobrigante Vincenzo Palmieri e dei tre uomini catturati con lui. L'effetto voluto è, ancora una volta, documentare la rozzezza di quella gente. Corpi stesi, a monito per tutti. Senza bisogno dei vincitori nell'immagine. Legato su una scala per tenerlo in posizione eretta, i segni delle ferite sul torace scoperto, il brigante calabrese Papa appare con gli occhi sbarrati della morte. Deturpati e con segni di sevizie, i volti di Giuseppe Leone e Domenico Savastano ripresi dopo la fucilazione. Immagini macabre.

Era destinata a fornire l'impressione dell'animale in gabbia, della preda domata, l'immagine di Michele Caruso avvolto nella camicia di forza. La fotografia fu scattata da Giuseppe Chiariotti. Nello sguardo di Caruso, si intravedeva però l'assenza di paura. Quasi beffardo il sorriso di Nunzio Tamburini, brigante abruzzese in catene. La sequenza di immagini con briganti armati di fucili, naturalmente scarichi, doveva rappresentare lo stereotipo del ribelle pericoloso. Una farsa, una messinscena costruita. Le immagini delle donne dei briganti, chiuse nei loro costumi e indecifrabili nei loro sguardi, riscossero molto successo nelle botteghe dei fotografi. Amaro, in questa serie femminile, il campionario dei ritratti di Michelina De Cesare, la donna del capobrigante Francesco Guerra. Prima in abito da contadina con fucile accanto. Poi, un ritratto dopo la morte e le sevizie subite il 30 agosto 1868. Denudata, venne ripresa senza abiti. Seni scoperti, volto scuro per le percosse. L'immagine ottiene però l'effetto opposto di quello probabilmente voluto da chi la commissionò: evoca torture, dileggi, abusi sessuali contro una donna colpevole di aver seguito l'uomo che amava.[9]

Sguardi contadini e fierezza di campagna nel volto di Arcangiola Cotugno ed Elisabetta Blasucci, donne dei briganti lucani Coppolone e Libertone. Furono riprese dopo la cattura, con un fucile in braccio. In posa, per i fotografi incaricati dai militari. Anche in quel modo fu combattuta la guerra ai briganti. Con le armi del progresso tecnologico. Con le lastre fotografiche, per tramandare la «bruttezza» degli «sporchi ribelli». Era il contrasto palese tra la nascente civiltà industriale destinata a prevalere e la società contadina che, nel brigantaggio, riponeva le sue speranze di salvezza dalla miseria. E dalla morte.[10]

Nessuna pietà

I tribunali militari speciali voluti dalla legge Pica furono all'inizio otto: Potenza, Foggia, Avellino, Gaeta, Caserta, Campobasso, l'Aquila, Cosenza. Si aggiunsero a quelli già esistenti di Bari, Catanzaro, Chieti e Salerno.[11] Ne facevano parte un colonnello o tenente colonnello come presidente e cinque giudici, tutti militari: due ufficiali superiori e tre con il grado di capitano. Quattro erano i supplenti.[12] In realtà, non sempre i briganti catturati riuscivano ad arrivare al giudizio di quei tribunali dal verdetto scontato. Molti venivano fucilati prima, giudicati alla svelta sul luogo della cattura. Uno stato d'assedio di fatto, giuridicamente giustificato. Non sarebbe stata l'ultima volta. In cinquant'anni, lo Stato piemontese poi italiano, nonostante lo Statuto non lo prevedesse, proclamò per ben dieci volte lo stato d'assedio. Nel 1849, per esempio, per la rivolta di Genova. Poi nella Sardegna in fermento per due volte, nel 1852. Dopo l'unificazione, il vizietto di ricorrere a fucili e cannoni con poteri assoluti non venne perso: nel 1862, con la crisi dell'Aspromonte; nel 1866 in Sicilia; nel 1894 di nuovo in Sicilia e in Lunigiana. Infine, nel 1898, a Napoli, Milano, Firenze e Livorno.[13]

Le regioni italiane in cui andava applicata la legge speciale vennero individuate per decreto. Il primo blocco, dell'agosto

1863, fu limitato ad Abruzzo, Campania, Basilicata, Puglia, Calabria, Molise. Il Mezzogiorno continentale, insomma. Appena sei mesi dopo, con la legge Peruzzi, l'elenco si allungò. Fu aggiunta anche la Sicilia. Come a dire: tutto l'ex Regno borbonico, il Sud Italia, era area a rischio brigantaggio. Area da tribunali speciali militari. Del resto, l'idea del sottosviluppo e della razza inferiore da educare in quei territori era molto diffusa. Il generale Luigi Menabrea, comandante del genio nel corpo d'armata piemontese nelle Due Sicilie poi ministro della Guerra, già nel dicembre 1860 scriveva di «meridionali simili agli ottentotti, nonostante il loro bel paese e le loro così grandi memorie».[14] Aggiungendo, a rincarare il disprezzo: «La miseria degli abitanti, l'abbassamento del senso morale e della dignità personale nella popolazione sono le cose che colpiscono di più. Sotto gli stracci disgustosi che coprono le contadine, non si riconosce più questa bella razza italiana, che sembra finire nel territorio romano».[15]

L'illusione che la Sicilia, punto di partenza dell'avanzata garibaldina, fosse un'oasi felice, durò solo pochi mesi. L'isola si era liberata dei gendarmi borbonici, ma non con l'intenzione di sostituire una limitazione della propria autonomia con un'altra. L'aumento delle tasse, la leva militare che con i Borbone era sconosciuta ai siciliani, la smobilitazione dei vecchi uffici con nuovi affidati a personale settentrionale, la liquidazione di molti enti religiosi provocarono un impatto traumatico con l'unificazione. Il rifiuto per uno Stato lontano vide unita l'aristocrazia feudale e la nuova borghesia delle terre, sempre più contigua ai gruppi mafiosi. La notte del 4 ottobre 1862, quasi alla stessa ora, in diversi punti di Palermo furono assassinate dodici persone. Fu definita «la notte dei pugnalatori». Alcuni volantini spiegarono gli omicidi come vendetta contro la libertà tradita. Ne seguì un processo, che individuò dieci poveracci a fare da capri espiatori. Tre condanne a morte e sette ai lavori forzati furono il risultato del successivo processo. Era quella la prova generale della scarsa conoscenza che il nuovo

Stato aveva della «sicilianità». Se Napoli era lontana, per i siciliani Torino era lontanissima. Nel 1862, Garibaldi pescò in un fermento di insoddisfazioni diverse quando dall'isola partì per la sua infausta spedizione diretta a Roma, bloccata all'Aspromonte. Le preoccupazioni governative erano rivolte ai garibaldini, ai democratici e alla povera gente che poteva essere strumentalizzata per motivi politici.[16] Un testimone, Edoardo Pantano, qualche anno dopo la notte dei pugnalatori rivelò che si era trattato di una montatura della polizia, per simulare il pericolo di una restaurazione borbonica e giustificare provvedimenti repressivi. Come premio per aver così ben organizzato la manovra, vi furono dei versamenti di denaro sui conti del Banco di Sicilia a favore del questore Giovanni Bolis, del delegato della Prefettura Carlo Chiappara, del generale Giacomo Medici. Pantano indicò persino i numeri degli assegni pagati e i singoli importi.[17] A tentare di riprendere il controllo della situazione fu mandato in Sicilia il generale Giuseppe Govone. Affrontava una realtà disperata: la renitenza alla leva era diffusa; le bande dei briganti infestavano le masserie; la mafia condizionava la sicurezza dei proprietari terrieri. In due anni, dal 1861 al 1862, furono compiuti ben 1500 omicidi.[18] E poi furti, sequestri di persona, incendi. Alla Camera di commercio di Girgenti venne firmata una petizione in cui si affermava che «le leggi un dì del Piemonte, sono fatali alla Sicilia». E ancora: «Quando manca alle leggi la bontà relativa, esse sono una calamità, non beneficio per il popolo».[19]

Nella generale anarchia, esplodevano anche faide sanguinose tra famiglie mafiose. Fra l'agosto e il dicembre 1862, furono arrestate 2000 persone solo a Palermo. Si reagiva con una confusa repressione alla cieca. Il duca della Verdura scrisse a Crispi: «Lo stato d'assedio qui s'eterna. Si viola il domicilio, si arresta, si deporta, ogni libertà è morta».[20] I centri più incandescenti erano, con Palermo, anche Alcamo, Bagheria, Grotte, Racalmuto. Il 13 gennaio 1863, il siciliano Francesco Crispi confidava a Garibaldi: «Ho visitato le carceri e le ho trovate piene di individui che ignorano il motivo per cui sono prigionieri. La popolazione in massa detesta il governo d'Italia».[21]

Per difendersi dalle bande di briganti, i latifondisti si facevano scortare dai loro contadini armati. Era una storia già vista. La caccia al carabiniere divenne pratica abusata: sessantotto morti tra il 1861 e il 1863.[22] I renitenti alla leva si armavano per evitare l'arresto. Esplosero rivolte a Misilmeri, Polizzi e Castellammare del golfo contro i soldati in cerca dei giovani da arruolare. La repressione fu affidata a Govone. Che spiegò: «Le truppe partirono dalla periferia della provincia di Caltanissetta, per entrare in varie colonne mobili in tutti i comuni; dovevano raccogliere per la campagna (poiché nessuno ci dava indicazioni) tutti i giovani, che per la loro età potevano essere renitenti alla leva».[23]

Il brigantaggio siciliano non aveva caratteristiche politiche. Era invece ribellione spontanea alle imposizioni statali, al reclutamento. Al di là del colore del governo. I giovani si riunivano in piccole bande, per sfuggire insieme ai rastrellamenti. Li appoggiavano i familiari, i parenti, i compaesani. L'omertà copriva le fughe e i proprietari terrieri ricorrevano a una finzione per denunciare i renitenti: simulavano di esservi stati costretti dai militari. Govone strinse d'assedio i comuni, con veri e propri cordoni militari. Impenetrabili. Arrestò, intimò. Dalla provincia di Girgenti a quella di Trapani. A Castellammare, si verificarono gli episodi più cruenti. In zona c'erano 60 latitanti e circa 300 renitenti. Le montagne poi brulicavano di bande con circa 200 briganti. Le truppe di Govone misero sotto assedio il comune, creando un controllo militare di 40 chilometri che isolò l'istmo di San Vito. Sei giorni di blocco e di perlustrazioni continue. Furono eseguite decine di arresti. Poi la marcia di Govone proseguì nell'intera provincia di Palermo, dove si contavano addirittura 4000 renitenti.[24] Su 154 comuni perlustrati, vennero esaminate le posizioni di migliaia di giovani, catturate 1350 persone. A Salemi, il cordone fu così stretto da impedire a chiunque di rifornirsi d'acqua. Almeno otto comuni si lamentarono ufficialmente dei metodi dei soldati. Un operaio, Antonio Cappello, sordomuto dalla nascita, fu torturato. Volevano costringerlo a parlare. I militari erano convinti simulasse la sua menomazione per evitare l'arruolamento. Il giovane morì, sul suo corpo furono trovate ben 154 bruciature da ferro rovente.[25] I suoi torturatori vennero individuati: Antonio Restelli di Milano, Alessandro Maffei di Lucca, Alessandro Rinieri di Bologna. Nessuno li punì. Anzi, Restelli venne insignito dell'Ordine dei santi Maurizio e Lazzaro.[26]

La repressione, attuata da militari estranei alla cultura e alla conoscenza dell'isola, allontanò sempre di più i siciliani dal nuovo Stato. Si accentuò una delle caratteristiche che aveva accompagnato per secoli la storia dell'isola: la sua voglia di autonomia.

A Monreale, le truppe di Govone tenevano in ostaggio i familiari dei renitenti fino a quando i giovani non si costituivano. A Marsala, 3000 persone furono bloccate per settimane in una catacomba sotterranea priva di luce. Scrisse il giornale di Genova «Il Movimento»: «In Marsala, come in tutti i paesi dell'Italia meridionale, vi sono pochi renitenti alla leva che si sono dati alla campagna. Invece di rintracciarli all'aperto, si vede bloccato il paese da duemila soldati, comandati da un maggiore che intima al municipio di consegnare fra dieci ore gli sbandati. [...] Vennero arrestati proditoriamente ben tremila campagnoli e vennero gettati, come sacchi di paglia, in una catacomba mai adoperata sotto i Borbone [...] come se fossimo ai tempi di Attila».[27]

Il deputato siciliano Vito d'Ondes Reggio denunciò quasi tutti questi episodi in un'interpellanza parlamentare. Raccontò anche che a Licata il maggiore Frigerio aveva lasciato senza acqua il paese per due settimane, tenendo in ostaggio le famiglie dei ricercati. Il tenente Carlo Dupuys fece di peggio: a Petralia ordinò di incendiare una casa perché nessuno aveva aperto la porta. Tra le fiamme morirono il capofamiglia Alberto Gennaro Boné e i suoi due bambini.[28]

Ma la Sicilia era parte di tutto il Sud Italia. Mentre, per favorire le denunce, la legge Pica istituì anche il risarcimento economico per le vittime del brigantaggio, si esasperarono i metodi violenti. Scriveva il capitano piemontese Alessandro Bianco di Saint-Jorioz: «L'ingerenza assoluta è sovente illegale, io lo riconosco, e qualche volta anche perniciosa; ma nelle circostanze eccezionali di questo paese la truppa ha dovuto e deve necessariamente ingerirsi ancora e per lungo tempo in modo autocratico di molte cose che non le spettano, nel solo scopo di evitare mali maggiori e più funeste conseguenze».[29]

Necessità, in assenza totale dei controlli di legalità che sarebbero spettati ai magistrati. I giudici chiusero gli occhi, chi protestava era accusato di nutrire simpatie borboniche e isolato. I lavori più sporchi furono spesso affidati alla Legione ungherese che divenne il terrore di masserie e paesi. Appoggiata dal governo torinese per motivi politici, la Legione fu riconosciuta corpo militare autonomo alle dirette dipendenze del ministero della Guerra. I suoi uomini si erano distinti nell'avanzata garibaldina, contribuendo a molti successi in Sicilia, poi erano stati tenuti nel Sud per la repressione del brigantaggio. Dal giugno all'agosto del 1862, gli ungheresi furono acquartierati sulla costiera amalfitana con il 7° fanteria. Liberarono Praiano, catturando un centinaio di briganti. Poi invasero Amalfi. Ma erano stati anche impiegati, per tutto il 1861, in Basilicata. Il loro arrivo faceva paura. Si esprimevano in una lingua incomprensibile e la gente li vedeva come dei mercenari stranieri al soldo dei nuovi conquistatori. Saraceni, o lanzichenecchi. Nel luglio 1861, alla Legione fu affidata la riconquista di Montefalcione in Irpinia, dove i filoborbonici andavano moltiplicandosi. Anche a Montemiletto, a poca distanza, il paese era in mano a chi inneggiava a Francesco II. Il governatore Nicola De Luca chiese rinforzi: le guardie nazionali erano poche, non riuscivano a controllare la situazione. In zona non c'erano truppe. Il comando militare di Napoli, dove si era già insediato il generale Cialdini, pensò allora di mobilitare gli ungheresi alloggiati nelle caserme di Nocera e Pagani, vicino a Salerno. Li comandava il colonnello Jhàsz. Ricevuto l'ordine, furono mobilitate 3 compagnie di fanti e 120 ussari al comando del maggiore Girczy. Arrivarono a Montefalcione il 9 luglio 1861. Quando si avvicinarono al paese, le campane cominciarono a suonare. La triste fama della Legione era arrivata anche in Irpinia. La gente cominciò a fuggire. Ma qualcuno decise di resistere. Il combattimento alle porte del paese durò un'ora. Gli insorti filoborbonici divennero quasi 500, ma furono stretti tra due fuochi: gli ungheresi in arrivo e i liberali del paese. Ci volle poco alla Legione per prevalere e sfogare la sua rabbia. Due masserie, dove si erano rifugiati quaranta filoborbonici, vennero incendiate. Per non morire asfissiati, gli assediati uscirono di corsa. Furono afferrati e fatti a pezzi. Morirono tutti.[30] Contadini e pastori cercarono rifugio, qualcuno tentò una disperata difesa. Furono sopraffatti e, scrisse il giornale «Il Nazionale», di loro «fu fatto orribile macello per le vie e le campagne».[31] Subito dopo l'irruzione degli ungheresi, per le strade di Montefalcione erano visibili già una trentina di cadaveri. Chi veniva fermato veniva subito fucilato. E le cose peggiorarono con l'arrivo di altri reparti al comando del maggiore Renfeld. Il giornale liberale «La Bandiera italiana» fu impietoso: «La strage dei briganti ha espiato queste nostre dolorose perdite con immane ecatombe. Non si è dato quartiere a nessuno e bene sta. È ora di liberare i paesi da questi irochesi».[32]

Irochesi erano i «cafoni», come li definivano anche gli ungheresi. La Legione era abituata alla violenza, anche per la provenienza e la storia dei suoi uomini. Vi si arruolavano non solo patrioti magiari, ma anche gente disperata, rozza, che vedeva in quel corpo militare uno sbocco di vita sicura. Un'alternativa agevole a una condizione originaria non felice. Gente turbolenta e lo dimostrò in più occasioni. A Nocera, città del loro quartier generale, i «legionari» vennero alle mani con guardie nazionali e abitanti del luogo. I disordini degenerarono: ci scappò un morto tra i civili e un ferito grave. Era la dimostrazione che quegli ospiti stranieri non erano bene accetti nella cittadina salernitana.[33] Ma anche a San Eramo gli ungheresi scatenarono una rissa con la gente locale. Anche stavolta si registrarono un morto e molti feriti.[34] Tra i legionari, tante teste calde da provocare continue proteste al comando generale di Napoli, provenienti da Melfi come da Sant'Arcangelo.[35]

Gente abituata all'arroganza e alla violenza, ben disposta a eseguire ordini, anche i più cinici, senza discutere. Furono proprio gli ungheresi a chiedere di essere impiegati nella repressione del brigantaggio. In Basilicata, sulla costiera amalfitana, in Irpinia, in Abruzzo. Prima a Nola, poi a Nocera, i legionari erano sempre pronti a entrare in azione. Tra loro non c'erano solo ungheresi, ma anche polacchi e tedeschi, come consentiva un decreto del febbraio 1861. Ma degli arruolati facevano parte molti «spostati di ogni nazionalità», come ammise il colonnello Jhàsz.[36] E infatti decine di legionari disertarono, per cercare incarichi più vantaggiosi. Nel giugno 1862, in 350 chiesero di essere congedati per lasciare l'Italia, ma nessuno Stato volle accoglierli.[37] Scrisse lo storico borbonico De Sivo, descrivendo gli eccidi di Montefalcione:

> Gli Ungari, colti 30 uomini in chiesa, trucidandoli, fucilarono 5 persone, e padroni della terra d'onde sparita era la popolazione, si svelenirono per le case con sacco e fuoco senza pietà, sotto il comando del governatore.[38]

Furono spietati, a Montefalcione. Ma mostrarono polso fermo anche in altre occasioni. Come a Lavello, dove gli ussari uccisero venti briganti.[39] O a San Fele, dove l'ufficiale ungherese intimò: «Ordino che in paese ogni proprietario sia responsabile di ciò che accade nella sua masseria, anche se è affittata. Gli animali al pascolo forniscono cibo ai briganti, i pastori li avvisano».[40] A Pagani, fingendosi disertori, fecero arrestare dei frati.[41] I servigi della Legione ungherese vennero premiati dal governo, che attribuì ai suoi uomini ventitré medaglie d'argento e novantacinque menzioni onorevoli.[42] Un ufficiale ungherese venne addirittura nominato cavaliere dell'Ordine militare di Savoia.[43] Ma per l'uccisione di quarantaquattro briganti a Montefalcione, ci furono riconoscimenti anche per il primo battaglione volontari delle guardie nazionali: in ventisei ottennero ambite ricompense.[44]

Sicilia, Lucania, Campania, Abruzzo, Puglia. E anche Calabria. I metodi repressivi erano ovunque gli stessi. Domenico Straface Palma guidava una delle cinque bande che agivano sul territorio calabrese. A stanarlo fu incaricato il generale Gaetano Sacchi, ex garibaldino, comandante militare della divisione di Catanzaro. Palma era descritto come uomo di «bassa statura, ma tarchiato e ben forte sulle gambe. Il suo volto abbronzato aveva la caratteristica di un tipo niente affatto volgare. [...] Aveva la mania di vestire riccamente e quindi portava un cappello di feltro di forma conica, ornato di nastri di velluto nero; perché il suo nome fosse ripetuto di bocca in bocca dagli abitanti della zona dove aveva stabilito il suo quartiere generale, non si arrestava dinanzi ad alcun pericolo».[45]

Palma aveva informatori, spie, appoggi logistici. Era benvoluto dalla sua gente. Inesorabile con chi lo tradiva, cercava di non esagerare negli atti violenti per non inimicarsi i compaesani che gli erano necessari per scampare ai soldati. Sulle sue tracce si mise il colonnello Berardino Milon, siciliano, ex ufficiale borbonico ed ex allievo della Nunziatella. Venne nominato al comando della zona militare di Rossano, alle dirette dipendenze del generale Sacchi. Il colonnello Milon ripeteva spesso che per stroncare il brigantaggio «bisognava atterrire le popolazioni».[46] Per informatori e spie furono investite decine di migliaia di lire.

Sull'attività di Milon, i contrasti tra militari, politici locali e magistrati furono continui. Si era ormai nel 1868 e i cinici metodi repressivi, tollerati e favoriti dai notabili meridionali subito dopo l'unità d'Italia, cominciavano a dar fastidio. I pretori reclamavano la consegna dei briganti catturati, ma molti, come si usava da anni, venivano fucilati appena presi. Si utilizzavano le solite finzioni formali: nei rapporti si scriveva che i prigionieri erano stati uccisi durante un tentativo di fuga. Scriveva il colonnello Milon al generale Sacchi: «Fiducioso nei risultati finora ottenuti e nell'attività spiegata dai vari elementi di forze poste in movimento, avevo sospeso le *traduzioni con fughe*, ma ecco subito il manutengolismo rialzare la testa e spargere dovunque che io sarei stato richiamato e che i rigori erano cessati; sono stato così costretto a ricorrere ai soliti espedienti esterni. Pare impossibile che vi sia un popolo così fatto».[47]

Con questi metodi, anche se dopo un anno di ricerche, il colonnello Milon riuscì a decimare la banda Palma. Le ricerche furono facilitate dalle rivelazioni di un pentito: il brigante Faccione. Il capo Domenico Straface venne ucciso. La versione ufficiale, il 13 luglio 1869, riferì che era stato sorpreso dopo una soffiata. E che, ferito in maniera grave, era sopravvissuto tre ore prima di morire. La sua testa fu tagliata e fotografata per essere esposta. Milon descrisse al generale Sacchi particolari assai crudi: «Ho fatto mettere la testa in un vaso di cristallo ripieno di spirito e chieggo a lei se vuole che la porti costì per farla imbalsamare. [...] Non morì appena ricevuto il colpo, che fu alla testa, e sopravvisse 3 ore, si lagnava spesso, e poi emise due forti sospiri e gemiti, e finì di vivere».[48]

Anche sulla repressione in Calabria verità ufficiali coprivano fatti reali. Falsità da tramandare ai posteri, per opportunità politica. E per acquisire elogi e meriti. L'altra verità, raccontata in Parlamento sempre nel 1869, fornì una diversa versione sulla morte di Palma. Braccato e isolato, il capobrigante era stato costretto a nascondersi da un suo compare, Pietro Librandi, guardiano del barone Guzzolino. Fu tradito: Librandi lo denunciò per intascare la taglia ed evitare accuse di complicità. E mentre gli faceva la barba, lo stesso Librandi uccise Palma con un colpo secco di rasoio. Poi gli tagliò la testa, per dimostrare di averlo ammazzato. Consegnò il macabro trofeo alle autorità militari, che avrebbero inventato l'episodio dello scontro a fuoco con il capobrigante scoperto con otto dei suoi uomini. Due verità: una ufficiale e l'altra reale. Librandi intascò la taglia per la consegna di Palma. Tre anni dopo, lo stesso Librandi bussò ancora a denari e onorificenze per essere ricompensato della morte del capobrigante. Ma il ministero dell'Interno rispose picche: era stata già pagata la taglia, non si poteva dare altro a chi aveva ucciso Palma.[49] Qualche tempo dopo, un giornale di Catanzaro descrisse il brigante come una persona che godeva di «prestigio e popolarità presso il volgo» e che aveva grosso ascendente con le donne riuscendo con «elargizioni e un sistema di vita parco e temperato» a ottenere sempre appoggi.[50]

Il brigantaggio aveva ormai esaurito la sua spinta di rivolta sociale e politica. Dieci anni trascorsi tra morti e crudeltà da ogni parte. Le bande erano diventate poco consistenti, ma godevano ancora di consenso popolare. Nella relazione spedita al ministero della Guerra a Firenze, il generale Sacchi elencò i suoi successi: 9 capibanda, fra i quali Palma, 78 briganti, oltre 240 latitanti catturati.[51] Il figlio di Palma divenne uno stimato geometra. Il colonnello Milon fu eletto deputato a Bari e divenne ministro della Guerra tra il 1880 e il 1881, quando morì a 52 anni. Il generale Sacchi venne trasferito a Bari e poi entrò in Senato. Morì a 62 anni. Quando venne abolita la zona militare di Catanzaro, lasciò un monito che resta di grande attualità dopo oltre un secolo:

> Noi abbiamo tolto gli uomini, ma ho la ferma convinzione che le Calabrie troveranno altri Palma, se le cause materiali e morali, che ingenerano il brigantaggio non siano combattute dallo sviluppo del benessere materiale e morale di queste popolazioni.[52]

La «sporca» guerra

Somigliava al selvaggio West americano. Le vicende ne avevano tutte le caratteristiche: inseguimenti con cavalli morti per la fatica, assalti a treni e convogli, scorte militari obbligatorie per assicurare l'incolumità ai parenti dei notabili locali in viaggio.[53] Del brigantaggio nel Sud Italia si occuparono naturalmente anche i giornali stranieri. Il corrispondente del «Morning post» fu scortato dai militari per muoversi attraverso boschi e luoghi non facilmente accessibili. In suo onore fu addirittura organizzato un rinfresco.[54]

Gli orrori, in una guerra senza regole dove in ballo c'era spesso la lotta per la sopravvivenza, erano ricorrenti. Cadaveri evirati dai briganti, ufficiali piemontesi suicidi, donne stuprate dall'una e dall'altra parte, prostitute aggredite dai bersaglieri che ne abusavano senza pagare, squadriglie di volontari pronti a ogni tipo di azione arbitraria sui contadini. Si distinguevano, in quest'ultima attività, soprattutto gli uomini di Davide Mennuni, o di Antonio Dramis. E sulle squadriglie, che raggiunsero nel tempo organici per un totale di 2207 uomini a piedi e 227 a cavallo, le relazioni degli ufficiali militari non furono mai lusinghiere.[55]

Il quadro di quella guerra si completava con centinaia di masserie assaltate, intere greggi sterminate, familiari di briganti imprigionati. Il taglio della testa ai capi delle bande era regola diffusa. Per consentirne il riconoscimento, si disse. Ma il funereo rituale era praticato anche per ammonire la gente che i loro protetti non erano invincibili e che la ribellione alla lunga non pagava.[56]

Scontri a fuoco dei militari con briganti descritti sempre come rozzi selvaggi, poi malattie veneree, attacchi di scabbia e colera, clima insalubre e cibo scarso. Il Sud Italia, in quelle condizioni, agli ufficiali scesi dal Nord appariva un vero inferno. Le circolari tentavano di mettere ordine nei comportamenti da rispettare: divieto di scrivere in francese, o di usare in azione il dialetto piemontese. Nell'abbrutimento provocato dalle proibitive condizioni ambientali, si vedevano nemici in chiunque parlasse con l'accento meridionale: naturale che gli ufficiali sfogassero la loro insofferenza, le loro nostalgie di casa con una violenza senza regole. Una circolare del 22 aprile 1863, diffusa dal VI dipartimento militare, era assai indicativa: «Si fucilino entro 24 ore i briganti armati che resistono. Smettere di inviare richieste di chiarimenti, se sorgono dubbi è segno che non si sono verificate tutte le circostanze previste e, in ogni caso, è assai difficile che chi è lontano possa giudicare meglio».[57]

La legge Pica sarebbe arrivata solo quattro mesi dopo. Ogni zona diventava una piccola repubblica autonoma: a Foggia, il prefetto fece fucilare anche i manutengoli, come venivano definiti i complici dei briganti. Mentre il maggiore Pietro Fumel, scrisse il generale La Marmora al ministero della Guerra, «fa tutto da solo».[58] Nei primi venti mesi di quella guerra, dal giugno 1861 al febbraio 1863, i fucilati furono 1038, i briganti uccisi in combattimento 2413. Agli arresti erano finiti in 2768, mentre 923 si erano costituiti. Tra i militari, i morti erano stati 412 e 269 i feriti.[59]

Le vicende italiane non lasciarono indifferente il resto d'Europa. In Francia, Inghilterra e Spagna i parlamentari discussero sulle repressioni attuate nell'ex Regno delle Due Sicilie. A Londra il deputato scozzese McGuire disse in modo chiaro: «Non vi può essere storia più iniqua di quella dei piemontesi nell'occupazione dell'Italia meridionale. [...] In luogo di pace, di prosperità, di contento generale che si erano promessi e proclamati come conseguenza certa dell'unità italiana, non si ha altro di effettivo che la stampa imbavagliata, le prigioni ripiene, le nazionalità schiacciate ed una sognata unione che in realtà è uno scherno, una burla, un'impostura».[60]

In Francia, invece, il generale Gemeau si diede a paragonare i briganti ai patrioti polacchi: «Tra le osservazioni fatte sui disordini nel Reame di Napoli, si accenna alla differenza che fanno oggi i rivoluzionari fra polacchi e napoletani, chiamando questi *briganti*, mentre sono vittime delle più feroci persecuzioni, e quelli *insorti*. Ma è pur vero che gli uni e gli altri difendono il loro paese, la loro nazionalità, la loro religione al prezzo dei più duri sacrifici».[61]

Anche in Spagna qualcuno criticò la politica di repressione in atto nel Sud Italia. Il deputato Nocedal pronunciò una sintesi di quanto molti pensavano: «L'Italia, dove per sostenere quanto gli usurpatori hanno denominato *liberalismo*, si stanno sbarbicando dalla radice tutti i diritti, manomettendo quanto vi ha di santo e di sacro sulla terra. Italia, dove sono devastati i campi, incenerite le città, fucilati a centinaia i difensori della loro indipendenza».[62]

Il 1861 fu l'anno delle principali devastazioni di villaggi e paesi. I soldati punivano chi aveva accolto con entusiasmo i briganti, distruggendo archivi e ritratti di Vittorio Emanuele, inneggiando a Francesco II. Il villaggio Spinelli fu dato alle fiamme. A Montecilfone, nel Sannio, vennero bruciate case e fucilate sessanta persone. Erano «possidenti, vecchi, preti e padri di famiglia».[63] Stessa sorte anche per il paese di Pescolamazza, in provincia di Avellino. Un possidente, Luigi Orlando, venne sospettato di simpatie borboniche solo perché la sua casa non era stata distrutta dai briganti. Lo fucilarono dinanzi alla famiglia, negandogli la confessione. Poi legarono il cadavere a un tronco, avvolto nella bandiera borbonica.[64]

Ad Auletta, in provincia di Salerno, ci pensarono gli uomini della Legione ungherese a «fare giustizia». Il paese era in mano ai simpatizzanti borbonici. Il 30 luglio 1861, gli ussari arrivarono da Napoli. I filoborbonici fuggirono, mentre i legionari entrarono in paese dopo aver sparato poche fucilate. Senza alcun ostacolo. Tutti i paesani incontrati per strada venivano presi e uccisi. Senza distinzione di età. Le case dei possidenti vennero incendiate con disprezzo: erano considerati tutti «complici dei briganti». Morirono sacerdoti, intere famiglie furono sterminate per sospette connivenze con i filoborbonici. Alla conta finale risultarono quarantacinque morti, un altro centinaio venne portato a Salerno per essere rinchiuso in carcere. Il paese fu dato alle fiamme.[65] Nel diario del generale Cialdini è annotato l'episodio dell'incendio di Auletta con «più di 100 uomini tra i briganti uccisi».[66] Probabilmente cifre più veritiere di quelle registrate dallo storico De Sivo.

In nove mesi, 6 paesi incendiati e 918 case distrutte.[67] Nel 1862, i carabinieri stilarono delle statistiche. Tra fucilati e morti in combattimento, si annotavano 891 briganti uccisi. Dall'altra parte, tra soldati e guardie nazionali, i morti erano stati 287. Una statistica parziale, che includeva anche l'elenco dei reati commessi in quell'anno: 267 omicidi, 51 ferimenti, 421 sequestri di persona, 152 incendi di fabbricati, 105 assalti a diligenze e «pedoni postali», 6682 animali uccisi o rubati.[68] Cifre da brividi. Il 28 marzo 1863, l'ambasciatrice americana a Torino, Caroline Marsh, annotava alcune osservazioni sull'attività della commissione d'inchiesta parlamentare: «Ho ricevuto la visita dei De Bunsen, che hanno appena iniziato le vacanze estive. Ci hanno raccontato cose tristi sul brigantaggio nel Napoletano. De Bunsen ha infatti visto da poco uno dei commissari mandati là un paio di giorni a fare un resoconto della situazione e ritornato dopo essere scampato a malapena alla cattura. Anche la signorina Arbusser dice che la duchessa non osa andare oltre Pozzuoli e nemmeno fino a Portici sulla strada del Vesuvio».[69] Era la «nuova frontiera» italiana.

Rappresaglie «tartare»

Quel giorno dell'agosto 1861, al teatro San Carlo di Napoli davano *Gli Ugonotti* e il ballo *I bianchi e i neri*. Il maggiore Carlo Melegari era tra gli spettatori a godersi lo spettacolo, quando lo avvicinò un tenente della guardia nazionale: «Il generale Cialdini la vuole subito al Comando». Era successo qualcosa di grave, in tempi difficili non c'erano orari di riposo o pause sicure. I militari dovevano tenersi sempre pronti. Era la guerra. A Palazzo Reale Melegari trovò il generale Carlo Piola Caselli, capo di stato maggiore del VI gran comando. Gli disse subito: «Ella avrà sicuramente udito parlare del doloroso e infame fatto di Pontelandolfo e Casalduni; orbene il generale Cialdini non ordina, ma desidera che di quei due paesi non rimanga più pietra sopra pietra. Ella è autorizzata a ricorrere a qualunque mezzo, e non dimentichi che il generale desidera che siano vendicati quei poveri soldati, infliggendo la più severa punizione a quei due paesi».[70]

Melegari era abituato a obbedire. Aveva fatto la guerra di Crimea e non era certo un pivellino. Ricevuti gli ordini, saputo che in quei luoghi avrebbe trovato l'appoggio di alcuni notabili locali, ritornò a teatro. Non voleva perdersi la fine dello spettacolo. Per la missione ci sarebbe stato tempo: il giorno dopo, sarebbe andato a Maddaloni per prepararsi. Ma cosa era successo di tanto grave in quei due paesi in provincia di Benevento? Perché parole così dure e tanta rabbia nel generale Cialdini? La ragione era nel massacro di trentasei soldati, l'ufficiale che li guidava e quattro carabinieri. Per la prima volta, tanti uomini in divisa erano stati uccisi tutti insieme da una banda di briganti. A Torino erano preoccupati e adirati per lo smacco subìto. E si sollecitava una rapida reazione: bisognava dimostrare che il nuovo Stato esisteva, che certe azioni non potevano restare impunite, tanto meno l'uccisione di militari di Vittorio Emanuele.

L'estate del 1861 si era aperta in maniera incandescente. La rivolta contadina attraversava la stagione di più intensa colorazione politica: briganti ed ex soldati borbonici si erano organizzati sotto le insegne delle Due Sicilie. Il Matese era uno dei punti caldi della rivolta: si erano riunite ben 88 bande, che avevano assaltato 32 paesi con i rispettivi posti di guardie nazionali. Gli scontri a fuoco erano stati 49, con 63 militari e 36 civili uccisi.[71] In fermento tutta l'area tra San Lupo, Pago, Cerreto. Molti i centri in rivolta tra la provincia di Benevento, il

Matese e i confini del Molise. La banda più consistente era quella di Cosimo Giordano, ex caporale borbonico diventato, per investitura dei suoi uomini e appoggio del comitato borbonico di Roma, «generale». Ma in zona era attivo anche il gruppo di Angelo Pica, detto «Picuozzo», o di Filippo Tommaselli.[72] Il caporale Cosimo Giordano[73] era nato a Cerreto Sannita e aveva combattuto con la divisa borbonica a Capua. Raccontò: «Mi ero dato alla campagna non per commettere reati contro le persone e la proprietà, ma per sostenere la Dinastia sotto la quale avevo prestato giuramento».[74]

A Pontelandolfo si era costituito un comitato liberale. Ne facevano parte il sindaco Lorenzo Melchiorre,[75] nominato da Ferdinando II di Borbone, il colonnello della guardia nazionale Giuseppe De Marco, l'architetto Antonio Sforza, il ricevitore della dogana Filippo Iadonisio, il notabile Giuseppe Perugini.[76] Pontelandolfo era un centro di lunga tradizione storica. Il paese si era ingrandito all'epoca delle guerre tra guelfi e ghibellini, quando un consistente gruppo di esuli da Siena si rifugiò in quelle terre. E a Pontelandolfo, dove il cognome più diffuso era ed è ancora Perugini, si travasò la cultura senese delle contrade. Lì si radicarono tradizioni come la corsa delle forme di formaggio e la festa del patrono san Donato, che si teneva ogni anno il 6 agosto. Il paese si affollava di gente proveniente da tutte le zone vicine. In occasione della festa, si organizzava una processione e una fiera in cui venivano venduti tutti i prodotti della terra e dell'artigianato del posto. L'arciprete don Epifanio De Gregorio, acceso sostenitore della dinastia borbonica, era l'animatore della festa. Le turbolenze in corso, i timori che potessero arrivare in paese bande di briganti, la paura per un biglietto di minacce estorsive, spinsero il sindaco Melchiorre a prospettare il divieto della festa. Ma poi non ne fece nulla. Lasciò invece il paese, con altri esponenti del comitato liberale in allarme: si era diffusa la voce che a Pontelandolfo fossero in arrivo delle bande di briganti appoggiate da abitanti del paese. Così andarono via in tanti. Come Achille Iacobelli, latifondista locale, beneficiato dalla dinastia borbonica dopo aver guidato la repressione contro i liberali nel 1848. Iacobelli aveva ottenuto da Ferdinando II la concessione del ponte sul fiume Calore. Il padre, Gregorio, condannato alla forca per reati comuni con il suo complice Antonio Iadonisio, fu graziato dal re. Ma Iacobelli al mutare del vento si era subito adattato: accaparratore di terre demaniali, aveva subito aderito al comitato liberale facendo il doppio gioco. Sarebbe diventato consigliere provinciale, appoggiando Michele Ungaro[77] primo presidente della provincia di Benevento. Vicende all'apparenza locali, ma nelle loro caratteristiche assai diffuse, seppure con nomi e volti diversi, in molti centri della rivolta. Vendette personali, interessi privati, contrasti tra i «gattopardi» di sempre e i contadini caratterizzarono le alterne conquiste e le distruzioni dei paesi. Pontelandolfo rappresentò la sintesi più drammatica di tutte queste confuse realtà.

Con l'appoggio dell'arciprete e dei simpatizzanti borbonici, la banda di Cosimo Giordano entrò in paese. Fu recitato il *Te Deum* in chiesa, si tenne la processione al grido di «viva Francesco». L'euforia prese la mano. Raccontò ai giudici Cosimo Giordano:

> Mi trovavo sulla montagna di Morcone con la mia banda, quando le mie sentinelle mi chiamarono. Mi dissero venite, sono arrivati 46 soldati in paese. Li abbiamo ligati. Io dissi, non fate alcun oltraggio. Quando arrivai in paese, mi dissero che li avevano portati in una grotta fuori dal paese e fucilati.[78]

Tutta la zona era in preda a instabili equilibri politici. A Pago Veiano, San Marco dei Cavoti, Cerreto le bande in rivolta agivano quasi indisturbate. L'ex caporale borbonico Nicola Collaro era arrivato a guidare un gruppo di 250 uomini.[79] Giovanni Gallarini, avvocato toscano nominato governatore di Benevento dopo un'esperienza di vicegovernatore a Cremona, sollecitava l'invio di truppe. Il maggiore generale Ferdinando Pinelli, comandante della zona militare di Nola-Avellino, prendeva tempo, sollecitando la guardia nazionale a contrastare le bande da sola. I soldati non potevano essere spediti sempre tanto lontano. Dovevano pensarci le colonne mobili ad aiutare guardie nazionali e volontari. La zona appariva tra le più turbolente e pericolose. Ci voleva un ufficiale deciso, coraggioso e, soprattutto, privo di scrupoli per cercare di mettere un po' d'ordine. Chi meglio di Pier Eleonoro Negri, una specie di eroe per le truppe piemontesi scese nella Bassa Italia? Vicentino di antica famiglia patrizia, bersagliere, aveva partecipato alle due guerre di indipendenza e alla spedizione in Crimea. Al suo attivo una medaglia d'argento per la condotta nella Seconda guerra d'indipendenza, dove era stato anche ferito. Poi gli era arrivata la nomina a cavaliere dell'Ordine militare di Savoia e una promozione fresca di pochi mesi: da maggiore era diventato colonnello. Era stato lui, infatti, a guidare con successo i bersaglieri nei tre assalti al ponte del Garigliano contro le truppe borboniche nella battaglia di fine ottobre 1860.[80] Aveva 44 anni.

Due mesi prima, a giugno, il delegato di polizia Vincenzo Coppola, iscritto al comitato liberale di Pontelandolfo, aveva denunciato una cospirazione borbonica. E ne aveva scritto al ministero dell'Interno della luogotenenza a Napoli: «Flagello tremendo è il partito clericale tramite il confessionario. [...] Questo partito, sotto il vessillo della religione, scatenerà la guerra civile».[81] In paese, la guardia nazionale era assente: i proprietari terrieri assai raramente rispettavano l'obbligo di prestare servizio in quella milizia civile di istituzione liberale. Mentre il comitato borbonico locale, che faceva riferimento all'ex sergente Giuseppe Leone di Casalduni, poteva contare su 169 uomini, impegnati tra Campolattaro, Fragneto Monforte e Pontelandolfo. Ne faceva parte anche Luigi Orsini, sindaco di Casalduni, mentre Achille Iacobelli giocava, come sempre, su più tavoli. Il 3 agosto, su sollecitazione del sindaco Melchiorre, arrivarono le guardie nazionali del colonnello Giuseppe De Marco. Trovarono una situazione confusa e pericolosa: si rincorrevano le voci dell'arrivo della banda Giordano appoggiata dai borbonici. Le guardie nazionali pensarono bene di partire due giorni dopo. I pontelandolfesi di simpatie borboniche presero allora coraggio e fecero pressioni su Cosimo Giordano che decise, senza più ostacoli, di invadere il paese. Il 7 agosto, 2000 persone acclamarono una trentina di briganti. Il paese era in festa per celebrare il santo patrono: Donato. L'incontro con l'arciprete, le grida, l'eccitazione. In zona, per indicare una situazione confusa, si usa ancora la frase: «Faccio venì le sette d'aust» («Faccio venire il sette di agosto»).[82] Nel caos si consumarono vendette private, si cercarono le case dei notabili. Come quella dell'esattore fiscale Michelangelo Perugini. Sarebbe morto, dopo essere stato aggredito da più persone, nella sua abitazione data alle fiamme. Con lui vennero uccisi anche altri tre uomini accusati di stare dalla parte dei liberali, o di aver fatto la spia ai piemontesi: Angelo Tedeschi, Agostino Vitale e Libero D'Occhio.[83] Cosimo Giordano negò sempre di aver preso parte con i suoi uomini a quelle uccisioni. Scrisse Antonio Pistacchio, perito agronomo e testimone oculare di quei giorni: «Pontelandolfo era in preda a bande di sciagurati assassini. Ormai il disordine era generale, nessuna forza armata poteva controllare la situazione».[84]

L'intera provincia era sfuggita al controllo dei soldati piemontesi, italiani da soli cinque mesi. Il colonnello Gustavo Mazé de la Roche ricevette da Napoli un dispaccio molto chiaro: «In Riccia si pretende vi siano molti briganti. Disponga per me una perlustrazione verso quella parte ed informi».[85] Era il 4 agosto, tre giorni dopo tutto il Matese e la provincia di Benevento apparivano sotto il controllo dei briganti e dei comitati borbonici locali. Da Pontelandolfo si mossero diversi notabili, come Achille Iacobelli, per sollecitare l'invio di truppe: la situazione era grave, era stato assaltato anche un convoglio postale. Si aveva notizia di arruolamenti tra i filoborbonici: 169 persone con Giuseppe Leone a Casalduni; 43 a Pontelandolfo.[86] Il governatore di Campobasso, Giuseppe Belli, allarmato più degli altri, per fermare i briganti diretti in Molise spedì a Sepino una colonna di soldati, chiedendo aiuto al generale Onorato Rey de Villarey della zona militare di Caserta, in quei giorni a Isernia. Così, l'11 agosto partì da Campobasso l'11ª compagnia del 36° fanteria al comando del tenente livornese Cesare Augusto Bracci. Avrebbe dovuto effettuare solo una ricognizione. Bracci era un ufficiale che, come tanti, aveva pensato di assumere nel Sud Italia solo incarichi militari. Invece si era trovato a fare il gendarme. E soffriva quella condizione in un paese che avvertiva estraneo. L'ordine ricevuto diceva di evitare l'ingresso nei centri abitati, considerati pericolosi. Doveva eventualmente fermare solo qualche soldato «sbandato». Il tenente invece si fidò della calma apparente e proseguì verso Pontelandolfo guardato con ostilità. Un paio di uomini della colonna, isolati, vennero aggrediti e uccisi. Poi, ci fu uno scontro con la gente che si riuniva. I soldati furono costretti a rifugiarsi nella torre medievale ancora visibile in piazza del Tiglio. Ma la situazione si faceva difficile: decisero una sortita per cercare di fuggire verso San Lupo. Vennero bloccati tra due fuochi: da Casalduni arrivava altra folla inferocita, guidata dal capobrigante Angelo Pica. Alcuni soldati morirono negli scontri, altri furono finiti nell'area a ridosso di Casalduni, non lontano dall'attuale campo di calcio. Li massacrarono con colpi di schioppo, scuri, falci, zappelle e pietre. Poi fecero scempio dei cadaveri con delle mazze, o passando sopra i corpi in fin di vita con i cavalli. Si salvarono solo in tre e l'elenco dei caduti venne incluso nella lista delle decorazioni previste per la campagna del brigantaggio. Il sergente Raniero Sacchi, con i soldati Pietro Sangiorgio e Angelo Santorino la scamparono. Morirono, oltre al tenente Bracci, 4 caporali, 7 soldati scelti, 25 soldati, 4 brigadieri reali. In totale 41 morti.[87] Il tenente Bracci, all'inizio solo ferito, fu massacrato da alcune donne armate di pietre.[88]

Qualche cadavere fu mutilato, i contadini sfogarono così risentimenti e paure.

Il mese successivo, una commissione d'inchiesta militare composta da tre ufficiali, venne incaricata da Cialdini di approfondire il comportamento della colonna guidata dal tenente Bracci. La commissione aveva in realtà un mandato più ampio: esaminare l'azione delle truppe nella provincia di Benevento.[89] Le conclusioni dei tre commissari non furono lusinghiere sulle decisioni prese da Bracci.[90] Si legge in quel primo rapporto:

> Va evidenziato l'inspiegabile comportamento del tenente Bracci che aveva ricevuto ordine di bloccare eventuali fuggiaschi a San Giuliano. [...] Credette invece di potere e dovere progredire ben oltre verso Pontelandolfo. [...] Attaccato, invece di ripiegare verso San Giuliano, sua linea naturale di ritirata, tentò di aprirsi un varco verso Casalduni ritenendo fosse paese amico.[91]

Non fu la sola volta che inchieste interne successive censurarono decisioni di ufficiali che portarono a morte i loro uomini. Fu anche il caso di un sottufficiale che con i suoi soldati fu vittima di un'imboscata a Morrone il 26 luglio 1861. E successe anche con i cavalleggeri di Montebello caduti nelle mani dei briganti il 22 ottobre 1861 «per non aver preso precauzioni», o il 17 marzo 1862 quando ottanta soldati vennero catturati a Castelnuovo da una banda di briganti.[92]

Lo smacco subìto dall'esercito di Torino a Pontelandolfo appariva assai imbarazzante. Dall'esplosione del brigantaggio, non era ancora capitato che venissero uccisi quarantuno militari tutti insieme. Bisognava reagire, dare una lezione ai responsabili. Dura, per servire da esempio. Bracci e i suoi uomini erano stati uccisi l'11 agosto. Il giorno prima, il generale Cialdini aveva già messo in allarme il colonnello Pier Eleonoro Negri spedendo al governatore Gallarini un telegramma: «Trasmetta ordine di S.E. il generale Cialdini al colonnello Negri di marciare su Pontelandolfo e dare una severa lezione ai reazionari che sono in quel paese e quindi visitare Cerreto».[93]

Nei paesi dove erano stati uccisi i soldati, si temeva la rappresaglia. Il solito Iacobelli inviò una minuziosa ricostruzione sull'accaduto al generale Cialdini e al ministro dell'Interno della luogotenenza, Filippo De Blasio. Iacobelli arrivò a chiedere di bombardare Pontelandolfo con dei mortai, «tanto in paese sono rimasti solo reazionari».[94] Altri cercarono di scongiurare l'arrivo dei soldati nel timore che avrebbero agito senza fare distinzioni in paese. Come Antonio Pistacchio, che però non riuscì a parlare con De Blasio. Fu il governatore di Campobasso, Giuseppe Belli, che aveva inviato la colonna di Bracci in missione, a relazionare per primo sull'accaduto in maniera ufficiale. Scrisse:

> Sono in grado di fornire schiarimenti sui fatti di Pontelandolfo.
> 1° La forza che si spinse sino a Pontelandolfo l'11 di agosto era il 36° e carabinieri regi dei quali si fornisce nota nominativa [...];
> 3° Nulla si è potuto accertare, tranne la morte del brigadiere Maffei;
> 4° [...] Ne scamparono il sergente Sacchi, il soldato Sangiorgio, il soldato Santorino.[95]

Il colonnello Mazé de la Roche fu avvertito che per Pontelandolfo si era già provveduto, a lui spettava controllare l'area di San Bartolomeo in Galdo. A Ferdinando Pinelli, del comando di Nola-Avellino, da Napoli si scrisse che «si è ordinato a Negri di dare lezione severa a Pontelandolfo».[96] Nel giro di pochi giorni, tra comandanti di zone militari e ufficiali delle colonne mobili ci fu un ripetuto scambio di dispacci, telegrammi cifrati. La frenesia stava assalendo tutti. Evidentemente, da Torino si premeva per reagire subito allo smacco subito. Non si poteva farla passare liscia, sarebbe stato un cattivo esempio per tutti gli altri paesi in fibrillazione. Al colonnello Mazé a Campobasso arrivò un telegramma privo di equivoci: «Fin da ieri si era ordinato a sei compagnie di Pago muovere su Pontelandolfo. Poche ore fa si è ripetuto l'ordine, spero che il paese avrà la lezione che si merita».[97]

Nei paesi si temeva il peggio, ma si continuava la vita di sempre. Negri marciò con 400 bersaglieri verso Pontelandolfo. Al maggiore Melegari era stato invece dato l'incarico di dirigersi su Casalduni con altri 200 uomini.

All'alba del 14 agosto 1861, gli uomini al comando di Pier Eleonoro Negri giunsero a ridosso di Pontelandolfo. L'ordine era stato duro: radere al suolo il paese, non farne rimanere in piedi una sola pietra. Gli abitanti vennero sorpresi nel sonno. Fu distrutta ogni cosa, rimasero intatte solo tre case di noti liberali della zona. Raccontò Carlo Margolfo, uno dei 400 bersaglieri entrati in paese a compiere la rappresaglia:

> Al mattino del mercoledì, giorno 14, riceviamo l'ordine superiore di entrare nel comune di Pontelandolfo, fucilare gli abitanti, meni i figli, le donne e gli infermi, ed incendiarlo. Entrammo nel paese, subito abbiamo incominciato a fucilare i preti e gli uomini, quanti capitava, indi il soldato saccheggiava ed infine abbiamo dato l'incendio al paese, abitato da circa 4500 abitanti. Quale desolazione, non si poteva stare d'intorno per il gran calore, e quale rumore facevano quei poveri diavoli che la sorte era di morire abbrustoliti e chi sotto le rovine delle case.[98]

I due fratelli Rinaldi, uno avvocato l'altro negoziante, erano liberali convinti. Corsero fiduciosi incontro ai bersaglieri. Sorridenti. Furono presi, maltrattati. Fucilati. Uno fu finito a colpi di baionetta. Ben nove volte lo trafissero. Senza una spiegazione, senza un motivo. Una ragazzina, Concetta Biondi, appena sedicenne, venne violentata. Uccisa. Eppure, l'ordine era stato di risparmiare le donne e i bambini. Chiunque avesse abiti che ricordassero i briganti, come una coppola o delle *ciocie* ai piedi, veniva preso e ammazzato senza esitazione. Vecchie uccise, donne stuprate non prima di aver loro strappato gli orecchini. «Piastre, piastre», urlavano i soldati che promettevano salva la vita a chi dava loro denaro. Antonio Pistacchio non era presente all'eccidio. Vi arrivò qualche ora dopo. Raccontò:

> Nel vedere il paese incendiato mi assalì l'angoscia e per il dispiacere piansi. Che squallore! Le case, chi tutta, chi mezza, erano diroccate dalle fiamme. Poca gente si vedeva per l'abitato. Sul volto di tutti si leggeva la desolazione, la miseria, il lutto, il pianto. Considerate che spavento e che pena doveva fare un paese di seimila anime ridotto ad un ammasso di rottami e ceneri.[99]

Le chiese vennero assaltate, le case saccheggiate prima di appiccarvi il fuoco. Si risparmiavano le catapecchie dei più poveri, o le abitazioni raccomandate e segnalate da chi aveva guidato le truppe in paese, come Giuseppe De Marco e Achille Iacobelli. In qualche caso, i soldati attesero che i proprietari fuggissero dalle fiamme per sparare non appena fossero stati allo scoperto. La frenesia prese tutti. Sete di sangue. Gli ordini erano implacabili, applicavano un «diritto di rappresaglia», giustificato forse solo tra nazioni in guerra, ma i «giustiziati» erano italiani come i soldati che sparavano. Soldati che consideravano quella gente «nemica» e il paese come un «covo di briganti». La colpa dei pontelandolfesi era stata quella di non essersi opposti a chi aveva massacrato la colonna di Bracci. Negli archivi parrocchiali, alla fine, risultarono tredici vittime certe. Ma erano i morti ufficiali, quelli dichiarati in parrocchia per la sepoltura cristiana. Ci fu chi perse la vita abbrustolito nella sua casa, chi nei giorni successivi per le ferite riportate. In ogni caso, la vergogna, la paura per i soldati non spinse la gente a dichiarare la morte dei loro congiunti. Ma un segnale su ciò che accadde si ritrova nelle tabelle dei defunti di quell'anno in paese, che risultarono superiori a quelle degli anni precedenti e successivi: a settembre 1861, sessantaquattro deceduti all'improvviso.[100] Un eccidio da esercito di occupazione. Da Fragneto Monforte, il colonnello Negri telegrafò a Cialdini: «Ieri mattina all'alba giustizia fu fatta contro Pontelandolfo e Casalduni. Essi bruciano ancora».[101]

Anche Casalduni era stata assalita dai bersaglieri. Ma fu trovata poca gente. Avvertiti in tempo, prevedendo rappresaglie, molti avevano lasciato le loro case. Ricordò il maggiore Melegari: «Ordinai di circondare il paese, posto in basso, e di aprire il fuoco di fila fino al mio segnale di cessate il fuoco. [...] Le quattro compagnie irrompevano in paese senza incontrare resistenza. Fui sorpreso di trovare le vie deserte ed un silenzio sepolcrale nelle case. [...] Era giunto finalmente il momento di vendicare i nostri compagni d'armi, era giunto ormai il momento del tremendo castigo».[102]

Anche le case di Casalduni furono date alle fiamme. La casa del sindaco Orsini distrutta per prima. Dai monti vicini, la gente guardava la distruzione dei propri averi. Ma almeno in tanti avevano salvato la vita.

Nelle ore successive alla rappresaglia, i dispacci militari esprimevano soddisfazione per la vendetta. Scriveva il colonnello Mazé: «Stante la severa lezione che si ebbe a Pontelandolfo e qualche arresto fatto, lo spirito si è qui rialzato e tutto è rientrato nello stato normale».[103]

Nessuna lacrima, non un rimorso tra gli alti comandi militari. Ognuno si faceva scudo con il proprio senso del dovere. L'arciprete Epifanio De Gregorio non venne trovato, ma gli fu bruciata la canonica.

Il generale Raffaele Cadorna, comandante a Chieti, scrisse una lettera di cordoglio al comandante del 36° fanteria che aveva perso tanti uomini con Bracci. E vi aggiunse soddisfazione per la vendetta eseguita: «Quanto deplori l'avvenuto in Pontelandolfo non so dirle, nell'attestargliene la mia sentita soddisfazione, la prego voler essere il medesimo interprete di questi miei sentimenti esternandoli agli ufficiali e alla truppa».[104] Nel diario militare donato da Cialdini all'archivio dell'esercito, si annota che «Casalduni e Pontelandolfo sono in cenere; gli assassini sono morti o raminghi».[105] La convinzione radicata che non vi fossero alternative alla rappresaglia venne manifestata anche da ufficiali che non avevano partecipato all'azione, ma ne avevano sentito parlare dai loro commilitoni. Come Alessandro Bianco di Saint-Jorioz o il giovane tenente Gaetano Negri, che al padre scrisse: «Probabilmente anche i giornali nostri avranno parlato degli orrori di Pontelandolfo. Gli abitanti di questo villaggio commisero il più nero tradimento e degli atti di mostruosa barbarie; ma la punizione che gli venne inflitta, seppure meritata, non fu meno barbara».[106]

Una rappresaglia così dura, così spietata, non poteva certo passare in silenzio. Nella sua mozione, il deputato Francesco Proto duca di Maddaloni raccontò di cinque donne terrorizzate, in preghiera attorno a un tavolo con una croce e ceri accesi. Quando i soldati entrarono in quella casa ordinarono a tutte di uscire, ma loro, impaurite, si fecero indietro. Morirono tra le fiamme. Pregando.[107] Il deputato milanese Giuseppe Ferrari fece di più. Scese nel Sannio a vedere cosa era accaduto. Entrò a Pontelandolfo, verificò la distruzione dell'intero paese, raccolse i racconti di qualche superstite. Ne rimase assai scosso. Tanto da parlare di quel terribile episodio in un suo intervento parlamentare del 2 dicembre 1861. Disse: «Intendo la vostra voce, non si poteva fare diversamente. Ma il sacrificio di Pontelandolfo ha forse distrutto i briganti?».[108]

Per quell'episodio, tra i soldati non ci furono colpevoli. Vennero invece processati i responsabili dell'uccisione dei quarantuno militari. Per oltre un secolo, quei paesi del Sannio vennero bollati come «covi di briganti» e guardati con sospetto. Oggi, dinanzi al comune di Pontelandolfo, una targa ricorda i nomi delle quattro vittime del paese uccise dai briganti e delle tredici vittime conosciute della successiva rappresaglia. L'ultimo primo ministro del governo borbonico in esilio, Pietro Calà Ulloa, parlò di ben «ventuno paesi distrutti dalle rappresaglie piemontesi». E ne fece l'elenco. Pontelandolfo chiudeva la serie come luogo in cui furono commesse le maggiori «atrocità», su cui, scrisse Ulloa, «non si apria la terra!».[109]

Ci vollero cinque anni, uno stato d'assedio, ventiquattro mesi di leggi speciali, oltre 100.000 soldati, per avere ragione della rivolta nel Sud Italia. Le ex Due Sicilie vennero mantenute nel nuovo Stato soltanto dalle baionette militari. Al prezzo altissimo di migliaia di morti. Nel disprezzo delle leggi. Poi, quando nel 1870 le bande di briganti rimasero un ricordo, cominciò la massiccia emigrazione meridionale all'estero. Scrisse Francesco Saverio Nitti nel 1899: «Noi mandiamo ogni anno fuori dall'Europa, dal solo Mezzogiorno continentale, un vero esercito di quasi 50.000 persone e i contadini di Basilicata, delle Calabrie, del Cilento, che non chiedono nulla allo Stato, nemmeno bonifiche derisorie, nemmeno consorzi mentitori, nemmeno tariffe di protezione, danno il contingente più largo. Io vorrei fare, io farò forse un giorno una carta del brigantaggio e una dell'emigrazione e l'una e l'altra si completeranno e si potrà vedere quali siano le cause di entrambi».[110]

Della tremenda stagione del brigantaggio, di quella guerra civile spesso rimossa, o addirittura sconosciuta, si fregiarono per anni i militari. Vennero assegnate infatti un totale di 7391 ricompense. Si trattava di 4 medaglie d'oro, 2375 d'argento e 5012 menzioni onorevoli. Il Regno d'Italia saldava il conto con chi aveva tenuto il Sud attaccato alle altre regioni. Per tenere in vita quell'unione, si era in realtà diviso subito il Paese in due. Nelle leggi, nei comportamenti, nelle incomprensioni, nella distanza di culture e tradizioni.

8

Maledetti siano i preti

«Dio, creazione, rivelazione sono invenzioni dei furbi per ingannare gl'ignoranti e vivere grassamente alle loro spalle. Preferisco quindi sostituire il nome di Dio, che da tanto tempo serve ai preti per ingannare la gente, il nome di intelligenza infinita, ideale emancipatore della menzogna.»

Giuseppe Garibaldi, 1869

«Annunzia: gran funerale in Corte!» Il valletto in uniforme rossa continuava a pronunciare quella frase priva di equivoci. Una scena che don Giovanni Bosco rivide più volte in sogno. Una premonizione, un annuncio funebre da comunicare subito al re. Era la fine del novembre 1854, nello Stato del Piemonte il Parlamento si preparava a discutere e votare le leggi che avrebbero abolito centinaia di enti e istituzioni ecclesiastiche. Un provvedimento che avrebbe fatto diventare pubblici patrimoni consistenti: immobili di conventi e ordini religiosi, terreni fertili, oggetti sacri di valore. Una depredazione, con decisione unilaterale, di beni accumulati in decine e decine di anni. La legge, presentata insieme dal conte di Cavour e da Urbano Rattazzi, stava entrando nel vivo della discussione. Don Bosco era già conosciuto a Torino per il suo impegno nel recupero di ragazzi sbandati e con problemi economici. «Ragazzi difficili», si direbbe oggi, senza istruzione, con situazioni familiari precarie, facile preda di tentazioni delinquenziali. Da quell'impegno sarebbe nato l'ordine dei Salesiani, da san Francesco di Sales, cui si ispirava il sacerdote torinese.

Avrebbe scritto nel 1867 la baronessa Olimpia Savio,[1] nobildonna di corte, dopo aver conosciuto don Bosco: «Di lui si vanno raccontando fatti meravigliosi e inesplicabili senza intervento sovrumano; miracolo incontrastabile e permanente è quello ch'ei fa di dar ricovero e nutrire un migliaio di poveri orfani, tolti di strada, educandoli, e addestrandoli in vari mestieri. Ei non ha il menomo reddito, non possiede, non può far conto su altro che non siano i soccorsi della carità».[2]

Un uomo semplice, che però conosceva il greco, come l'inglese. E sapeva di musica, oltre che di disegno. Creò dal nulla, con l'aiuto di qualche amico e l'appoggio della curia torinese, il suo ordine religioso.

Cinque giorni dopo il suo primo sogno, don Bosco ne fece un altro. Stavolta lo stesso valletto rosso gli precisava: «Annunzia non gran funerale in Corte, ma grandi funerali in Corte!». Il prete rimase turbato. Pensò di scrivere subito a Vittorio Emanuele II che, dopo la prima comunicazione, gli aveva fatto arrivare una donazione di 400 lire per aiutare il suo oratorio. Don Bosco collegò i suoi sogni alla discussione in corso al Parlamento di Palazzo Carignano, provocando il risentimento dei deputati che volevano l'approvazione della legge sulla soppressione degli ordini religiosi. Consultarono alcuni teologi, contestarono la possibilità di rivelazioni e premonizioni in pieno Ottocento. Pareri tranquillizzanti. Sostenuti anche da una garbata rampogna del marchese Frassati, emissario dei Savoia dal prete. Don Bosco, per nulla intimorito, gli rispose: «Ho scritto solo la verità. Mi rincresce di aver cagionato disturbo al sovrano, ma si tratta del bene suo e di quello della Chiesa».[3]

Nel giro di pochi giorni, invece, i funerali in casa Savoia ci furono: in soli quattro mesi, il re perse la madre Maria Teresa di 54 anni, la moglie Maria Adelaide di 33 anni, il fratello Ferdinando duca di Genova anche lui di 33 anni, il figlioletto ultimogenito Vittorio Emanuele Leopoldo di soli 4 mesi. Una serie di sciagure familiari, cominciate il 12 gennaio e terminate il 17 maggio 1855.

Nelle sue memorie, don Bosco ricordò quelle vicende aggiungendovi un monito profetico: «Tremendi castighi nel corso dei secoli caddero sopra tutti coloro che, regnanti o sudditi, avevano tolti, venduti, comprati i beni consacrati a Dio. [...] La famiglia di chi ruba a Dio non arriva alla quarta generazione».[4] Ma Vittorio Emanuele, noncurante degli avvertimenti di quel prete, andò avanti, facendosi convincere da Cavour e dai deputati della maggioranza liberale: alla fine, firmò la legge sulla soppressione degli ordini religiosi e sull'acquisizione statale dei loro beni, approvata dal Parlamento con 117 voti a favore e 36 contrari. Il dibattito alla Camera era cominciato il 9 gennaio 1855 e fu quasi subito interrotto, per consentire ai deputati di partecipare al lutto del re. Niente sedute dall'11 gennaio al 15 febbraio. Poi si riprese e si arrivò all'approvazione della legge il 2 marzo, diventata definitiva il 29 maggio con il sì alle modifiche introdotte dal Senato il 22 maggio. Alla quinta legislatura, il Parlamento di Torino era arrivato a uno dei suoi più delicati provvedimenti che, di fatto, segnò l'avvio della diffidenza del mondo cattolico verso quello Stato d'ispirazione liberale.

Lo Statuto Albertino stabiliva all'articolo 1 che «la Religione cattolica, apostolica e romana è la sola religione dello Stato», pur affermando che gli altri culti esistenti erano tollerati nel rispetto delle leggi. Sulle proprietà private, l'articolo 29 le dichiarava «inviolabili, senza alcuna eccezione». Ma ammetteva che, dietro il pagamento di un equo indennizzo, i beni privati potessero essere ceduti «in tutto o in parte». Una deroga piegata all'interesse della legge che soppresse gli enti religiosi, di cui si stabilì quel «pubblico interesse legalmente accertato» che lo Statuto richiedeva come condizione indispensabile per l'appropriazione statale di una proprietà privata.

La guerra di Crimea era ormai cominciata quando in Piemonte, in base alla legge approvata nel 1855, furono soppressi 66 monasteri e 46 conventi, lasciando senza una casa 772 monaci e 1085 suore.[5] In Sardegna, i monasteri chiusi furono 44 per 489 frati. Poi vennero soppressi 182 conventi di questuanti per 3145 frati e 65 capitoli per 680 preti, oltre che 1700 benefici con 1700 ecclesiastici.[6] Si trattò alla fine, tra ulteriori correzioni e aggiunte, di un totale di 2099 enti per 7871 persone. A conti fatti, nelle tasche dello Stato piemontese entrarono nuove rendite per 3.651.000 lire. Una legge che, dopo le graduali annessioni degli Stati preunitari, fu estesa anche alle altre regioni italiane. Le ragioni concrete erano il bisogno di trovare nuove entrate per un bilancio statale in crescente difficoltà. In più, si aggiungevano motivazioni ideologiche che partivano da lontano. Avevano radici nella cultura laica dello Stato, anche se significava calpestare la secolare tradizione storica italiana che aveva nella religione cattolica uno dei suoi puntelli ideologico-culturali. Era il laicismo dello Stato liberale, che individuava nell'unità d'Italia l'unica religione comune da imporre a tutti. Compresi i cattolici.

Stato libero per una Chiesa «libera»

Contro il «governo dei preti» e contro il «papa re» si scagliarono in tanti almeno dalla fine del Settecento. La Repubblica romana, con la fuga a Gaeta del papa Pio IX, le critiche alla «negativa influenza culturale» dei precettori cattolici facevano la parte del leone nei programmi di molte associazioni di ispirazioni liberale e laica. Come la Massoneria, nata nel XVIII secolo, o la Carboneria di inizio Ottocento. Orientamenti culturali da società laica, che trovarono fonte ideologica nella Rivoluzione francese del 1789 e si diffusero nelle Repubbliche imposte in Italia dai soldati di Parigi.

Con il ritorno di Pio IX a Roma nel 1849, Napoleone III, che con i suoi soldati aveva favorito la caduta della Repubblica appoggiata da Mazzini e Garibaldi, affermò che «tutti gli atti di aggressione commessi contro il Papa non sono il movimento di un popolo, ma sibbene l'opera di una congiura».[7]

Già nel 1847 la stampa cattolica in Piemonte subiva continue censure, mentre l'anno successivo vennero introdotte leggi che limitavano l'autonomia degli insegnanti religiosi. Il vescovo di Torino, Luigi Fransoni, non ebbe vita facile. Sostenendo che i religiosi non potevano rispondere alle leggi laiche se prima non chiedevano il nulla osta alle autorità ecclesiastiche, si mise contro le autorità civili. Nel 1850 fu arrestato e rinchiuso nel famoso carcere di Fenestrelle. Quell'anno, il conte Giuseppe Siccardi, nominato ministro della Giustizia nel dicembre 1849, aveva portato all'approvazione la sua legge che aboliva la giustizia separata per i religiosi e il diritto d'asilo, cancellando anche alcune feste cattoliche. La legge includeva poi limitazioni alle donazioni a favore della Chiesa e, *dulcis in fundo*, l'introduzione del matrimonio civile, che toglieva all'unione di coppia il vincolo del giuramento sacro dinanzi a Dio. Uno dei provvedimenti più antichi, quello del foro ecclesiastico, era stato già abolito in gran parte degli Stati cattolici, dopo accordi con lo Stato pontificio. Ma il Piemonte decise da solo, senza consultare il parere del papa e dei suoi cardinali.

Il vescovo di Torino venne scarcerato, poi finì di nuovo in prigione e fu esiliato a Lione fino alla morte, avvenuta nel 1862. Il secondo arresto arrivò per una vicenda che restò emblematica dell'atteggiamento dei liberali in materia religiosa: laici e contrari alla Chiesa durante la loro esistenza, ma non in punto di morte quando, nel dubbio sull'aldilà, pretendevano la confessione e i sacramenti. I sacerdoti spesso rifiutavano l'estrema unzione ai liberali moribondi. E capitò anche al deputato liberale Pietro De Rossi di Santarosa, ministro dell'Agricoltura a Torino, che morì senza sacramenti, tra la disperazione dei familiari. Il parroco si era rifiutato di concedergli l'assoluzione e il conforto religioso. Era il 1850, quel sacerdote apparteneva ai «serviti», ordine poi espulso dal regno su proposta di Cavour. Il vescovo di Torino fu costretto all'esilio per aver sostenuto i comportamenti dei suoi sacerdoti contrari alle leggi approvate in Piemonte.[8] Anche il vescovo di Cagliari, Emanuele Marongiu Nurra, fu mandato in esilio dopo le sue critiche alle leggi piemontesi. Via gli arcivescovi delle due principali città del Regno, si inaugurava di fatto una politica repressiva nei confronti delle autorità ecclesiastiche che da allora furono obbligate a conquistarsi il «gradimento» del potere civile. Il conte Charles René di Montalembert aveva parlato per primo di «libera Chiesa in libero Stato». Ma intendeva la formula in maniera diversa da come la interpretava Cavour: la Chiesa doveva essere sottratta agli abusi e alle intromissioni degli Stati. Cavour, invece, lesse la libertà come eliminazione del potere temporale del papa. E le leggi sulla soppressione degli enti ecclesiastici, con l'esproprio dei loro beni, furono su quelle basi portate avanti con altalenante ipocrisia. Si disse che la vendita di quelle proprietà sarebbe servita a finanziare una pensione per monaci e frati, venendo incontro agli ecclesiastici più umili estranei alle ricchezze di quella parte del clero che si occupava poco di cura delle anime. Così, si annunciò che si toglieva ai frati che vivevano nell'ozio della contemplazione con l'elemosina, per dare ai preti impegnati nelle attività sociali. Le pensioni dovevano andare anche ai religiosi degli ordini soppressi, con un risparmio statale di 928.412 lire. Ma quando il vescovo di Casale Monferrato, Luigi Nazari di Calabiana, per evitare l'approvazione della legge chiese di versare allo Stato la somma del risparmio calcolato togliendola dalla rendita ecclesiastica, si scatenò l'ira di Cavour. Che bocciò la controproposta. Evidentemente, l'obiettivo del governo torinese non era la redistribuzione delle pensioni tra i preti, ma la limitazione del potere della Chiesa, con espropri da poter estendere anche ad altre zone d'Italia. Pio IX reagì nell'unico modo che gli era consentito. Con un discorso, inserito nell'allocuzione *Singolari quidam*, pronunciata il 9 dicembre 1854:

> Vi sono molti tra i reggitori delle cose pubbliche che si spacciano per favoreggiatori e difensori della religione; la lodano altamente e la predicano per adattissima e utilissima alla società umana, e nondimeno pretendono di rego-

> larne la disciplina, di governare i sacri ministri. [...] Nello Stato del Piemonte viene proposta una legge con cui si aboliscono gli istituti regolari ed ecclesiastici, ed i diritti della Chiesa sono interamente calpestati e, se fosse possibile, annientati.[9]

Tutti i vescovi delle città piemontesi ricevettero intimidazioni. A Sassari, Saluzzo, Cuneo. Nessuno poteva protestare od opporsi alle leggi approvate contro la Chiesa. Vescovi sotto tiro, ma anche religiosi non delle alte gerarchie ecclesiastiche. Come l'abate Gagliardi a Mondovì, per due mesi in prigione, o il predicatore Luigi Piola in carcere senza motivo per quaranta giorni. Il giornale «Armonia» pubblicò il 20 dicembre 1859 un lungo elenco di religiosi imprigionati in carcere e poi liberati per mancanza di accuse concrete.[10] A causa dei lutti di Vittorio Emanuele, il papa sospese la pubblicazione della sua allocuzione *Probe Memineritis*, che criticava con vigore la politica ecclesiastica piemontese. Poi scrisse a Vittorio Emanuele II: «Il mio cuore è stato commosso sulla relazione dei tristi avvenimenti accaduti nel seno della reale Famiglia».[11] Aggiungendo che aveva pregato per il re del Piemonte spinto da spirito di carità, ma che aveva dovuto usare parole severe su ciò che accadeva a Torino per «compiere i miei doveri di pastore Supremo della Cattolica Chiesa che mi imponevano di richiamare nel buon sentiero tutti quelli che ho veduto allontanarsi dalla via della verità e della rettitudine».[12]

Il re rispose raccontando di aver cercato di bloccare la legge sui conventi e che avrebbe fatto di tutto per impedire l'approvazione delle norme sul matrimonio civile. Poi, in una lettera confidenziale, aggiungeva: «Forse tra brevi giorni questo ministero Cavour cascherà, ne nominerò uno di destra e metterò poi condizioni sino a quando non si venga al più presto ad un totale aggiustamento con Roma».[13] Ma il governo e la maggioranza parlamentare in carica erano evidentemente più forti delle intenzioni del re. Del resto, l'appropriazione dei beni di conventi e ordini religiosi era stata giustificata con le conclusioni di una commissione parlamentare, costituita per rispondere alle petizioni di circa 20.000 cittadini che chiedevano di distribuire le ricchezze della Chiesa a chi aveva mezzi per farle fruttare. La commissione fu nominata nel dicembre 1852: sette componenti, con presidente Luigi Melegari, mazziniano, originario di Reggio Emilia, futuro ministro d'Italia nel governo Depretis del 1876. Il quesito da affrontare era se fosse giustificato e giuridicamente possibile espropriare beni ecclesiastici. La commissione rispose naturalmente di sì. Scomodò la storia, affermò la supremazia dello Stato nella valutazione dell'utilità sociale delle proprietà ecclesiastiche. Poi aggiunse che si dovevano individuare gli ordini religiosi utili da quelli parassitari. Un lavoro che avrebbe dovuto svolgere il governo Cavour, nominato proprio nel 1852, di cui era ministro della Giustizia Urbano Rattazzi. Due anni di maturazione, poi il progetto di legge fu pronto. Nacque proprio dalle menti di Cavour e di Rattazzi. Scrisse il primo ministro: «Non è possibile conservare la nostra influenza politica in Italia, se veniamo a patti con il Pontefice».[14]

La legge soppresse ed espropriò beni di agostiniani, certosini, benedettini cassinesi, cistercensi, olivetani, minimi, minori conventuali, osservanti, riformati, cappuccini, oblati di Santa Maria, passionisti, domenicani, mercedari, servi di Maria, padri dell'Oratorio, filippini, clarisse, cappuccine, canonichesse lateranensi, crocifisse benedettine, carmelitane, domenicane, terziarie domenicane, francescane, battistine e celestine. Con 335 case cancellate, per un totale di 3733 uomini e 1756 donne coinvolti, si riuscirono a incamerare 2 milioni di lire dell'epoca. Una somma non da poco.[15] Dopo la Terza guerra d'indipendenza, il 7 luglio 1866, sarebbero stati aboliti tutti gli ordini religiosi italiani cui si confiscarono i beni. Le statistiche allora portate in Parlamento a Firenze parlavano di 1506 monasteri con 14.807 monaci e 876 conventi con 14.184 monache. Solo dopo molti sforzi e polemiche fu salvato il convento di Montecassino, culla del monachesimo e della cultura occidentale.[16] Il 19 luglio del 1873, le norme sulla soppressione furono infine estese anche a Roma.

Dopo la legge del 1855, il papa reagì con la «scomunica maggiore», provvedimento canonico che poteva essere revocato solo dallo stesso pontefice. Destinatari ne furono tutti i parlamentari piemontesi che avevano proposto e approvato quelle norme. Pio IX parlò di «crudeli ferite inflitte per parecchi anni dal Governo subalpino alla Chiesa cattolica, al suo potere, ai suoi diritti, ai sacri ministri, ai vescovi, alla Santa sede».[17]

Cavour rimase saldo in sella. Le previsioni della lettera riservata di Vittorio Emanuele al papa erano cadute nel vuoto. Anzi, si arrivò alla conclusione della guerra di Crimea e al congresso di Parigi. In quell'occasione, Cavour tenne un duro intervento contro lo Stato pontificio: «Gli Stati della Santa sede non furono felici che sotto Napoleone I. In seguito Napoleone III con quel tutto suo proprio colpo d'occhio giusto e fermo comprese [...] la soluzione del problema, secolarizzazione e codice napoleonico. Ma è manifesto che la Corte di Roma lotterà fino all'ultimo e con tutti i mezzi contro l'eseguimento di questa duplice combinazione, che scalzerebbe nelle fondamenta la potenza temporale levandole i suoi principali sostegni, i privilegi clericali e il diritto canonico».[18]

Erano le premesse per arrivare a Roma. Eliminare il potere del «papa re» e mettere le mani su gran parte dei beni ecclesiastici. Ricchezze utili ad alleviare il disavanzo di bilancio, divenuto cronico in Piemonte dopo il 1849, e poi esteso al Regno d'Italia. Era l'affermazione della religione laica dello Stato italiano, che nell'unità politica individuava il suo principale dogma.

Reazionari in sacrestia

«Siamo scomunicati, c'è anche lei.» Il conte di Cavour non sembrava per nulla turbato. L'annuncio, alla presenza dell'ambasciatore inglese James Hudson e del ministro Marco Minghetti, non colse per nulla di sorpresa Giuseppe Massari. Erano le 4 del pomeriggio del 2 luglio 1859,[19] i soldati pontifici avevano riconquistato Perugia dopo le sommosse seguite alla Seconda guerra d'indipendenza. Gli appoggi piemontesi ai rivoltosi, le dichiarazioni ufficiali a sostegno dell'autonomia di alcuni territori delle legazioni avevano provocato, per la seconda volta, la reazione di Pio IX. Dopo la scomunica ai deputati del Parlamento subalpino di quattro anni prima, arrivava un'analoga decisione per funzionari e rappresentanti del governo di Torino. Cavour commentò: «Il principio temporale del Papa se ne va». Ma Massari osservò: «Questa scomunica, a senso mio, è una brutta faccenda. Iddio ci aiuti».[20] In realtà, di fronte a cannoni e soldati, il papa usava per il momento solo la forza del diritto canonico, le sue prerogative di capo della Chiesa cattolica. Si rendeva conto che si stava giocando una partita a difesa anche della religione da secoli radicata in tutto il territorio italiano. Le fondamenta spirituali e culturali della penisola subivano scosse continue. Per replicare a quella necessità di «laicizzare lo Stato pontificio», sostenuta da Cavour al congresso di Parigi, gli emissari di Pio IX consegnarono all'ambasciatore francese, Aloys de Rayvenal, un documento. Vi si illustrava la composizione dei funzionari pontifici: erano 5167 in totale, ma ben 5059 erano laici e solo 98 gli ecclesiastici. Come a dire: 1 prete ogni 52 laici.[21] Tutto inutile: quattro anni dopo, l'invasione delle truppe regolari piemontesi nelle Marche e nell'Umbria chiarì le intenzioni di Torino. L'avanzata dei soldati di Cialdini fu rapida. I plebisciti del 4 e 5 novembre 1860 sancirono la conquista di ampie parti di territorio pontificio. Arrivarono altre scomuniche e la lettera apostolica *Cum catholica Ecclesia.* Scrisse il papa, mostrando di avere ben compreso cosa stava accadendo: «Malvagi mestatori aggrediscono il potere temporale della Chiesa e disprezzano la sua veneranda autorità. [...] Da quando divampò la guerra, non fu tralasciato alcun inganno per indurre le popolazioni sottomesse al Nostro Potere Pontificio ad un'empia ribellione. Furono inviati sobillatori, fu sparso denaro a piene mani, furono spedite armi, furono messe in atto ogni genere di azione fraudolenta [...] per promuovere segrete macchinazioni in danno del Nostro Governo».[22]

Era la premessa a nuove scomuniche e anatemi per «mandanti, complici, fiancheggiatori, consiglieri e seguaci» delle manovre che il papa denunciava e che stavano portando all'annessione dei territori pontifici al Piemonte.

Nonostante la reazione di Pio IX, la repressione contro gli ecclesiastici nei territori conquistati e la spoliazione di beni religiosi fu da quel momento ancor più sistematica. Come era sempre accaduto nella loro storia, tra i principali bersagli ci furono i gesuiti. Il superiore generale della Compagnia di Gesù, Pieter Jean Beckx, protestò con energia. Il suo documento venne inviato al governo sardo il 24 ottobre 1860. Diceva:

> Dal principio della guerra d'Italia fino ad oggigiorno, la Compagnia ha perduto tre collegi e case nella Lombardia, sei nel Ducato di Modena, diciannove nel Regno di Napoli, undici nello Stato pontificio, quindici nella Sicilia. Ovunque la Compagnia è stata letteralmente spogliata di tutti i suoi beni mobili ed immobili.[23]

Circa 1500 gesuiti erano stati messi in mezzo a una strada, con l'avallo della famosa legge approvata a Torino nel 1855. A Napoli tutti i preti dell'ospedale «Incurabili» che avevano rifiutato il giuramento a Vittorio Emanuele furono allontanati. Ma dopo l'unificazione la caccia ai sacerdoti non allineati nell'Italia meridionale si accentuò. Vittima illustre fu anche il cardinale di Napoli, Sisto Riario Sforza, più volte espulso dalla sua diocesi e costretto a rifugiarsi a Roma. Ma anche Antonio Salomone, arcivescovo di Salerno e vescovo di Avellino, non fu risparmiato. Aveva osato protestare contro il decreto che, il 13 ottobre 1861, aveva esteso la legge Cavour-Rattazzi anche ai beni e agli ordini ecclesiastici dell'ex Regno delle Due Sicilie. Fu processato per «atti e discorsi sediziosi contro il Governo unitario».[24] Alfonso Origlia, ufficiale della guardia nazionale di Salerno, denunciò il vescovo definendolo addirittura «vero sbirro in sottana, tristo inquisitore politico».[25] Dopo una lunga e laboriosa istruttoria, il 31 gennaio 1863, Salomone fu prosciolto dal giudice Carlo Cipolla. Anche in materia di fede, il Sud Italia apparve subito diverso dalle altre regioni: la religione cattolica continuava a essere per i meridionali un valore assoluto, giustificazione di tradizioni e comportamenti profondi. Religiosità particolare, rafforzata da credenze, immagini, processioni, feste che a volte assomigliavano a riti pagani. Una religiosità concreta, di immagini materiali. Non a caso i briganti portavano sempre al collo reliquie sacre. Il credo in Dio, Gesù e la Madonna era valore unificante. E per questo si moltiplicarono i consigli a Cavour di non estendere nelle ex Due Sicilie le leggi anticlericali fino a quando l'annessione non si fosse consolidata. Scrisse l'intendente a riposo Gaetano Cesaro a Costantino Nigra il 7 febbraio 1861: «Vi raccomando caldamente di non toccare per ora le Corporazioni religiose, onde non urtare i pregiudizi tradizionali delle popolazioni, fino a che queste non si eleveranno ad uno sviluppo morale migliore».[26]

Furono una ventina i vescovi meridionali, con in testa Riario Sforza, che per iscritto protestarono contro l'estensione delle leggi piemontesi sul clero. Il loro documento fu inviato al luogotenente Eugenio di Savoia Carignano. Una circolare, firmata dal ministro della Giustizia Vincenzo Miglietti il 26 ottobre 1861, replicò formalmente invitando gli ecclesiastici a non impicciarsi di politica e di governo civile. Ammoniva il ministro: «È mestieri che la Chiesa rinunci a qualsivoglia temporale dominio, che smetta ogni pretensione di invadere i diritti dello Stato, e che, per usare una santa parola, restringa la sue sollecitudini a quel regno che non è di questo mondo. [...] Se accadesse che alcun membro del clero s'appigliasse a un religioso pretesto per sommuovere le popolazioni, per gettare il vilipendio sulle istituzioni dello Stato, o per impedire l'esecuzione delle leggi, in tal caso il governo del re si troverà costretto di ricorrere ai più severi provvedimenti».[27]

Era un manifesto ufficiale contro il clero, soprattutto del Sud Italia. E aveva l'avallo convinto anche del presidente del Consiglio, Bettino Ricasoli. Molti ecclesiastici lasciarono l'ex Regno delle Due Sicilie. Il richiamo all'ordine fu premessa per una stretta di freni, un invito ai giudici a vigilare persino sulle omelie e gli scritti di parroci e alti prelati. Ma ci fu chi non si fece per nulla intimorire. Tra questi, anche piccoli sacerdoti di provincia, come Antonio Minuici di Staiti, in Calabria, che si rifiutò di «benedire in nome del re Vittorio Emanuele». Fu condannato a due anni di prigionia e a 1500 franchi di multa.[28] Un sacerdote di Pistoia, Antonio Carli, fu condannato a cinquanta giorni per «manifestazioni sediziose». Provvedimenti repressivi vennero presi anche contro preti di Piacenza, Faenza, Pisa, Genova, Ferrara, Parma, Urbino. Ma molto più lunga fu la lista degli arcivescovi espulsi al Sud: Salerno, Nola, Aversa, Acerra, Ischia, Bovino, Lacedonia, Castellammare, Sorrento, Reggio, l'Aquila, Sora, Amalfi, Acerenza, Matera, Bari, Taranto, Rossano, Isernia, Calvi, Teano, Sessa, Caserta, Capaccio, Tursi, Cerreto, Sant'Angelo dei Lombardi, Andria, Melfi, Rapolla, Foggia.[29] Un vero esercito di ecclesiastici mandati lontano dalle loro sedi. Con lo Stato del papa ancora autonomo e indipendente, la libertà nella nuova Italia era riconosciuta a senso unico. I religiosi non potevano parlar male del nuovo governo, o dell'unità. Al Sud, dove si riteneva che le complicità con le bande di briganti fossero soprattutto a Roma, la repressione delle opinioni fu più esasperata. Il processo più famoso fu definito «congiura di Frisio». Vi furono coinvolti ottantuno imputati tra cui monsignor Francesco Bonaventura Cenatiempo, ex vicario generale della diocesi di Avellino. Venne accusato di raccogliere denaro per sostenere una congiura borbonica. Fu condannato a dieci anni di lavori forzati. Con lui c'erano anche il conte e colonnello Émile de Christen, che aveva partecipato ai primi mesi di rivolta in Abruzzo con le bande di Luvarà, e Achille Caracciolo di Girifalco, ex ufficiale borbonico. Monsignor Cenatiempo, che all'epoca aveva 40 anni, riuscì a evadere dalle carceri di Santa Maria Apparente a Napoli. Si nascose in un grosso cesto di biancheria sporca e fuggì a Roma, dove poi beneficiò dell'amnistia voluta per decreto da Vittorio Emanuele il 17 novembre 1863.[30]

Molte sedi vescovili rimasero vacanti, il papa non sostituiva chi fuggiva o veniva arrestato. I rappresentanti di Dio non potevano essere sgraditi al potere civile: a Torino il procuratore generale ordinò ai pubblici ministeri di tutto il regno di agire contro chi diffondeva copie delle encicliche papali. Quei documenti, da soli, potevano mettere in discussione il già precario consenso generale alla neonata unità, perché contenevano critiche e scomuniche del papa ai «liberali nemici della Chiesa». Agli inizi del 1864, si arrivò all'esasperazione. Nel timore che le omelie potessero condizionare i parrocchiani, il governo diffuse una circolare che invitava «i funzionari giudiziari a recarsi di persona nelle chiese per assicurarsi che dal pulpito, dall'altare o in confessione i preti non parlino dell'enciclica papale».[31]

Del resto, l'anticlericalismo era ideale espresso negli statuti massonici cui avevano giurato fedeltà molti dei protagonisti del movimento nazionale. Era solo un caso? Senza credere a congiure massoniche preparate a tavolino, di certo l'adesione alle logge significava condivisione culturale di un ideale di società laica realizzata da pochi eletti. L'elenco dei «padri della Patria» massoni, così, fu abbastanza ampio: Garibaldi, Cavour, Giuseppe La Farina, Stefano Türr, Giovanbattista Fauché, Agostino Bertani, Agostino Depretis, Francesco Crispi, Costantino Nigra, Nino Bixio, Alberto Mario, Cesare Lanza, Antonio Mordini, Adriano Lemmi. Senza dimenticare la vicinanza di Mazzini agli ambienti massonici inglesi.

Nel 1864, fu disposta la rimozione delle statuette della Madonna fuori dalle case di Napoli. Si disse che era necessario per «soddisfare la pubblica opinione». Ma invece che suscitare commenti favorevoli, il provvedimento provocò disordini accesi. Stessa sorte ebbero i divieti di processioni e manifestazioni religiose popolari. Si volevano imporre comportamenti laici a una cultura profondamente cattolica, che di quei riti viveva da decenni. Sempre nel Sud Italia, si vietarono anche le celebrazioni religiose quotidiane nelle prigioni. Il 1864 fu l'anno più significativo per il controllo sugli scritti religiosi: in agosto, si stabilì che tutti i documenti dei vescovi e le loro nomine di parroci dovevano ottenere il «visto» regio. Un controllo preventivo del potere civile sull'autonomia religiosa. Il libero Stato rendeva schiava la Chiesa. Per arresti, esili e fughe, nel 1865 si calcolò che in Italia divennero vacanti ben 108 sedi vescovili. Alla morte dei titolari non venivano nominati i sostituti, la confusione aumentava. Solo chi dimostrava fedeltà al potere civile, in contrasto con le indicazioni dei vescovi, veniva lasciato in pace e incoraggiato. Fare il prete cattolico, rispettoso delle encicliche del papa, era davvero difficile in quegli anni.

Laici quando in salute, i liberali si affrettavano a chiedere un prete in punto di morte. Le scene strazianti dei familiari disperati di Pietro De Rossi di Santarosa, morto senza sacramenti, vennero definite «orribili» da Cavour. E quando si capì che anche il conte, dopo quattro giorni di sofferenze, era prossimo alla morte, la famiglia pensò subito al prete. Il 5 giugno 1861, venne chiamato fra Giacomo da Poirino. Era un curato che sostituiva nelle funzioni il parroco, espulso dal governo per le sue posizioni politiche a difesa del papato. Fra Giacomo apparteneva a quell'ordine francescano soppresso dalla legge di sei anni prima. Aveva comunque promesso che avrebbe dato gli estremi conforti religiosi anche a Cavour, se ve ne fosse stato bisogno. Il frate aveva chiesto al papa l'autorizzazione ad assolvere anche persone scomunicate, ricevendo una risposta positiva a condizione che si trattasse di moribondi. Era il caso di Cavour, che fu confessato e assolto. E i giornali scrissero che era morto «da buon cattolico».[32]

Ma anche quell'assoluzione scatenò polemiche. Nello Stato pontificio si pensava che Cavour avesse chiesto perdono per le sue azioni nei confronti della Chiesa. Il frate raccontò invece che il primo ministro non aveva manifestato alcun segno di pentimento per le sue scelte politiche. La «Civiltà cattolica» negò per questo la validità canonica di un'assoluzione concessa a uno scomunicato colpito da anatema papale. E fra Giacomo fu convocato da Pio IX che lo rimproverò: venne sospeso dai voti e solo il governo italiano gli assegnò una povera pensione. Morì anni dopo, molto povero. In quel momento, il suo gesto aveva salvato l'Italia da uno scontro politico-diplomatico con lo Stato pontificio dalle conseguenze non prevedibili. Ma nessuno se ne ricordò.[33]

Nei soli primi mesi del Regno d'Italia, erano stati processati e confinati ben sessantanove vescovi, tra cui due cardinali: Sisto Riario Sforza a Napoli e Filippo De Angelis a Fermo.[34] La laicizzazione dello Stato proseguì anche negli anni successivi fino alla presa di Roma nel 1870. Vennero aboliti i seminari diocesani e il 28 aprile 1865 fu introdotto l'obbligo del servizio militare per i seminaristi. Appiglio giuridico per il provvedimento fu assicurare l'eguaglianza di tutti i cittadini dinanzi alla legge, come previsto dallo Statuto Albertino. Uguaglianza, però, non valida per l'elezione in Parlamento, che rimase vietata ai sacerdoti. E non era finita. Solo nelle province napoletane, nei primi cinque anni dell'unità, furono chiusi i seminari di quarantanove diocesi.[35]

Il 1866, l'anno della Terza guerra d'indipendenza e della rivolta a Palermo, sancì la definitiva soppressione di monasteri e conventi in tutt'Italia, con poche eccezioni. Secoli di cultura e arte venivano svenduti e mercificati. Anche la Certosa di San

Martino, monastero sull'omonima collina ancora visibile a Napoli dal porto, fu chiusa. Il vescovo di Orléans, Felix Antoine Philibert Dupanloup, fu testimone degli effetti di quella soppressione. Raccontò:

> Vidi a Napoli la celebre Certosa, quello stupendo monastero che tutta l'Europa ha visitato, situato su quello splendido monte, di fronte al Vesuvio e al mare splendente. Un tempo un cortese e benevolo monaco accoglieva il viandante. [...] Ora gli fa da guida un rozzo soldato, che compie sforzi ridicoli per rendere comprensibile il suo cattivo francese. Al posto della splendida biblioteca, rimossa e trasportata non si sa dove, hanno collocato un negozio di vetri di Murano e di terrecotte dipinte.[36]

Dei trentadue monaci della Certosa, riuscirono a restare nel convento solo in due. Nella desolazione generale. Esilio per i vescovi, censure alle encicliche papali, soppressione di enti religiosi, chiusura di seminari, rimozione di immagini sacre e introduzione di norme civili. Ma anche l'abolizione di scuole religiose, considerate causa di «corruzione delle menti giovanili». Gli ordini religiosi si prodigavano spesso nella carità e nell'assistenza ai più poveri: la loro chiusura favorì il ricorso alla delinquenza di molti disperati rimasti senza aiuti. Non solo. Con gli anni, i figli della buona borghesia furono rispediti a studiare in scuole cattoliche, considerate più serie e rigorose di quelle laiche volute dalle autorità civili. Secoli di storia e cultura cattolica non si potevano cancellare con un colpo di spugna. Le suore della Carità di Ancona vennero richiamate negli ospedali ad assistere i feriti della battaglia di Lissa nel 1866. Finita la loro opera, furono di nuovo cacciate via. La «nuova Italia» doveva essere laica, azzerare le sue tradizioni cattoliche. Era il presupposto per costruire dal nulla uno Stato unitario tutto da modellare. E l'opera poteva considerarsi conclusa solo con l'accorpamento dei territori pontifici e di Roma. Ma per questo furono necessari anche i cannoni. Poco contava che venissero puntati contro il cupolone di San Pietro.

L'ultima crociata

Il generale Cialdini era noto per essere un uomo duro, sprezzante nelle decisioni e nei modi. Lo aveva sempre dimostrato, ma probabilmente il discorso ai suoi soldati alla vigilia dell'invasione nello Stato pontificio superò ogni limite. Derisione, ingiurie, violenza nelle parole. Era l'11 settembre 1860, il comandante del IV corpo d'armata piemontese scriveva dal suo quartier generale di Rimini:

> Soldati, vi conduco contro una masnada di briachi stranieri che sete d'oro e vaghezza di saccheggio trasse nei nostri paesi. Combattete, disperdete inesorabilmente que' compri sicari, e per mano vostra sentano l'ira di un popolo che vuole la nazionalità e la sua indipendenza. Soldati, l'inulta Perugia domanda vendetta e, benché tarda, l'avrà.[37]

Ma chi era quella masnada di ubriachi stranieri che anche il generale Manfredo Fanti, comandante in capo della spedizione piemontese nella Bassa Italia, definiva «bande straniere senza patria e senza tetto»?[38] Per alcuni si trattava di mercenari attratti solo dal denaro, altri li consideravano invece cattolici della nobiltà europea, accorsi a difendere lo Stato del papa. Crociati del XIX secolo. Soldati dell'ultima crociata contro i «senza Dio» piemontesi. Un esercito creato dal nulla nel 1860, tenuto in vita fino alla caduta di Roma. Un esercito difensivo contro aggressioni esterne, che il papa si convinse a creare dopo che, per decenni, le sue truppe si erano occupate solo di gestire l'ordine pubblico interno. La politica di Torino, il congresso di Parigi, la Seconda guerra d'indipendenza avevano cambiato la scena. E i famosi zuavi pontifici divennero una realtà.

La spedizione garibaldina, la protezione francese sempre più blanda costrinsero il papa a pensare seriamente a un esercito più organizzato. Fino al 1857, anno della sua morte, ministro delle Armi era stato l'ex ufficiale napoleonico Filippo Farina. Gli era subentrato il cardinale Giacomo Antonelli,[39] che non aveva alcuna attitudine per l'organizzazione militare. Fu per questo che il 20 aprile 1860 venne sostituito da monsignor Francesco Saverio de Mérode,[40] che trovò una situazione allo sfascio. Mise mano alla riorganizzazione e, al primo scontro con i 400 garibaldini guidati da Callimaco Zambianchi, quei soldati fecero bella figura. La colonna garibaldina, sbarcata sulle coste toscane, fu affrontata e sbaragliata dagli uomini del colonnello Georges de Pimodan.[41] Era il 19 maggio 1860. Fu sempre de Mérode a convincere anche il generale francese Louis Christophe de Lamoricière, veterano dell'Algeria, ad accettare il comando dell'esercito pontificio. La riorganizzazione militare partì in fretta: l'obiettivo era portare l'organico delle truppe da 16.000 a 20.000 uomini. Per raggiungerlo, si promosse una specie di moderna guerra cattolica a difesa dello Stato del papa, con l'aiuto di vescovi e giornali clericali. Bisognava raccogliere uomini e denaro. Due i principali centri di arruolamento: a Vienna e a Marsiglia. Venne creato un ufficio di raccolta ad Ancona per austriaci, belgi e irlandesi, e un altro a Civitavecchia per i francesi. Seguendo il tipo di organizzazione militare austriaca, si cercò di formare battaglioni omogenei per lingua e nazionalità: franco-belgi (i tiragliatori); tedeschi (carabinieri); austriaci (bersaglieri); irlandesi (brigata San Patrizio). Si cercò di favorire anche l'arruolamento di sudditi pontifici, ricostruendo la legione dei gendarmi bolognesi. Il richiamo al cattolicesimo, la difesa del papa furono attrattive ideali sufficienti a spingere migliaia di giovani, in gran parte della buona nobiltà europea, ad arruolarsi. Aveva detto il generale de la Moricière, rispondendo all'invito del papa: «Quando un padre chiama il figlio a difenderlo, non vi è che una sola cosa da fare: andare!». E poi, arrivato a Roma, quando fu ricevuto da Pio IX aggiunse: «Vostra Santità può disporre del mio sangue e della mia vita, ma devo dichiararle che qui il mio nome è un soccorso e un pericolo, poiché può rappresentare una scusa per affrettare l'invasione piemontese».[42]

Le convinzioni del generale erano condivise da tutti i volontari accorsi da molte parti d'Europa. Si arruolarono ben 5000 austriaci, ma poi tanti olandesi, polacchi, belgi, svizzeri, irlandesi. Gli italiani furono oltre 6000.[43] Accorsero anche 3000 irlandesi. Non erano soldati di professione, ma cattolici volontari spinti dalla profonda fede religiosa. L'idea di creare una brigata tutta irlandese venne al generale Nugent, in servizio in Austria ma originario dell'Irlanda. Il richiamo romantico della crociata prese molti di quei giovani. Sete di giustizia, antigaribaldinismo come reazione all'Inghilterra che sponsorizzava la spedizione dei Mille, ma molte difficoltà pratiche da affrontare: una paga di appena tre baiocchi al giorno, alloggi pessimi, diffidenza dei sudditi pontifici. Alla fine, dopo una selezione naturale, nel battaglione irlandese rimasero in 1000, che costituirono le otto compagnie della brigata San Patrizio.[44] Le prime quattro compagnie vennero addestrate a Spoleto e furono agli ordini del maggiore Myler O. Reilly. Le altre quattro furono istruite ad Ancona. Alla testa delle compagnie i capitani Coppinger, Boshan, Blacknay, Kirwin.

Nel 1860, gli irlandesi parteciparono agli scontri di Perugia e poi di Spoleto. Ma fu a Castelfidardo che la brigata San Patrizio diede migliore prova di sé. Gli irlandesi prima difesero con una mischia alla baionetta l'artiglieria pontificia dall'attacco dei bersaglieri piemontesi. Poi, al tracollo delle altre compagnie assalite dai piemontesi, si opposero con accanimento al nemico, aiutati da pochi artiglieri. Li guidava il generale de Pimodan. Agli ordini del comandante pontificio c'erano francesi, austriaci, belgi, svizzeri, italiani e naturalmente loro: gli irlandesi. Fu proprio la brigata San Patrizio, spinta dall'odio per gli inglesi filopiemontesi e dai loro profondi ideali cattolici, a distinguersi. Tra gli 88 morti e i 400 feriti pontifici della battaglia di Castelfidardo la maggioranza fu proprio irlandese.[45] Tra loro, rimase ucciso anche de Pimodan. Scrisse Patrick Keyes O'Clery, irlandese poi arruolato negli zuavi pontifici nel 1867:

> Gli ufficiali irlandesi, con i francesi e gli austriaci, insistevano per resistere fino alla morte. Ai loro ordini avevano circa mille uomini. Gli ufficiali italiani e svizzeri si rifiutarono di sacrificare i propri uomini in un'impresa disperata.[46]

Quando il generale piemontese Efisio Cugia lesse la lunga lista dei franco-belgi morti o feriti nella battaglia di Castelfidardo, esclamò: «Che nomi! Pare di leggere una lunga lista di invitati ad un ballo di Corte sotto Luigi XIV!».[47] Il corpo del generale de Pimodan, morto valorosamente dopo essere rimasto sul campo di battaglia nonostante le ferite ricevute, fu restituito alla famiglia per volontà di Vittorio Emanuele II. Ai familiari fu consegnata anche la spada del loro congiunto morto, poi tumulato a Roma nella basilica di San Luigi dei Francesi.

Per la condotta tenuta a Spoleto, dove ebbero 3 morti e 12 feriti, e ad Ancona, gli irlandesi furono elogiati dal ministro de Mérode. Nel suo rapporto da Osimo, diffuso il 18 settembre 1860, il generale Cialdini parlò di 600 prigionieri, tra cui 30 ufficiali, 6 pezzi di artiglieria, compresi quelli donati da Carlo Alberto a Pio IX, una bandiera, bagagli e armi varie strappati ai pontifici dopo lo scontro di Castelfidardo.[48] I morti furono ammassati in una fossa comune al di sopra del Musone, i corpi non furono mai riconsegnati alle famiglie. I prigionieri seguirono la sorte condivisa anche dai soldati borbonici. Incolonnati, a piedi, ingiuriati, vennero spediti in Piemonte. Alcuni furono mandati nel carcere di Fenestrelle. Gli irlandesi a Genova, senza possibilità di ricevere abiti. Molti erano veterani dell'esercito britannico in India; altri, sempre per le insegne dell'Union Jack, erano stati in Crimea. I feriti furono ammassati nel santuario di Loreto trasformato in ospedale provvisorio. Vi morì, senza cure adeguate, il sottotenente Paul de Parcevaux, suddito britannico. Alla madre aveva scritto: «La mia ferita è grave, ma oggi mi sento meglio. [...] In battaglia pregai Dio perché potessi fare il mio dovere e morire bene e ora non temo la morte più di quanto il 18 temessi le fucilate. In Bretagna avrei minori possibilità di morire in condizioni più favorevoli per guadagnare il Cielo».[49]

In quell'ospedale improvvisato morirono ancora Thibaut de Rohan Chabot, e Frédéric de Saint Sernin, tutti nobili. Ai reduci, nonostante la sconfitta, il papa fece avere una decorazione a ricordo dello scontro di Castelfidardo. Gli irlandesi ripeterono sempre il motto «fought for the Pope and for Catholic Ireland», che univa alla battaglia per difendere Pio IX anche la loro identità nazionale cattolica minoritaria in Gran Bretagna. Il capitano Carlo Corsi,[50] dello stato maggiore piemontese nella divisione di riserva del V corpo d'armata, descrisse i prigionieri dell'esercito pontificio che sfilavano dinanzi lo sguardo degli ufficiali nemici: «Bella gente, d'aspetto marziale, i più sui trent'anni, assai bene uniformati di vesti quasi nuove, alla foggia francese, fanti di linea, cacciatori, zuavi, guide, cannonieri, gendarmi, un po' di tutto. [...] Ci osservavano con occhio tranquillo, e come soddisfatti ci salutavano con una cortesia premurosa, tranne alcuni che o non ci guardavano o ci squadravano con piglio altero. Li trovammo superiori all'idea che ci eravamo fatti di quelle truppe stando alle ciance dei giornalisti».[51]

Perugia, Spoleto, Castelfidardo, Ancona furono le tappe della rapida marcia piemontese, che poteva contare su 38.000 uomini con 5000 cavalli, 78 pezzi d'artiglieria raggruppati nel IV e nel V corpo d'armata, guidati dai generali Cialdini e della Rocca. Una forza considerevole se si tiene conto che l'intero esercito piemontese era costituito da un totale di 183.000 uomini, di cui 20.000 erano stati solo da poco incorporati dalla Toscana e 32.000 dall'Emilia.[52] I pontifici avevano un organico di 21.000 uomini in tutto l'esercito, con una trentina di cannoni. Scontato, anche leggendo i numeri delle forze in campo, l'esito della campagna militare di quel settembre 1860, che portò alla conquista piemontese dell'Umbria e delle Marche. Allo Stato pontificio restò un territorio sempre più esiguo. I francesi, nonostante Napoleone III proclamasse di voler difendere Pio IX, non si mossero per combattere fuori da Roma. Gli scontri furono tutti sostenuti dall'esercito organizzato da de Mérode. L'appoggio francese al disegno unitario di Cavour fu dimostrato anche in quel comportamento: era il «non intervento» a sostegno di un'invasione priva di giustificazioni.

Ma la partita per evitare la completa conquista dello Stato pontificio restò aperta. Napoleone III mantenne le sue truppe a Roma per evitare che i soldati piemontesi potessero spingersi fino alla capitale pontificia. In quella situazione, dopo il 1860, il papa fu obbligato a riorganizzare l'esercito sconfitto. Ci pensò ancora il ministro de Mérode, che nominò due nuovi comandanti generali: il barone tedesco Hermann Kanzler[53] e il marchese Giovan Battista Zappi.[54] Si creò una nuova compagnia di San Patrizio, composta da quegli irlandesi del precedente battaglione rimasti a Roma. E poi, pescando sempre tra i soldati rimasti dall'esercito sconfitto, altri tre battaglioni: 1 di bersaglieri e 2 di cacciatori. Infine, un corpo di volontari a cavallo. La situazione migliorò con il ritorno dei prigionieri dai campi piemontesi. A Roma, inoltre, restò un corpo d'occupazione francese a difesa del Vaticano.[55] Negli anni, tra le file dell'esercito pontificio militò il fratello dell'ex re delle Due Sicilie, Alfonso di Borbone. E poi il principe Alfonso Carlo di Borbone d'Austria-Este, figlio di Juan di Borbone-Spagna e della sorella di Francesco V di Modena. E ancora molti nobili, come il conte svizzero Raffaele de Courten, fedelissimo del papa, diventato comandante della guarnigione di Roma e presidente del comitato per la difesa nel 1870. Finì prigioniero, protestando per le condizioni dei militari pontifici detenuti.

Dopo la convenzione del 1864 che trasferì la capitale d'Italia a Firenze, nello Stato pontificio si temettero nuove spedizioni su Roma. Nacque così la «Legione di Antino», poi denominata «Legione romana», costituita da cattolici francesi. Si arruolarono ancora belgi, olandesi, inglesi e gli immancabili irlandesi. Ci fu addirittura qualche volontario dal Canada e dall'America, accorso a difendere il papa. E poi la nobiltà romana con famiglie come gli Aldobrandini, i Borghese, i Bernardini, i Ciccolini, Macchi, Negrotto. Lo zuavo pontificio Antonmaria Bonetti ricordò: «Moltissimi militari pontifici non riscuotevano il soldo, anzi offrivano ogni mese, oppure a servizio finito, somme ingenti all'Obolo di San Pietro. [...] Moltissimi militari pontifici erano fregiati dei più nobili cavalierati esteri, compresa la Legion d'onore, di medaglie al valore. Molti soldati del Papa avevano fatto la campagna di Solferino, chi con Vittorio Emanuele II, chi con Napoleone III. E non parliamo dei moltissimi che avevano preso parte anche alle guerre del 1848-49 a fianco di Daniele Manin».[56]

Dunque, per molti la fede cattolica e la figura del papa prendevano il sopravvento su qualsiasi ideale di nazione unita. Era una delle contraddizioni del Risorgimento, da molti definito una «rivoluzione anticattolica». Nel 1867, l'esercito riorganizzato da Kanzler contava circa 13.000 uomini, con un cocktail di stranieri e italiani. A Roma, una guarnigione di 6000 soldati era al comando del generale Zappi, nelle province il comando era affidato a de Courten, che controllava cinque zone militari: Viterbo, Civitavecchia, Tivoli, Velletri, Frosinone. Lo Stato pontificio era ormai concentrato solo nell'attuale Lazio.

Nel 1867, l'episodio di maggior prestigio per quell'esercito. Premessa fu un attentato alla caserma romana Serristori nel Borgo Santo Spirito: i mazziniani Giuseppe Monti e Gaetano Tognetti vi gettarono una bomba. Provocò la morte di 22 zuavi francesi e 4 civili romani. Una strage. I due attentatori, arrestati, confessarono. Vennero condannati a morte e decapitati. Dopo quell'attentato cominciarono le invasioni dei volontari garibaldini. Tre colonne, al comando di Menotti Garibaldi, Giovanni Nicotera e Giovanni Acerbi, sconfinarono in attesa dell'arrivo di Garibaldi. La nuova spedizione era stata organizzata a luglio e agosto 1867. C'erano state ancora raccolte di soldi. In Inghilterra e con l'aiuto di Adriano Lemmi. Stavolta il governo italiano si trovava in imbarazzo. C'era da salvare la faccia con la Francia, mentre per quelle vicende si accentuavano le divisioni tra democratici e moderati al governo. Da sinistra si gridò contro la paventata riedizione dell'Aspromonte, a destra si invitava alla moderazione. Il 28 settembre 1867, i primi garibaldini entrarono nello Stato pontificio. Garibaldi era stato imprigionato, poi era riuscito a fuggire: l'ambiguità dominava il governo presieduto dal militare Luigi Menabrea, già comandante del genio nella spedizione nelle Due Sicilie di sette anni prima. Stavolta i volontari erano circa 8000. Non certo il fior fiore della gioventù italiana. Nonostante l'attentato alla caserma Serristori e l'avvicinarsi dei garibaldini, nessun suddito del papa partecipò alla rivolta. A ottobre sbarcò a Civitavecchia una divisione francese di 9000 uomini per dare man forte ai soldati pontifici. Pio IX ruppe il silenzio con l'allocuzione *Levate* del 27 ottobre 1867. Disse: «Siamo circondati da una razza d'uomini scellerati che, animati da spirito veramente diabolico, vogliono collocare la bandiera della menzogna in questa Nostra alma città, accanto alla cattedra di Pietro. I reggitori del Governo piemontese, che dovrebbero frenare gli uomini, non arrossiscono di favorirli in ogni modo, di procurare loro le armi e tutte le cose, e di rendere loro sicuro l'ingresso a questa città».[57]

Il papa, sei anni dopo l'unità, continuava a chiamare «piemontese» il governo di Firenze. Gli scontri furono ripetuti: volontari contro truppe pontificie. A Bagnorea, morirono quarantacinque garibaldini e quarantuno rimasero feriti. Uno zuavo olandese, Nicolas Heykamp, fu il primo pontificio a cadere in quella campagna del 1867.[58] Poi, ancora combattimenti a Montelibretti, Monterotondo, Acquapendente. E ancora: Viterbo,

Tivoli. La tattica garibaldina era cercare di tenere occupato il nemico in più punti nello stesso momento. Una colonna di ottanta uomini, comandata dai fratelli Enrico e Giovanni Cairoli, riuscì ad arrivare ai Parioli. Nello scontro furibondo, rimase ucciso Enrico Cairoli. Il fratello venne ferito. L'esercito dei «mercenari» dimostrò, soprattutto perché la situazione all'interno dello Stato pontificio era tranquilla, di sapersi battere contro i garibaldini. Menotti Garibaldi si lamentò spesso della passività e del mancato aiuto dei romani. A Monterotondo, l'episodio più volte ricordato dai pontifici: 6000 garibaldini assalirono la città difesa da 323 militari del papa. Ben 500 camicie rosse furono messe fuori combattimento. Alla fine, i garibaldini prevalsero dandosi a saccheggi e furti. Molte donne vennero molestate. Tanto da rendere necessario un consiglio di guerra, presieduto dal colonnello Panciani, che condannò quindici uomini al carcere. Diversi ufficiali, dopo quell'episodio, abbandonarono la spedizione. Disgustati. Raccontò lo zuavo pontificio Antonmaria Bonetti: «Parecchi ufficiali e comuni, più illusi che malvagi, sentendo schifo e sdegno di far più oltre parte di codeste orde novelle di Odoacre (come si espresse uno scrittore garibaldino, se non erriamo lo stesso Guerzoni) gettarono le armi e se ne tornarono in patria».[59]

Su consiglio di Menabrea, Vittorio Emanuele fu costretto a fare opera di ipocrisia con un proclama di condanna della spedizione garibaldina. Diceva: «Schiere di volontari eccitati e sedotti dall'opera di un partito, senza autorizzazione mia e del Governo, hanno violato le frontiere dello Stato». E ancora, sulla bandiera innalzata a distruzione «della suprema autorità spirituale del Capo della religione cattolica», il re aggiungeva deciso: «Quella bandiera non è la mia».[60] Una vera presa di distanze. Soprattutto nel timore di una reazione francese, dopo la convenzione siglata tre anni prima. E, mentre tra le camicie rosse aumentavano le diserzioni, nel campo opposto accorrevano nuovi volontari. Come i circa 700 nobili e alti borghesi romani, che si organizzarono in una brigata.

Lo scontro militare decisivo fu a Mentana, il 3 novembre 1867. Tremila pontifici e duemila francesi. Tra loro, anche Alfonso di Borbone conte di Caserta con i suoi aiutanti di campo Gabriele Ussani e Vincenzo Afan de Rivera, nonché il conte Émile de Christen. I garibaldini erano divisi in 6 brigate di circa 9000 uomini. Non avevano un piano preciso. Il primo colpo venne sparato intorno a mezzogiorno. Tra i garibaldini, anche Giuseppe Missori che seguì sempre Garibaldi. Il combattimento andò avanti per diverse ore fino al tramonto. I pontifici contarono 32 morti e 139 feriti, mentre i francesi 39. Le perdite garibaldine furono, tra morti e feriti, circa 1000. I prigionieri, invece, 1398.[61] A quasi 4000 camicie rosse, compreso Garibaldi, fu permesso di passare la frontiera per l'Italia. Scrisse il generale Kanzler, ricordando la battaglia: «Garibaldi, che con i suoi figli fu sempre presente, non si mostrò mai in prima linea e, allorquando vide ripiegare i suoi su tutti i punti, incalzati dalle valorose nostre truppe, ci veniva riferito che in tutta fretta si ridusse in salvo a Monte Rotondo da dove, nelle prime ore della notte, ripassò la frontiera».[62]

Il comandante pontificio riconobbe, però, che il nemico era stato ben diretto e che, forte della superiorità numerica, si era ben difeso. Il papa, che ricevette la notizia della vittoria dal principe Filippo Lancellotti ufficiale dei volontari romani, accolse il generale con i versi della *Gerusalemme liberata*: «Con l'armi pietose e 'l Capitano che il gran sepolcro liberò di Cristo».[63]

I feriti e i prigionieri garibaldini furono visitati dal papa a Castel Sant'Angelo. Il disordine, la scadente qualità umana dei volontari, la presa di distanze del governo italiano che non aiutò i garibaldini furono tra le cause di una netta sconfitta militare. Di cui portò sempre vanto l'esercito pontificio. A 62 anni, Garibaldi tornava nella sua Caprera deluso e sconfitto. In fase decadente. In tutta l'Europa cattolica e addirittura in Canada le notizie di Mentana furono accolte con festeggiamenti. Gli zuavi, «mercenari» pagati 50 centesimi al giorno e una razione di minestra, caffè e pane, avevano saputo dimostrare il loro valore. Le truppe entrarono a Roma, accolte da migliaia di persone in festa. Era il 6 novembre. A largo Termini, la gente applaudiva, gridava «Evviva!» e gettava fiori. Gli abitanti di Monterotondo, che avevano subìto le violenze dei garibaldini, accolsero il generale Kanzler come un liberatore. Lo scrisse anche il corrispondente del giornale londinese «Standard». Pio IX fece celebrare una Messa in suffragio dei caduti. A tutti i reduci della campagna del 1867 fu consegnato un fregio d'argento a forma di croce ottagonale, con una medaglietta dalla scritta *Fidei et Virtute* da un lato e *Hinc Victoria* dall'altro. Il papa si rincuorò, in quei giorni si convinse che la mano della Provvidenza non avrebbe abbandonato Roma. E scrisse al nipote Luigi: «L'Italia non farà il suo 1789 con quel che segue. [...] Nella gran maggioranza, l'Italia è ciarliera e paziente; ed è ciarliera unicamente perché il fiotto è libero».[64]

Ma l'ingresso dei soldati italiani a Roma era solo rinviato di tre anni. La storia, inesorabile, faceva il suo corso. Con i tempi e i modi concessi dalla diplomazia, dalla politica e dalla forza militare.

9

Torino non si tocca

> «Stamattina le piazze sono piene di soldati e il governo sta inviando telegrammi per avere rinforzi quanto prima. Perché Vittorio Emanuele non è qui in un momento come questo? Dicono che sia alla Venaria, ma il posto di un re in questi frangenti è nella capitale! È impossibile non riconoscere che anche in Piemonte il re abbia perso la stima dei suoi sudditi per la preferenza che dà a gusti e vizi personali.»
>
> Caroline Marsh, 22 settembre 1864

Tre anni potevano bastare. Dal marzo del 1861, Torino era stata la città più importante del regno. La capitale d'Italia. Una condizione che, se prolungata, avrebbe radicato ancor di più l'impressione che l'unificazione della penisola, in realtà, era stata solo una conquista piemontese, l'ingrandimento di un singolo Stato. E non la realizzazione di un «grande ideale unitario», come si ripeteva nei discorsi ufficiali. Napoleone III, deciso sempre più a vigilare sulla sicurezza del papa nel ristretto territorio laziale, spingeva per trasferire la capitale d'Italia in una città che fosse equidistante da tutte le province. Comprese quelle meridionali. Ma bisognava superare le resistenze di chi, soprattutto a Torino, riteneva che l'unica capitale italiana alternativa a quella piemontese fosse Roma.

Fu proprio l'imperatore dei francesi a prendere l'iniziativa. Nel giugno del 1864, il suo ministro degli Esteri, Édouard Drouyn de Lhuys, spedì a Torino un dispaccio in cui si chiedeva l'avvio di trattative per decidere il futuro destino dell'Italia. Al centro dei colloqui, naturalmente, doveva esserci la «questione romana». A presiedere il governo italiano c'era Marco Minghetti. La richiesta francese fu ricevuta dal ministro degli Esteri, il marchese milanese Emilio Visconti Venosta, che dopo pochi giorni rispose con un documento in cui elencava i punti individuati come base per le trattative: ritiro delle truppe di Parigi dallo Stato pontificio, impegno dell'Italia a non attaccare il papa ma anzi a difenderlo da eventuali aggressioni, assunzione dei debiti delle ex province pontificie annesse nel 1860. I francesi accettarono. Ad avviare i primi contatti con l'imperatore fu incaricato il generale Luigi Menabrea. Il colloquio si tenne a Vichy. Napoleone III non si fidava, pretese garanzie sulla buona fede italiana: doveva pur tenersi buoni i cattolici del suo Paese, che avevano molta influenza. Una delle garanzie richieste dai francesi era affidare la vigilanza sullo Stato del papa a più potenze europee. Su questa ipotesi, Menabrea non poteva assumere impegni senza prima consultare il suo governo. Per questo, se ne tornò a Torino sostituito nelle trattative da una vecchia conoscenza di Napoleone III, l'abile diplomatico che a Parigi si era mosso sempre d'intesa con Cavour negli anni dei precedenti accordi franco-piemontesi: Costantino Nigra, ambasciatore a Parigi. Gli fu affiancato il marchese Gioacchino Pepoli, nipote di Gioacchino Murat e Carolina Bonaparte.[1]

Fino a quel momento, punto fermo sulla «questione romana» restava la decisione del Parlamento italiano che aveva dichiarato Roma capitale del nuovo Regno. Agli occhi dei più intransigenti, accettare una soluzione provvisoria sembrava una rinuncia a mettere piede, in tempi brevi, nella città eterna. Prevalse, però, la più realistica tesi del trasferimento della capitale in un'altra città, sostenuta con forza da Pepoli: scartata Napoli, troppo vicina a province infestate dal brigantaggio, la città più adatta a sostituire Torino sembrava Firenze.

Il 12 settembre 1864, attraverso il conte Sartiges ambasciatore a Roma, venne inviata dalla Francia una comunicazione ufficiale al papa. Ricordava le ragioni della permanenza delle truppe francesi nello Stato pontificio: bloccare eventuali sconfinamenti di soldati italiani. Poi esprimeva giudizi favorevoli sul comportamento del governo di Torino, impegnato a «far sparire le ultime reliquie di quelle temute associazioni che, con il favore delle circostanze, si erano formate al di fuori della sua azione, e che miravano principalmente ad impadronirsi di Roma».[2]

Nella lunga lettera si dava credito alle assicurazioni italiane, si considerava con favore lo spostamento della capitale da Torino a Firenze perché avrebbe costituito «un nuovo ordine di cose, che non offrirebbe più i medesimi pericoli, dopo d'aver ottenuto dall'Italia le guarentigie che abbiamo creduto di dover stipulare in favore della Santa Sede contro gli assalti esteriori».[3] La Francia si impegnava, così, ad aiutare il papa a organizzare un esercito autonomo sempre più consistente. Fu l'unica comunicazione ufficiale su quanto stava avvenendo e venne trasmessa anche al cardinale Antonelli, a soli tre giorni dalla firma dell'accordo. Il papa la ritenne una vera scortesia. Tre giorni dopo, tra Parigi e Torino fu siglata la cosiddetta «Convenzione di settembre».

Si trattava di cinque articoli, firmati da Nigra, Pepoli e Drouyn de Lhuys. L'Italia si impegnava a non attaccare il territorio del papa, ma anzi a impedire ogni aggressione, mentre la Francia avrebbe cominciato gradualmente a ritirare le sue truppe da Roma aiutando l'esercito di Pio IX a organizzarsi meglio. Il ritiro completo doveva terminare in due anni. Da parte sua, il governo italiano non avrebbe ostacolato la riorganizzazione dell'esercito pontificio, né l'arruolamento di volontari cattolici di qualsiasi nazionalità. E poi la parte finanziaria: l'Italia si sarebbe fatta carico del debito degli ex territori pontifici annessi nel 1860.[4] Da Caprera, Garibaldi fu subito molto critico su quell'accordo: «Col Bonaparte una Convenzione sola: purificare il nostro paese dalla sua presenza non in due anni, ma in due ore!».[5]

In realtà, l'intesa non doveva essere subito resa pubblica. A Torino, si temevano le reazioni all'annuncio degli accordi. Sarebbe stato il re, scegliendo tempi e modi, a spiegare il punto dolente del trattato: il trasferimento della capitale. E perciò ai cinque punti dell'accordo si aggiunse una parte segreta, siglata il 3 ottobre successivo, che subordinava l'esecuzione del documento all'annuncio pubblico di Vittorio Emanuele. Un modo per rendere meno indigesta la pillola ai torinesi che, dopo secoli e dopo essersi sentiti il centro della rivoluzione del Risorgimento, si sarebbero visti declassati ad abitanti di una semplice provincia come altri italiani. Naturalmente, si assegnava un limite all'annuncio del re: sei mesi. Le trattative furono condotte in segreto, escludendo sempre il papa.

A Torino, la preoccupazione principale era soprattutto il trasferimento della capitale a Firenze. Nel corso delle trattative, Nigra aveva cercato di prendere tempo, spiegando che spostare una sede governativa era difficoltoso. Ma la Francia non volle sentire ragioni, pretendendo il rispetto dei sei mesi. Si pensò allora di far trovare i torinesi di fronte a un fatto compiuto. Ma per organizzare il tutto si fece sapere alla Francia che ci voleva una legge del Parlamento e che, senza il voto dei deputati, la Convenzione non poteva diventare operativa. Scuse, considerando che il Parlamento era già stato ignorato all'avvio delle trattative che furono condotte in segreto senza chiedergli pareri preventivi.

Vittorio Emanuele aveva seguito le discussioni avviate in Francia dal castello di Sommariva Perno. All'aria aperta e dedicandosi alle sue attività preferite: la caccia e le donne. Del trasferimento della capitale, all'inizio nessuno gli aveva accennato. Un'idea che Pepoli aveva partorito soprattutto per rassicurare l'imperatore sui buoni propositi, non ostili, degli italiani. Sarebbe stata la «spiemontizzazione» dell'Italia.[6]

E Vittorio Emanuele si trovò, di fatto, di fronte a decisioni già prese da altri. L'11 agosto 1864, Napoleone III approvò il testo della Convenzione. Il giorno dopo, si riunì a Torino il Consiglio dei ministri per discuterne. Il re arrivò da Sommariva Perno a riunione iniziata, quando Minghetti aveva già illustrato tutti i punti del documento. Si dissociò solo il ministro della Guerra, Alessandro Della Rovere, che si dimise. Il 13 agosto, Minghetti si fece ricevere dal re per sottoporgli il testo approvato dai ministri. Vittorio Emanuele sbottò, si sentiva preso in giro. La sua Torino relegata a provincia, la capitale della sua dinastia svenduta senza neanche poter entrare a Roma. Urlò, approfittando della clausola segreta che subordinava al suo annuncio l'avvio del trasferimento: «Se si dovrà mutare la capitale, lo farò quando mi piacerà e spontaneamente, ma non voglio che così si imponga».[7] Minghetti cercò di spiegare le ragioni di un accordo che avrebbe avvicinato e non allontanato l'ingresso a Roma. Ma il re continuò a gridare. Per la rabbia, pianse. Replicò: «Che dirà Torino? Non è indegno rimeritarla di tanti sacrifici con un sacrificio ancora più crudele? E che importa a voialtri di Torino? Sono io che ne ho il cuore schiantato, io che ho sempre vissuto qui, che ho qui tutte le memorie d'infanzia, tutte le abitudini, i miei affetti».[8]

Era il re del Piemonte che parlava, non certo il re d'Italia. Il sovrano di uno Stato unitario tutto ancora da costruire dopo tre anni, che si aggrappava alle sue radici. Chiuso nelle sue abitudini tra Torino e dintorni, dimostrava di avere considerato fino a quel momento l'unificazione un ingrandimento dei suoi originari territori. Vittorio Emanuele cercò di evitare il trasferimento: mandò a Parigi di nuovo il generale Menabrea per convincere l'imperatore a soprassedere su quella clausola dell'accordo. Ma Napoleone III rispedì al mittente la richiesta e Minghetti minacciò le dimissioni. Così, alla fine, Vittorio Emanuele fu costretto a cedere. Firmò e la Convenzione divenne operativa.[9]

Tutto tenuto in gran segreto, ma non ai generali di origine piemontese. Come della Rocca, De Sonnaz e La Marmora. Vennero convocati dal principe di Carignano per esprimere un parere tecnico su quale fosse la capitale più idonea, anche dal punto di vista militare, a sostituire Torino. Qualcuno tentò una timida protesta, ma fu subito zittito. Alla fine tutti convennero per Firenze.[10]

Si sperava, però, che la notizia della Convenzione, con annesso trasferimento della capitale, non trapelasse subito. Che ci fosse il tempo di preparare la gente. Oltretutto, lo spostamento avrebbe significato la chiusura di uffici ministeriali, il ridimensionamento di impieghi pubblici, il calo di introiti per locande e alberghi abituati a ospitare i parlamentari, come era già avvenuto in altre città italiane capitali di Stati preunitari.

Il 20 settembre, cominciò a diffondersi qualche prima indiscrezione. Ma fu il giorno dopo che i sussurri divennero notizie stampate. Ben tre giornali, «l'Opinione», «la Stampa» e «la Gazzetta di Torino», di simpatie governative, annunciavano il fatto compiuto.

Non ci volle molto per far scendere per le strade i primi dimostranti. Corsero sotto le finestre degli uffici ministeriali. Urla, minacce. Qualcuno si diresse anche verso la tipografia della «Gazzetta di Torino». La folla aumentava con il passare dei minuti. E il bello era che, in quelle ore, il grosso delle truppe si trovava fuori dalla città. Ad addestrarsi nei pressi di Cigliano, oltre San Maurizio, in «finte battaglie». A guidare i soldati nell'esercitazione c'era l'aiutante del re, Enrico Morozzo della Rocca. Il 20 settembre aveva passato in rassegna i suoi uomini, poi li aveva messi in marcia. Il 21 si tennero le esercitazioni, poi della Rocca prese il treno alla stazione di Cigliano per tornarsene a Torino. Era quasi sera. Alla stazione di Chivasso fu accolto dal maggiore Luigi Corvetto, suo sottocapo di stato maggiore. Salì sul treno e gli raccontò delle agitazioni di Torino. Piazza San Carlo, la sede della «Gazzetta di Torino», la Questura erano stati i punti più caldi della protesta. Incidenti mentre il comandante delle truppe del dipartimento torinese, proprio della Rocca, era assente. Una fortunosa combinazione per l'aiutante del re, abituato a non assumersi mai responsabilità dirette, ma a coprirsi con le decisioni degli altri. E infatti, commentando il dispaccio ricevuto dal Consiglio dei ministri che gli scaricava oneri a distanza, della Rocca annotava: «Nessuno meglio dei Ministri doveva sapere che il comandante delle truppe del dipartimento era assente; nondimeno gli si scriveva direttamente».[11]

Dopo i primi tumulti, il governo, impaurito e con il ministro Della Rovere dimissionario, si era riunito negli uffici del ministero dell'Interno. L'unica decisione concreta fu investire la massima autorità dell'esercito del distretto: il generale della Rocca. Come sempre, contro la spontanea volontà popolare si decideva di reagire con fucili e cannoni. Era successo tante altre volte negli ultimi 15 anni. Ora accadeva anche a Torino. A della Rocca si scrisse:

> Prego l'E.V. d'incaricare il Comandante della prima Legione dei carabinieri, colonnello Formenti, di prendere il comando delle truppe occorrenti per la repressione dei disordini che succedono in questo momento, e possono succedere stanotte o domattina.[12]

Tutto precipitava, mentre per discutere della Convenzione il Parlamento era stato convocato addirittura tredici giorni dopo: il 4 ottobre. Il ministro dell'Interno, Ubaldino Peruzzi, temeva addirittura sommosse allargate, così trasmise telegrammi di allerta ai prefetti di tutt'Italia. Silvio Spaventa, segretario del presidente del Consiglio Marco Minghetti, trascorse l'intera giornata del 20 settembre a radunare gendarmi a Torino. Il sindaco Rorà era preoccupato, così pure diversi esponenti della nobiltà torinese come il barone Sclopis. La folla riunita, per il momento, si limitava a raggrupparsi in alcuni luoghi precisi e a urlare: «Abbasso il ministero! O Roma o morte!». Annotò nel suo diario l'ambasciatrice americana Caroline Marsh: «Nelle strade c'è una piccola dimostrazione, ma questa è gente tranquilla e si scuoterà lentamente».[13]

Sottovalutazione dei primi focolai di rivolta. Eppure anche il municipio, presieduto dal marchese di Rorà, si era riunito nei giorni precedenti per decidere il da farsi. Il re aveva chiesto al sindaco di informare la città del sacrificio che le veniva richiesto. E il generale Luigi Menabrea, ministro dei Lavori pubblici, aveva aggiunto la proposta di una rendita annua perpetua di 5 milioni, destinati alle casse del bilancio comunale torinese come ricompensa al trasferimento della capitale.[14] Ma fu proprio il sindaco, il marchese di Rorà, a perdere le staffe più degli altri: lo spostamento proprio non gli andava giù. Al generale Menabrea, che gli parlava per conto del re portando anche le proposte economiche, rispose: «Per denari Torino non si vende, per quanto mi riguarda respingerò ogni intesa». Anche il resto della giunta decise di resistere. E, insieme con i giornali, sindaco e assessori cominciarono a far sapere all'intera città, con toni allarmistici, la notizia della Convenzione.[15] Il clima non era buono. La tensione cresceva. La guardia nazionale si rifiutava di disperdere gli assembramenti e si dovette ricorrere ai carabinieri. Tutti giovani reclute. Inesperti e timorosi. In quel momento i due ministri militari, entrambi piemontesi, Della Rovere e Menabrea, si erano rifiutati di ricorrere all'esercito impegnato nelle manovre fuori Torino. Su questo punto, il dispaccio giunto a della Rocca era stato chiaro: a fermare la folla per evitare il peggio dovevano pensarci i carabinieri. Ma la situazione sfuggì di mano a tutti.

La piazza non ci sta

Il generale della Rocca arrivò a Torino intorno alle 10 di sera. In tasca aveva un foglio con notizie riservate, scritto dal ministro Della Rovere che gli assegnava ampia autonomia sulle decisioni da prendere: «Darà le disposizioni che crederà più opportune».[16] Da via Nuova verso piazza Castello, la folla aumentava. Si sentivano urla, minacce. Un fiume di gente, che si affrettava con intenzioni poco chiare. Erano guardati a vista da drappelli di allievi carabinieri e poliziotti in borghese. Il generale della Rocca insinuò dubbi, alludendo alla presenza di Spaventa nella segreteria del presidente del Consiglio Minghetti e ai suoi trascorsi a Napoli come responsabile del dicastero di Polizia: «Gli emissari di polizia dall'accento si riconoscevano non piemontesi; erano milanesi e in gran parte napoletani, sembravano eccitare più che frenare la moltitudine, sì che il fermento cresceva di minuto in minuto».[17] Provocatori in piazza e al servizio di Spaventa: cominciò la dietrologia, antico vizio italiano, e il gioco dello scaricabarile. In realtà, Spaventa aveva organizzato una sezione di polizia indipendente dal questore che ubbidiva a un capo divisione del ministero dell'Interno, il conte Biancoli. Una specie di forza speciale agli ordini del ministro Peruzzi, costituita da agenti che provenivano da Napoli, Milano e Palermo. Ma collegare la sezione speciale agli incidenti era ipotesi tutta da dimostrare.

Il generale della Rocca impartì le prime disposizioni, cercando di far rientrare al più presto le truppe in città. Poi, con calma, tornò a casa, si tolse la divisa e andò al ministero della Guerra. I disordini e la folla si concentrarono nell'area tra piazza Castello, via Nuova e una parte di via Po. I ministri si riunirono tutti nella sede del dicastero dell'Interno, protetti da due colonne di gendarmi. In piazza San Carlo, carabinieri e poliziotti erano pronti al peggio con le armi cariche. Fino ad allora c'era stato qualche tafferuglio con pochi contusi, ma nulla di più. Eppure in piazza Castello la situazione precipitò. Non si capì mai chi perse per primo la calma. Serpeggiava nell'aria l'attesa del peggio, in un clima di tensione generale. Anche perché in piazza, come sempre è successo, venivano mandati i più giovani, quasi tutti inesperti. Inevitabili i morti. Partì un colpo di fucile, non si seppe mai da chi. Per i carabinieri fu come un segnale per cominciare a sparare. Raffiche di colpi investirono la folla. A terra, nel terrore, tra grida e paura, rimasero ben cinquanta corpi. La gente cercò riparo tra i portici delle strade, qualche donna svenne per la paura. Il panico prese il sopravvento e la gente iniziò a scappare. La confusione divenne totale, il generale della Rocca, come suo solito, negò di aver mai ricevuto pieni poteri sugli incidenti. E il re? Non era a Torino. Anche questa volta si trovava al sicuro nel castello di Sommariva Perno. E non volle neanche rientrare. Anzi, sentenziò: «Non voglio fare da testimone al sangue versato nel paese dove sono nato».[18] Ce l'aveva con Minghetti, che riteneva il vero responsabile dell'accaduto. Ma nei giorni caldi rimase sempre lontano, lasciando ai ministri la responsabilità di gestire quella patata bollente. Incidenti di piazza a Torino: quasi una novità. Anche quelli, in fondo, erano una conseguenza dell'unità italiana.

Nelle altre zone della città nessuna fucilata, solo qualche agitazione ben controllata. Il bersaglio di ogni minaccia fu soprattutto il ministro Peruzzi: dopo la tragica notte del 21, la gente lo definì un «macellaio», senza alcuna scusante. I ministri non sapevano come comportarsi. La notte trascorse nell'angoscia e nell'indecisione, anche perché non c'erano ancora notizie sicure sul numero dei morti: chi diceva cinquanta, chi di più. Il generale della Rocca sperava nell'arrivo di almeno 6000 soldati di rinforzo: avrebbero dovuto perlustrare la città divisi in pattuglie, accompagnando gli agenti di polizia. Nonostante la tensione, il generale trascorse il resto della notte a casa. In quella via di Torino che oggi si chiama corso Vittorio Emanuele, allora viale del Re. Ma il dramma era ancora in pieno svolgimento.

Il giorno dopo, arrivarono le truppe dalle esercitazioni. Il questore Chiapusso chiese che la maggioranza dei soldati fosse disposta nei dintorni di piazza San Carlo, senza dubbio la zona più calda. La folla non si era dispersa. Anzi. I morti della sera prima avevano riscaldato di più gli animi. Ricordò nel suo diario la Marsh: «C'erano dei gruppetti di persone dall'aspetto facinoroso e tra questi, proprio sotto la mia finestra, un individuo bruttissimo, con un enorme bastone, gesticolava verso la porta di un ufficio governativo di fronte a casa nostra».[19]

Schiere di soldati attorno a piazza San Carlo. Ma mancava una vera unità di comando. Da Milano era arrivato anche il questore Cossa, con compiti di raccordo tra l'autorità militare e quella civile. Decine di sassi vennero lanciati contro la sede della «Gazzetta di Torino». Il cordone di militari, carabinieri e poliziotti circondava la piazza e le strade attorno. Il fuoco si accese all'improvviso. Una quarantina di allievi carabinieri si avvicinarono alla calca più minacciosa. Spararono. Uno e più colpi. Qualcuno raggiunse anche la colonna dei soldati. Nella confusione, non sapendo da dove fossero partite le fucilate, i militari reagirono. Spari incrociati. Venne colpito un portabandiera e il colonnello del 17° reggimento. Una scena incredibile: soldati e carabinieri si sparavano tra loro, la gente fuggiva gettando sassi contro i lampioni e distruggendo vetrine. Nessuno dei dimostranti era armato, loro unici strumenti di offesa erano sassi e bastoni.

Alle 9 di sera finì tutto. I pochi lampioni non distrutti illuminavano la scena: decine di corpi senza vita attorno alla statua di Emanuele Filiberto. Il presidente del Consiglio Marco Minghetti propose di dichiarare lo stato d'assedio. Ma la sua idea non trovò consensi, in una riunione dei ministri sempre più convulsa. Il generale Della Rovere ritirò le sue dimissioni, per opporsi alla possibilità dello stato d'assedio. Si discuteva se affidare tutti i poteri ai militari, sulla base di un tremendo consuntivo: la conta di quei due giorni di follia era stata di oltre 50 morti e 200 feriti.[20]

Il re, rimasto sempre lontano dalla città, prese finalmente una decisione: sostituire il governo. Riteneva soprattutto Minghetti e Peruzzi i veri responsabili dell'accaduto. E chi poteva essere d'aiuto a Vittorio Emanuele se non La Marmora, l'uomo dei momenti difficili? Al generale si era rivolto per risolvere la questione di Genova nel 1849, a lui aveva affidato la spedizione di Crimea, a lui aveva chiesto di scendere a Napoli per reprimere il brigantaggio. E allora era proprio a La Marmora che fu ordinato di rientrare da Napoli per ricevere il doppio incarico di capo del governo e ministro degli Esteri. Non ci volle molto a nominare i ministri: Giovanni Lanza all'Interno, Quintino Sella alle Finanze, il generale Agostino Petitti Baggiani di Roreto alla Guerra. In una lettera riservata, il generale della Rocca, che teneva il re sempre informato, suggerì con forza di sostituire Minghetti.[21]

La Marmora tornava dalla Svizzera, quando venne informato dell'incarico. Il suo commento fu sarcastico: «Già, già, si fanno le sciocchezze, poi incaricano me di ripararle!».[22] Ma subito dopo, da militare, come sempre accettò. La città era controllata dai soldati. Un comitato affisse un manifesto chiedendo il ritorno all'ordine. Il governo La Marmora si formò in poco tempo e venne convocato il Parlamento per votare la famigerata Convenzione di settembre. La seduta si tenne il 24 ottobre, l'accordo con la Francia passò con 317 voti contro 70. Il trasferimento degli uffici governativi da Torino a Firenze cominciò subito,[23] mentre sugli incidenti del 21 e 22 settembre fu nominata una commissione d'inchiesta, presieduta dal deputato Carlo Boncompagni. Vennero sentiti i ministri, i vertici della polizia, i comandanti militari.

Tra le testimonianze, anche quella dell'ingegner Woolbert, impiegato delle ferrovie sarde. Che raccontò: «I poliziotti inseguirono i fuggitivi ed apparentemente, senza fare alcuna scelta, li trassero alla questura, percuotendoli nella più parte dei casi e lungo il tragitto. Non vidi il menomo esempio di resistenza, ma quello che io osservai fu vari gruppi da cinque a sei poliziotti che maltrattavano, colle armi, individui isolati».[24]

Altri episodi furono descritti da più testimoni. Come Giovanni Canavesio, titolare di una caffetteria in via Nova, che riferì: «Un mio avventore di 60 anni circa, mentre stava tranquillo prendendo un gelato, venne improvvisamente assaltato dalle guardie di pubblica sicurezza e ferito alla parte posteriore della testa».[25] In molte testimonianze si parlò di arresti senza motivo e di aggressioni dei poliziotti a gente inerme. Una relazione sui fatti venne preparata dal deputato torinese Alberto Ara, che era anche consigliere comunale. Il documento sintetizzò una mini-inchiesta condotta anche dalla giunta comunale. Il parlamentare concluse così: «Nei giorni 21 e 22 settembre la popolazione torinese si mantenne, come sempre, tranquilla benché addolorata, composta e dignitosa; i disordini furono prodotti da gente venuta dal di fuori, non sorvegliata dal governo ed alla quale erano frammisti agenti provocatori».[26]

Cento testimoni ascoltati dagli assessori comunali, per un atto d'accusa contro il governo ormai caduto. Disse ancora l'avvocato e deputato Ara: «In una città sede del governo si uccidono ragazzi, donne, vecchi inermi, individui senza intimazione e senza che neppure si possa pretestare la necessità della difesa. [...] Torino non vide le sue piazze e le sue vie sparse di sangue e cadaveri perché volesse imporsi ad ogni costo ora e sempre capitale d'Italia, ma fu trascinata sul terreno delle passioni dalle provocazioni degli agenti di pubblica sicurezza e dalle colpose imprevidenze del Ministero».[27]

Il palleggiamento di responsabilità dinanzi la commissione parlamentare contrappose il generale della Rocca a Minghetti. Tema del contendere era l'affidamento, sin dalla prima sera, dei poteri civili sull'ordine pubblico al comandante militare. L'ex presidente del Consiglio sostenne di aver impartito quella disposizione, della Rocca negava di averla mai ricevuta. Le conclusioni della commissione, presentate in Parlamento solo nel gennaio del 1865, scaricarono colpe politiche sul governo Minghetti, ma nel merito lasciarono molti dubbi su quella che oggi si definirebbe la «catena di comando» nel controllo degli incidenti. In aula, per evitare contrasti e divisioni, Bettino Ricasoli invitò tutti a dimenticare le contrapposizioni. Un colpo di spugna sui cinquanta morti in piazza. L'Italia era già pronta ad autoassolversi e a non assumersi le sue responsabilità.

Ma la gente non dimenticò. Forse delusa per le conclusioni della commissione e per l'assenza di colpevoli, attese la prima occasione per protestare ancora. I bersagli erano soprattutto Minghetti, Peruzzi e il «napoletano» Spaventa, cui si addossavano, senza prove, responsabilità dirette sull'uso di agenti provocatori «venuti da fuori». Il 30 gennaio 1865, in una città ancora carica di tensioni, esplosero nuove contestazioni. Ma venne ugualmente organizzato l'abituale ballo di corte per il Carnevale. La gente si raggruppò per una dimostrazione non violenta sotto Palazzo Reale. Si attesero le carrozze degli invitati, che vennero investiti da parole ingiuriose e bersagliati da uova marce. Nessun poliziotto intervenne e pochissimi invitati si presentarono. Sin dalla mattina del 30, in città erano stati affissi manifesti con un solo invito: «Trovatevi stasera alle 8 in Piazza Castello». La piazza si dava appuntamento per reagire.

Il re considerava il ballo una specie di prova di fedeltà. Voleva verificare chi avesse il coraggio di sfidare la folla per restargli accanto. La baronessa Olimpia Savio, con il marito Federico e la figlia Ada, partecipò al ballo. Il marito fece un giro di ricognizione e poi raccontò: «Il finimondo. Fischi, grida, si rompono i vetri alle carrozze, si arrestano a forza i cavalli, costringendo le signore a tornare indietro; si gettano dei liquidi per lo sportello onde rovinarne le toilettes. [...] Plebaglia pagata in parte e in parte in guanti gialli».[28]

La carrozza dell'ambasciatore di Prussia fu danneggiata, il conte di Robilant insultato. Al ballo, di solito affollato da non meno di 300 signore, se ne presentarono solo 50, comprese quelle del corpo diplomatico. E poi un centinaio di ufficiali e pochissimi parlamentari con i componenti del governo. Ognuno, all'ingresso, raccontava di un'aggressione, le ingiurie ricevute, i danni subiti. Qualche signora usò un escamotage: mandò gli abiti del ballo a Palazzo e lì si vestì. Ai cancelli erano schierate le truppe che facevano da barriera alla folla urlante. Al ballo, il generale Menabrea fu circondato dalla freddezza di molti esponenti della nobiltà torinese che si sentiva tradita nell'amor proprio.

Quella sera, Vittorio Emanuele era rosso in volto. La rabbia lo assalì, non parlava. Girava, inespressivo, gli occhi nel vuoto.[29] Si ritirò a mezzanotte. Fu un segnale. Quasi un sollievo per tutti: gli invitati si affrettarono ad andare via. Forse per la collera o per la sensazione di solitudine che l'aveva assalito, il re parlò pochissimo. E per tre giorni non riuscì a toccare cibo. Il ballo fu la goccia che fece traboccare il vaso: Vittorio Emanuele decise di lasciare subito Torino. Il 3 febbraio era già in viaggio per Firenze.

Da quel giorno, la capitale piemontese non fu più il centro della vita italiana. La nobiltà torinese non riusciva a rassegnarsi, molti seguirono di mala voglia la corte. E la baronessa Savio annotò sul suo diario la frase di una sua amica, che illustrava meglio di ogni discorso l'atteggiamento di nobili e alti borghesi di Torino sul trasferimento della capitale a Firenze dove «c'è sempre vento, acqua cattiva, dove s'arriva da tutte le parti del mondo, così che non si sa mai con chi si parla, senza dire che bisogna parlare sempre italiano... *O car! car 'l nostr Turin!*».[30]

Provincialismo, chiusura. Era la buona società torinese. Per la prima volta consapevole che l'unità d'Italia costava sacrifici. E che a tanti, nelle altre regioni, era stata imposta. Con privazioni ben più dure dello spostamento di una capitale.

Sconfitte italiane

Uguale obiettivo, propositi analoghi di unificazione nazionale. All'improvviso il generale La Marmora scoprì che gli interessi dell'Italia e della Prussia coincidevano. E che, forse, proprio da Berlino poteva arrivare un aiuto per strappare il Veneto all'Austria. C'era però da mettere le basi a un'alleanza che poteva portare anche alla guerra. In fondo, proprio a Vienna la Prussia trovava i maggiori ostacoli alle sue aspirazioni di Stato guida nell'unificazione germanica. E se c'era da fare una guerra, che guerra fosse. La prima per l'esercito italiano unito. La prima sotto le insegne e la bandiera italiana. Nel 1848-49, nel 1859 e nella campagna della Bassa Italia, a combattere era stato l'esercito piemontese. Ora sarebbe stato diverso, anche se i nomi e i volti di chi era al comando non erano cambiati negli anni. Prevalevano sempre gli ufficiali piemontesi: della Rocca, appoggiato dal re; La Marmora, sicurezza in tutti i momenti difficili; Cialdini, irascibile mastino dal carattere impossibile;

Durando, pacioso esecutore di ordini. E poi i nuovi acquisti. I garibaldini Bixio, Sirtori e Cosenz. I napoletani Pianell e Nunziante. Un panorama eterogeneo di invidie, cricche contrapposte e chiuse nelle loro aspirazioni di carriera, giocate con colpi bassi e raccomandazioni. Fino al 1866, l'esercito aveva potuto farsi bello con medaglie conquistate grazie alle armi francesi e in una guerra civile contro altri italiani nel Sud. Ma da soli quei comandanti avevano dimostrato ben poco.

Che sul trono di Prussia ci fosse re Guglielmo era condizione favorevole a un'alleanza. Già all'incoronazione del sovrano prussiano, La Marmora era stato inviato da Cavour a Berlino per esprimere le congratulazioni italiane. Dopo la brutta figura della Convenzione con la Francia, siglata tra tentennamenti, egoismi e incidenti di piazza, a Firenze si cercava un alleato alternativo a Parigi. Con Berlino le trattative partirono nell'estate del 1865. Era il 4 agosto, quando l'ambasciatore prussiano a Firenze, Karl Georg von Usedom, annunciò l'intenzione del suo Paese di entrare in guerra contro l'Austria. La risposta del presidente del Consiglio fu cauta: «In questo caso non possiamo prendere alcun impegno, senza conoscere le intenzioni dei francesi».[31]

La Francia lasciò libera l'Italia di decidere. Parigi conservava molta influenza sulla politica estera italiana e, attraverso Costantino Nigra, mise in guardia il governo di Firenze, chiedendo di evitare passi affrettati. Insomma, bisognava misurare bene le forze, cercando di non perdere le conquiste del 1859 evitando di mettere in difficoltà la Francia. Il suggerimento dell'ambasciatore Édouard Drouyn de Lhuys fu di avviare colloqui con Vienna per ottenere il Veneto con un trattato. Evitare la guerra era preferibile per Parigi. Sulla testa dei veneti si contrattò l'acquisizione del loro territorio: al principe Richard von Metternich-Winneburg si prospettò l'ipotesi di una cessione in cambio di denaro. Come una merce e senza sentire il parere degli interessati: i veneti, che fino a quel momento si erano mostrati più vicini all'Austria che all'Italia. Come nel

1848, quando le diserzioni italiane nell'esercito austriaco non furono che poche decine.

Fallite le trattative con l'Austria, La Marmora tornò alla carica con Berlino. Su richiesta del cancelliere Otto von Bismarck, incaricò ai colloqui il generale Giuseppe Govone, inviato in missione in Prussia. Così ne parlava La Marmora: «Uomo di grande talento militare, aveva reso molti servizi al suo Paese e aveva una predisposizione innata per la diplomazia».[32]

Govone aveva preso parte a molte vicende delicate di quegli anni. Le polemiche lo avevano bersagliato per i metodi adottati nella repressione in Sicilia. Ma ne uscì indenne. Si incamminò in una trattativa lunga e difficile. Tra alti e bassi, tra passi indietro e conquiste. In quei giorni, La Marmora aveva alta considerazione del suo emissario a Berlino. Qualche mese dopo, le sue valutazioni su Govone sarebbero cambiate. Il 14 marzo 1866, il primo colloquio ufficiale a Berlino. Il contenzioso sui ducati dello Schleswig-Holstein divideva Austria e Prussia. Il timore di Govone era che l'alleanza potesse essere usata da Berlino solo come deterrente per costringere Vienna a cedere, senza che l'Italia ne ricavasse alcun vantaggio.

Il generale della Rocca era stato costretto a lasciare il suo incarico di comandante territoriale a Torino, ritenuto da La Marmora, come sanciva lo Statuto Albertino, inconciliabile con la funzione di aiutante del re. Non la prese bene della Rocca che, pieno di risentimento verso il suo collega-presidente del Consiglio, dovette partire da Torino per trasferirsi a Firenze con il re. Alla vigilia di una guerra, ognuno pensava alle occasioni di far carriera. Il generale della Rocca, capo di stato maggiore nel 1859 su pressione del re, che lo impose a La Marmora allora solo ministro della Guerra, temeva di essere messo da parte. E lo annotò: «Il re certamente non avrebbe potuto togliere il posto che il ministro serbava per sé; tanto meno per darlo a me, cui, sotto altro pretesto politico, si sarebbe destinato forse un incarico onorifico, senza importanza, tanto per tenermi lontano dal re, e forse dal campo di battaglia».[33]

Premesse davvero infauste per una guerra che avrebbe avuto bisogno di unità di azione, di totale intesa tra gli alti comandanti, di collaborazione stretta tra gli ufficiali. Govone, intanto, tra non poche difficoltà, andava avanti nella sua missione a Berlino. Il generale piemontese si trovò ad agire da solo, senza precise indicazioni. Lo aiutava solo l'ambasciatore italiano a Berlino, il conte Giulio Cesare Barral de Monteauvrard. Si preparò una bozza di accordo. Govone annotò nelle sue memorie: «Ci pareva pericoloso stringere un trattato che legava noi soli alla Prussia, senza legare in alcun modo la Prussia a noi, esponendoci al caso di spendere 100 milioni alla mobilizzazione senza che poi ne seguisse la guerra».[34]

La preoccupazione era che l'annessione del Veneto all'Italia non fosse considerata questione principale dell'alleanza. Come era avvenuto nel 1859 con la Francia, si pensò a un pretesto per far scoppiare la guerra. A Firenze, ancora una volta si era consapevoli che, da sola, nonostante il considerevole aumento di truppe seguito alle annessioni territoriali, l'Italia non poteva farcela. Occorreva un potente alleato sui campi di battaglia, per sconfiggere l'Austria. Il Risorgimento appariva, di nuovo, combinazione di aiuti stranieri. Furono ipotizzati piani di guerra: la Prussia avrebbe attaccato la Boemia, inviando 100.000 uomini in Baviera per farli marciare su Linz. Gli italiani avrebbero dovuto tenere impegnati gli austriaci nel Veneto. Il trattato venne siglato l'8 aprile 1866.

L'occasione di guerra fu trovata nel movimento di truppe e nell'armamento italiano, che avrebbe dovuto spingere l'Austria a protestare. Nei suoi appunti del 19 maggio 1866 da Firenze, Govone annotava: «In Italia il Governo arma. Cento e sessanta mila uomini coll'artiglieria a quattro pezzi già concentrati alla fine di maggio, duecento e più mila uomini pronti colle batterie a sei pezzi. I volontari docili. Grande entusiasmo».[35]

Le truppe italiane si concentrarono a Bologna e Piacenza. L'Italia si stava sbilanciando più della Prussia, che metteva in dubbio la condizione di reciprocità del trattato in cui si parlava solo di aiuto italiano in caso di guerra tra Vienna e Berlino. Non altro. Per fortuna di La Marmora, re Guglielmo ordinò la mobilitazione di 168.000 uomini. Fu a quel punto, agli inizi di maggio, che l'Austria ritornò alla carica: offrì il Veneto in cambio della neutralità italiana. Poteva essere un'offerta vantaggiosa, ma La Marmora aveva fretta di conquistare Venezia sul campo di battaglia. Nutriva eccessiva fiducia nell'esercito. Non tenne in alcun conto la scarsa organizzazione e soprattutto i contrasti tra i suoi generali.

A Berlino si tenne un consiglio di guerra. Stabilì per metà giugno l'inizio della guerra. Con Vienna si schierarono alcuni Stati germanici: quelli meridionali e in più Hannover e Sassonia. La Marmora si preparò subito: si dimise per prendere il comando dell'esercito, sostituito al governo da Bettino Ricasoli. Il 20 giugno, abitudine non sempre seguita dagli ufficiali di origini piemontesi, La Marmora fece notificare la dichiarazione di guerra all'Austria. L'annuncio in Parlamento a Firenze venne accolto tra gli applausi. Ricasoli riferì, secco: «Il Regno d'Italia ha dichiarato guerra all'impero austriaco».[36]

Del resto, l'inizio della guerra era atteso con ansia da tutti i militari di professione. All'ipotesi di un trattato con l'Austria per ottenere il Veneto, Nino Bixio aveva commentato: «Meglio avere centomila morti in battaglia che accettare l'onta di una cessione pacifica».[37]

Ancora una volta, lo Statuto Albertino venne calpestato. Il trattato con la Prussia, che prevedeva l'ingresso in guerra, doveva essere esaminato dal Parlamento prima di entrare in vigore. Non fu fatto. E non sarebbe stata la prima volta: la violazione sarebbe stata ripetuta anche per la partecipazione alla Prima guerra mondiale. Evidentemente, quando si decideva sul sangue dei contadini e dei poveri soldati analfabeti, lo si preferiva fare a porte chiuse. Tra poche persone. Senza bisogno di discussioni parlamentari. Vittorio Emanuele, che si vantava di abilità da grande stratega, si preparava a ripetere le gesta di sette anni prima. Pensava però di possedere un esercito ben organizzato, con almeno 280.000 uomini, 36.000 cavalli e 456 pezzi d'artiglieria. Gli avevano rappresentato un quadro idilliaco della situazione. Come da quel momento in poi sarebbe sempre avvenuto in Italia, invece ci si preparava a una guerra non facile in maniera del tutto frettolosa. Senza mezzi, con soldati poco addestrati e soprattutto con generali divisi su ogni cosa. A 46 anni il re si considerava il vero comandante supremo in una realtà instabile dove, per motivi di carriera, molti generali erano pari grado per anzianità. Per esempio, della Rocca si aspettava di ricevere un gran comando, ma era consapevole che La Marmora lo avrebbe ostacolato. Eppure, con la solita raccomandazione del re, della Rocca riuscì a ottenere il comando del III corpo d'armata.

Anche per la sua rivalità con della Rocca, il generale La Marmora non era mai piaciuto al re. Eppure Vittorio Emanuele sapeva che di quell'ufficiale testardo e cocciuto, sempre preso dal suo senso del dovere, poteva fidarsi. Anche perché era un vero piemontese e, come tale, per lui la fedeltà a casa Savoia rappresentava un dogma. I rampolli nobili, come La Marmora, venivano destinati alla vita militare dove potevano intraprendere anche la carriera politica. Una garanzia di continuità. Ma chiusa all'esterno, con parentele e matrimoni conclusi tra famiglie di comprovato sangue piemontese da molte generazioni. E proprio per la sua fedeltà e la sua «piemontesità», La Marmora era convinto, anche dopo la buona prova fornita dopo la crisi dei disordini di Torino, di poter aspirare al comando supremo nella prima guerra dell'esercito italiano.[38]

Ma il re non riusciva a decidersi tra due pari grado nelle alte sfere dell'esercito: La Marmora ed Enrico Cialdini. Al secondo, duca di Gaeta, dal carattere spigoloso e difficile, doveva gratitudine per la tenacia dimostrata nella gestione della campagna nelle Due Sicilie e nello Stato pontificio. Ma anche per l'ultima luogotenenza guidata a Napoli. E poi era uno che sapeva farsi rispettare. Aveva anche saputo polemizzare, a muso duro, con Garibaldi a proposito dei meriti avuti nella conquista del Sud e aveva avuto la furbizia di assicurarsi ampio seguito tra gli ufficiali dell'esercito. Temuto e rispettato. Così il re decise di non decidere. E creò, di fatto, due alti comandi: La Marmora capo di stato maggiore generale; Cialdini comandante del IV corpo d'armata di consistenza tale da costituire nei fatti un vero e proprio esercito autonomo. Un'incongruenza, con eccessiva frammentazione di forze. Gli altri comandanti vennero scelti dal governo in una riunione presieduta da Vittorio Emanuele: oltre della Rocca, c'erano Giovanni Durando del dipartimento di Milano al comando del I corpo d'armata e Domenico Cucchiari del dipartimento di Firenze alla guida del II corpo d'armata.[39]

Per la scelta dei generali di divisione fu seguito il solito criterio di equa ripartizione tra le varie componenti interne all'esercito. Una suddivisione tra gruppi di potere. Vennero accontentati i quattro ex garibaldini (Bixio, Cosenz, Sirtori, Medici), i due ex borbonici (Pianell e Nunziante), i dieci piemontesi, tra cui c'era anche Raffaele Cadorna, e l'unico emiliano, che poi era Cialdini. Il solo estraneo alle varie congreghe e poco propenso ai compromessi, nonostante le origini piemontesi, era Govone. I suoi meriti li aveva conquistati tutti sul campo. Era stato in Crimea, addirittura aveva partecipato alla carica di Balaklava con gli inglesi. Non era mancato a nessun appuntamento di guerra negli ultimi sedici anni. Ma per la sua schiettezza e la sua poca flessibilità, non era amato dai colleghi. Quasi corpo estraneo, in un panorama piatto di accomodamenti e ipocrisie. Oltre che di giochi di potere, sulla pelle dei soldati. All'interno dell'esercito si soffrivano ancora i contrasti, anche duri, tra Manfredo Fanti e La Marmora sull'organizzazione da dare a corpi e divisioni. Fanti era stato promotore di una ripartizione che valorizzava il numero, La Marmora aveva sostenuto la qualità. Lo scontro arrivò in Parlamento e scatenò tra i due una lotta senza quartiere. La riforma di Fanti venne di fatto annullata da La Marmora.

Poi, alla vigilia della guerra, c'era l'ostilità dei piemontesi verso gli ex borbonici, per motivi di carriera e per diffidenza nei confronti di ex nemici. Solo Pianell mostrò una capacità di adattamento superiore alla media con i colleghi di Torino, tanto da conquistarsi simpatie ben oltre il suo «peccato originale».[40]

I nodi vennero al pettine subito, al primo impatto con il nemico. Il 25 giugno 1866 l'ora della verità. Gli austriaci, guidati dal generale Karl Moering, lasciarono Verona e cominciarono la marcia contro gli italiani. Il piano di battaglia italiano era quanto di più ingenuo e disorganico si potesse immaginare. Per evitare gelosie, si suddivise il fronte in parti di uguale importanza sotto il controllo di La Marmora e Cialdini. Il primo avrebbe dovuto aprire le ostilità intorno al Mincio, mentre al secondo spettava l'iniziativa successiva, attraverso il Po, per travolgere gli austriaci. Ma per la riuscita del piano occorreva un efficiente servizio di informazione sui movimenti nemici e soprattutto la certezza che sul Mincio si verificassero solo piccole scaramucce con gli austriaci, senza rilievo strategico. Atti dimostrativi per permettere a Cialdini di marciare con il grosso dell'esercito. La superiorità numerica era tutta italiana: 21 divisioni con più di 200.000 uomini. I tre corpi d'armata di Durando, Cucchiari e della Rocca erano sotto l'alto comando del re e di La Marmora. Si trovavano alla sinistra del fiume Mincio di fronte al Quadrilatero delle famose fortezze austriache. Il corpo d'armata di Cialdini, invece, con 60.000 uomini, era tra Ferrara e Bologna. L'arciduca Alberto d'Asburgo, titolare dell'alto comando delle truppe austriache, contava su 135.000 uomini dislocati tra il Tirolo, l'Istria, le guarnigioni del Quadrilatero, la fortezza di Rovigo e Venezia. La forza attiva austriaca sul campo di battaglia era in tutto di circa 70.000 uomini, che però potevano contare su un ottimo servizio di informazioni e collegamenti, favoriti anche dai civili veneti. L'armata di Vienna si concentrò attorno a Verona, lasciando forti barriere di cavalleria a sorvegliare i movimenti nemici sul Mincio e sul Po.

Gli italiani pensavano di assumere l'iniziativa e invece furono preceduti dagli austriaci. Il 24, il giorno prima del movimento del grosso delle truppe, la cavalleria austriaca attaccò a Oliosi e a Villafranca la XVI brigata italiana, che era agli ordini del principe ereditario Umberto di Savoia. Accorse in aiuto la divisione Bixio e riuscì a respingere il nemico. I comandanti si persero in caotiche ispezioni, che li tagliarono fuori dalle comunicazioni. In poco tempo, la divisione del generale Filippo Brignone fu travolta, mentre quelle di Enrico Cerale e Giuseppe Sirtori si ritirarono. Erano poco più che scaramucce, ma La Marmora non possedeva notizie certe. E si convinse che in quel punto del fronte si era avuta una rotta totale. Della stessa idea era il re, che pensò di riunire il suo stato maggiore a Goito per decidere il da farsi. Fino a quel momento, in realtà, il grosso delle truppe non aveva ancora sparato un colpo. Partì l'ordine di ritirata che anche gli austriaci, che avevano solo voluto saggiare la consistenza nemica, erano sul punto di lanciare. La confusione tra gli italiani era totale e così l'arciduca Alberto si rese conto che poteva attaccare le alture di Custoza. Tra le truppe italiane crebbe lo sbandamento: si cominciò a passare il Mincio. In ritirata. Vittorio Emanuele rimase solo per poco tempo nei punti caldi della battaglia, poi si stancò e si tirò indietro, allontanandosi dagli scontri.

Sirtori riorganizzò la sua divisione, mentre Durando con i suoi uomini di riserva era pronto ad accorrere di rinforzo. Al centro dello schieramento, le divisioni di Efisio Cugia e di Giuseppe Govone erano riuscite a riconquistare le alture perse in precedenza. Ma l'indecisione di La Marmora si rivelò fatale. Lasciò inattive le divisioni di Bixio e del principe Umberto, mentre Sirtori veniva respinto e si ritirò con Durando. Restavano Cugia, che fu ricacciato indietro dagli austriaci, e Govone, intenzionato a resistere, che continuava a chiedere con insistenza rinforzi. Soprattutto a della Rocca, che, inattivo e tranquillo nelle retrovie, glieli negò in attesa di ordini superiori. Facendo di peggio: ripiegò, rendendo vani gli sforzi della divisione Govone, vantandosi poi di aver portato in salvo, senza affanni, quasi tutto il suo corpo d'armata. In quelle ore si combatterono solo scaramucce che costarono agli italiani appena 720 morti. Molti meno delle perdite subite dai borbonici nell'assedio di Gaeta. I feriti furono 3112, mentre tra prigionieri e dispersi si contarono altri 4315 uomini.[41] Rimase ferito anche il generale Cerale. Gli austriaci ebbero 960 morti e 3690 feriti, con oltre 1000 prigionieri in gran parte *Jager* – i corpi scelti di fanteria composti per lo più da tirolesi – catturati dalla divisione di Pianell. L'esercito italiano, quasi intatto, era già demoralizzato. Nessuna spinta ideale, nessuno slancio. Sul Po, Cialdini era rimasto fermo. Attendeva di riprendere le ostilità. Nel Veneto erano rimasti solo 20.000 austriaci, ma non se ne avevano notizie sicure. Cialdini restò incerto, anche dopo il telegramma del re che lo informava: «Il disastro a Custoza è stato immane, molte divisioni sono state distrutte, gli austriaci ci hanno travolto».[42] Fu una soddisfazione per Cialdini sentirsi il vero comandante, l'uomo che avrebbe potuto decidere le sorti della guerra. Gli veniva chiesto di accorrere in aiuto di La Marmora, dopo che il suo rivale aveva clamorosamente fallito il suo compito. Ma decise di muoversi con molto ritardo. Perse cinque giorni in inutili studi, per predisporre piani e ottenere informazioni sicure. Il grande bombardatore di Gaeta mostrava eccessive titubanze di fronte a un esercito che non era in ginocchio. Insomma, un disastro totale. Nove giorni dopo Custoza, arrivò la notizia della sconfitta austriaca a Sadowa. Si aprivano le porte per l'avanzata a Vienna dei soldati prussiani. L'Austria fu costretta, per questo, a ritirare gran parte dei suoi uomini dall'Italia per difendersi. Poteva essere una facile occasione per Cialdini. Ma la sprecò. Il generale mandò a chiedere 100.000 paia di scarpe, viveri. Protestava che l'artiglieria pesante non poteva avanzare per il fango. Perdeva tempo prezioso, mentre la Prussia si lamentava di aver dovuto fare tutto da sola.

Il dopo Custoza furono polemiche a raffica. Il solito rinfaccio di accuse tra generali. D'impeto, come da carattere, Govone accusò subito della Rocca di non avergli inviato i rinforzi richiesti. Da della Rocca repliche risentite. Sparò a zero sui giornalisti ostili, su Govone, spiegando di aver atteso gli ordini di La Marmora cui era sottoposto. La Marmora tentò di difendersi a fatica, imputando ai mancati collegamenti e alle scarse informazioni le sue valutazioni. Cialdini sparò a zero su chi controllava il fronte sul Mincio e addossò al rallentamento della guerra la sua mancata invasione del Veneto. Proprio Giuseppe Govone, spedito in missione a Nikolsburg, tentò di ritardare l'armistizio tra Austria e Prussia, per consentire all'Italia un riscatto sul campo di battaglia. Inutile. L'imperatore Francesco Giuseppe firmò la pace con il re Guglielmo.

Ma le umiliazioni non erano ancora finite. Se non si era vinto a terra, si doveva tentare un riscatto sul mare. Doveva pensarci Carlo Pellion di Persano, l'ammiraglio protagonista ad Ancona e Gaeta. L'uomo che aveva appoggiato la spedizione garibaldina. Il protetto di Massimo d'Azeglio. Gli si chiedeva subito una battaglia memorabile sull'Adriatico, una vittoria da portare sul tavolo della pace all'alleato prussiano. L'ammiraglio prendeva tempo, chiedeva più mezzi. Timoroso. Finalmente gli arrivarono i rinforzi: la nave *Affondatore*, con cannoni Armstrong da 300 pollici su 2 torrette; 3 navi in legno con 2200 soldati. Persano, anche lui della vecchia nobiltà piemontese, aveva allora 60 anni. Si riteneva uno dei protagonisti del Risorgimento, vantava più meriti di quanti effettivamente ne aveva per la spedizione garibaldina. Aveva già vissuto disavventure gravi per un marinaio. Come una manovra errata con la nave *Governolo* che trasportava il re e il duca di Genova in Sardegna. La nave era andata a sbattere contro uno scoglio e la famiglia reale si era salvata solo per l'intervento di un'altra imbarcazione. Raccomandazioni e pressioni avevano salvato l'ammiraglio da un processo.

Di fronte, l'ammiraglio italiano aveva uno dei migliori comandanti di marina in circolazione: Wilhelm von Tegetthoff.

A Persano, fermo ad Ancora, telegrafò più volte il ministro della Marina, Agostino Depretis, per spingerlo all'azione. La flotta austriaca si presentò dinanzi ad Ancona e cominciò a bombardare. I sottoposti di Persano erano il napoletano Giovanni Vacca, uno dei primi «traditori» della flotta borbonica, e poi il conte sardo Giovan Battista Albini. Il 20 luglio, senza carte nautiche, Persano fu costretto a lasciare Ancona in cerca del nemico. Puntò verso l'isolotto di Lissa, ma il suo avversario conosceva i movimenti italiani. Era stato avvertito della partenza da Ancona via telegrafo. Persano ordinò ad Albini di avvicinarsi all'isolotto e cominciare il bombardamento. Ma il suo sottoposto si rifiutò con delle scuse: le sue navi erano di legno, disse, potevano essere affondate con troppa facilità. Come dire: non amo rischiare. Persano lasciò la nave ammiraglia *Re d'Italia* e si trasferì sulla corazzata *Affondatore*. L'ammiraglio austriaco era a bordo della *Ferdinand Max*. Lasciando la nave ammiraglia, Persano aumentò la confusione tra le navi italiane: da dove dovevano arrivare gli ordini? Che segnalazioni si dovevano seguire? La battaglia cominciò. Gli austriaci speronarono e affondarono la *Re d'Italia*, che si inabissò con 400 uomini. Morì anche il deputato Pier Carlo Boggio, che si trovava a bordo. Altro bersaglio fu la nave *Palestro*. Colpita, speronata e affondata, con una forte esplosione. Mentre la battaglia incalzava, Vacca, altro eroe da salotto, si teneva distante. L'ammiraglio austriaco, circondato da altre tre corazzate, decise di dirigersi su Lissa. Vi entrò tra le urla di entusiasmo dei marinai, in gran parte veneti: sull'isolotto sventolava ancora, vittoriosa, la bandiera imperiale. La battaglia era costata agli austriaci 105 morti sulla *Kaiser* e altri 31 sulle altre navi. Pesanti le perdite italiane: 400 morti colati a picco con la *Re d'Italia*; 230 marinai saltati in aria con la *Palestro*; 99 uomini fuori combattimento sulle altre navi. Si trattava di 2 corazzate perse, con oltre 700 uomini.[43]

L'umiliazione, per una giovane nazione che avanzava ambizioni di potenza sul mare, fu grande. L'ammiraglio Persano venne processato per codardia e incompetenza. Principali accusatori furono i suoi sottoposti: Vacca e Giovan Battista Albini. Persano fu ritenuto responsabile della disfatta e condannato alla perdita dei gradi e delle decorazioni. Venne radiato. Il tribunale militare lo ritenne colpevole di incompetenza, non di codardia. Il re, con fondi personali, anche su pressioni della famiglia dell'ufficiale, versò di tasca sua la pensione all'ammiraglio. Per difendersi, Persano si decise a pubblicare i famosi diari sui giorni della conquista delle Due Sicilie. Diari preziosi, scritti sulla scia del risentimento e nell'ansia di riabilitarsi, che svelarono retroscena e scenari poco edificanti sulla spedizione dei Mille. Ironia della sorte, qualche giorno dopo la battaglia calò a picco anche l'*Affondatore*: la nave era ancorata ad Ancona, una tempesta la sballottò e l'equipaggio non riuscì a tenerla a galla. Anche Albini e Vacca, che si erano rifiutati di entrare nel cuore della battaglia, conclusero la loro carriera militare in maniera ingloriosa: l'anno dopo la sconfitta di Lissa, furono messi a riposo. Senza rimpianti per la marina militare italiana. Albini aveva 55 anni, Vacca due in più.

Il 26 luglio, senza neanche avvertire l'Italia, la Prussia firmò l'armistizio con l'Austria. Erano passati appena sei giorni dalla disfatta di Lissa. In fondo, si ripeteva la scena di sette anni prima, quando la Francia fece da sola, sospendendo la guerra senza avvertire l'alleato piemontese. Nel 1859 come nel 1866. Allora c'era l'esercito piemontese, ora il suo erede diretto: l'esercito italiano. Vizi e limiti non erano cambiati. Le conquiste sul campo di battaglia erano state rese possibili solo da un forte alleato: Francia o Prussia. La prima vittoria italiana in una guerra in realtà si era rivelata sul campo una doppia batosta. A Custoza e a Lissa. Quando Bismarck annunciò l'armistizio, Vittorio Emanuele dovette subito adeguarsi. Come sempre, i generali sconfitti uscirono con decorazioni e ringraziamenti. Il re premiò La Marmora e Cialdini. Senza che avessero fatto nulla per meritarlo. L'armistizio italiano fu firmato a Cormons il 12 agosto 1866. Cominciavano i quarantotto giorni che avrebbero portato, con rapidità e senza che le popolazioni potessero esprimere il loro parere in libertà, il Veneto all'Italia.

In un albergo si firma la cessione del Veneto

Tre milioni. Erano gli abitanti del Veneto, i nuovi italiani da unire presto agli altri. Nonostante le sconfitte. Come era avvenuto con la Lombardia, anche questa volta l'Austria cedeva la provincia alla Francia. Sarebbe stato l'imperatore Napoleone III, come aveva fatto sette anni prima, a girare poi il Veneto all'Italia. Ma prima c'erano da seguire alcuni adempimenti formali, come la cessione delle fortezze con l'inventario di quanto vi era contenuto. Il governo italiano incaricò il generale Giovanni Genova Thaon di Revel di occuparsi di tutti i passaggi per mettere le mani sulla nuova provincia. Il conte Thaon di Revel aveva ben lavorato a Napoli, poteva curare la transizione anche a Venezia. Venne così nominato commissario regio straordinario per le trattative con Francia e Austria. Lasciò la prima divisione dove era assegnato e, dopo l'annuncio ricevuto da Cialdini, si trasferì a Venezia. Avrebbe avuto a che fare con il generale Karl Moering, commissario militare austriaco, il generale Edmond Leboeuf, commissario militare francese e il generale barone Alemann, comandante austriaco della fortezza di Venezia. Il ministro della Guerra, Efisio Cugia, avvertì Thaon di Revel che doveva muoversi in punta di piedi, per non urtare alcuna suscettibilità: quella dei veneti, quella del comandante dell'esercito, Enrico Cialdini, quella di francesi e austriaci. Una vera e propria missione diplomatica.[44]

Vestito con la divisa da generale, Thaon di Revel si trasferì a Venezia il 19 settembre 1866, accompagnato dall'aiutante di campo Pierino Cambrotto Cambiaso e dal capitano di stato maggiore Federico Bosco di Ruffino. Si sistemò all'albergo Danieli, dove alloggiava anche il generale Moering. Il commissario francese Leboeuf dormiva invece all'albergo Europa.

Oltre all'inventario degli armamenti e degli immobili da trasferire, c'era da cambiare l'amministrazione comunale e soprattutto da stabilire il costo del materiale che gli austriaci lasciavano nella città e nelle fortezze. Le stime definitive furono di 4.871.291 fiorini.[45] Comprendeva sei piazzeforti (Palmanova, Peschiera e Malcesine, Mantova, Legnago, Venezia, Verona) e molti pezzi di artiglieria con polvere da sparo.[46] Le trattative si svolsero in un appartamento all'Hotel de la Ville sul Canal Grande, che apparteneva a un privato. In quei giorni, le fortezze erano ancora occupate dai militari austriaci. Bisognava graduarne la partenza, con il passaggio di consegne.

Thaon di Revel si trovò di fronte problemi già visti: garibaldini che avevano combattuto nelle settimane precedenti, con richieste di denaro; veneti che accampavano pretese patriottiche e chiedevano riconoscimenti; impiegati in cerca di nuove occupazioni. Le stesse difficoltà affrontate ad Ancona e Napoli. C'erano anche sessantanove detenuti politici da far scarcerare. E le avvisaglie dei problemi economici successivi: gli austriaci avevano naturalmente subito sospeso i lavori pubblici già avviati e la decisione lasciava senza lavoro decine e decine di operai. Il governo italiano non poteva assumere ancora impegni economici e, nell'immediato, spuntavano nuove bocche da sfamare rimaste disoccupate. Poi, come se non bastasse, esplose un'epidemia di colera che non era esclusiva meridionale. Le truppe italiane sarebbero dovute entrare a Venezia per evitare disordini, ma il loro arrivo poteva aggravare la diffusione dell'epidemia. Thaon di Revel ricordò quanto aveva fatto a Napoli in occasione del rientro di 12.000 reduci da Gaeta, dove cinque anni prima era esploso il tifo. In quell'occasione, Thaon di Revel aveva riunito tutti i medici della città per rassicurare la gente. Poi aveva fatto distribuire disinfettanti. Morirono diversi reduci, vittime del tifo contratto durante l'assedio, pagando la loro fedeltà ai Borbone. Ma quelle decine di morti furono tenute nascoste, per non allarmare la popolazione.[47] Gli stessi accorgimenti furono adottati a Venezia, dove venne dato incarico al dottor Giacinto Namias, il più noto medico cittadino, di occuparsi del colera diffuso tra le truppe italiane. Nei luoghi più insalubri della città fu sparso cloruro di calce, venne disposto che i medici ispezionassero ogni zona prima di dare il via alle disinfestazioni. Il governo, presieduto da Bettino Ricasoli, stanziò 1500 lire che la giunta comunale avrebbe potuto utilizzare per lavori pubblici necessari a evitare il diffondersi dell'epidemia. Inoltre furono assegnate 450 lire per soccorrere le famiglie dei colerosi. Era la prima emergenza affrontata dal governo di Firenze nel Veneto.[48]

Era evidente che, ancor prima della solita farsa del plebiscito, Thaon di Revel si muoveva già come luogotenente governativo. Bisognava prendere decisioni amministrative, evitare disordini e l'ingresso delle truppe doveva di certo precedere il voto dei veneti. Ma la Francia inventò un sotterfugio, per nascondere che la cessione si faceva prima di sentire la volontà popolare: la provincia sarebbe stata consegnata dal commissario di Parigi a tre notabili locali. Come a dire: i veneti ritornavano padroni della loro terra. Ma l'ipotesi era guardata con diffidenza da Ricasoli, che temeva rigurgiti di autonomia: bisognava calibrare i nomi dei tre notabili, far loro capire che il passaggio rappresentava solo un escamotage formale.

Per ingraziarsi i nobili e i potenti locali, Thaon di Revel usò la solita arma: lusinghe e promesse di incarichi e onorificenze. Inviò una lista di dodici personaggi «meritevoli della nomina a senatori». Patrizi e nobili. Inoltre, per raccogliere consensi anche tra i più poveri, prima si pensò di pagare tutti gli oggetti impegnati a Venezia che valevano in totale oltre 765.000 fiorini. Poi, visto che la cifra risultò eccessiva, si decise di distribuire denaro alle parrocchie che aiutavano i bisognosi. Due pesi e due misure: la Chiesa, in quel caso, veniva considerata degna di fiducia.[49]

E i militari veneti dell'esercito austriaco? Erano stati tra i più fedeli all'imperatore, avevano combattuto con coraggio contro gli italiani. Nella guerra appena conclusa, la cosiddetta

Terza guerra di indipendenza, su 6907 reclute venete, i disertori o renitenti tra le file austriache erano stati appena 22. Un dato che la dice lunga sul sentimento di italianità e sul presunto odio dei veneti per l'amministrazione austriaca. Thaon di Revel si trovò di fronte a circa 50.000 soldati veneti che l'esercito austriaco scioglieva dal giuramento militare per l'imperatore. Per esaminare le loro posizioni, furono costituite due commissioni. Una a Udine, l'altra a Verona. Presidente di entrambe venne nominato il brigadiere generale Gustavo Gabet. Le operazioni, estese anche a una commissione nel Tirolo, si rallentarono nel timore del colera. Era soprattutto nella marina austriaca che i veneti avevano fornito sempre prove ottime. Tra i marinai vittoriosi a Lissa non furono pochi proprio i veneti, che esultarono quando la nave ammiraglia italiana colò a picco.

A migliaia vennero congedati dall'Austria e rientrarono nelle loro case. Nelle stime dei comandi militari austriaci, si calcolarono 47.102 veneti in rientro a casa. Fratelli ex nemici cui almeno, a differenza dei soldati borbonici, si risparmiò l'onta di disagiate prigionie. In 12.830 provenivano dal Tirolo, 34.186 da Udine. Non tutti tornavano con il sorriso sulle labbra. Li attendeva un futuro incerto, nell'assenza di lavoro e nella mancata conoscenza delle norme e delle condizioni di un eventuale arruolamento nell'esercito italiano.[50]

Ma finalmente si arrivò al momento formale delle cessione del Veneto all'Italia. Il 16 ottobre, il commissario Thaon di Revel trovò nella sua camera d'albergo 1300 copie di un manifesto reale che annunciava il plebiscito. Prestampati pronti, che crearono una situazione di fatto ignorata dai francesi. Come al solito, il commissario Leboeuf apprese la notizia da un giornale. Era il 17 ottobre. Urlò, protestò, irruppe nell'appartamento italiano parlando di violazione del trattato e insulto alla Francia: la considerava un'estromissione di fronte al fatto compiuto, quando ancora non era stata siglata la cessione. Il governo italiano, imbarazzato, fu costretto a precisare che non era stato ancora pubblicato alcun decreto sul plebiscito nel Veneto. Ma naturalmente non era quella la verità: il regio decreto portava addirittura la data del 7 ottobre e fissava le giornate del voto per il 21 e 22 di quel mese. Inoltre, i manifesti erano stati già affissi in tutta la provincia di Treviso e 1300 copie erano pronte anche per l'area di Venezia. La protesta francese si fece più vivace. Così Thaon di Revel fu costretto a scusarsi con il commissario francese, parlò di ritardo ingiustificato dell'Austria nel passaggio di consegne alla base delle incomprensioni e rassicurò Leboeuf: il plebiscito sarebbe stato convocato solo dopo la cessione effettiva dalla Francia all'Italia. Una questione privata, quindi. Tra l'imperatore Napoleone e Vittorio Emanuele. Una questione privata che decideva il destino di 3 milioni di persone.

Il commissario francese era pronto a firmare la cessione ai famosi tre notabili veneti. E voleva rendere la cerimonia solenne, scegliendo come sede il Palazzo Ducale, con la guardia nazionale schierata. Ma rendere solenne un passaggio che avrebbe screditato il plebiscito non conveniva al governo italiano. Thaon di Revel se ne rese conto e inventò mille scuse, passando al contrattacco sui ritardi della cessione. Raccontò proprio il commissario italiano:

> Il generale francese si rassegnò a fare la cessione in casa sua e fors'anche nell'albergo ove stava Emi-Kelder (uno dei tre notabili veneti), se questi, essendo ammalato, non avesse potuto andare l'indomani mattina all'albergo d'Europa ove stava Leboeuf.[51]

Il Veneto, antica sede della Repubblica di Venezia, territorio austriaco da decenni, si apprestava a essere ceduto all'Italia, che aveva fatto poco sul campo di battaglia per meritare quella conquista. Sarebbe bastata una semplice camera d'albergo, per rendere tutto ufficiale. Thaon di Revel poteva telegrafare al ministro della Guerra, Efisio Cugia: «Domani alle 8, senza alcuna solennità, nell'alloggio Leboeuf, si farà cessione Venezia retrocessione ai Notabili».[52]

Alle 7 del mattino del 19 ottobre 1866, in una camera dell'albergo Europa, il generale Moering firmò la cessione al generale Leboeuf. Testimoni il barone Alemann, generale d'artiglieria, e il cavaliere Gaspari, facente funzioni di podestà. Alla Francia veniva consegnato il «Regno Lombardo-Veneto». Solo allora, quindi, Vienna considerava definitivamente persa anche la Lombardia, diventata italiana nel 1859 senza alcun plebiscito: era stata ritenuta valida la votazione del 1848 a favore dell'annessione al Piemonte di Carlo Alberto.[53] Commentò Thaon di Revel: «Meno male che questo si passasse in una camera d'albergo con poche persone presenti. Figurarsi la cosa al Palazzo Ducale come voleva Leboeuf!».[54]

Dopo trenta minuti, la cessione passò ai notabili veneti Gaspari e Giustiniani Recanati. Il terzo, il dottor Emi-Kelder, era ammalato e firmò il documento subito dopo, nella camera dell'albergo Baviera, confinante con l'albergo Europa. I notabili, insieme con i loro colleghi dell'amministrazione comunale, avevano già pronta una lettera, in cui rimettevano il loro incarico nelle mani del rappresentante italiano. Era l'implicita cessione del Veneto, con dimissioni che rendevano privi di autorità formale gli assessori in carica e aprivano la strada alla volontà popolare del plebiscito. Un capolavoro di arguzia, che aveva superato tutto quello che si era già visto in Toscana, o nelle Due Sicilie. Diceva il documento dei notabili e assessori Gaspari, Grimani, Visinoni e Giustiniani Recanati: «Cessata definitivamente la dominazione straniera, i sottoscritti si fanno un dovere di deporre nelle mani di V.E. il mandato già loro conferito di assessori municipali».[55]

Thaon di Revel rispose ringraziando e subito sostituì i dimissionari con persone più vicine al governo di Firenze, elette dal consiglio comunale di qualche giorno prima: il conte Luigi Michiel, il nobile Roberto Boldù, il dottore Antonio Fornoni, il conte Angelo Papadopoli, il conte Francesco Donà delle

Rose, Giacomo Ricco. Nuovo podestà veniva nominato il conte Michiel. Primo atto della giunta, che precedette il plebiscito, fu un invito pubblico ad accogliere Vittorio Emanuele «al cui governo, quasi a lungamente vagheggiato compenso, va superbo di affidarsi la Venezia».[56] I passaggi erano tutti studiati nei dettagli: la nuova giunta venne ricevuta dal commissario francese, che rimetteva nelle mani degli amministratori freschi di nomina il Veneto. Era la ulteriore farsa della «cessione della Venezia a se stessa».

La «Gazzetta di Venezia» non fu benevola nell'annunciare il fatto compiuto. Titolò: «Questa mattina, in una camera dell'albergo d'Europa si è fatta la cessione del Veneto».[57] In piazza San Marco, poco prima delle 9 del 19 ottobre, con la guardia nazionale schierata a quadrato, vennero issate le bandiere italiane. Da Pollenzo, il re telegrafò: «L'Italia è una e libera; sappiano ora gli Italiani difenderla e conservarla tale». Ci furono feste e telegrammi. Eppure, l'annessione era ancora priva dell'atto notarile della cosiddetta volontà popolare: il plebiscito.

Ci volle poco per prepararsi all'appuntamento, già predisposto dagli inizi di ottobre. La formula da votare con un «sì» o un «no» diceva: «Dichiariamo la nostra unione al Regno d'Italia sotto il governo monarchico costituzionale del re Vittorio Emanuele II e de' suoi successori».[58]

Le votazioni si tennero, come previsto, il 21 e il 22 ottobre 1866. Scontato il risultato: 641.757 «sì», 69 «no» e 366 schede nulle. Una percentuale davvero incredibile, per qualsiasi consultazione elettorale: 99 per cento. Vittorio Emanuele visitò Venezia il 7 novembre successivo con tutti i principi reali. Venne accolto con una gran festa. Luminarie, fuochi, spettacoli teatrali, parate della guardia nazionale. Poiché una decorazione non si negava a nessuno, tutti coloro che avevano partecipato alle trattative e alla firma della cessione del Veneto ricevettero onorificenze dalla Francia, dall'Austria e dall'Italia. Uno scambio di decorazioni. Finì la missione di Thaon di Revel anche a Venezia. I soldati austriaci lasciarono il suolo veneto. Tra rimpianti di molti e ingiurie di qualche «patriota italiano» dell'ultim'ora. Ci furono lamentele di ufficiali viennesi per degli sgarbi subiti, ma tutto rimase contenuto negli scambi di lettere tra militari, con tanto di scuse.

All'esultanza di quelle manifestazioni seguì un periodo nero per l'economia veneta. Agricoltura e attività industriali subirono la concorrenza forzata dei prodotti inglesi che in precedenza, con gli austriaci, non venivano importati. Le pesanti tasse italiane furono estese anche nell'ex provincia di Vienna, dove vennero introdotti il servizio militare obbligatorio per tre anni e l'estensione delle norme di esproprio sui beni ecclesiastici. In pochi anni anche il Veneto conobbe, così come il Mezzogiorno, un'emigrazione selvaggia: in 3 milioni lasciarono per sempre le loro terre in cerca di miglior fortuna.

10

La Sicilia esplode

«La provincia di Palermo non è certo l'unica parte del regno ove la sicurezza pubblica sia stata gravemente alterata; ma là il male è più persistente, e par quasi ribelle ai rimedi: onde merita studio più attento ed accurato per parte del Governo.»

Commissione d'inchiesta
sui moti di Palermo, 22 luglio 1867

Quella rivolta era arrivata proprio al momento giusto. Nonostante la vittoria della guerra contro l'Austria, Custoza era stato un disastro e l'occasione per far carriera bisognava cercarsela altrove. Così, nel settembre del 1866 Raffaele Cadorna[1] fu ben contento di partire per Palermo, dove erano esplosi violenti incidenti. Il generale conosceva la Sicilia: nella campagna della Bassa Italia era stato in servizio a Messina. E poi c'era anche un altro motivo, oltre quello anagrafico, che tra i vari generali di divisione lo aveva favorito nella nuova missione: era stato impiegato per un paio di anni nella repressione del brigantaggio, dal 20 luglio 1861 al 1863, come comandante della divisione militare territoriale di Chieti. In Abruzzo, terra infiammata per prima dal brigantaggio, aveva potuto conoscere i metodi da guerriglieri preferiti dalle bande in rivolta. E si era subito chiarito le idee su come fronteggiarli. Già poche settimane dopo l'arrivo a Chieti, Cadorna aveva diffuso infatti le sue istruzioni sulle tecniche repressive da adottare. Con una premessa: «Non fare mai partecipi i prefetti delle azioni militari».[2] Come a dire, tenete fuori le autorità civili di cui non mi fido.

Con il passare del tempo, prima di cedere il comando al tenente generale Silone Reccagni nel 1863, Cadorna aveva affinato ancor di più le sue convinzioni strategiche su come affrontare le rivolte nel Mezzogiorno. Scrivendo: «Si adottano sistemi troppo simili a quelli delle truppe regolari, con operazioni sistematiche quasi avessimo di fronte delle truppe nelle nostre stesse condizioni».[3] Da qui la trilogia dei suoi dogmi: per aver ragione dei briganti, bisognava usare «informazioni, speditezza e segretezza». E per questo Cadorna fu il primo a introdurre le regole dei periodici rastrellamenti sulle montagne. L'area della Maiella fu battuta a tappeto da colonne di forze mobili del suo comando territoriale, alla ricerca delle bande in rivolta. Naturalmente, di pari passo, intensificò il reclutamento di informatori prezzolati. In una delle sue circolari, spiegò: «Nelle regioni montane, il combattere da partigiano rende difficile la cattura dei guerriglieri e la loro soppressione».[4] Un modo per spiegare i suoi metodi che, in contrasto con gli addestramenti militari in uso allora, erano del tutto inadatti alla guerriglia come la intendeva il generale piemontese.

Per quei suoi precedenti, Raffaele Cadorna sembrava l'uomo giusto al posto giusto nel reprimere i nuovi disordini. Il Mezzogiorno non era ancora domato e la Sicilia, che si era sentita tradita nelle sue aspirazioni di autonomia amministrativa, appariva ora la più selvaggia tra tutte le regioni del Sud. Nel settembre 1866, il generale aveva 51 anni e le motivazioni giuste per riuscire in una missione che richiedeva polso fermo.

In quel momento, i motivi di malcontento in Sicilia erano molti. L'introduzione della leva obbligatoria, sconosciuta con i Borbone, aveva moltiplicato renitenti e disertori. L'aumento delle tasse rendeva i latifondisti meno benevoli verso il governo di Firenze, mentre le campagne erano infestate da bande di briganti formate da contadini in miseria, disperati e giovani in fuga dalla leva. Viaggiare era insicuro ovunque. Il controllo dell'ordine pubblico era complicato dalla scarsità di truppe, quasi tutte impegnate al Nord nella guerra contro l'Austria. In più il clima non aveva favorito i raccolti: il pane era scarso e la fame si faceva sentire. Ad aggravare ulteriormente le cose, la completa soppressione degli ordini religiosi, che per secoli avevano rappresentato uno sbocco-rifugio per mendicanti e gente affamata. Nel suo rapporto di inizio settembre, il prefetto Milziade Torelli aveva analizzato la situazione, denunciando che «nella sola Palermo almeno cinquemila persone hanno perso parzialmente o totalmente i mezzi di sussistenza per l'abolizione degli Ordini religiosi».[5] Aggiungendo, a proposito delle oltre 300 persone detenute con l'accusa di nutrire simpatie borboniche o clericali: «Havvi ormai un ingombro tale nelle carceri che si teme possa ivi avvenire qualche disordine».[6]

Le premesse per accendere una rivolta c'erano tutte. L'8 settembre, cominciarono a circolare manifesti che dichiaravano prossima la proclamazione della Repubblica. Il prefetto Torelli si mise in allarme, ordinò al generale della guardia nazionale Gabriele Camozzi, che disponeva di 10.000 uomini, di tenersi pronto. Ma tutti credevano che il pericolo fosse solo virtuale, che alla fine tutto si sarebbe mantenuto tranquillo. Il 16 settembre, soprattutto nella zona di Monreale, cominciarono a riunirsi piccoli gruppi armati, circa 400 uomini. C'era chi portava un panno rosso attaccato alla punta dei bastoni come una bandiera, quasi un simbolo di ribellione. Era l'immagine dell'obiettivo ideale che faceva da schermo alle agitazioni: quello della Repubblica, ulteriore aspirazione a un cambio di governo sull'isola. Esplosero i primi scontri con la guardia nazionale, che si dimostrò subito inadatta ad affrontare da sola la situazione. Ma a Palermo, in quei giorni, erano in servizio solo 2000 soldati.

Vennero attaccati i posti di gendarmeria, occupati quattro monasteri. Fu via Maqueda la zona degli incidenti più accesi. Il sindaco Antonio Starabba di Rudinì tentò di organizzare la polizia, affidandosi al prefetto. Ma le strade erano già in mano ai rivoltosi.

Le ribellioni si allargarono, quasi rispondendo a una comune regia, nei centri vicini: Partinico, Marineo, Montelepre, Lercara Friddi, Torretta, Campofelice. Mentre la rivolta esplodeva, il questore Felice Pinna, già in servizio a Bologna, si mostrava preoccupato. In quelle stesse ore, nel quartiere Porrazzi si registravano le prime vittime: una pattuglia di carabinieri fu presa a fucilate. Tre morti.

Il 18 settembre, un comitato rivoluzionario tentò di mettersi alla guida delle azioni spontanee dei rivoltosi. Si candidarono a capi della ribellione Lorenzo Minneci presidente del comitato e altre quindici persone, tra cui gli ecclesiastici padre Placido Spadaro e monsignor Benedetto D'Acquisto.[7] A loro si unirono dieci aristocratici: baroni, marchesi, principi. Il malcontento era diffuso, univa aspirazioni politiche di colore diverso: dalla nostalgia per i Borbone, alla voglia di Repubblica e alla velleità di autonomia. Se Firenze era meno lontana di Torino, era pur sempre continente. Cominciò la caccia agli impiegati pubblici, visti come simbolo dello Stato centrale. Venne assaltata e saccheggiata la casa del sindaco, che si rifugiò con il prefetto nella sede comunale.

Poi fu violenza senza freni, in un misto di odio, rancori, insoddisfazione a lungo repressa. A Ogliastro, vennero denudati e mutilati i corpi di tre militari. Trascinati per le strade, furono poi abbandonati tra i rifiuti. Quattro carabinieri, rimasti isolati, si suicidarono per non cadere nelle mani dei rivoltosi.[8] A Misilmeri, l'episodio più drammatico, quasi spunto per studi antropologici: in un assalto, guidato dai fratelli Francesco e Cosimo Lo Bue, furono uccisi trentuno carabinieri. Qualcuno raccontò che i loro corpi erano stati sezionati e fatti a pezzi per essere poi rivenduti in macelleria. In altri rapporti, si riferì che un uomo aveva bevuto il sangue del militare Florio Rappieri, decapitato, e che invece Domenica Bonanni e la figlia avevano tagliato e mangiato il naso del carabiniere Angelo Sartori.[9]

Ma era Palermo il cuore della rivolta. Il sindaco era asserragliato nella sede comunale con alcuni magistrati, il direttore delle carceri, qualche proprietario terriero, aristocratici, dirigenti fiscali e giornalisti. Tra i rivoltosi, naturalmente, non mancarono alcuni capisquadra mafiosi con i loro picciotti.

Come Turi Miceli,[10] poi arrestato in compagnia di molti pregiudicati. I dodici battaglioni della guardia nazionale a Palermo erano in difficoltà. Gli slogan, a volte anche contraddittori, si confondevano tra la gente assetata di violenza. Ai «Viva Francesco II» si univano i «Viva la libertà e la Repubblica», o anche i «Viva il papa». E poi: «Viva santa Rosalia», la patrona di Palermo. C'era di tutto, in un unico denominatore comune: si inneggiava a chiunque si opponesse allo Stato nazionale, simbolo delle leggi adottate in quei primi anni di unità. Tra i più violenti, c'era soprattutto gente del popolo controllata dai nuovi borghesi mafiosi, ma anche baroni desiderosi di autonomia siciliana.[11] Di fronte a quella ribellione confusa e velleitaria, l'aristocrazia dei gattopardi per la prima volta cominciò ad avere paura. La situazione sfuggiva di mano a tutti, nell'anarchia favorita dall'impreparazione militare del prefetto Torelli che, dopo aver attraversato con una colonna della guardia nazionale le strade della Fiera vecchia, della Vucciria e via Maqueda, fu costretto a rifugiarsi a Palazzo Reale. Sotto il controllo delle autorità civili erano rimasti pochi edifici, tra cui il carcere dell'Ucciardone, il municipio e il castello a mare. Il resto era preda di anarchia, caos: tutti erano comandanti di se stessi. La folla tentò di liberare dal carcere un certo Badia, capopopolo vicino agli ambienti mafiosi. Senza successo. Scuola militare, caserma dei vigili del fuoco, luoghi di culto: tutto era in mano ai rivoltosi. Senza prospettive, senza disegni politici chiari. Era solo corsa alla distruzione di tutto ciò che sapeva di governo di Firenze. Di Stato italiano. La parola d'ordine era agire, distruggere, sfogare rabbia. Contro una divisa, un amministratore, un impiegato che non gridava «Evviva santa Rosalia».

All'alba del 17 settembre arrivarono a Palermo i primi rinforzi: 400 uomini da Messina. Raggiunsero Palazzo Reale. Asserragliati, senza acqua, nei luoghi non ancora in mano ai rivoltosi, c'erano sindaco, prefetto, questore e i loro uomini. Venivano riforniti dalla nave *Tancredi.* Il 19 arrivarono 1000 bersaglieri, con 6 cannoni. Furono affrontati dai ribelli, che ne misero fuori combattimento, tra morti e feriti, una cinquantina. Via mare, Palermo venne bombardata: nonostante le critiche feroci mosse a Ferdinando II di Borbone, che nel 1848 aveva detto sì a quella stessa decisione militare, l'ammiraglio Augusto Antonio Ribotty ora lo emulava. Piovevano granate dal mare, nel panico generale.

Giovedì 20 settembre, anche per i successi ottenuti, gli insorti erano già diventati 18.000.[12] Le bombe, tenendo lontani i rivoltosi, riuscirono almeno a salvare le casse comunali e i depositi bancari: circa 32 milioni di lire. In città, a bordo di altre tre navi, arrivarono le prime colonne di soldati guidate dai generali Luigi Masi e Diego Angioletti. Erano le uniche soluzioni per non perdere il totale controllo della città. In attesa di rinforzi più consistenti, in arrivo dal continente. Il comitato repubblicano si rese conto che da un momento all'altro la rivolta poteva trasformarsi in un massacro, con l'arrivo di un grosso contingente di truppe. L'odio, anche per l'incertezza sugli sviluppi successivi, veniva sfogato sui soldati: alcuni militari catturati furono subito fucilati, i corpi appesi ai lampioni. Anche i ritratti di Garibaldi e Vittorio Emanuele vennero distrutti tra le bestemmie. Era l'ira popolare[13] che si esprimeva attraverso simboli concreti: stendardi di stoffa, di quelli usati nelle processioni religiose, erano stati cuciti dalle donne con al centro ritratti del cuore di Gesù e di santa Rosalia. Dalle navi *Tancredi* e *Rosolino Pilo* intanto si continuava a mitragliare le strade, per dare manforte a soldati e civili asserragliati nei palazzi. Le macerie ingombravano molte aree della città: via Stabile, via del Molino, via del Borgo.

Il 21 le truppe, armate di certo più e meglio dei ribelli, cominciarono a riprendere il controllo della situazione. Fu il generale Angioletti a ottenere i primi successi. Il municipio fu restituito al sindaco. I bersaglieri fecero piazza pulita di barricate e gruppi di rivoltosi. I componenti del comitato repubblicano cercarono allora di contattare il console francese per chiedergli una mediazione in grado di rabbonire i generali italiani. Ma il tentativo fallì: gli ufficiali non vollero trattare con i rivoltosi. Ci furono invece arresti, processi sommari, fucilazioni. La rivolta dei «sette giorni e mezzo» era finita. Tra sangue, macerie, follie. A Palermo e nei piccoli centri della provincia. Senza una regia organizzata. Nella incontrollata frenesia della distruzione.

Il generale Cadorna arrivò a Palermo il 22 settembre 1866. La rivolta era stata ormai domata da qualche ora. Aveva in tasca la nomina a regio commissario per la città e la provincia, nonché l'incarico di comandante delle truppe sull'isola. Un mese dopo, dovette ammettere di fronte al capo del governo e ministro dell'Interno Bettino Ricasoli: «Bisogna dirlo, Eccellenza, vi ha ben luogo a ritenere che a tutt'oggi non si sia abbastanza ben riconosciuto quel complesso sto per dire di mali sociali e politici che hanno condotto le cose in cui sono purtroppo arrivate».[14]

Eppure, nonostante le sue acute analisi, i metodi del generale si limitarono alla repressione. Usò la mano pesante e proclamò il terzo stato d'assedio in quattro anni. Con circa 40.000 uomini, per tre mesi il generale rimise in pratica tattiche e strategie già sperimentate quattro anni prima in Abruzzo: rastrellamenti, processi, imposizioni di domicilio coatto. Suoi bersagli furono soprattutto gli ecclesiastici, che riteneva complici, se non ispiratori diretti della rivolta.

Arrivano i nostri

Di certo Raffaele Cadorna non conosceva il discorso che il generale borbonico Carlo Filangieri aveva tenuto diciotto anni prima dinanzi al Parlamento napoletano quando, il 4 ottobre 1866, descrisse le crudeltà compiute dai rivoltosi: «Presso Sant'Antonio un carabiniere, che non volle gridare viva la Repubblica, fu quasi annegato. I frati di quel convento accesero un rogo e ve lo deposero morente. Alle porte dello stesso convento, come ancora a Monte Reale, si vendeva dai rivoltosi la carne dei carabinieri uccisi a un tanto il rotolo».[15]

Corsi e ricorsi storici in Sicilia. Nel parlare di come era riuscito a riconquistare l'isola, il generale Filangieri aveva infatti riferito ai parlamentari napoletani: «I siciliani infiggevano sulle picche le teste dei cadaveri napoletani bruciati ed oltraggiati e ne vendevano le parti gridando: "Ad un baiocco il rotolo la carne napoletana"».[16]

Il principale bersaglio di Cadorna furono gli ecclesiastici. Ritenne i frati di Sant'Antonio complici della rivolta e accusò le suore di Santa Maria la Nova di essersi fatte scortare dai ribelli. Anche stavolta, francesi e inglesi rimasero in attesa degli eventi, ma il console di Parigi, con gran parte della stampa del suo Paese, invitò il governo italiano a non infierire sui rivoltosi che si erano arresi. Ma gli appelli non trovarono ascolto. Furono soppresse ben 1027 corporazioni religiose, fino ad allora scampate agli espropri disposti dopo l'unificazione. La mano della repressione si allungò sui religiosi: 47 in carcere a Palermo, 46 a Siracusa, 40 a Girgenti, 26 a Caltanissetta, 18 a Messina. Tra loro anche il vescovo novantenne di Monreale, Benedetto D'Acquisto.[17] Ma se il generale addossava molte colpe agli alti religiosi, a Firenze si preferiva accusare soprattutto delinquenti e facinorosi, che non avevano seguito alcuna strategia politica.

Come in Abruzzo, il generale piemontese si comportò da conquistatore in una città ostile. Ordinò molte esecuzioni: solo il capitano Antonio Cattaneo del 10° granatieri fece fucilare ottanta prigionieri. Poco prima furono costretti a scavare una profonda fossa comune, che doveva raccogliere i loro corpi.[18] Un testimone di quei giorni, Gian Luigi Bozzoni, dichiarò al «Giornale di Sicilia» che «nella caserma di San Giacomo erano state trucidate 300 persone» e che «300 furono anche le fucilazioni nei cimiteri di Sant'Orsola, dei Rotoli e dei Cappuccini».[19]

Fucilazioni e anche domicilio coatto. Decine di uomini in catene furono trasportati sulle isole di Ustica e Lipari. La repressione, senza andare tanto per il sottile, andò avanti per tre mesi. Poi si annunciò un'amnistia: concedeva l'impunità a chi era stato preso senza armi. Era il 31 gennaio 1867. In quel momento, solo tre persone si trovavano nelle condizioni di poterne beneficiare.

E i morti della rivolta? Il calcolo non risultò semplice. Secondo stime ufficiose, tra i militari le vittime erano state 3-400 con un migliaio di feriti. Tra i rivoltosi, invece, i morti furono non meno di un migliaio, ma molti corpi vennero sepolti in fosse comuni e così non furono mai ritrovati.[20] A confondere i calcoli contribuì il colera, diffuso in Sicilia dai soldati sbarcati dalla *Tancredi.* Una fonte parlò di 65.000 vittime dell'epidemia, altri stimarono 61.380 decessi. Comunque una strage. L'epidemia aiutò il governo di Firenze a tenersi vago sulle cifre, senza fornire dati esatti sulla repressione. Le proteste furono sminuite ad azioni di delinquenti comuni, in una realtà di malcontento sociale. Eppure si avvertì il bisogno di aprire un'inchiesta parlamentare sull'accaduto, istituendo una commissione nel 1867. I deputati cercarono di capire e descrivere la situazione della provincia di Palermo. Ma all'analisi non seguì alcun provvedimento concreto. Sarebbe successo molto spesso nella storia italiana.

La rivolta? Ve la spieghiamo noi

Era stato troppo facile conquistare la Sicilia nel 1860. Non c'era stato neanche il tempo di capire, conoscere una realtà così complessa da diventare la vera spina nel fianco del Regno borbonico. La rivolta del 1866 fu così la prima, vera, occasione per chi stava costruendo l'Italia di studiare l'isola. Con una commissione parlamentare, la prima a occuparsi solo della Sicilia, che fu quasi complementare alla commissione sul brigantaggio istituita nel 1863. Mosaici interpretativi sulla intricata realtà meridionale.

A fotografare il carattere e lo spirito rivoluzionario della Sicilia ci aveva provato, con efficacia sintetica, già Diomede Pantaleoni,[21] che nell'ottobre 1861 così aveva scritto al ministro dell'Interno, Bettino Ricasoli: «La sola cosa che ho rimarcato fra le popolazioni siciliane è un certo rispetto di loro dignità, di loro carattere, un orgoglio dell'essere siciliano e non farsi imporre da chicchessia; alto sentimento che mostra coprire sotto una generosa natura. [...] Il partito autonomo, il solo da nominarsi, non è né grande né sì forte da far novità ed è troppo intelligente per tentarle».[22] Non era, dopo l'annessione, una precisa descrizione della «sicilianità»?

Il Parlamento venne riconvocato il 15 dicembre 1866, l'interruzione delle sedute a causa della guerra contro l'Austria era finita. I giornali pubblicarono solo rare e imprecise notizie sulla rivolta siciliana, accompagnate da rassicuranti comunicati governativi. Eppure, appena una settimana dopo la ripresa parlamentare, il deputato siciliano Saverio Friscia presentò un'interpellanza sui «fatti di settembre in Palermo e sulle conseguenti misure governative impiegate in quelle deplorabili circostanze».[23] Bettino Ricasoli rispose di aver già descritto l'accaduto nei documenti consegnati alla Camera. Sembravano le premesse per un dibattito, ma in aula non ci fu tempo per discutere le cause profonde del malessere economico e sociale siciliano: la nona legislatura si chiuse nel febbraio del 1867. Iniziata solo nell'ottobre 1865, era durata pochissimo, senza contare il fatto che era stata sospesa in occasione della guerra. Ai due governi La Marmora era seguito il governo Ricasoli.

A pochi giorni dalla chiusura della Camera, Francesco De Sanctis illustrò i motivi che spingevano a istituire la «Commissione parlamentare di inchiesta sulle condizioni morali ed economiche della provincia di Palermo». Il deputato Antonio Mordini sostenne la necessità della commissione per far luce sui tanti punti oscuri della rivolta dei «sette giorni e mezzo». La maggioranza riuscì a ottenere di non allargare troppo il campo territoriale di indagine, limitandolo a Palermo e provincia. Sette i deputati che facevano parte della commissione: l'avvocato Giuseppe Pisanelli,[24] che ne fu presidente, Quintino Sella,[25] Emanuele Lucerna di Rorà,[26] Giovanni Bortolucci,[27] Giovanni Battista Tenani,[28] Giorgio Tamajo[29] e Giovanni Fabrizi.[30] L'indagine, dopo le audizioni di amministratori, militari, esponenti delle forze dell'ordine, professori, studenti e semplici cittadini, si concluse con una relazione presentata il 2 luglio 1867. Agli inizi i commissari lavorarono a Firenze, poi si spostarono a Palermo. Per l'Italia unita fu la prima commissione di una lunga serie, a occuparsi della Sicilia e dei suoi problemi. Seppure per una vicenda circoscritta come la violenta «ribellione dei sette giorni e mezzo».

Le valutazioni sull'accaduto vennero influenzate da interpretazioni sociali e dalla necessità di assicurare l'ordine pubblico sull'isola. Nessuno tentò di azzardare spiegazioni politiche, negando valore alle bandiere e ai paraventi repubblicani o borbonici dei manifestanti. Per la maggioranza si era trattato della semplice esplosione di un diffuso malcontento, nell'anno del colera e della guerra, per quelle leggi approvate a Firenze poco adatte alla realtà siciliana. Come l'introduzione forzata delle monete di carta, facilmente imitabili, o la soppressione delle corporazioni religiose.

Fu instancabile nella stesura dei verbali il segretario Carlo Pellati, avvocato alessandrino che aveva già lavorato con la commissione di inchiesta sul brigantaggio. Prima delle testimonianze dirette, furono ascoltati i pareri dei deputati: deposizioni raccolte a Firenze, infarcite di letture sociali. Di mafia si parlò molto. Disse per esempio il capitano di stato maggiore Filippo Terzaghi, originario di Lodi: «La Mafia produce intimidazione più di quanto si creda. E non è distrutta o scemata dal domicilio coatto, poiché i più rimangono liberi e i condannati ritornano sempre dopo breve spazio di tempo. La massima parte della popolazione di Palermo ha poca voglia di lavorare e trova anco poche occasioni di lavoro».[31]

Il distacco tra gente comune e rappresentanti dello Stato venne evidenziato soprattutto dai parlamentari siciliani. Come Abele Damiani, di Marsala, che aveva partecipato alla rivolta della Gancia e alla spedizione garibaldina nel 1860. Criticò l'abuso di governatori militari, stato d'assedio, soldati e carabinieri che «non vedevano che briganti [...] e sempre leggi di eccezione, continue cagioni di odii».[32]

Indispettì molti la promozione del sindaco Antonio Starabba di Rudinì che, dopo la rivolta, fu nominato prefetto. E Saverio Friscia, palermitano e garibaldino, denunciò: «Nella repressione dei moti furono commessi eccessi molto maggiori di quelli degli insorti. Fucilazioni, torture, sevizie. Si sta procedendo per sevizie commesse nelle carceri».[33]

Qualcuno, come il deputato Filippo Santocanale di Palermo, elaborò addirittura una graduatoria dei ceti più scontenti per le varie leggi introdotte in Sicilia dopo l'unità: avvocati, impiegati, religiosi. Ma la deposizione più attesa restò quella del generale Cadorna, che intervenne in veste di deputato. Una forma di paravento sul ruolo militare avuto nella gestione della repressione. Il generale aveva già trasmesso al governo un rapporto che, si disse, era stato «mutilato» da qualcuno. Quando si presentò dinanzi alla commissione, esordì esprimendo subito una netta convinzione: gli incidenti erano stati frutto di una cospirazione clericale e borbonica che aveva approfittato della scarsa presenza di truppe in Sicilia. Ma poi fu costretto a riconoscere che a quell'originaria matrice politica si erano aggiunte forme di scontento sociale degli impiegati rimasti privi di lavoro e degli avvocati cui le riforme giudiziarie avevano diminuito la clientela. E poi «ignoranza, corruzione e superstizione delle masse, che pure hanno germi eccellenti». La lettura sulla realtà sociale della Sicilia di allora, fornita da Cadorna, appare ancora oggi interessante:

> Vi è un'aristocrazia e poi, senza alcun passaggio, il popolo. Non si è ancora formato un ceto medio. La proprietà è divisa tra pochi, clero compreso. Il resto è nulla-tenente, con pochi o nessun rapporto o contatto tra proprietari e coloni, forse a cagione della mancanza della pubblica sicurezza. [...] Credo sia stata un errore l'amnistia data dalla dittatura anni orsono. Ha portato cattivi risultati, con 7-8 mila delinquenti di reati comuni restituiti alla libertà e sparsi per tutta l'isola.[34]

Il generale andò avanti denunciando il gran numero di testimoni intimiditi nei processi, dove anche i giurati subivano pressioni. Poi fornì una stima dei rivoltosi: 10.000. Un numero in contrasto con altre deposizioni: c'era chi aveva parlato di 40.000, chi di 20.000 insorti.

Anche il sindaco, il marchese Rudinì[35] ormai prefetto, parlò a lungo. Citò alcune cifre: oltre 1000 impiegati ministeriali e 918 dipendenti delle disciolte corporazioni religiose rimasti senza lavoro. Poi denunciò la mancanza di sicurezza, che produceva a catena abusi, violenza, favorendo forme di giustizia individuale senza alcun ricorso alla magistratura. Su questo punto, riferì con lucidità: «Chi vuol dimorare in campagna, deve diventare brigante. Per difendere sé e la sua proprietà deve ricorrere al patrocinio di malandrini e associarsi ad essi. Il malandrino è così veramente più potente della legge e del Governo. [...] La Mafia è potente, forse più di quello che si crede, e in moltissimi casi è impossibile discoprirla e punirla, mancando la prova de' fatti e delle colpe. Bisognerebbe conoscere a fondo l'ordinamento della Mafia per apprezzarne la forza e l'influenza. Soltanto chi ha la protezione di essa, potrebbe impunemente circolare per le campagne».[36]

Certe descrizioni sembrano attuali: il carcere della Vicaria, da cui partivano ordini e disposizioni all'esterno; rapine e vendette, imprecisato numero di capi e affiliati di mafia. In maniera provocatoria, Rudinì propose di deportare almeno 400 sospetti mafiosi, con leggi eccezionali. Dimostrando di individuare nella rivolta soprattutto una matrice criminale: sul malcontento avevano soffiato mafiosi e delinquenti, approfittando della confusione per imporre ancora di più il loro potere. Poi pronunciò una parola magica, di cui avrebbero abusato nei decenni tanti suoi successori: il bisogno di legalità. Era il quadro di un'isola dominata dalla violazione delle leggi e dalla sopraffazione, con totale distacco dallo Stato centrale. Eccessi? Il marchese Rudinì cercò di ridimensionare le descrizioni del rapporto di Cadorna. Ammise solo i delitti compiuti sui carabinieri. Con una spiegazione: «I carabinieri erano odiati e lo sono anche adesso, perché qui lo sbirro, e chi si considera come tale, fu sempre odiato».[37]

Nell'individuare gli ispiratori dei disordini, anche l'ex sindaco parlò di partito borbonico-clericale, con repubblicani e anarchici. Su quella scia si inserì la testimonianza di Francesco Calcagno, presidente della Corte di cassazione.[38] Riconobbe che vi era «qualche difficoltà a ottenere sincere deposizioni di testimoni» e che la mafia incuteva terrore soprattutto nella parte occidentale della Sicilia, dove «è opinione non doversi mai testimoniare e i testimoni si chiamano infami».[39]

La conclusione era che molti processi risultavano inutili per mancanza di prove. Molti magistrati ascoltati si lamentarono delle trattenute fiscali e del peso eccessivo delle tasse; altri denunciarono l'elevato numero di giudici di scarsa qualità. Da tutti venne sottolineato il problema dei testimoni intimiditi, o del tutto assenti nei processi. Si aspettò a lungo invano, oltre alle analisi, anche qualche notizia sulla rivolta. Finalmente, a coprire il generale vuoto informativo nelle deposizioni, ci pensò il procuratore generale del re, Giuseppe Borsani, che parlò di 4700 detenuti trovati nel momento del suo insediamento, in parte arrestati addirittura nel 1862. Poi fornì alcune cifre: 1600 arrestati per gli incidenti di settembre, poi scarcerati. Il vero processo per la rivolta vide imputati anche Michele Olivieri e Carlo Paternò, considerati due promotori degli incidenti. Olivieri era latitante, mentre Paternò fu arrestato il 27 settembre 1866. L'accusa sostenne che il comitato insurrezionale, che si fingeva repubblicano per raccogliere maggiori consensi, si sarebbe prefissato l'obiettivo di riportare i Borbone al governo dell'isola. Il latitante Olivieri era considerato uomo di mafia. E l'ombra dell'organizzazione mafiosa aleggiò in tutti i verbali. Il colonnello dei carabinieri, arrivato sull'isola al termine della rivolta, disse che «la Mafia è potente e influente anche sopra le classi elevate».[40] Il comandante militare propose come unico rimedio la deportazione dei mafiosi per almeno dieci anni. Aggiungendo un'istantanea sulla Sicilia: «Bisognerebbe procurare la prosperità pubblica, da cui conseguirebbe, come per necessità, l'affezione al Governo, il coraggio di resistere alla Mafia, la sicurezza pubblica e ogni buon andamento di amministrazione».[41]

Mafia fu la parola ricorrente. Il resto delle deposizioni risultò pieno di descrizioni su difficoltà economiche, mancanza di alternative di lavoro, assenza di occupazione, miseria, rigidità nei rapporti tra classi sociali. Da quel miscuglio erano nate le 275 barricate di Palermo.[42] E poi c'era la pigrizia imprenditoriale dei latifondisti, ben descritta dal direttore del Banco di Sicilia, Antonino Radicella. Riferì che il Banco custodiva 27 milioni di depositi, investiti solo nell'acquisto di terre e mai in commerci. Uguale il quadro fornito da Agostino Rombo, direttore della Banca nazionale: non c'era industria, ma diffidenza e gelosia tra i commercianti e scarso ricorso al credito.

Decine e decine di deposizioni, visite nelle carceri, raccolta di interpellanze: il lavoro della commissione fu intenso. Andò molto al di là della semplice ricostruzione dei sette giorni e mezzo di rivolta. Fu la prima radiografia della Sicilia reale e non quella descritta da esuli del Regno borbonico, o da interessati liberali lontani dall'isola. I commissari si spostarono da Palermo a Cefalù, Termini, Monreale. Incontrarono delegazioni di religiosi che volevano ritornare nei loro monasteri, cittadini di Trapani, o di Ustica. Furono raccolti molti documenti, con confronti e discussioni. Alla fine si arrivò alla relazione conclusiva. Conteneva molte cifre su Palermo: 800 avvocati; 816 impiegati ministeriali rimasti senza lavoro, 275 in servizio; 72 conventi o monasteri soppressi; oltre 111.000 disoccupati, di cui 84.838 donne; 8957 alunni nelle 135 scuole; 2470 detenuti nel maggio 1867. E poi i dati sui crimini: 5347 nel 1865. Per i disordini del settembre 1866 erano finite in carcere 1227 persone, per un totale di 307 processi con 679 assolti e 500 rinviati a giudizio.[43] Dalle analisi e dalle descrizioni, si passò a cinque proposte di legge, che sintetizzavano i rimedi individuati dai commissari. Quattro furono approvate. Agli impiegati rimasti senza lavoro, per esempio, si assicurò un sussidio annuale di 500.000 lire. Le case in costruzione vennero esentate dalle tasse per otto anni. I collegamenti postali via mare tra Palermo e Napoli furono aumentati a quattro a settimana. Vennero fissate nuove norme per la gestione e costruzione di collegamenti stradali.

Era davvero la prima volta che il resto d'Italia si avvicinava alla Sicilia, nonostante fossero trascorsi sei anni dall'annessione. Miopia, mancata conoscenza dell'isola avevano provocato intoppi e malumori. La rivolta del 1866 diede la prima scossa. Ma non sarebbe bastata. La fretta di unire l'Italia anche nelle leggi imposte da lontano mostrava tutti i suoi limiti. La commissione si rese conto che in pochi chiedevano norme speciali, ma molti di più autonomia amministrativa e sicurezza. E poi lavoro, opportunità di guadagno. Sulle conclusioni della commissione, scrisse sulla «Gazzetta d'Italia» Gian Maria Casalegno: «Un serio malessere esiste oggi non solo in Sicilia, ma qua e là serpeggia e si rivela pur troppo nelle varie province del Regno. Tale malessere è conseguenza delle nostre infelici condizioni finanziarie, che ci impongono sempre maggiori tasse».[44]

Gli italiani scoprivano di essere ancora solo una parola. E di non conoscersi tra loro. Molti, dopo l'indagine della commissione parlamentare del 1867, si resero conto di non avere mai avuto realmente idea di cosa fosse la Sicilia. Non c'era davvero da meravigliarsi, allora, che quella rivolta fosse esplosa così violenta. Non sarebbe stata l'ultima.

4. Barricata a piazza Maqueda, Palermo.

11

A Roma, a Roma

> «La Nostra volontà è di conservare integri e inviolabili tutti i diritti di questa Santa Sede e di trasmetterli ai nostri successori; qualunque usurpazione compiuta sia ora che prima o che si compirà in futuro fin da ora sono da Noi condannate. Protestando innanzi a Dio e a tutto il mondo cattolico, dichiariamo che siamo tenuti in prigionia tale che non possiamo esercitare sicuramente, tranquillamente e liberamente la Nostra suprema Autorità pastorale.»
>
> Pio IX, *Respicientes Ea,* 1° novembre 1870

Cavour era convinto che il tempo fosse il suo più prezioso alleato. Prima del Veneto pensava fosse giusto risolvere la questione di Roma. Ma con calma. E soprattutto tenendo presente che non si poteva fare nulla fino a quando i soldati francesi restavano a proteggere Pio IX. Poiché non si poteva sperare nella soluzione delle armi, nel 1860 il primo ministro ritenne che bisognasse usare ogni strumento di pressione diplomatica per premere sul papa. A cominciare dalla rapida estensione delle leggi anticlericali nei nuovi territori da poco annessi al Piemonte. D'un sol colpo furono aboliti, senza alcuna trattativa, i concordati in vigore con la Chiesa a Napoli, in Toscana e in Lombardia. Una decisione presa saltando anche il dibattito parlamentare, perché le sedute erano sospese a causa delle emergenze delle guerre in corso. Un po' di cinismo, ostinazione nel controllo delle proteste dei vescovi in varie parti d'Italia e la speranza che il papa decidesse di avviare serie trattative. Uno spiraglio si intravide nel gennaio del 1861. Pio IX era convinto che un'Italia unita sarebbe diventata pericolosa per le altre nazioni europee e sospettava che si modificasse l'articolo dello Statuto Albertino che riconosceva il cattolicesimo «unica ed esclusiva religione dello Stato». Nonostante le diffidenze reciproche, il cardinale Giacomo Antonelli, segretario dello Stato pontificio, venne autorizzato a intavolare colloqui con i due emissari di Cavour: il dottore romano Diomede Pantaleoni e padre Carlo Passaglia. Il primo ministro piemontese fissò i punti su cui i suoi incaricati dovevano discutere: rinuncia volontaria del papa al potere temporale; proclamazione di Roma capitale d'Italia; libertà e indipendenza della Chiesa e del pontefice. Qualsiasi intesa su uno di questi tre punti avrebbe prodotto effetti su ben 200 milioni di cattolici in tutto il mondo. Una rivoluzione nella rivoluzione.

Cavour si fidava molto del dottor Pantaleoni, che gli era stato indicato dal bolognese Marco Minghetti come l'uomo più adatto a un compito tanto delicato. Era un liberale moderato già amico di Pellegrino Rossi e svolgeva l'attività medica, con successo, a Roma. Tra i suoi pazienti c'erano il cardinale Santucci, monsignor Alessandro Franchi, segretario degli Affari ecclesiastici straordinari, e padre Passaglia, che da poco aveva lasciato i gesuiti e insegnava Alta metafisica alla Sapienza.[1]

Originario di Lucca, dotato di grande eloquenza, padre Carlo Passaglia era stato uno dei fondatori della «Civiltà cattolica» e veniva considerato tra le massime autorità di quel tempo in materia teologica. Era assai conosciuto a Roma: recitava sermoni nelle chiese, teneva erudite conferenze nelle accademie e nei circoli privati, discuteva in latino con estrema padronanza linguistica ed era stato anche tra gli studiosi consultati da Pio IX per elaborare il dogma dell'Immacolata Concezione. Da poco aveva lasciato la Compagnia di Gesù per disaccordi con padre Beckx.

Nelle prime trattative, anche padre Santucci svolse un ruolo di mediatore non secondario: conterraneo e creatura di Antonelli, aveva in Pantaleoni il medico personale e in Passaglia un amico di vecchia data. Nei primi colloqui, fu dunque proprio padre Santucci a fare da tramite per tutti. Fu lui a portare il memorandum preparato da Passaglia al cardinale Antonelli. Di tutto ciò che avveniva sulle rive del Tevere, Cavour veniva informato per lettera da Pantaleoni. Il primo ministro torinese non conosceva Roma e sottovalutava le difficoltà da superare per risolvere la questione. Pensava che con il papa si potesse usare la stessa durezza e intolleranza che lui, da anni uomo di potere, dimostrava con tutti coloro che lo circondavano. Riteneva di potersi limitare a proporre a Pio IX uno scambio di prigionieri, o fare pressione minacciando interventi armati.

Da Parigi non potevano che arrivare consensi sulle trattative. Venne utilizzato un metodo collaudato già nell'Italia meridionale: si tentò di corrompere funzionari dello Stato pontificio. A Pantaleoni fu spedito molto denaro utile a quello scopo. Si puntò in alto, addirittura al cardinale Antonelli, con un'offerta di 3 milioni di scudi pontifici pari a circa 15 milioni di lire. Era 1000 volte lo stipendio di un ministro piemontese. Una fortuna. Cavour fece delle pressioni anche sui parenti del cardinale e quelle proposte furono accettate come base per le trattative.[2]

L'11 febbraio 1861, il primo ministro annunziava a Pantaleoni:

> Ho consegnato al Passaglia 100 napoleoni d'oro, con invito di consegnarglieli dopo aver ritenuto quanto gli occorrerà per le spese di viaggio. Le faccio facoltà di spendere quanto reputerà necessario per amicarsi gli agenti subalterni della Curia. Quando poi occorresse di ricorrere a mezzi identici ma sopra larga scala pei pesci grossi, me li indicherà ed io vedrò di metterli in opera.[3]

A Torino, si pensava a una completa annessione dello Stato pontificio, lasciando al papa immunità territoriale con un indennizzo annuale di 2 milioni di lire più un altro milione al Sacro Collegio. Cifre pari all'1 per cento del bilancio statale.[4]

Sei cardinali erano favorevoli alla proposta piemontese, ma la riuscita di trattative tanto delicate era legata alla segretezza. E invece il silenzio durò poco. Una lettera, che indicava la grande somma di denaro destinata al cardinale Antonelli, venne intercettata. Il papa si arrabbiò non poco e si indispettì quando, dopo la caduta di Gaeta, a Napoli e in Umbria vennero inasprite le misure antiecclesiastiche. Nell'allocuzione *Jamdudum cernimus*, pubblicata il 18 marzo 1860, Pio IX riprese così a condannare il liberalismo, ricordando le leggi introdotte a Torino. Scrivendo: «Questa moderna civiltà, mentre favorisce qualunque culto acattolico e ammette gli stessi infedeli ai pubblici impieghi, e dischiude ai loro figli le scuole cattoliche, si adira contro gli Ordini religiosi, contro gli Istituti fondati per educare cattolicamente la gioventù, contro moltissimi ecclesiastici di ogni grado, non pochi dei quali conducono miseramente la vita o nell'incertezza dell'esilio o in carcere».[5]

Già a gennaio padre Santucci illustrò al papa gli aspetti principali delle condizioni su cui voleva trattare Torino. Al primo posto, la perdita del potere temporale. Pio IX diede il via libera ai colloqui, che cominciarono il 18 gennaio. Minghetti veniva di continuo consultato dai due negoziatori romani, per consigli e proposte sui documenti da esibire ai colloqui. Il denaro aveva ben predisposto gli interlocutori pontifici. Ma già a marzo la situazione precipitò. Il papa si infuriò: padre Santucci venne trattato così male che partì per Frascati, dove morì cinque mesi dopo. Pantaleoni e Passaglia furono minacciati di essere messi al bando, mentre Antonelli cadde in disgrazia e cresceva il potere di de Mérode ai vertici dello Stato pontificio. Cosa era successo per provocare un così rapido cambiamento di umore in Vaticano? Il 10 marzo, Pantaleoni raccontò a Cavour le difficoltà affrontate, mentre tutto sembrava andare per il meglio. Gli illustrò l'impressione negativa fatta dai provvedimenti applicati a Napoli che avevano messo «in furore il Papa e danno al governo di lei una reputazione di malafede insigne presso questa Curia».[6]

Il medico romano si descrisse abbandonato e solo contro l'aristocrazia romana, la curia, le persone che circondavano il papa, tutti ostili a un accordo con Torino. Il 21 marzo, Pantaleoni temette di essere arrestato e lasciò Roma. Si trasferì a Torino, dove divenne deputato del collegio di Macerata. La trattativa, due mesi di illusioni, era fallita. Per inesperienza, faciloneria, forse eccessivi appetiti mal celati di qualche piccolo funzionario e di Antonelli. Il neonato Parlamento italiano proclamò comunque Roma capitale d'Italia, lasciando in eredità a Ricasoli, successore di Cavour, la patata bollente da risolvere. Il nuovo presidente del Consiglio, nominato dopo la morte di Cavour nel giugno 1861, cercò di riprendere il negoziato. Stavolta, in assenza di relazioni diplomatiche tra Torino e Roma, le lettere con le proposte di Ricasoli vennero affidate all'ambasciatore francese che avrebbe dovuto consegnarle a Pio IX. Scriveva Ricasoli:

> Non vogliate, Santo Padre, gettare nell'abisso del dubbio un popolo intero che sinceramente desidera amarvi e venerarvi. La Chiesa deve essere libera, e noi le renderemo intera la sua libertà [...] ma per essere libera è necessario che si sciolga dai lacci di una politica che, fino ad oggi, è stata un'arma in mano a questo o a quel Potentato contro di Voi.[7]

Alla lettera seguiva una proposta di accordo in undici punti: privilegio e onore di sovrano al pontefice, di principi ai cardinali; libertà nell'organizzazione interna della Chiesa anche per i vescovi nelle loro diocesi; rinuncia del re alle pretese sui benefici ecclesiastici e sulle nomine dei vescovi; versamento di una somma annuale del governo alla Santa Sede. Erano questi i termini principali della bozza di intesa. Tramite Costantino Nigra, il documento fu prima sottoposto a Napoleone III, che si mostrò scettico, poi venne portato a Roma il 20 novembre 1861. I francesi spingevano per l'accordo, spiegando che erano combattuti tra l'amicizia con l'Italia e la fedeltà a Pio IX e alla tradizione cattolica. Si vissero giorni di gran fermento nel mondo ecclesiastico. Padre Passaglia raccolse 9000 adesioni a un manifesto in cui si invitava il pontefice a cedere Roma. Nel testo, si profilò anche l'ipotesi di uno scisma se Pio IX non avesse rinunciato al potere temporale. Molti firmatari, qualche settimana dopo, avrebbero ritrattato. Dal clero meridionale arrivavano invece pareri di segno opposto.

Gli indugi vennero rotti quando l'ambasciatore Jean Charles de la Valette consegnò a Roma le proposte di Ricasoli. Fu accolto dal gelo delle risposte del cardinale Antonelli, che era ormai tornato in sella tra le gerarchie ecclesiastiche. E disse: «Qualsiasi compromesso tra la Santa Sede e coloro che l'hanno depredata è impossibile. Non è in potere né del Papa, né del Sacro Collegio cedere il minimo frammento del territorio della Chiesa».[8]

Il papa approvò la linea e il discorso di chiusura di Antonelli. E de la Valette fu costretto a scrivere a Parigi di non intravedere alcuno spiraglio di intesa tra Roma e Torino. Il fallimento dei negoziati restò uno smacco per il governo Ricasoli, che sperava di incassare subito la soluzione della questione romana. La destra lo contestò, la sinistra lo appoggiò solo in parte: il 3 marzo 1862 Ricasoli si dimise. Si andava verso la crisi dell'Aspromonte e poi, cinque anni dopo, agli scontri di Mentana. Otto anni di fuoco e tensioni, con il papa che andava perdendo sempre più le speranze di conservare il suo Stato. Soprattutto dopo la Convenzione di settembre tra Napoleone III e l'Italia. E i nodi al pettine vennero nel 1870. L'anno della sconfitta francese a Sedan. L'anno dell'ingresso delle truppe italiane a Roma.

L'assalto al Vaticano

Proprio in quegli anni per lui difficili, Pio IX decise di organizzare il Concilio Vaticano I. Lo annunciò nel 1867, in occasione della festa di San Pietro. Era dai tempi del Concilio di Trento, quando si profilò la minaccia protestante, che non si era più pensato a riunire tutti i vescovi per discutere i dogmi della Chiesa. L'inaugurazione del Concilio venne fissata l'8 dicembre 1869, festa dell'Immacolata Concezione. Nei giornali liberali pubblicati in Italia, le reazioni all'annuncio di quell'iniziativa tutta religiosa furono subito ostili. A Roma arrivarono 774 vescovi su un totale di poco più di un migliaio. Il giorno dell'apertura, sotto una pioggia torrenziale, migliaia e migliaia di fedeli assistettero all'arrivo dei prelati, convocati per confrontarsi sulla dottrina che Pio IX aveva elaborato nel *Sillabo*, compreso il dogma dell'infallibilità papale.

Ma si capì subito qual era l'aria che tirava lontano da Roma: il giorno dopo l'inaugurazione in Vaticano, a Napoli venne organizzato un anticoncilio massonico su iniziativa del deputato Giuseppe Ricciardi. Il Gran Maestro d'Oriente torinese, Timoteo Riboli, rivelò subito le intenzioni della riunione. Scrisse che «l'infallibilità papale è un'eresia, la religione cattolica una menzogna e il suo regno un delitto».[9] Da Caprera, Garibaldi tuonò che bisognava «rovesciare il mostro papale».[10]

Ma il Concilio Vaticano andò avanti. Senza preoccuparsi di condizionamenti e del clima ostile al papa diffuso negli ambienti massonici e liberali italiani. Il 12 aprile 1870, anno fatale per le sorti del potere temporale del papa, 515 vescovi votarono la costituzione *Dei Filius*, che confermò i dogmi della dottrina cattolica contrapposti al razionalismo. Sull'infallibilità si tenne un dibattito approfondito. Alla fine, si approvò la formula dell'infallibilità della Chiesa come organismo custode del dogma cattolico universale, di cui il papa era autorità suprema. In sette mesi di riunioni, il Concilio approvò due documenti compiuti, lasciandone in sospeso altri cinquanta. Gli eventi frenetici di quell'anno prevalsero sulle intenzioni di Pio IX: la Prussia aveva dichiarato guerra alla Francia. I lavori dei vescovi non si conclusero, ma vennero sospesi. Era il 20 ottobre 1870: un mese dopo l'ingresso dei bersaglieri a Roma. Quando papa Giovanni XXIII, quasi un secolo dopo, convocherà il suo Concilio, lo considererà una continuazione di quello voluto da Pio IX.[11]

La guerra tra la Prussia e la Francia era premessa scontata alla perdita della protezione di Napoleone III che, da Mentana in poi, aveva dato ossigeno allo Stato pontificio. L'imperatore aveva bisogno di truppe e non poteva più trattenere le sue guarnigioni a Roma. Prima di disporre il completo ritiro dei suoi soldati, chiese rassicurazioni al ministro degli Esteri italiano, Emilio Visconti Venosta: avrebbe rispettato la Convenzione di settembre di sei anni prima? E ancora: i soldati italiani sarebbero rimasti lontano da Roma? Richiesta di facciata, alibi formale per tenersi buono il fronte interno dei cattolici francesi. In realtà, quando tra il 4 e il 6 agosto 1870 da Civitavecchia partirono gli ultimi 4000 soldati francesi, il destino di Roma appariva segnato. Napoleone III sperava in un aiuto italiano contro la Prussia, ma rimase deluso. La questione della candidatura di un Hohenzollern al trono di Spagna, pretesto della guerra tra Francia e Prussia, non entusiasmava affatto il governo di Firenze. Anzi, alimentò speranze e appetiti su Roma, che presero forma nelle ripetute manifestazioni per le strade della capitale italiana.

A difendere lo Stato pontificio rimanevano appena 13.000 zuavi pontifici. Il generale Kanzler sospese subito le licenze ai militari, in evidente inferiorità numerica rispetto alle forze su cui poteva contare l'Italia per l'invasione. Fu il maggiore Fortunato Rivalta, perugino di famiglia imolese allora trentanovenne, a prendere in consegna le caserme romane abbandonate dai francesi del generale Dumont. Si discusse se concentrare le truppe al confine o tenerle tutte a Roma. Il maggiore Rivalta consigliò una soluzione di mezzo: dividere gli uomini tra le varie zone dello Stato pontificio per non dare l'impressione di concentrarle in punti stabiliti, evitando in quel modo di fornire pretesti a un'aggressione. A Viterbo, il distaccamento militare fu affidato al comando del barone Athanase de Charette, colonnello francese di Nantes, mentre a Frosinone la guida delle truppe fu assegnata al maggiore Lauri.

In ventisette giorni, gli eventi precipitarono. Fra il 31 agosto e il 1° settembre, la battaglia di Sedan: Napoleone III vinto e preso prigioniero dai prussiani. A Roma, l'impressione fu enorme. L'8 settembre l'Italia già tentava timide proposte diplomatiche con lo Stato pontificio per subentrare ai francesi nelle guarnigioni romane, con l'assenso della Prussia. A Roma arrivò il conte Gustavo Ponza di San Martino con una proposta di Vittorio Emanuele II, articolata in dieci punti. Prevedeva l'inviolabilità del pontefice, che sarebbe rimasto padrone solo della cosiddetta «città leonina», il territorio Vaticano. Alla proposta era unita una lettera del re, che esordiva: «Con affetto di figlio, con fede di Cattolico, con lealtà di Re, con animo d'Italiano, m'indirizzo ancora come ebbi a fare altre volte, al cuore di Vostra Santità».[12] Poi, Vittorio Emanuele batteva con insistenza sul tasto delle «truppe straniere» che occupavano il suolo pontificio, riferendosi ai soldati giunti a Roma da più parti d'Europa. Il papa ricevette il rappresentante del re, ma non gli riservò una buona accoglienza: disse no a ogni proposta diplomatica che comprendesse la rinuncia al potere temporale. A Ponza di San Martino disse: «Io non sono profeta, ma come Vicario di Gesù Cristo vi dico che non verrete». Poi aggiunse che, se 4 milioni di italiani volevano arrivare a Roma, altri 24 milioni erano di parere contrario.[13] Infine, in una lettera destinata al re d'Italia, precisò i termini della sua risposta:

> La Sua lettera non è degna di un figlio affettuoso che si vanta di professare la fede cattolica e si gloria di regia lealtà. [...] Io benedico Iddio, il quale ha sofferto che V.M. empia di amarezza l'ultimo periodo della mia vita. [...] Faccio di nuovo ricorso a Dio, e pongo nelle mani di Lui la mia causa, che è interamente Sua.[14]

Nello Stato pontificio, il no alle proposte arrivate da Firenze coincise con i lavori per predisporre le opere necessarie a una difesa militare che appariva tanto disperata, quanto inutile.

Già dal novembre del 1869 c'erano stati interventi sulle mura di pari passo alla preparazione di piani militari. A Piazza Colonna, centro della città, si pensò come una specie di campo trincerato.

Nel frattempo, a Firenze la situazione politica si era complicata. Il 19 e il 20 agosto 1870, si tennero due frenetiche riunioni del Parlamento. Venne discussa la questione romana e il rispetto della Convenzione di settembre firmata con Napoleone III. Il ministro Visconti Venosta sentenziò: «Un solo impegno noi possiamo prendere, o signori, ed è che il Governo italiano non mancherà al debito suo di tutelare gli interessi nazionali nella questione di Roma».[15] Due settimane dopo, arrivarono da Parigi le notizie della proclamazione della Repubblica: non esistevano più ostacoli nella marcia verso Roma. Il 7 settembre, il ministro degli Esteri, Visconti Venosta, scrisse che il re aveva degli obblighi da rispettare per «difendere l'integrità dello Stato nazionale, assicurando la sicurezza della Santa Sede».[16] Parole sibilline. In attesa di conoscere le reazioni delle altre potenze europee, prima fra tutte l'Austria, in caso di invasione dello Stato pontificio. A Vienna venne mandato a sondare il terreno in missione diplomatica Marco Minghetti. Il capo della Cancelleria austriaca, De Beust, lo rassicurò: niente interventi militari a favore del papa.

La situazione internazionale, dunque, era delle più favorevoli. Non era la prima volta. Ma bisognava salvare la faccia, dimostrare che non si stava preparando un'azione prevaricatoria. Che in realtà erano già esplose agitazioni popolari, che sollecitavano l'intervento militare italiano a Roma. Pretesti, insomma. Che avevano il fiato corto, perché nello Stato pontificio regnava la calma con comitati liberali costituiti da poche persone, privi di seguito. Ma erano dettagli per un obiettivo già segnato. Il nuovo ministro della Guerra italiano, Cesare Ricotti, cominciò a indicare le prime direttive al generale Raffaele Cadorna, designato, al vertice della carriera, all'alto onore di guidare le truppe d'invasione a Roma: doveva accamparsi non lontano dalla città e, anche in mancanza di un moto popolare, penetrarvi «con sorpresa ed anche di viva forza».[17]

Da Firenze si cercò di pilotare le fantomatiche sollevazioni popolari, proprio come era stato fatto negli anni precedenti in altre parti d'Italia: il primo ministro Giovanni Lanza scrisse al principe Baldassarre Odescalchi di organizzare manifestazioni con l'aiuto del marchese Ruggero Maurigi. Ma il risultato fu deludente.

La gestione di un incarico militare così delicato divise il ministro Ricotti, che accusò Cadorna di lentezza, e il generale, che si lamentò di aver ricevuto eccessive limitazioni nella missione. A Cadorna fu affiancato un diplomatico, il barone Blanc, per trattare con la Santa Sede. Si voleva tentare fino all'ultimo di evitare la conquista militare, anche se andava in ogni modo giustificato l'eventuale atto di forza, spacciandolo come liberazione del pontefice dall'oppressione di milizie straniere. Se da una parte il ministro Ricotti parlava apertamente di azione militare, dall'altra suggeriva anche che l'occupazione doveva avvenire «se possibile, in modo pacifico e senza combattimenti».[18] I ministri vivevano una situazione di grande imbarazzo, determinata dal fatto che lo Statuto riconosceva il cattolicesimo come la «sola religione dello Stato».[19]

L'ultima uscita del papa da uomo libero nel suo Stato fu il 19 settembre. Accompagnato dai suoi camerieri, si recò alla Scala Santa che salì in ginocchio. In cima pregò ad alta voce. Commosso. Uscì poi dalla porta laterale, indugiando sotto la nicchia bizantina per osservare le truppe accampate tra la basilica e le mura. Benedisse tutti, scandendo le parole con toni squillanti. I soldati risposero con degli evviva, in un clima di entusiasmo e devozione. Di sera tornò al Vaticano. La gente, che si accalcava dai quartieri popolari, gli andò incontro. Al passaggio della carrozza, gli gridava: «Santità non partite», perché correva voce che, come nel 1849, Pio IX avrebbe lasciato la città.

C'era un'atmosfera di attesa, da fine imminente. Il cardinale Antonelli annunciò al corpo diplomatico che l'attacco delle truppe italiane era prossimo. Nelle case delle antiche famiglie aristocratiche, si facevano provviste e si montavano infissi e tavole resistenti per difendersi da possibili incidenti e combattimenti per le strade. Ma il papa era contrario a spargimenti di sangue. Si rendeva conto che erano inutili e pensava solo a dimostrare che stava subendo un abuso. E il 19 settembre scrisse le sue disposizioni al generale Hermann Kanzler, comandante in capo delle truppe pontificie. Definì «gran sacrilegio e enorme ingiustizia», l'assalto militare in arrivo. Ringraziò Kanzler e tutti i soldati per la fedeltà e la lealtà dimostrata fino a quel momento, poi, sulla durata della difesa, scrisse:

> Sono in dovere di ordinare che questa debba unicamente consistere in una protesta, atta a constatare la violenza e nulla più, cioè di aprire trattative per la resa ai primi colpi di cannone. In un momento in cui l'Europa intera deplora le vittime numerosissime, conseguenza di una guerra fra due grandi nazioni, non si dica mai che il Vicario di Gesù Cristo, quantunque ingiustamente assalito, abbia ad acconsentire a qualunque spargimento di sangue.[20]

Dunque una resistenza simbolica e niente altro. Mentre le truppe italiane, che avevano invaso lo Stato pontificio, si preparavano all'ultimo assalto a Roma. Il giorno previsto era il 20 settembre, data destinata a restare immortalata in decine e decine di toponomastiche di tutte le grandi città italiane. La sera del 19, al circolo di San Carlo fondato l'anno prima da una cinquantina di soci, si sparse la voce che l'attacco sarebbe avvenuto il giorno successivo. Dei piani militari di Cadorna era informato anche Kanzler. Ma il combattimento avrebbe dovuto essere una specie di commedia, un atto pro-forma.

La conquista della capitale

Nel lasciare lo Stato pontificio, la Francia si era rifatta formalmente alla Convenzione del settembre 1864. Proprio facendosi scudo con quell'accordo, il governo di Firenze inviò il generale Cadorna in osservazione tra Narni e Terni con tre divisioni: la 11ª al comando del luogotenente generale Enrico Cosenz; la 12ª guidata dal maggiore generale Gustavo Mazé de la Roche; la 13ª comandata dal maggiore generale Emilio Ferrero. Erano tutte accompagnate da truppe di artiglieria, con un centinaio di cannoni al seguito, e del genio. Proprio nello stesso giorno in cui Pio IX rifiutò le proposte scritte di Vittorio Emanuele, le tre divisioni ebbero l'ordine di varcare il confine. Come era abitudine, senza alcuna dichiarazione di guerra e in assenza di qualsiasi atto di ostilità da parte dei soldati pontifici. Era l'11 settembre 1870: l'11ª e la 12ª divisione passarono per il ponte Felice, mentre la 13ª si spostò a Orte. Il piano italiano prevedeva di raggruppare tutte le forze in marcia attorno le mura di Roma, tra porta Pia e porta Salaria.

Non contento della consistenza delle forze al comando di Cadorna, il governo Lanza spedì nello Stato del papa altre due divisioni: la 2ª, guidata dal maggiore generale Nino Bixio, che da Orvieto doveva occupare Civitavecchia; la 9ª, al comando del luogotenente generale Diego Angioletti, che doveva attestarsi a un giorno di marcia da Roma. Uno spiegamento di soldati degno di un'aggressione. In totale ben 60.000 uomini.[21] L'11 settembre, la «Gazzetta ufficiale» scriveva: «Sua Maestà il Re, su proposta del Governo, ha ordinato questa mattina che le truppe entrino nelle Province romane».[22]

Per l'assalto fu scelto il 10° anniversario dell'invasione di Marche e Umbria. Tra i soldati pontifici c'erano 8300 romani e 5324 stranieri tra irlandesi, svizzeri, francesi, bavaresi. Anche in questo caso, come già per le ex Due Sicilie, prevalevano le truppe «indigene». La frontiera fu attraversata alle prime ore del 12 settembre. Venne occupata Orte, poi, dopo una resistenza di due ore, anche Civita Castellana. Sembrava una formalità burocratica, quasi una pratica da evadere senza alcuna gloria. Il giornalista Ugo Pesci, al seguito delle truppe italiane come inviato del giornale «Fanfulla», scrisse: «Noto prima di ogni altra cosa la mancanza assoluta di qualunque entusiasmo o in qualunque persona di simpatia. [...] Sette od otto reggimenti di fanteria traversano le strette vie della città colla musica. Nessun saluto».[23]

Il giorno 15, la divisione di Bixio entrò a Civitavecchia con l'appoggio addirittura di una squadra navale. Il tenente colonnello Serra, uno spagnolo, si arrese senza far sparare neanche un colpo. E si attirò le proteste di diversi ufficiali, come il capitano Saballs e il maggiore Numa Dorié d'Albiousse, che spezzarono le loro spade ai suoi piedi, gridando al tradimento: se il destino della città era segnato, avrebbero voluto salvare almeno l'onore delle armi.[24] Vennero imprigionati 300 soldati pontifici.

L'avanzata nelle province fu agevole. Una passeggiata. Isolate scaramucce, pochi colpi di fucile, artiglieria inattiva. Il comandante Kanzler si rese conto dell'imponenza delle truppe in arrivo e ordinò subito a tutti i militari sparsi per le province di ripiegare verso Roma. La difesa passiva venne concentrata nella capitale, la sede della tomba di san Pietro.

Il IV corpo d'armata al comando di Cadorna, con ben 40.000 uomini, arrivò sotto le mura di Roma. Con lui le divisioni di Cosenz e Mazé de la Roche, cui si unirono anche le truppe al comando di Ferrero. Il 15 settembre, si trovavano a 12 chilometri a nord ovest di Roma. Scorgevano la cupola del Vaticano, ma attesero ancora qualche giorno. Cadorna inviò una lettera al generale Kanzler, chiedendogli di poter occupare Roma. E aggiunse le sue proposte: ufficiali e sottufficiali italiani in servizio nell'esercito pontificio avrebbero conservato il loro grado; gli stranieri avrebbero potuto rimpatriare. Come definiva il comandante italiano la sua missione? Con queste parole: «Puramente conservatrice e diretta a tutelare l'ordine».[25]

La sobria risposta di Kanzler spiegava che Pio IX desiderava vedere la sua città occupata da truppe pontificie. Aggiungendo: «Sono risoluto a fare resistenza coi mezzi che stanno a mia disposizione, come m'impone l'onore e il dovere».[26] La città era stata divisa dal comandante pontificio in quattro zone militari, affidate ad altrettanti colonnelli. Il 19 settembre, anche la divisione di Bixio arrivò nei dintorni di Roma a 8 miglia da San Pancrazio. La città era ormai in stato d'assedio, avvolta in un'atmosfera di incertezza, con negozi chiusi, notizie frammentarie e fasulle, timori. Poi, arrivò la rassegnazione e l'attesa. Fuori Roma per qualche giorno si scambiarono episodiche fucilate tra avanguardie di pochi uomini. Come a Sant'Onofrio. A comandare il genio delle milizie pontificie c'era il generale Rodrigo Afan de Rivera, ex ufficiale borbonico che aveva contribuito a difendere Gaeta dieci anni prima. Cercò di rinforzare le mura della città per consentire una resistenza dignitosa, anche se simbolica: furono murate le porte, sparsi sacchi di sabbia, sistemati pezzi di artiglieria e scavate fessure per i fucilieri.

Tra i soldati italiani, molti erano cattolici e non tutti si mostravano entusiasti del compito da assolvere. Il generale Cadorna inviò una seconda lettera a Kanzler, affidata al generale Francesco Carchidio di Malavolti. L'ufficiale italiano cercò di convincere il comandante pontificio della sproporzione delle forze in campo, lo informò della caduta di Civitavecchia. Poi consegnò lo scritto di Cadorna, che parlava di «inutile spargimento di sangue», definendo ogni resistenza militare «inopportuna in contingenze tanto palesi ed evidenti». La proposta di consentire l'ingresso delle truppe italiane a Roma veniva rivolta «in nome dell'umanità e della ragione».[27] Kanzler non si spostò di una virgola dalla prima risposta. Parlò di «sacrilego attacco» e «ingiusta aggressione». Concludendo: «Spero che l'E.V. rifletterà quale immensa responsabilità incontra innanzi a Dio ed al Tribunale della Storia, spingendo fino all'ultimo la già inoltrata violenza».[28]

Il conte Harry von Arnim, ambasciatore prussiano a Roma, si propose spontaneamente come mediatore. Alle 8 di mattina di sabato 17 settembre, raggiunse lo stato maggiore di Cadorna a Casal di Villa Spada, per parlare con il comandante italiano. Sondò il terreno e ottenne il rinvio di ventiquattro ore dell'attacco, nella speranza di poter convincere il papa a cedere. Ma ormai tutto era pronto per l'attacco. L'intera giornata del 19 fu impiegata dai soldati italiani in inutili ricognizioni del terreno. Poi finalmente dal ministero della Guerra di Firenze arrivò il via libera a impadronirsi con la forza della città, lasciando a Pio IX la «città leonina», il cuore del cattolicesimo. Fu per questo che si decise di concentrare l'assalto tra porta Pia e porta Salaria, dove le mura avevano un minore spessore e la visuale dall'interno era meno estesa. Altri attacchi di minore consistenza dovevano essere portati su porta Maggiore e porta San Giovanni, con un eventuale diversivo alla destra del Tevere operato dalla divisione di Bixio. Il piano di una battaglia poco onorevole era stato così predisposto: a porta Salaria la divisione Cosenz; gli uomini di Mazé de la Roche a porta Pia e Castro Pretorio; la divisione Ferrero a San Lorenzo e porta Maggiore; il generale Angioletti a San Giovanni e Santa Croce in Gerusalemme.[29] L'ora dell'attacco venne fissata alle 4 del mattino del 20 settembre.

Il Comitato di difesa in piazza Colonna era stato messo in allarme permanente: alle 5,15 si seppe che le batterie nemiche stavano sparando in contemporanea su porta Pia, ai Tre Archi e porta San Giovanni. Un'ora dopo, il fuoco si era esteso anche a porta San Pancrazio e villa Pamphili. Il papa era sveglio e sperò fino all'ultimo che le truppe italiane non portassero a compimento l'aggressione. Le cannonate lo disillusero. Bixio si mostrò il più impaziente, fece sparare le sue artiglierie all'impazzata. Senza moderazione. Il corpo diplomatico, in grande uniforme, si diresse in Vaticano. A fare gli onori di casa, fu monsignor De Bisogno.[30] Pio IX celebrò la messa nella sua cappella privata, alla presenza di tutti gli ambasciatori. Le vetrate tremavano per le cannonate. Gli spari continuarono per oltre tre ore. Fino alle 9. E il pontefice si stupì di tanta resistenza, perché aveva ordinato una difesa soltanto simbolica. Alle 9,30, non potendo comunicare con il generale Kanzler, il papa dispose di alzare bandiera bianca.

Ma cosa era successo? Pochi scambi di fucilate e qualche cannonata su cinque fronti, mentre il fuoco era intenso a porta Pia e porta Salaria. Alle 7,20 proprio in quei punti si aprì una breccia. Ma non fu possibile assaltarla, per l'ostacolo rappresentato da un alto muro di calcinacci e detriti. Poi altre cannonate e il lavoro dei genieri spianarono la strada. L'assalto simbolico era possibile, atteso con ansia dagli uomini del generale Carchidio di Malavolti. Ma prima che si ordinasse di procedere contro gli zuavi schierati a difesa dietro i detriti della breccia, apparve un uomo a cavallo con una bandiera bianca. Segnali uguali comparvero in altri punti delle mura: era l'ordine di resa.

Eppure si continuò a sparare. Il generale Giovan Battista Zappi aveva il compito di comunicare a tutto lo schieramento pontificio di abbassare le armi, ma fu accolto dalla diffidenza di alcuni ufficiali. Come il maggiore irlandese degli zuavi de Troussures che fece sparare ancora. Finalmente, arrivò conferma dell'ordine e il fuoco cessò. Erano le 10,05.[31] Per giustificare il combattimento spinto oltre i suoi desideri, il papa modificò l'ordine scritto inviato al comandante Kanzler sei giorni prima dell'assalto: si assunse ogni responsabilità di fronte alla storia, per coprire il suo generale che si era dimostrato incapace a frenare gli zuavi andati al di là di una «difesa simbolica». La confusione di quei momenti, la frenesia dei soldati pontifici indispettiti dall'accanimento e dall'impeto dei bersaglieri fecero proseguire lo scontro per oltre tre ore. Molto più di quanto aveva previsto Pio IX. Il testo originale dell'ordine pontificio parlava di «aprire trattative per la resa ai primi colpi di cannone», come a dire, subito. Il testo corretto dopo l'ingresso delle truppe italiane a Roma, invece, indicava la via della trattativa «appena aperta la breccia». In sostanza, a cose fatte il pontefice aveva modificato il suo scritto con una correzione confezionata a misura su ciò che era realmente accaduto.[32]

Da porta Pia entrò la brigata Bologna del generale Mazé de la Roche, seguita dal 12° bersaglieri. Qualche isolato soldato pontificio però continuò ancora a sparare. Venne colpito a morte il maggiore Pagliari, comandante del 34° bersaglieri, ferito il tenente Ramaccini in maniera grave.[33] Sulla breccia rimasero, tra morti e feriti, quindici zuavi. Arretrando, i soldati pontifici gridavano «Viva Pio IX!». Dall'altra parte, i bersaglieri rispondevano «Savoia!».

La rabbia prese gli assalitori che continuarono a sparare, nonostante le bandiere bianche. Così le fucilate proseguirono per spirito di sopravvivenza. Contro gli zuavi che alzavano le mani volavano insulti. Qualcuno fu ucciso a freddo. Senza motivo, quasi come un trofeo per l'ingresso a Roma. Vennero aggrediti e feriti due ufficiali pontifici: il tenente van der Kerckhove e il capitano de Couessin.[34]

Sul lato di Trastevere, Bixio venne preso dalla foga. Continuava a cannoneggiare, anche dopo la resa. Secondo prassi e onore militare, durante le trattative i due schieramenti dovevano attestarsi fermi sulle posizioni raggiunte in quel momento. Ma gli italiani si consideravano già padroni di casa e se ne infischiarono delle regole di guerra. Bersaglieri e fanti si spinsero dentro Roma. Conquistatori. Intere compagnie di zuavi vennero circondate e prese prigioniere. I soldati pontifici furono malmenati anche da gente in cerca di denaro, i prigionieri in colonna insultati e percossi. Gli zuavi più fortunati riuscirono a raggiungere la «città leonina», mettendosi al sicuro in piazza San Pietro e a Castel Sant'Angelo.

Come era accaduto anche in altre parti d'Italia annesse al Piemonte, con i soldati entrarono a Roma qualche migliaio di civili pronti a dichiararsi esuli o perseguitati politici del governo spodestato. Approfittatori dell'ultim'ora, che fiutavano possibili vantaggi. I veri esuli erano pochi, come i principi Cesarini Sforza, Odescalchi o Ruspoli. Molti altri erano i soliti oppositori del giorno dopo. La confusione, l'anarchia e la violenza regnarono per qualche giorno. Ma Cadorna fu sentito commentare: «Lasciate che il popolo si sfoghi».[35] Daniel Curtin, zuavo irlandese, venne massacrato di botte e trasferito in un ospedale per malati di mente. I 4800 prigionieri di origini italiane, che avevano militato nelle truppe pontificie, furono trasferiti nei campi di Alessandria, Mantova, Peschiera e Verona. Viaggiarono tre giorni mangiando solo un pezzo di pane, tra insulti e botte.[36] Scrisse «La Nazione» di Firenze, giornale di idee liberali:

> Roma è stata consegnata come *res nullius* a tutti i promotori di disordini e di agitazioni, a tutti gli approfittatori politici di professione, a coloro che amano pescare nel torbido, ai bighelloni di cento città italiane. Si potrebbe pensare che il governo voglia fare di Roma il ricettacolo della feccia di tutt'Italia.[37]

I romani assistevano impotenti, pietosi verso i soldati papalini. I violenti arrivarono in città al seguito dei bersaglieri. Sperando di trarre profitto dal disordine e dall'assenza di stabilità istituzionale nei giorni del trapasso. Venne siglata una capitolazione. Il generale Kanzler trattò la resa, che fu firmata a villa Albani dai due capi di stato maggiore: i colonnelli Domenico Primerano per gli italiani e Fortunato Rivalta per i pontifici. Solo sei articoli, per ribadire che al papa restava esclusivamente la parte di Roma compresa tra i bastioni di Santo Spirito, con il monte Vaticano e Castel Sant'Angelo. Onore delle armi alle truppe pontificie, con gli stranieri obbligati al rientro in patria e gli italiani imprigionati, in attesa di decisioni sul loro futuro.

Negli scontri, durati poco meno di quattro ore, persero la vita 20 pontifici, altri 162 rimasero feriti. Tra gli italiani, invece, 49 morti, tra cui 5 ufficiali, e 141 feriti, tra cui 9 ufficiali.[38] Anche l'esercito pontificio, ultimo degli Stati preunitari, si sciolse. Il 21 settembre, gli uomini sfilarono uscendo da porta

San Pancrazio. Si radunarono in piazza San Pietro, per ascoltare l'addio del generale Kanzler. Il testo, scritto precedentemente, venne letto dal capo di stato maggiore, Fortunato Rivalta. I soldati ascoltarono commossi. Il discorso esaltava il valore e la fedeltà della truppa, giustificava la difesa tiepida della città con una disposizione del papa che scioglieva tutti dal giuramento di fedeltà. Alle 10,45, Pio IX si affacciò dalla finestra del Vaticano per benedire i suoi soldati. Lo accolse un'ovazione. Singhiozzi, grida di evviva. Lacrime. Poi il mesto corteo in uniforme si diresse a villa Belvedere dove furono deposte le armi. A Civitavecchia si smistarono i soldati di nazionalità italiana verso i campi di prigionia al Nord. Tutti rientrarono a Roma entro la metà di ottobre. Pochi accettarono di entrare nell'esercito italiano. Gli stranieri tornarono nelle loro case. Si sciolsero anche i famosi zuavi. Il loro comandante Raffaele de Courten li salutò con un messaggio affidato al colonnello Eugène Allet: «Addio signori! La sorte ci divide, ma lo stesso sentimento ci unirà sempre, la devozione e la fede nella causa che noi abbiamo servita dieci anni insieme».[39]

Altri addii per altri vinti della rivoluzione italiana. La mattina del 21 settembre, dopo aver appreso che le sue truppe erano state disarmate, che la bandiera pontificia era stata abbassata a Castel Sant'Angelo e che l'esercito non esisteva più, Pio IX scrisse al nipote Luigi a Senigallia: «Caro nipote, tutto è finito! Senza libertà non si governa la Chiesa. Pregate tutti per me. Vi benedico».[40]

L'ultimo plebiscito

Per perfezionare la conquista del cuore del cattolicesimo non c'era che da adempiere alla solita e sperimentata formalità: fingere l'adesione popolare con un plebiscito combinato. In dieci anni, era già avvenuto tante volte in tutte le regioni annesse al Piemonte. Roma era ormai occupata dai soldati italiani. Il 21 settembre, Cadorna entrò in città con l'intero stato maggiore, alla testa dei suoi reggimenti. Il generale Luigi Masi, nominato comandante militare delle futura capitale, proibì subito ogni dimostrazione.

Tutti i simboli di dominio del papa furono subito abbattuti: le truppe italiane si sistemarono anche a Castel Sant'Angelo, mentre Cadorna aveva provveduto a insediare in Campidoglio una giunta di diciotto uomini provenienti da tutte le parti d'Italia. Furono proprio loro, il 29 settembre, ad annunciare la data del plebiscito: il 2 ottobre. La formula era quella già sperimentata in precedenti e simili occasioni: «Desideriamo essere uniti al Regno d'Italia, sotto la monarchia costituzionale del re Vittorio Emanuele II e dei suoi successori».[41]

Partirono subito attività di propaganda a favore del «sì». Dai suoi appartamenti in Vaticano, dove si considerava prigioniero, Pio IX protestò contro il voto annunciato e soprattutto vietò ai cattolici di prendervi parte. La motivazione era semplice: votando, si dimostrava di riconoscere l'autorità della giunta del Campidoglio, affidandovi il diritto a poter decidere sui secolari diritti della Santa Sede.

Naturalmente, proprio a Roma non si poteva rischiare una brutta figura con il plebiscito. Così i registri parrocchiali vennero sequestrati per fare da traccia alle liste elettorali. In molti casi si cancellarono dei nomi sostituendoli con altri. Tutte le mura della città furono invase da manifesti con un'unica scritta: «Sì, vogliamo l'annessione».[42] In via del Corso vennero distribuite solo schede con la scritta «sì», mentre un ingegnere francese, che aveva chiesto dove si trovassero le schede con il «no», fu fermato per un'ora dalla polizia. Tutto disposto per evitare sorprese. Nel giorno della votazione, interi cortei con schede dalla scritta «sì» appuntate sul cappello si diressero ai seggi. Gli evviva a Garibaldi, Bixio, Cadorna, o Vittorio Emanuele si sprecavano. Tanti non risiedevano a Roma, molti avevano anche un'età inferiore a quella prevista per il diritto al voto. In ogni quartiere fu allestito un seggio. In tutto erano dodici, il più importante era stato predisposto al Campidoglio. Prima di votare bisognava mostrare un «biglietto di elettore», una specie di certificato elettorale. Ma nessuno pensava a ritirarlo e chiunque poteva votare più volte in diversi seggi. Cosa che avvenne puntualmente. Un giovane scultore belga dichiarò di aver votato ben ventidue volte.[43] Per rispetto verso il papa e perché almeno quella parte della città figurava nel possesso formale della Santa Sede, il generale Cadorna dispose di escludere dalla votazione la città leonina. Eppure, ci fu chi, con forza e con una bandiera dalla scritta «città leonina sì», si diresse in quella direzione per votare. Per evitare il peggio, anche su richiesta del papa, si decise di allestire un seggio al ponte Sant'Angelo. Una forzatura, che registrò 1566 voti a favore dell'annessione non si sa da chi espressi. Alle 6,30 della sera del 2 ottobre, le operazioni elettorali terminarono. Alle 8, già si conoscevano i risultati: su 40.831 votanti, ben 40.785 si erano espressi per il «sì». Ridicolo il numero dei contrari: appena 46. Roba da sultanato orientale. In provincia la sproporzione tra i «sì» e i «no» fu ancora più eclatante. A Monte San Giovanni, dove erano iscritti solo una cinquantina di elettori, si contarono ben 900 voti a favore dell'annessione.[44]

I risultati definitivi furono comunicati solo il 7 ottobre. Tra Roma e le province, su 135.291 votanti, i «sì» erano stati 133.681. E per dare l'impressione di una rigorosa regolarità formale, si inserirono nel computo finale 103 schede nulle e 1507 «no». I risultati furono comunicati al re due giorni dopo. Vittorio Emanuele accolse una deputazione della giunta romana nei suoi appartamenti fiorentini a Palazzo Pitti. Terminato l'adempimento burocratico, Cadorna lasciò Roma dove arrivò, come governatore, il solito Alfonso La Marmora.

Prima di trasferirsi a Roma, cosa che aveva poca voglia di fare, il re doveva attendere l'approvazione formale del Parlamento all'annessione. La discussione alla Camera cominciò il 21 dicembre. A favore votarono 209 parlamentari.[45] Ci fu anche chi manifestò in pieno il suo dissenso di cristiano. Come il conte Edoardo Crotti di Castiglione che addirittura scrisse al re, protestando contro l'occupazione di Roma. Dicendo: «Come italiano e deputato del Parlamento italiano, riprovo l'ingiustizia di quest'atto. È una flagrante violazione del diritto internazionale, dello Statuto Albertino, della convenzione con la Francia. davanti a Dio e davanti alle nazioni io accuso i ministri del Governo di essersi messi sotto i piedi tutti questi diritti e impegni».[46]

Il trattato con la Francia di sei anni prima prevedeva l'impegno a non invadere mai lo Stato pontificio, ma anzi a difenderlo dalle aggressioni esterne. Un pezzo di carta, privo di valore. Con la decisione di trasferire subito la capitale d'Italia, Firenze venne dichiarata città «benemerita della nazione». Vittorio Emanuele arrivò a Roma il 31 dicembre in forma privata. Di voglia ne aveva poca: il trasferimento ormai prossimo lo accettava senza entusiasmo, lui rimasto sempre legato alle abitudini torinesi. Fu costretto alla breve visita anticipata da una tragica circostanza: una delle più pericolose alluvioni che Roma abbia mai vissuto. Il Tevere straripò, inondando interi quartieri e il nuovo sovrano andava a esprimere, con la sua silenziosa presenza, solidarietà alle vittime. Come già era avvenuto durante il suo primo viaggio a Napoli, anche nel primo contatto con la nuova capitale il re fu accolto da una giornata impossibile: pioggia, con fango e acqua stagnante a invadere le strade. Nessuna manifestazione di entusiasmo, il re passò attraverso file di persone silenziose, impaurite per la furia della natura. Visitò le zone più colpite dall'alluvione e poi decise di entrare al Quirinale, il nuovo Palazzo Reale dove aveva abitato il papa. Non era di buon umore, era preso dal rimorso di aver cacciato il pontefice. E trovò il portone sbarrato. Fu costretto ad aspettare un fabbro che aprisse la serratura. Quasi a dispetto, il cardinale Antonelli si era infatti rifiutato di consegnare le chiavi di ingresso del palazzo. Così la sera stessa Vittorio Emanuele decise di ritornarsene a Firenze.[47]

Lo spostamento ufficiale della capitale d'Italia a Roma avvenne il 30 giugno 1871. Due giorni dopo, arrivò il re. Stavolta, venne accolto dalla folla che lo acclamava. Si affacciò dal Quirinale per salutare. Pronunciò una frase: «Finalment i suma», che poi sarebbe un semplice: «Ci siamo finalmente». La retorica risorgimentale ha trasformato quelle parole nelle più pompose e impegnative: «A Roma ci siamo e ci resteremo».[48] La nobiltà romana lo accolse con freddezza e Vittorio Emanuele si sentiva a disagio nella grande città. Preferiva, appena possibile, tornare in Piemonte. Per la capitale d'Italia avvertiva un senso di estraneità.

Il papa scomunicò tutti i responsabili dell'invasione. Poco meno di un anno dopo, il 9 maggio 1871, venne approvata la legge sulle guarentigie. Lo Stato italiano spogliava il pontefice del suo Stato, lasciandogli solo l'area del Vaticano. Una legge dichiarata poi «fondamentale» con una decisione presa dal Consiglio di Stato nel 1878. In quegli anni, erano state soppresse 134 comunità religiose, con l'abolizione delle facoltà teologiche e dell'insegnamento religioso nelle scuole. Era l'avvio dello Stato laico, disegnato da un Parlamento che rappresentava solo l'1,9 per cento degli italiani di allora. L'1,9 per cento che aveva diritto al voto e andò alle urne il 20 novembre 1870.[49]

Tre anni dopo, anche nel Lazio vennero estese le leggi, nate in Piemonte venti anni prima, sulla soppressione degli enti religiosi. Il 27 maggio 1873, furono chiusi 472 conventi lasciando per strada circa 7000 tra frati e suore.[50] Molto accanimento contro le strutture cattoliche, la sostituzione di una religione di fede spirituale con un'altra, quella del culto dello Stato, di origine razionale. Eppure, al momento della morte Vittorio Emanuele chiese perdono. Quel 9 gennaio 1878, il re venne confessato dal cappellano della casa reale, Valerio Anzino, che lo assolse anche dalla scomunica. Ne aveva facoltà, per concessione del papa. Sull'«Osservatore romano» apparve una dichiarazione del confessore che riportava, sotto giuramento, le ultime dichiarazioni del re: «La autorizzo a dichiarare che intendo morire da buon cattolico, con i sensi di filiale devozione al

Santo Padre. Mi rincresce se ho arrecato qualche disgusto all'Augusta sua Persona. In tutte le questioni non ho avuto mai intenzione di recare danno alla religione».[51]

Un tentativo di riconciliarsi con la religione cattolica. Ma l'odio e le divisioni che accompagnarono la «rivoluzione italiana» furono duri a spegnersi. Pio IX morì il 7 febbraio 1878 e venne sepolto in una tomba provvisoria in Vaticano. Come ultima disposizione per la sua sepoltura aveva lasciato scritto che il suo corpo fosse tumulato nella basilica di San Lorenzo fuori le mura. Quella volontà fu esaudita solo nella notte tra il 12 e il 13 luglio 1881. Il corteo funebre venne aggredito da 300 persone che tentarono di gettare nel Tevere il corpo dell'ultimo papa re. L'aggressione fu respinta e si riuscì a portare a termine la tumulazione. Esplosero polemiche, accuse, strali contro i cattolici. «Né eletti, né elettori» fu la regola dettata da Pio IX e dal suo successore Leone XIII per i cattolici: esclusione dalla vita politica dello Stato italiano, tranne che per i governi locali. Lacerazioni aperte nella neonata nazione unita, un'altra eredità del Risorgimento interrotta soltanto molti anni dopo, con i Patti Lateranensi del 1929. Aveva scritto Pio IX nella sua enciclica *Respicientes Ea*: «Ogni giorno più dolorosamente dobbiamo renderCi conto della prigionia nella quale Ci troviamo e della mancanza di quella piena libertà che con la menzogna si fa credere al mondo che ci è stata lasciata per esercitare il Nostro Apostolico Ministero che il governo invasore va raccontando di aver voluto convalidare con le cosiddette necessarie guarentigie».[52]

Nel giugno 1871 l'unità politica dell'Italia era ormai un fatto compiuto. La «spinta rivoluzionaria» finale era durata ventitré anni. Che Paese lasciò in eredità il Risorgimento? Unito nella forma giuridica, ma profondamente diviso. Lacerato, distante da quel Parlamento di deputati sconosciuti alla maggioranza degli italiani. Un Paese spaccato: lontani Nord e Sud, cattolici e liberali, democratici e destra, contadini e latifondisti. Un groviglio di problemi aperti, con in più pesanti disavanzi di bilancio. Uno dei successori di Cavour, Urbano Rattazzi, nel 1861 commentava: «S'è fatta l'Italia, ora bisogna fare gli italiani».[53] Un auspicio di unità spirituale e di affinità culturali che 137 anni di unificazione non sono ancora riusciti a perfezionare in pieno. La colpa è di come fu compiuta la rivoluzione italiana, così piena di zone grigie. Nonostante non ammettessero di aver commesso errori, il pessimismo sul futuro dell'Italia realizzata con la loro azione assalì quasi subito molti dei cosiddetti «padri del Risorgimento». Come Mazzini, che scrisse: «Non c'è chi possa comprendere quanto mi senta infelice quando vedo aumentare di anno in anno, sotto un governo materialista e immorale, la corruzione, lo scetticismo sui vantaggi dell'unità, il dissesto finanziario; e svanire tutto l'avvenire dell'Italia, tutta l'Italia ideale».[54]

Bui presagi. Ma è con l'eredità di quell'Italia che ancora oggi, nel bene e nel male, dobbiamo fare i conti. Non sempre sono conti incoraggianti.

5. Pio IX nel 1862 con accanto in piedi a sinistra, in frac e cilindro, Francesco II di Borbone.

Appendice
La rivoluzione italiana al cinema e in tv

Il cinema e la televisione hanno spesso rivolto il loro interesse al Risorgimento. In molti film e sceneggiati si sono raccontate vicende di quel periodo storico, spesso con taglio retorico, esaltando soprattutto la spedizione garibaldina e i suoi «eroi» con sistematica disattenzione verso gli «altri», coloro che si opponevano a quella «rivoluzione» mettendola in discussione. In Italia non c'è mai stata una pellicola che abbia avuto come protagonisti i vinti, chi si trovava dall'altra parte, come invece hanno fatto gli americani con la loro guerra civile in film come *Via col vento.* Una narrazione che ragionava sul dramma dei sudisti, i confederati, gli sconfitti di quella guerra. Quasi nessuna opera cinematografica italiana si è accostata con poesia e asciuttezza ai drammi e ai problemi vissuti dai «vinti del Risorgimento», soprattutto nel Mezzogiorno. Né ci sono state pellicole di impegnative produzioni che abbiano rivalutato culture, seppure di un modello di società superato, cancellate da quel processo storico: il mondo contadino meridionale dalle secolari tradizioni e identità. Negli Stati Uniti, al contrario, si è riletta in positivo la realtà degli indiani d'America, con film come *Soldato blu, Balla coi lupi, Un uomo chiamato cavallo,* tanto per citarne alcuni.

Tra il 1° dicembre 2005 e il 28 luglio 2006, la provincia di Genova organizzò una rassegna itinerante in dodici comuni, sulla filmografia che aveva per tema il Risorgimento. Il titolo era preso da una canzone del 1848: «Addio mia bella addio». La manifestazione artistica rappresentò anche un'occasione per riflettere in modo critico su quel periodo storico. Si leggeva nella brochure di presentazione: «Nella filmografia italiana d'argomento risorgimentale si possono individuare due principali linee di tendenza, la prima è caratterizzata da un bouquet di tematiche epiche, avventurose, romantiche e patriottiche, mentre il secondo filone si nutre di queste tematiche virandole nei territori legati alla propaganda politica, fatto che, naturalmente, diventa più marcato nel ventennio fascista».[1]

Tralasciando pregi, difetti e valore artistico delle singole opere, di seguito si tenta di fornire solo un quadro, il più possibile completo, dei principali film, degli sceneggiati e delle fiction che in qualche modo si sono occupati del Risorgimento. Molte pellicole si sono ispirate a romanzi e racconti. L'elenco segue la successione cronologica di produzione. Per la sintesi delle trame e un breve accenno critico, testo di riferimento è il noto dizionario dei film di Morando Morandini: *il Morandini*.[2]

I film

La presa di Roma: regia e fotografia di Filoteo Alberini. Opera del 1905, celebrativa, 35 anni dopo l'arrivo dei bersaglieri italiani nella futura capitale attraverso la breccia di Porta Pia. Dei 250 metri di pellicola ne sono rimasti solo 75 restaurati dalla Cineteca nazionale e dalla Cineteca italiana di Milano.

I Mille: direzione e regia di Mario Caserini e Alberto Degli Abbati. Anno di produzione 1912. Film sulla spedizione garibaldina, muto e in bianco e nero.

1860: regia di Alessandro Blasetti, che si ispirò a un racconto di Gino Mazzucchi. Ricostruzione agiografica dello sbarco di Garibaldi in Sicilia. Uscito nel 1934, venne criticato poi per la sua eccessiva adesione alla propaganda fascista.

Piccolo mondo antico: regia di Mario Soldati, che si ispirò al romanzo del vicentino Antonio Fogazzaro, pubblicato nel 1895. Uscito nel 1941, narra le vicende di una famiglia lombarda sotto il governo austriaco nel periodo della guerra di Crimea.

Un garibaldino al convento: regia di Vittorio De Sica, che lo diresse nel 1942. Sullo sfondo di una storia d'amore, ancora la spedizione garibaldina.

Il tenente Giorgio: regia di Raffaele Matarazzo, che si ispirò al romanzo di Nicola Misasi e introduce il tema del brigantaggio postunitario. Fu prodotto nel 1952.

Eran trecento...(La spigolatrice di Sapri): regia di Gian Paolo Callegari. Narra il tentativo di una banda di liberali lucani volto a fornire aiuti alla spedizione di Carlo Pisacane del 1857 nel Regno delle Due Sicilie. Prodotto nel 1952.

Il brigante di Tacca del Lupo: regia di Pietro Germi che raccontò una storia di bersaglieri impegnati contro i briganti lucani nel 1863 con uno sguardo ai western e ai film di John Ford. Prodotto nel 1952.

Camicie rosse (Anita Garibaldi): regia di Francesco Rosi e Goffredo Alessandrini. La pellicola, del 1952, venne scritta dal trio bolognese Renzo Renzi, Enzo Biagi e Sandro Bolchi. Alla sceneggiatura collaborarono Suso Cecchi D'Amico e Anna Magnani, che interpretò Anita Garibaldi. È la storia della fuga e della morte della moglie di Garibaldi. Coproduzione italo-francese.

La pattuglia sperduta – Vecchio regno: regia di Piero Nelli. Ancora una pellicola del 1952, che narra le vicende di una pattuglia in avanscoperta durante la Prima guerra d'indipendenza rimasta tagliata fuori dalle linee italiane.

Senso: tratto da un racconto di Camillo Boito, è uno dei capolavori di Luchino Visconti. Dramma d'amore, ambientato nel Veneto ancora sotto la dominazione austriaca, alla vigilia della battaglia di Custoza. Uscito nel 1954.

Viva l'Italia!: regia di Roberto Rossellini. Coproduzione italo-francese del 1961, in cui uno dei padri del neorealismo tentò di raccontare le fasi della spedizione dei Mille senza cadere nell'oleografia mitologica.

I briganti italiani: regia di Mario Camerini. Il film, uscito nel 1961 con una coproduzione italo-francese, è tratto dal romanzo omonimo di Mario Monti che, rifacendosi a documenti, mise insieme alcune vicende di briganti vissuti in epoche diverse. Qui si focalizza la storia più suggestiva: quella di Carmine Crocco, ambientata nel periodo del brigantaggio postunitario.

Il Gattopardo: ispirato all'omonimo romanzo di Giuseppe Tomasi di Lampedusa pubblicato nel 1958. Costosa coproduzione italo-francese, cast eccezionale, con una prima sceneggiatura che aveva ricostruito le vicende risorgimentali dell'unità d'Italia, il film vide la luce nel 1963. Il trapasso di epoche in Sicilia, dai Borbone ai Savoia, la continuità dei rapporti sociali, la «sicilianità» vengono resi con fedeltà da Visconti nel suo film, in rispetto al testo d'ispirazione.

...Correva l'anno di grazia 1870: regia di Alfredo Giannetti. Uno di quei film per la televisione del 1971 con cui Anna Magnani si congedò dal mondo dello spettacolo. L'attrice interpretava una popolana, anima della rivolta per liberare i prigionieri politici nelle carceri papaline alla vigilia della breccia di Porta Pia.

Bronte – Cronaca di un massacro che i libri di storia non hanno raccontato: ispirato alla novella di Giovanni Verga *Libertà*, racconta dell'eccidio compiuto dai garibaldini di Bixio nel reprimere la rivolta contadina. La coraggiosa opera del regista Florestano Vancini, è stata di recente restaurata. Coproduzione italo-jugoslava del 1972.

Le cinque giornate: regia di Dario Argento. Film sulle cinque giornate di Milano, tutto schierato nell'individuare senza sfumature buoni e cattivi. Prodotto nel 1974.

Quanto è bello lu murire accisu: il regista Ennio Lorenzini al suo esordio con questo film nel 1976 vinse un nastro d'argento e il David di Donatello. È la ricostruzione della biografia di Carlo Pisacane e del suo sbarco a Sapri.

In nome del Papa re: regia di Luigi Magni che nel 1977 cominciò la sua serie di pellicole ambientate negli anni finali della Roma papalina.

Arrivano i bersaglieri: regia di Luigi Magni che nel 1980 bissa con una pellicola sullo Stato pontificio al tramonto.

O' Rre: Luigi Magni nel 1989 cambia soggetto e si occupa del re Francesco II di Borbone in esilio a Roma. Simpatia per il sovrano spodestato, ma monotonia nella ricostruzione.

In nome del popolo sovrano: ancora Luigi Magni in un film sulla Roma papalina. Stavolta, al centro delle vicende, il periodo della Repubblica romana del 1849, con l'esilio a Gaeta di Pio IX. La pellicola è del 1990.

La carbonara: Luigi Magni conclude il ciclo dei suoi film risorgimentali. Stavolta l'ambientazione è del 1825. Una storia di briganti e di personaggi legati alla carboneria. La pellicola uscì nel 2000.

Li chiamarono briganti!: regia di Pasquale Squitieri. La pellicola è del 1999 e ha avuto una distribuzione limitata. Tentativo di una narrazione controcorrente della storia del capobrigante Carmine Crocco.

I viceré: regia di Roberto Faenza. Nel 2007, dal celebre romanzo di Federico De Roberto pubblicato nel 1894, fu tratto il film che ripercorre la storia, attraverso più generazioni, della famiglia Uzeda di Catania. Un affresco di grande efficacia sulla Sicilia, con attenzione particolare agli anni del Risorgimento.

Noi credevamo: regia di Mario Martone. Con sceneggiatura scritta anche da Giancarlo De Cataldo, è uscito nel 2010 in occasione delle celebrazioni per il centocinquantesimo anniversario dell'unità d'Italia. Tratto da un romanzo di Anna Banti, la pellicola ricostruisce il periodo dal 1848 al 1860 e non si discosta dal filone politicamente corretto sulla storia risorgimentale.

Sceneggiati e fiction

L'alfiere: sceneggiatura di Carlo Alianello e Anton Giulio Majano; regia di Anton Giulio Majano. Sceneggiato in sei puntate andato in onda dal 18 marzo 1956 al 22 aprile 1956. Tratto dall'omonimo romanzo di Alianello, pubblicato da Einaudi nel 1943, è una delle prime opere a trattare la caduta del Regno delle Due Sicilie dalla parte dei vinti: i borbonici.

Ottocento: per la regia di Anton Giulio Majano, fu adattato alla televisione da Alessandro De Stefani che si ispirò a un testo di Salvatore Gotta. Venne trasmesso in cinque puntate dal 6 dicembre 1959 al 3 gennaio 1960.

Vita di Cavour: da un soggetto di Giorgio Prosperi, per la regia di Piero Schivazappa, venne trasmesso in quattro puntate, dal 5 marzo 1967 al 19 marzo 1967. È uno sceneggiato sullo statista piemontese.

Napoli 1860 e la fine dei Borboni: da un soggetto di Lucio Mandarà, per la regia dello stesso Mandarà e di Alessandro Blasetti, uno sceneggiato in due puntate (trasmesse il 15 e il 22 marzo 1970).

L'eredità della priora: dal 2 marzo 1980, ogni domenica, in sette puntate andò in onda questo sceneggiato di Anton Giulio Majano tratto da un altro libro di Carlo Alianello dal titolo omonimo. È la storia di due famiglie lucane in lotta per un'eredità, sullo sfondo del periodo del brigantaggio postunitario.

La Castiglione: Salvatore Nocita diresse questo sceneggiato, scritto da Gianfranco Calligarich, sulla celebre contessa di Castiglione. Vennero trasmesse su Rai uno quattro puntate dal 4 dicembre 1983 al 25 dicembre 1983.

Le cinque giornate di Milano: sceneggiatura di Fabio Campus, Giuseppe Badalucco e Franca De Angelis; regia di Carlo Lizzani. Prodotta da Rai fiction, andò in onda in due puntate il 5 e il 6 dicembre 2004. Il soggetto era di Nino Majellaro.

La contessa di Castiglione: Rai fiction ripropose, a ventitré anni dal precedente sceneggiato, due puntate sulla figura dell'amante di Napoleone III. La regia era di Josèe Dayan, in una coproduzione Rai uno, France 2 e Telecinco realizzata dalla Cosmo production. Le due puntate andarono in onda con scarso successo il 3 e 4 dicembre 2006 su Rai uno.

Eravamo solo Mille: due puntate su Rai uno, in onda il 15 e il 16 gennaio 2007, prodotte da Rai fiction e Cosmo production. La regia era di Stefano Reali. In occasione del bicentenario della nascita di Garibaldi, la Rai mandò in onda una fiction sulla spedizione dei Mille. Tanta agiografia, nessuno sforzo di approfondire retroscena e realtà della spedizione. Al di là delle intenzioni annunciate, le due puntate mostrarono lo schema superficiale di cattivi spietati tutti da una parte (i borbonici), con i buoni idealisti e puri dall'altra (i garibaldini e i liberali).

Note

Prefazione

1. De Amicis (Oneglia 1846 – Bordighera 1908) frequentò l'Accademia di Modena e partecipò alla Terza guerra d'indipendenza nel 1866. Su quel periodo, scrisse una serie di bozzetti riuniti nel libro *La vita militare* del 1868. Fu poi giornalista alla «Nazione» di Firenze. Il 17 ottobre 1886, primo giorno di scuola, l'editore Treves fece uscire il libro *Cuore*, destinato ad avere ben quaranta edizioni e molte traduzioni. I miti del Risorgimento e le spinte ideali di quel periodo vi sono raccontati con partecipazione intensa. De Amicis aderì poi al socialismo.
2. Dal libro *Cuore*, Garzanti, Milano 1967, p. 176.
3. *Ibid.*, p. 60.
4. *Ibid.*, p. 133.
5. *Storia contemporanea, l'800 ad uso dei licei e degli studenti universitari*, Napoli 2002, pp. 128-129.
6. *Ibid.*, p. 209.
7. *Ibid.*, p. 220.
8. *Ibid.*, pp. 59-61.
9. *Ibid.*, p. 61.
10. *Ibid.*, p. 139.
11. *Ibid.*, p. 153.
12. *Le basi della Storia*, 2: *La società industriale tra Settecento e Ottocento*, Milano 2003, p. 224.
13. *Ibid.*, p. 225.
14. Ivi.
15. Ivi.
16. *Civiltà nella storia dalle rivoluzioni liberali alla «grande guerra» per gli Istituti professionali*, Pozzuoli (Napoli) 2007, p. 115.

Introduzione

1. Con Carlo Alberto, la successione dinastica dei Savoia passò dal ramo principale a quello cadetto dei Carignano. Non ebbero eredi, infatti, né Vittorio Emanuele I né il fratello Carlo Felice. Il trono passò al loro nipote, nato a Torino il 2 ottobre del 1798. Scrisse il futuro re: «Sono nato in mezzo ai disastri della nostra famiglia, verso la fine di una guerra disgraziata, ma non senza gloria». Così, Silvio Bertoldi tratteggia la personalità di Carlo Alberto: «Diviso tra sentimenti opposti, infido o solamente irresoluto, introverso e appassionato; pentito delle proprie scelte giovanili fino al limite del tradimento e della vergogna o titubante alle svolte del destino». Carlo Alberto morì in esilio, a Oporto in Portogallo, dopo aver abdicato in seguito alla sconfitta della Prima guerra d'indipendenza, il 28 luglio 1849 (S. Bertoldi, *Il re che tentò di fare l'Italia*, Rizzoli, Milano 2000, pp. 22-23, 25).
2. Per le sue continue indecisioni, che contraddistinsero un'esistenza sempre in bilico tra aperture liberali, conservatorismo, religiosità bigotta e libertinismo, Carlo Alberto venne soprannominato «re tentenna» dal poeta risorgimentale Giuseppe Giusti (Monsummano 1809 – Firenze 1850), che scrisse anche: «Esecrato, o Carignano, va il tuo nome tra le genti» (Bertoldi, *op. cit.*, p. 118). Giosuè Carducci invece parlò di Carlo Alberto come di un «Italo Amleto» (ivi).
3. Re Ferdinando II di Borbone concesse la Costituzione nelle Due Sicilie il 29 gennaio 1848. In Piemonte, lo Statuto Albertino entrò in vigore il 4 marzo 1848, dopo il proclama dell'8 febbraio precedente.
4. Sono note le vicende sull'attuazione della Costituzione a Napoli, ostacolata dai liberali democratici contrari a qualsiasi accordo di compromesso con il re e il suo governo. Alla vigilia dell'inaugurazione del Parlamento, esplosero incidenti sanguinosi. Era il 15 maggio 1848. Vennero poi ripetute le elezioni parlamentari, l'assemblea lavorò fino al 1849 tra mille ostacoli e polemiche. Infine il Parlamento fu sciolto e la Costituzione, pur rimanendo formalmente in vigore, non venne applicata fino al 1860. Tutti gli atti del Parlamento napoletano sono conservati, per volontà dell'allora ministro Silvio Spaventa, nell'archivio di Montecitorio a Roma. Sono stati raccolti in un interessante volume: C. Lodolini Tupputi, *Il Parlamento napoletano del 1848-1849: storia dell'istituto e inventario dell'archivio*, Archivio storico Camera dei deputati, Roma 1992.
5. C'è chi preferisce invece parlare di «Rivoluzione italiana», in riferimento alla sovversione francese del 1789. Sostiene Luigi Brienza: «È

la nascita dello Stato moderno, burocratico e accentrato, nella necessità di sostenere con un'adeguata struttura giuridico-politica la formazione dei mercati unici nazionali, sostenuta da élite economiche e sociali che con condizioni non unitarie avrebbero stentato ad emergere». (Relazione al convegno di studi «La nascita dello Stato italiano», Palazzo Valentini, Roma 17 marzo 2006).

6. La maggioranza politica su cui poteva contare il governo presieduto da Cavour era il risultato di un accordo del 1852 tra i democratici moderati (il cui leader era Urbano Rattazzi) e i gruppi avanzati della destra. Questa politica venne definita del «connubio» e aveva come suo programma l'abolizione dei dazi doganali, una forma parlamentare centralista con elezione a suffragio ristretto, la difesa delle libertà fondamentali di opinione, l'unificazione dell'Italia. Poi, vennero l'alleanza con la Francia, la partecipazione alla guerra di Crimea, ma soprattutto le leggi Rattazzi del 1855 per la soppressione degli ordini religiosi e l'incameramento dei loro beni nel patrimonio statale.
7. Così definì il Risorgimento, e in particolare l'annessione del Regno delle Due Sicilie al resto dell'Italia, anche Benedetto Croce (*Uomini e cose della vecchia Italia*, Laterza, Bari 1956, vol. II, p. 368).
8. Fu venduto dagli eredi della dinastia, che era stata per 127 anni alla guida del Regno delle Due Sicilie, nel 1951 allo Stato italiano. Nel 1953 venne destinato all'Archivio di Stato di Napoli. Le trattative per la cessione vennero condotte dalla principessa Urraca di Borbone, nipote di Alfonso, fratello dell'ultimo re Francesco II.
9. Fu il professore Franco Molfese, vicedirettore della biblioteca parlamentare, scomparso nel silenzio generale nel 2002, a scoprire i preziosi documenti che riguardavano il lavoro delle commissioni d'inchiesta parlamentare sul brigantaggio postunitario. Da quelle fonti ricavò un saggio, *Storia del brigantaggio dopo l'Unità*, edito da Feltrinelli nel 1964. Una miniera di informazioni su quella guerra civile che infestò il Mezzogiorno all'indomani dell'unità.
10. D. Beales – E.F. Biagini, *Il Risorgimento e l'unificazione dell'Italia*, il Mulino, Bologna 2002, pp. 8-9.
11. Scrisse Gaetano Negri, già ufficiale piemontese nel periodo del brigantaggio postunitario, filosofo e poi sindaco di Milano, nel 1898: «Se vi ha qualche cosa che sarebbe desiderabile di veder mutata in Italia, non è lo Statuto, ma son gli Italiani. Ad essi solo, ai loro difetti, ai vizi ereditati dai loro antefatti storici, risale la responsabilità dei disinganni che accompagnarono il risorgimento nazionale» (T. Scherillo Negri [a cura di], *Il pensiero di Gaetano Negri su uomini e fatti del Risorgimento*, Hoepli, Milano 1928, p. 15).

12. Discorso di Giuseppe Garibaldi pronunciato il 21 aprile 1879, ripreso in G. Garibaldi, *Memorie*, Bur, Milano 2002, p. 384.
13. Li elenca Paolo Colombo, nel suo testo *Con lealtà di Re e con affetto di padre*, il Mulino, Bologna 2003: Giacinto Borelli, Francesco Luigi Des Ambrois de Nevache, Ermolao Britannio Asinari di San Marzano, Fedele Giacinto Avet, Ottavio Thaon di Revel di Pratolongo, Mario Broglia di Casalborgone, Cesare Alfieri di Sostegno, Federico Sclopis di Salerano, Vittorio Amedeo Sallier de La Tour, Ludovico Peyretti di Condove, Luigi Provana di Collegno, Giovanni Antonio Raggi, Carlo Giuseppe Beraudo di Pralormo, Gaspare Coller, Stefano Gallina, Giuseppe Antonio Gromo, Celestino Quadrelli di Lesegno. Si tratta, in totale, di 11 conti, 4 marchesi e 2 cavalieri su cui Colombo scrive: «Un manipolo di conservatori si dà alle riforme» (*op. cit.*, p. 75).
14. Colombo, *op. cit.*, p. 101.
15. Lo Statuto Albertino venne pubblicato a Torino in italiano e a Chambéry nel suo originale francese (Colombo, *op. cit.*, p. 115).
16. Colombo, *op. cit.*, pp. 151-152.
17. Cfr. Colombo, *op. cit.*, pp. 160-161.
18. Anche in questo modo venne definito Giuseppe Garibaldi, diventato pure l'«eroe dei due mondi» per la partecipazione alle rivoluzioni in America latina e in Italia.
19. Beales – Biagini, *op. cit.*, pp.10-11.
20. Urbano Rattazzi definì Virginia Oldoini «la vulva d'oro del Risorgimento» (cfr. A. Petacco, *L'amante dell'imperatore*, Mondadori, Milano 2000). Rattazzi (Alessandria 1808 – Frosinone 1873) fu parlamentare piemontese per undici legislature. Ministro alla Pubblica Istruzione nel 1848, poi all'Agricoltura e all'Industria. Nel Regno del Piemonte, fu esponente prima della sinistra estrema, poi del «centrosinistro» che si accordò con il «centro-destro» di Cavour garantendo la governabilità nel 1852. Presidente della Camera a Torino, poi ancora più volte ministro, fu il primo presidente del Parlamento italiano il 7 marzo 1861. Nel marzo 1862, divenne terzo presidente del Consiglio dell'Italia unita dopo Cavour e Bettino Ricasoli.
21. La madre di Francesco II di Borbone era Maria Cristina di Savoia, prima moglie di Ferdinando II. Era una delle figlie di Vittorio Emanuele I e di Maria Teresa d'Asburgo, nata a Cagliari il 14 novembre 1812, quando i suoi genitori si rifugiarono in Sardegna per fuggire dall'invasione francese. Dunque, era cugina di Carlo Alberto.
22. Si trattava della famosa «legge Pica» che prese il nome del suo proponente: il deputato meridionale della sinistra Giuseppe Pica.

23. La definizione è dello scrittore torinese Carlo Levi.
24. Lo scrittore lucano riprende le cifre citate dallo storico borbonico Giacinto De Sivo, che nel 1868 riproduceva le statistiche riportate dai giornali fino all'agosto 1861: 8968 fucilati, 10.604 feriti, 6112 prigionieri, 64 sacerdoti fucilati, 22 frati, 918 case arse, 6 paesi dati a fuoco, 2903 famiglie perquisite, 12 chiese saccheggiate, 60 ragazzi e 48 donne uccise, 13.529 arrestati, 1428 comuni sollevati (G. De Sivo, *Storia delle Due Sicilie*, Berisio, Napoli 1964, vol. II, p. 447).
25. G. Di Fiore, *I vinti del Risorgimento*, Utet, Torino 2004, p. 10.
26. Il medico Angelo Camillo De Meis (Bucchianico in provincia di Chieti 1817 – Bologna 1891) fu filosofo hegeliano vicino alle posizioni di Bertrando Spaventa. Dopo il 1848 in cui fu deputato al Parlamento napoletano, andò esule prima a Parigi e poi, dal 1853, a Torino. Per due volte fu deputato al Parlamento italiano. Autore di diverse pubblicazioni, ebbe la cattedra di storia della medicina prima a Napoli e poi a Bologna.
27. Il conte Stefano Jacini (Casalbuttano in provincia di Cremona 1827 – Milano 1891) fu ministro dal 1860 al 1866 nei governi Cavour, La Marmora e Ricasoli. Studiò in Svizzera, Milano e Germania. Senatore, si occupò di economia su cui scrisse diversi saggi e venne nominato presidente della Commissione d'inchiesta agraria dal 1877 al 1884.
28. Cfr. F. Mazzonis, *La Monarchia e il Risorgimento*, il Mulino, Bologna 2003. Nello stesso saggio, scrive l'autore: «La nuova borghesia nazionale, insieme all'aristocrazia imborghesita, vedeva nella monarchia, da un lato, il coronamento e la copertura istituzionale di quella *piemontizzazione* del paese, mediante la quale essa aveva inteso sopperire alle conseguenze della propria scarsa omogeneità sociale e dell'altrettanto scarsa capacità egemonica e, dall'altro, lo strumento di legittimazione necessario per fugare dubbi e perplessità di una parte delle potenze continentali (l'Austria in primo luogo) nei confronti dell'imprevista soluzione della questione italiana».
29. Erano i territori dell'Emilia-Romagna e dell'Umbria, già appartenenti allo Stato pontificio.
30. Cfr. G. Thaon di Revel, *La cessione del Veneto*, Editoria universitaria, Venezia 2002.
31. Relazione al convegno «Risorgimento italiano tra ideali unitari e persecuzione della Chiesa» del 16 maggio 2005 organizzato dall'Università Europea di Roma, ripresa dal notiziario del quotidiano elettronico dell'agenzia di informazione Zenit del 18 maggio 2005, consultabile sul sito www.zenit.org.

32. Cfr. P. Crociani, *Guida al Fondo «Brigantaggio»*, Ufficio storico Stato Maggiore dell'Esercito, Roma 2004.
33. M. d'Azeglio, *I miei ricordi*, a cura di Giuseppe Paladino, Luigi Loffredo editore, Napoli 1936, p. 15.
34. Per tutti gli atti di questi fondamentali dibattiti parlamentari, vedi: *Il Parlamento dell'unità d'Italia: atti e documenti della Camera dei deputati*, Segretariato generale della Camera dei deputati, Roma 1961, voll. I-III.
35. *Discussione delle interpellanze La Marmora sull'organizzazione dell'esercito*, 23 marzo 1861.
36. *Discussione dell'interpellanza Audinot sulla questione romana*, 25 marzo 1861.
37. *Discussione delle interpellanze Massari e Paternostro sull'amministrazione delle province meridionali*, 2 aprile 1861.
38. *Discussione e approvazione del disegno di legge, presentato alla Camera dal ministro Cassinis*, 25 marzo 1861.
39. *Discussione della interpellanza Ricasoli sull'esercito meridionale*, 18 aprile 1861.
40. *Discussione e votazione della legge sull'assunzione del titolo di Re d'Italia da S.M. il re Vittorio Emanuele II*, 14 marzo 1861.
41. *Discussione del disegno di legge presentato alla Camera dal ministro dell'Interno Minghetti*, 24 aprile 1861.
42. Nell'unificazione germanica, fu questo Stato a svolgere la funzione esercitata nella penisola dal Piemonte che venne infatti definito anche «la Prussia d'Italia». Il cancelliere Otto von Bismarck, aristocratico conservatore, guidò i governi che puntarono a una politica di armamento, alla difesa di istituzioni politiche assolutiste con il potenziamento del sistema economico. Tre furono le tappe militari in cui la Prussia fu protagonista: nel 1864, la guerra contro la Danimarca con l'Austria alleata, che portò all'annessione dei ducati di Schleswig-Holstein all'impero austriaco e il diritto prussiano a estendersi verso le province indivisibili a nord dell'Elba; la guerra contro l'Austria del 1866 che fece trasferire i ducati Schleswig-Holstein, i principati di Hannover, dell'Assia-Nassau e Francoforte alla Prussia, lasciandole il diritto ad annettersi altri Stati germanici con la creazione di una confederazione al Nord; la guerra con la Francia nel 1870, che portò all'annessione dell'Alsazia e di gran parte della Lorena con la proclamazione del Secondo Reich e del titolo di imperatore di Germania a Guglielmo I. In quest'ultima guerra gli Stati germanici del Sud (già uniti nell'Associazione doganale tedesca) si schierarono con quelli del Nord contro la Francia. Quando venne costituito il

Reich, nel 1871, la nazione germanica era una confederazione, con venticinque Stati cui fu riconosciuta ampia autonomia.

43. L'accordo di unificazione doganale venne siglato nel 1834 e rimase in vigore fino alla proclamazione del Secondo Reich nel 1871. Nel 1867, facevano parte dell'accordo tutti gli Stati germanici, ponendo le basi per lo sviluppo dell'economia e per l'unità raggiunta nel 1871.
44. Mazzonis, *op. cit.*, p. 140.
45. È noto che Ferdinando II di Borbone riteneva che il Regno delle Due Sicilie fosse garantito nella sua politica di estraneità da alleanze e intese con altri Stati perché protetto a nord dall'acqua santa (lo Stato pontificio) e a sud dall'acqua di mare. All'orgogliosa rivendicazione di autonomia di Ferdinando II corrispondevano politiche filoaustriache a Modena o anche a Parma.
46. A. Del Boca, *Italiani, brava gente?*, Neri Pozza, Vicenza 2005, p. 11.

Capitolo 1

1. Enrico Albanese (1834-1896), medico palermitano, partecipò ai moti siciliani dell'aprile 1860. Seguì Garibaldi, di cui divenne amico, dalla spedizione dei Mille all'Aspromonte, curandone la ferita ricevuta nello scontro con i bersaglieri italiani. Su quella vicenda tenne un «Diario clinico» in cui illustrò tutte le fasi dell'assistenza medica prestata a Garibaldi. Partecipò anche alla battaglia di Bezzecca nella Terza guerra d'indipendenza e prestò assistenza sanitaria scrupolosa durante le epidemie di colera a Palermo nel 1867 e 1885. Fu poi medico noto nella sua città natale, con incarichi all'università dove divenne direttore della clinica chirurgica. Fu anche amico di Carducci.
2. Riportato dalla «Rivista popolare», diretta da Napoleone Colajanni, anno ottavo, numeri 16 e 17 del 20 settembre 1912, che pubblicò un numero unico dal titolo «Aspromonte (il più grande delitto della Monarchia italiana)». Il ricordo del dottore Albanese sul colloquio con Garibaldi legato alla cessione di Nizza venne pubblicato a pagina 55 della rivista.
3. La città natale di Garibaldi aveva fatto parte per secoli del Regno dei franchi e dei burgundi per poi passare alla contea di Provenza. Apparteneva ai Savoia sin dal 1388, costituendo per quattro secoli il loro unico sbocco a mare. Nel 1797, Nizza passò alla Repubblica francese venendo poi unita, con la Liguria, all'impero di Francia nel 1806. Tornò al Regno di Piemonte dopo il Congresso di Vienna. A Nizza vi fu sempre una forte presenza di immigrati liguri.
4. Il capostipite fu Umberto Biancamano, di origine sassone borgogno-

na o provenzale, che fu signore della Savoia nel 1003. La signoria si trasformò in contea di Savoia dal 1103 al 1416 e successivamente nel ducato di Savoia dal 1416 al 1713. Con Vittorio Amedeo II nacque poi il Regno di Sardegna nel 1720, dopo una parentesi di dominio sulla Sicilia nel 1713.

5. La preparazione venne affidata a Henri Conneau, un mezzo italiano che era medico personale di Napoleone III, avvicinato dal banchiere ligure Alessandro Bixio, da tempo residente a Parigi. Si scelse quella strada inusuale per saltare i normali canali diplomatici e tenere segreti i colloqui, spacciati per casuali presenze dei due uomini di Stato in una località di cura termale (cfr. D. Mack Smith, *Il Risorgimento italiano*, Laterza, Roma-Bari 1999).
6. Sono riportati in C. Cavour, *Il carteggio Cavour-Nigra dal 1858 al 1861*, a cura della Real Commissione editrice, Zanichelli, Bologna 1926, vol. I, pp. 98-101.
7. Sul tappeto degli accordi franco-piemontesi, comparve anche il sacrificio personale della giovanissima figlia di Vittorio Emanuele già dall'estate del 1857. Ne parlava, con due lettere del 3 e 12 settembre 1857, Salvatore Pes di Villamarina, allora diplomatico del Piemonte a Parigi (cfr. Cavour, *op. cit.*, p. 99).
8. Costantino Nigra (Villa Castelnuovo in provincia di Torino 1828 – Rapallo 1907) studiò prima a Ivrea, poi si trasferì a Torino per iscriversi alla facoltà di legge. Volontario nella Prima guerra d'indipendenza, si laureò e, dopo un concorso, fu assunto al ministero degli Esteri piemontese. Negli uffici governativi, fu utilizzato come segretario da Massimo d'Azeglio quando era primo ministro, poi anche dal suo successore Cavour. Al Congresso di Parigi del 1856, dove si stabilirono gli effetti politici della guerra di Crimea, Nigra accompagnò Cavour che lo inviò subito dopo in Francia per avviare i contatti che portarono alla guerra contro l'Austria. Lasciò Parigi solo nel 1860, per affiancare a Napoli il luogotenente generale Eugenio principe di Carignano. Poi riprese la sua carriera diplomatica a Berna, Pietroburgo, Londra e Vienna dove rimase fino al collocamento a riposo nel 1904.
9. Cavour, *op. cit.*, p. 102.
10. Ivi.
11. Il documento in francese, scritto il 24 luglio 1858, è in Cavour, *op. cit.*, pp. 103-114 ed è riportato nella traduzione italiana da Mack Smith, *op. cit.*, pp. 338-348.
12. Mack Smith, *op. cit.*, p. 339.
13. Francesco V, duca di Modena e Reggio (1819-1875), era figlio di

Francesco IV d'Austria-Este e di Maria Beatrice di Savoia. Sposò la principessa Adelgonda di Baviera. La coppia ebbe solo una figlia femmina, che morì quando aveva un anno. Dopo l'invasione del suo ducato nel 1859, l'11 giugno di quell'anno si trasferì a Vienna dove morì nel 1875, lasciando i suoi beni e il titolo di successione dinastica su Modena al cugino Francesco Ferdinando d'Austria che assunse anche il titolo di arciduca d'Austria-Este.

14. Mack Smith, *op. cit.*, p. 341.
15. Ivi.
16. *Ibid.*, p. 345.
17. Maria Clotilde era la primogenita degli otto figli avuti da Vittorio Emanuele II con la moglie Maria Adelaide d'Austria. Nacque nel 1843 e fu educata ai valori religiosi, che seguì sempre con molto rigore sull'esempio del nonno. Il matrimonio con Girolamo Bonaparte, cugino dell'imperatore e noto libertino, fu celebrato nel Duomo di Torino il 30 gennaio 1859. Non fu un'unione felice: il marito della principessa era spesso assente e la trascurava senza nasconderlo. Maria Clotilde lasciò Parigi dopo la sconfitta di Sedan nella guerra franco-prussiana, per rifugiarsi in Svizzera. In esilio il marito la abbandonò presto e i due si separarono di fatto di comune accordo. Girolamo Bonaparte morì a Roma nel 1891 e lei partecipò al funerale. La principessa lasciò poi la Svizzera per trasferirsi a Moncalieri vicino Torino, dove visse fino alla sua morte. Condusse una vita monacale, tanto da essere definita «la santa di Moncalieri». Appoggiò le iniziative di don Bosco, don Murialdo, don Cottolengo. Morì a 68 anni, il 25 giugno 1911 a Moncalieri. Si tennero funerali solenni e la salma venne tumulata nella basilica di Superga. La sua causa di beatificazione fu introdotta nel 1942. Venne dichiarata «venerabile» nel 1948.
18. Mack Smith, *op. cit.*, pp. 345-346.
19. *Ibid.*, p. 343.
20. Il disegno di legge venne presentato alla Camera il 4 febbraio del 1859 dal ministro delle Finanze, Giovanni Lanza. Quattro giorni dopo, si tenne il dibattito con l'approvazione definitiva il 9 febbraio: su 151 presenti, 116 votarono a favore e 35 contro. (*Il Parlamento dell'Unità d'Italia 1859-61: atti e documenti della Camera dei deputati*, Segretariato generale della Camera dei deputati, Roma 1961, vol. I, pp. 17-30.)
21. P.K. O'Clery, *La rivoluzione italiana*, Edizioni Ares, Milano 2000, p. 346.
22. Giuseppe Massari (Bari 1821-1884) fu deputato del Parlamento napoletano nel 1848. Esule prima in Francia poi a Torino, simpatizzò

con le teorie di Vincenzo Gioberti. Cominciò a Torino la sua attività giornalistica e fu poi deputato. Con Cavour iniziò un rapporto di collaborazione, quasi da portavoce e addetto stampa: redattore-direttore della «Gazzetta ufficiale», scrisse anche sulla «Rassegna politica mensile», il «Cimento», la «Rivista contemporanea», il «Saggiatore», il «Nazionale». Deputato dal 1860 al 1884, fu a lungo segretario della Camera. Nel periodo in cui Costantino Nigra era impegnato a Parigi, dal 1858 al 1860, Massari fu segretario di Cavour al ministero. Su quegli anni, tenne un diario, diventato documento storico. Il suo nome è rimasto legato anche alla relazione finale della Commissione d'inchiesta sul brigantaggio del 1863. Con Nigra e Massari, a chiudere il gruppo di stretti collaboratori di Cavour nel periodo della costruzione unitaria c'era Isacco Artom, astigiano di religione ebraica, a lungo segretario generale del ministero degli Esteri piemontese.

23. G. Massari, *Diario 1858-60 sull'azione politica di Cavour*, Licinio Cappelli editore, Bologna 1931, p. 642.
24. H. D'Ideville, *Il re, il conte e la Rosina*, Longanesi-Tea, Milano 1996, p. 84.
25. Massari, *op. cit.*, p. 666.
26. *Ibid.*, p. 676.
27. Vedi l'articolo riportato in Cavour, *op. cit.*, vol. III, p. 175.
28. Luigi Carlo Farini (Russi vicino Ravenna 1812 – Quarto 1866) aveva aderito prima alla Carboneria e poi alla Giovane Italia. Laureato in medicina, partecipò ai moti del 1831 che lo costrinsero all'esilio. Nel 1848 fu ministro di Pio IX e poi l'anno dopo ottenne la cittadinanza piemontese. Fu deputato liberale dal 1849 al 1856. Ministro nel governo d'Azeglio, divenne collaboratore di Cavour e da lui fu nominato dittatore a Modena nella transizione verso l'annessione dell'ex ducato. Per tre mesi presidente del Consiglio tra la fine del 1862 al marzo 1863, dovette ritirarsi a vita privata per una grave malattia.
29. O'Clery, *op. cit.*, p. 347.
30. I documenti sono riportati in Cavour, *op. cit.*, vol. III, pp. 216-219.
31. Cavour, *op. cit.*, vol. III, p. 153.
32. Manfredo Fanti (Carpi 1806 – Firenze 1865) era stato ufficiale del duca di Modena. Partecipò ai moti del 1831 e venne imprigionato. Alla scarcerazione, si spostò in Spagna a combattere. Partecipò alla Prima guerra di indipendenza, poi alla guerra di Crimea e alla Seconda guerra di indipendenza. Fondatore dell'Accademia di Modena, fu ministro della Guerra e poi capo di stato maggiore nel 1860, al momento dell'invasione del Regno delle Due Sicilie. Fu poi senatore.

33. F. Bogliari – C. Traversi, *Manfredo Fanti*, Ufficio storico Stato Maggiore dell'Esercito, Roma 1980, pp. 39-40.
34. Era la sede, oggi ancora conservata e visibile al Museo del Risorgimento del capoluogo piemontese, del Parlamento del Regno sardo.
35. *Il Parlamento dell'Unità d'Italia*, cit., vol. I, p. 54.
36. O'Clery, *op. cit.*, p. 349.
37. *Il Parlamento dell'Unità d'Italia*, cit., vol. I, p. 102.
38. Cavour, *op. cit.*, vol. III, p. 208.
39. *Ibid.*, p. 210.
40. *Ibid.*, pp. 106-107.
41. Tutti i documenti sono riportati nel verbale della seduta parlamentare del 12 aprile 1860.
42. *Il Parlamento dell'Unità d'Italia*, cit., vol. I, pp. 113-114.
43. *Ibid.*, pp. 114-115
44. O'Clery, *op. cit.*, pp. 349-350.
45. *Il Parlamento dell'unità d'Italia*, cit., vol. I, p. 212.
46. D. Mack Smith, *Garibaldi*, Mondadori, Milano 1993, pp. 105-106.
47. Rimasero, dopo quasi cinque secoli di dominazione dei Savoia, i tanti cognomi di origine ligure, che ancora oggi esistono in località come Biot, Vallauris, Mons, Escragnoles, Saint Tropez (G. Oneto, *L'Iperitaliano: eroe o cialtrone? Biografia senza censure di Giuseppe Garibaldi*, il Cerchio, Rimini 2006, p. 10).
48. Lettera di Vittorio Emanuele II al generale Alfonso La Marmora, 8 aprile 1849 (Archivio di Stato di Biella, fondo Ferrero della Marmora, serie Principi, cassetta VI – 11, fascicolo 141).
49. Giacomo De Asarta (1786-1857) aveva allora 63 anni. Avviato alla carriera nel periodo napoleonico, era stato viceré di Sardegna. Fu considerato troppo debole nell'affrontare i tumulti di Genova e venne destituito il 10 agosto 1849. Si ritirò a vita privata e morì a Milano.
50. Antonio Profumo, nato nel 1788, fu sindaco fino al 1851. Venne eletto senatore nel 1849. Morì nel 1852.
51. Dei capi di quella rivolta è probabilmente il più conosciuto. Avezzana (1797-1879) aveva preso parte ai moti del 1821, poi era stato esiliato in Spagna dove aveva combattuto. Partecipò alla Prima guerra di indipendenza e, dopo i moti di Genova, corse a Roma dove divenne ministro della Guerra nella neo-Repubblica. Di nuovo in esilio, fu accanto a Garibaldi nella spedizione dei Mille e nel 1866 a Mentana.
52. U. Govone, *Il generale Giuseppe Govone, frammenti di memorie*, Fratelli Bocca editori, Torino 1929, p. 20.
53. Alfonso La Marmora (Torino 1804 – Firenze 1878), allievo dell'Accademia militare torinese, cominciò la carriera all'estero. Partecipò

alla Prima guerra d'indipendenza e nel 1848 era già colonnello. L'anno dopo luogotenente generale. Fu deputato, ministro, presidente del Consiglio, prefetto per le province meridionali. Partecipò alla guerra di Crimea, alla Seconda e Terza guerra d'indipendenza, dove fu capo di stato maggiore.

54. F. Bogliari – C. Traversi, *op. cit.*, p. 21. Il 10 aprile 1849, La Marmora scrisse a Fanti: «L'orrore della guerra fraterna è cessato».
55. S. Bertoldi, *Il re che fece l'Italia: vita di Vittorio Emanuele II di Savoia*, Rizzoli, Milano 2002, pp. 83-85.
56. P. Pinto, *Vittorio Emanuele II: il re avventuriero*, Mondadori, Milano 1995, p. 169.
57. Vedi *Genova nel 1848-49*, a cura del Comune di Genova, Torino 1950.
58. Govone, *op. cit.*, p. 20.
59. La notizia in Anonimo, *Della rivoluzione di Genova nell'aprile 1849 esposta nelle sue vere sorgenti: memorie e documenti di un testimone oculare*, Tip. Dagnino, s.l. 1850.
60. Govone, *op. cit.*, p. 24.
61. Anonimo, *op. cit.*
62. Ivi.
63. Ivi.
64. Erano Emanuele Ageno (relatore), Stefano Grillo, Giuseppe Ansaldo, Ettore Costa, Carlo Alberto Borselli, Giovanni Papa, Nicolò Maggioncalda, Cristofaro Tomati, Giovanni Ansaldo.
65. Il testo della relazione della Commissione accertamento danni è scaricabile su Internet: www.genovalibri.it/genova_1849/danni.htm.
66. Ivi.
67. Il 5 dicembre 1746, Genova si ribellò alle truppe austriache-piemontesi entrate in città per conquistarla. Gli scontri partirono dal quartiere popolare di Portoria. La leggenda vuole che sia stato un ragazzino, Giovan Battista Perasso, a dare il via, lanciando un sasso contro i soldati e provocandone la reazione. In dialetto, la parola «balilla» vuol dire monello o ragazzo. Altri la collegano a Baciccia, che nel genovese popolare antico è il diminutivo di Giovan Battista. Il monumento al «balilla» è a Genova nel quartiere Piccapietra, già Portoria.
68. Riportato in Govone, *op. cit.*, p. 21.
69. Anche il testo di questa sentenza è scaricabile su Internet: www.francobampi.it/liguria/sacco/sentenza_morte.htm.
70. Massari, *op. cit.*, p. 117.
71. O'Clery, *op. cit.*, pp. 279-288.
72. Cavour, *op. cit.*, p. 51.

73. Massari, *op. cit.*, p. 284.
74. Nato a Venezia nel 1804, guidò la Repubblica veneziana assediata dagli austriaci nel 1848. Morì nel 1857, in esilio a Parigi, senza poter vedere la nuova guerra contro Vienna.
75. Il marchese Giorgio Pallavicino Trivulzio nacque a Milano nel 1796. Fu prodittatore di Napoli nel 1860, prefetto di Palermo nel 1862, vicepresidente del Senato dal 1861 al 1863. Era stato condannato a morte dal governo austriaco in Lombardia. Morì nel 1878.
76. Nato a Messina nel 1815, partecipò alla ribellione della Sicilia contro il governo borbonico nel 1848. Esule in Francia e poi a Torino, si impose nel panorama dei fuorusciti nella capitale piemontese. Scrisse anche una *Storia d'Italia* sul periodo 1815-1850. Morì nel 1863.
77. A.M. Isastia, «Il volontariato militare della seconda guerra d'indipendenza», in *Studi storico-militari: 1984*, Ufficio storico Stato Maggiore dell'Esercito, Roma 1985, pp. 11-12.
78. Cfr. P. Mencacci, *Memorie documentate per la storia della rivoluzione italiana*, 6 voll., Tip. Artigianelli di San Giuseppe-Desclée e Lefebvre, Roma 1886-1891.
79. Massari, *op. cit.*, p. 141.
80. R. Martucci, *L'invenzione dell'Italia unita*, Sansoni, Milano 1999, p. 42. L'autore ha come fonte l'*Epistolario* di La Farina pubblicato da Treves a Milano nel 1869, a cura di Ausonio Franchi.
81. Mack Smith, *Il Risorgimento italiano*, cit., p. 321.
82. Citato da Mencacci, *op. cit.*, che riprende l'*Epistolario* di La Farina.
83. Riportato da Mencacci, *op. cit.*
84. *Ibid.*, pp. 16-17.
85. Archivio di Stato di Torino, *Ministero Guerra 1859*, categoria XVI, specialità 3, pratica seconda, lettera della commissione d'arruolamento del 18 aprile 1859. Citata anche in Isastia, *op. cit.*, p. 18.
86. Isastia, *op. cit.*, p. 35. I dati si completano con le altre provenienze geografiche in questo modo: Parma (1404), Modena (1201), Toscana (1523), Stato pontificio (1131), altre zone (11).
87. Archivio di Stato di Torino, *Ministero Guerra 1859*, categoria XVI, specialità 3, pratica terza. Citato anche in Isastia, *op. cit.*, p. 40.
88. Martucci, *op. cit.*, pp. 32-33.
89. Sulla composizione anche sociale delle gerarchie militari piemontesi di quel periodo, vedi D. Quirico, *Generali: controstoria dei vertici militari che fecero e disfecero l'Italia*, Mondadori, Milano 2006.
90. Figlia del marchese Filippo Oldoini Rapallini, primo deputato di La Spezia al Parlamento di Torino, nacque nel 1837 e morì nel 1899. Una vita movimentata da amanti illustri. Alla sua morte, venne tra-

fugato il suo archivio nel timore che vi fossero nascosti documenti compromettenti sulle trame politiche piemontesi nel periodo risorgimentale (cfr. Petacco, *op. cit.*).

91. Petacco, *op. cit.*, pp. 58-61.
92. *Ibid.*, p. 79.
93. Ivi.
94. *Ibid.*, p. 5.
95. *Ibid.*, p. 71.
96. Nato nel 1811, morì nel 1892. Fu ambasciatore in Francia e in Vaticano.
97. Henry Richard Cowley (1804-1884) condusse le principali trattative diplomatiche con la Francia, legate alla guerra di Crimea e alle sue conseguenze europee.
98. I due documenti riportati in Petacco, *op. cit.*, p. 100.
99. *Ibid.*, pp. 111-112.
100. Felice Orsini, nato a Meldola, vicino Forlì, nel 1819, a 17 anni uccise il cuoco di casa dello zio. Partecipò alla Prima guerra di indipendenza, poi fu arrestato dagli austriaci a Mantova. Mazziniano, organizzò con tre complici l'attentato all'imperatore. Lanciò tre bombe da lui confezionate (le famose «bombe Orsini» di sua invenzione), che uccisero otto passanti, i feriti furono 150. Napoleone III scampò miracolosamente alla morte. Arrestato, Felice Orsini fu ghigliottinato con uno dei suoi complici, Giuseppe Pieri, all'alba del 13 marzo 1858. Gli altri due attentatori, Antonio Gomez e Carlo De Rudio, vennero graziati.
101. Massari, *op. cit.*, p. 152.
102. *Ibid.*, p. 153.
103. Martucci, *op. cit.*, p. 70, che ricorda una frase contenuta nei diari di Massari: «I soldati al servizio dell'Austria si sono battuti accanitamente».
104. Riportato in Martucci, *op. cit.*, p. 70.
105. Quirico, *op. cit.*, p. 29.
106. Ivi.
107. O'Clery, *op. cit.*, p. 321.
108. P. Pieri, *Storia militare del Risorgimento*, Einaudi, Torino 1962, pp. 616-618.
109. *Ibid.*, p. 619. Pieri fornisce anche le cifre totali delle perdite piemontesi: 869 morti, 3982 feriti, 774 dispersi.
110. Cfr. Mencacci, *op. cit.*
111. D. Mack Smith, *Cavour*, Bompiani, Milano 1985, p. 68.
112. Ottavio Thaon di Revel, nato a Torino nel 1803, morì nel 1868. Fu sindaco di San Raffaele, senatore, ma soprattutto viceintendente del-

l'Azienda delle finanze dal 1831 e poi presidente della Cassa di risparmio di Torino, consigliere di amministrazione in vari enti di liquidazione di beni pubblici. Collaboratore di Cavour nel 1851, ne divenne avversario politico negli anni successivi.

113. Mack Smith, *Cavour*, cit., pp. 114-115.
114. *Ibid.*, p. 117.
115. Nato a Chiavari nel 1808, fu più volte presidente dell'Assemblea di Francia e ministro con Napoleone III. Banchiere, visse a Parigi e vi morì nel 1865. Il suo ruolo negli ambienti bancari francesi fu importante per i disegni bellici del Piemonte.
116. Mack Smith, *Cavour*, cit., p. 160.
117. *Ibid.*, p. 117.
118. O'Clery, *op. cit.*, p. 251.
119. Pieri, *op. cit.*, pp. 575-576.
120. R.B. Edgerton, *Gloria o morte*, il Saggiatore, Milano 2001, pp. 80-81.
121. Cavour, *op. cit.*, vol. II, p. 292. La ricostruzione dell'accaduto, riportata nel volume, è dell'unico testimone, Costantino Nigra, che riportò i suoi ricordi a Livio Minguzzi ed Emilio Visconti Venosta.
122. Ivi.
123. Massari, *op. cit.*, p. 429.
124. Riportato in Mencacci, *op. cit.*
125. D. Mack Smith, *Mazzini*, Rizzoli, Milano 1993, p. 158.
126. Nato nel 1820, morì nel 1898. Amico di Mazzini, fu parlamentare radicale e accompagnò Garibaldi nella sua visita in Inghilterra nel 1862.
127. Mack Smith, *Mazzini*, cit., p. 208, riprende documenti d'archivio inglesi.
128. *Ibid.*, p. 173, dove si riprendono carteggi e documenti privati di Emanuele d'Azeglio (1806-1890), nipote di Massimo e a lungo ambasciatore in Inghilterra, dall'attività non sempre ben vista a Londra.
129. *Ibid.*, p. 174.
130. Nato a Venezia nel 1819 da un funzionario di polizia, si trasferì presto a Padova dove si laureò e fondò alcune riviste. Partecipò ai moti del 1848-49, fu arrestato con Daniele Manin e Niccolò Tommaseo. Alla caduta della Repubblica di Venezia, fu tra i quaranta non amnistiati dagli austriaci. Si rifugiò a Torino, dove fu assunto dalla «Gazzetta piemontese». Ottenne in seguito la cittadinanza piemontese, collaborò ad altre riviste e all'agenzia di stampa francese Havas, fino a diventare, su suggerimento e ispirazione di Cavour, fondatore e direttore della prima agenzia di stampa di governo in Italia: la Stefani, appunto. Morì nel 1861.

131. Le notizie su Guglielmo Stefani e la nascita dell'agenzia di stampa con il suo nome sono riportate da S. Lepri – F. Arbitrio – G. Cultrera, *L'agenzia Stefani da Cavour a Mussolini*, Le Monnier, Firenze 2001.
132. Lepri – Arbitrio – Cultrera, *op. cit.*, p. 14. Gli autori hanno scoperto l'inedito documento in un archivio privato: quello di Alessandro Monti della Corte, conservato dalla nipote Maria José Riva.
133. Filippo Mellana (1810-1874) era deputato del collegio di Casale Monferrato.
134. Lepri – Arbitrio – Cultrera, *op. cit.*, p. 4.
135. Massari, *op. cit.*, pp. 245-246.
136. Lepri – Arbitrio – Cultrera, *op. cit.*, p. 53.
137. Si trattava della «Gazzetta piemontese», l'«Espero», il «Parlamento», il «Piemonte» schierati con Cavour; «l'Opinione» della destra moderata; la «Patria» della destra di Ottavio Thaon di Revel; la «Gazzetta del popolo», il «Diritto», unico ad appoggiare la sinistra; poi a Genova «La Gazzetta di Genova» e il «Corriere mercantile» (*ibid.*, p. 54).
138. Il testo completo della lettera, datata 11 febbraio 1858, è anche in Mack Smith, *Il Risorgimento italiano*, cit., pp. 332-333.
139. Lepri – Arbitrio – Cultrera, *op. cit.*, pp. 52-71.
140. Il primo a parlarne fu Teodoro Bayard De Volo, che scrisse una monumentale biografia sul duca di Modena Francesco V, di cui era ministro, pubblicata tra il 1878 e il 1882. Nel terzo volume, De Volo svelò l'esistenza delle «rivelazioni di J.A.», iniziali nascoste di Filippo Curletti. Le rivelazioni furono pubblicate prima in francese a Bruxelles e poi tradotte in italiano.
141. Martucci, *op. cit.*, p. 138. Vi si cita un articolo dello storico Aldo Berselli su Curletti, in cui si ipotizza anche che il vero nome dell'agente segreto non fosse Filippo, ma Francesco Isidoro. Altri ancora ritengono che, dietro le iniziali J.A., si nascondesse un altro agente di Cavour: Giacomo Griscelli, il cui vero nome di battesimo era proprio Francesco Isidoro.
142. Il marchese Pepoli (1825-1881), bolognese, fu senatore. Venne nominato commissario generale per l'Umbria nel 1860. Fu anche ministro nei governi Cavour ed esperto di finanza pubblica.
143. Marco Minghetti (1818-1886), anche lui bolognese, fu deputato e ministro in Piemonte. Divenne presidente del Consiglio dei ministri nel 1863 e poi dal 1873 al 1876. Fu autore di diversi libri.
144. F. Curletti, *La verità sugli uomini e sulle cose del Regno d'Italia*, a cura di Elena Bianchini Braglia, Tabula Fati, Chieti 2005, p. 35.
145. *Ibid.*, p. 36.
146. *Ibid.*, p. 37.

147. Ivi.
148. *Ibid.*, p. 40.
149. Martucci, *op. cit.*, p. 127.
150. D. Mack Smith, *Cavour contro Garibaldi*, Rizzoli, Milano 1999, pp. 105-106. Lo storico inglese, che pubblicò il suo studio in prima edizione nel 1954, ha approfondito il ruolo e la personalità di Griscelli attraverso più fonti: il Fondo Nelson, l'epistolario tra Cavour e La Farina, le memorie dello stesso Griscelli, le carte Farini.
151. Mack Smith, *Il Risorgimento italiano*, cit., p. 409.

Capitolo 2

1. Bavarese, la duchessa, sposata nel 1842 da Francesco V, apparteneva alla famiglia Wittelsbach.
2. Nato nel 1797, morì in esilio nel 1870 a Roma. Subentrò al padre Ferdinando III e resse la Toscana dal 1824 al 1859. Quando cominciò la Seconda guerra d'indipendenza, il duca abdicò e si trasferì in Austria. Una rivoluzione pacifica, si disse, portò il Piemonte a Firenze. Era cognato di Ferdinando II di Borbone per averne sposato la sorella: Maria Antonia (1814-1898).
3. Nacque a Parigi nel 1819. Il padre era il duca di Berry, la madre Carolina di Borbone principessa delle Due Sicilie. Nel 1845 sposò Carlo III duca di Parma e Piacenza. Quando il marito morì, assassinato nel 1854 da un mazziniano, fu reggente del ducato per conto del figlio Roberto I, che aveva solo sei anni. Per cinque anni, governò il ducato con liberalità. Lasciò, quando i francesi e i piemontesi entrarono a Piacenza.
4. Curletti, *op. cit.*, p. 15.
5. Torinese (1804-1880), fu ministro dell'Istruzione nei governi preunitari in Piemonte. Avvocato, era di famiglia nobile.
6. Bettino Ricasoli (1809-1880) fu presidente del Consiglio alla morte di Cavour. Ne continuò la politica di destra moderata.
7. Di nobile famiglia fiorentina, nacque nel 1794 e morì nel 1865. Professore di agraria, dopo l'unificazione fu ministro e senatore.
8. Nato nel 1802, morì nel 1861. Apparteneva a una delle famiglie più in vista di Empoli. Moderato rispetto a uomini come Giuseppe Montanelli (1813-1862), fu in contatto con Cavour nei giorni che portarono all'annessione della Toscana al Piemonte.
9. Curletti, *op. cit.*, pp. 41-43.
10. *Ibid.*, p. 42.

11. Mencacci, *op. cit.*, riprende documenti tratti da *Casi della Toscana*, Firenze 1864, p. 31.
12. Mack Smith, *Il Risorgimento italiano*, cit., p. 386.
13. Massari, *op. cit.*, p. 197.
14. Raffaello Lambruschini (1788-1873) fu con Ridolfi fondatore di un giornale di agraria.
15. O'Clery, *op. cit.*, pp. 324-325. L'autore riprende documenti diplomatici inglesi: *Further Corrispondence Respecting Affairs of Italy*, 1859, XXII (2527), pp. 5-6.
16. Ubaldino Peruzzi (1822-1891) fu anche sindaco di Firenze e ministro.
17. Vincenzo Malenchini (1813-1881) partecipò alla Prima guerra di indipendenza, poi raggiunse Garibaldi in Sicilia.
18. Alessandro Danzini (1825-1874).
19. Girolamo Ulloa (1810-1891), fratello di Pietro destinato a guidare l'ultimo governo di Francesco II di Borbone, aveva partecipato alla Prima guerra d'indipendenza con le truppe borboniche al comando del generale Guglielmo Pepe e non aveva rispettato l'ordine del re Ferdinando II di tornare in patria. Partecipò alla difesa di Venezia nel 1849, poi andò in esilio prima a Parigi e infine a Genova e Torino. Venne nominato comandante dell'esercito in Toscana nel 1859, ma gli venne poi preferito Garibaldi. In polemica, si riavvicinò ai Borbone, ma non ottenne il comando in Calabria per l'opposizione del generale Ferdinando Beneventano del Bosco. Dopo l'esilio del re, andò a Parigi e a Firenze dove morì.
20. Cfr. Mencacci, *op. cit.*
21. Mack Smith, *Il Risorgimento italiano*, cit., pp. 386-387.
22. Cavour, *op. cit.*, vol. II, p. 203.
23. Lettera di Boncompagni a Cavour, 28 maggio 1859 in Cavour, *op. cit.*, vol. II, pp. 211-213.
24. Mack Smith, *Il Risorgimento italiano*, cit., p. 425.
25. Riportato in Martucci, *op. cit.*, p. 253. La rievocazione del botanico Filippo Parlatore (1816-1877) sugli avvenimenti in Toscana nel 1859 è contenuta in un suo libro di ricordi: *Mie memorie*, ristampato da Sellerio, Palermo 1991.
26. Martucci, *op. cit.*, pp. 251-252.
27. Mack Smith, *Il Risorgimento italiano*, cit., p. 428. Viene riportata un'annotazione dal diario di Massari del 14 marzo 1860.
28. Lepri – Arbitrio – Cultrera, *op. cit.*, pp. 74-75.
29. Carlo III di Borbone-Parma (1823-1859) era figlio di una principessa Savoia, figlia di Vittorio Emanuele I.
30. Girolamo Cantelli (1815-1884), parmigiano, fu un liberale moderato. Esiliato a Genova, durante il governo di Carlo III. Nei cinque an-

ni della reggenza di Maria Luisa di Borbone, si finse vicino alla duchessa. Nel Regno d'Italia fu deputato, questore e vicepresidente della Camera. Poi, ministro e senatore.
31. Curletti, *op. cit.*, pp. 43-44.
32. Ivi.
33. Cfr. Mencacci, *op. cit.*
34. Mencacci cita la lettera della duchessa ai suoi quattro figli, scritta il 4 maggio, riprodotta da A.D. Saint Albin, *Madame la Duchesse de Parme (1819-1864)*, Parigi 1864, p. 79.
35. Ignazio Ribotti (1809-1865), nizzardo, esule in Portogallo e Spagna dopo i moti del 1831, partecipò alla rivolta dei calabresi contro le truppe borboniche nel 1848. Catturato, venne imprigionato e poi scarcerato nel 1854 su pressione dell'Inghilterra. Partecipò alla guerra di Crimea fino a ricomparire nel colpo di mano a Massa e Carrara del 28 aprile 1849.
36. Mencacci, *op. cit.*
37. Ivi.
38. Riportato in Mencacci, *op. cit.*
39. Il conte Pallieri (1813-1892) rimase al potere fino all'8 agosto, quando passò la mano a Giuseppe Manfredi.
40. Il conte Giuseppe Salvatore Manfredi (1828-1918), avvocato parmense, portò i territori dell'ex ducato di Parma a unirsi a quelli di Modena sotto la giurisdizione del dittatore Farini. Fu poi deputato nel 1861. Amico di Verdi, organizzò le celebrazioni del centenario della nascita del musicista a Parma nel 1913.
41. L. Salvatorelli, *Casa Savoia nella storia d'Italia*, Gentile editore, Milano 1945, pp. 90-91.
42. Il conte Giulini della Porta (1815-1862), milanese, componente del governo provvisorio di Milano nel 1848, fu poi senatore.
43. Mack Smith, *Il Risorgimento italiano*, cit., pp. 409-410.
44. «Messaggero di Modena», 30 maggio 1859. L'articolo viene riportato da Mencacci, *op. cit.*
45. «Gazzetta piemontese», 2 giugno 1859, in Mencacci, *op. cit.*
46. Mencacci, *op. cit.*
47. Curletti, *op. cit.*, p. 44.
48. E. Bianchini Braglia, *La Brigata estense*, rivista «Terra e identità», numero 0, aprile 2001. L'articolo è stato pubblicato anche dal «Messaggero di Modena», anno 1, numero 2, lunedì 1 marzo 2004.
49. Lettera del 17 luglio 1861, riportata nella *Vindication of the duke of Modena from the charges of Mr Gladstone*, p. XXVI, ripresa da Mencacci, *op. cit.*

50. Bianchini Braglia, *op. cit.*
51. Lettera del 9 settembre 1863, riportata da Bianchini Braglia, *op. cit.*, che riprende G. Montanari, *I fedelissimi del Duca. La brigata estense*, Edizioni il Fiorino, Modena 1995.
52. Bianchini, *op. cit.*
53. Testimonianza del soldato Domenico Panizzi in «Il Genio Cattolico», Reggio Emilia, 16 dicembre 1875. Archivio di Stato di Modena, Archivio privato de Volo, busta 118. Il passaggio è riportato da E. Bianchini Braglia nella presentazione a F. Curletti, *op. cit.*, pp. 18-19.
54. Bianchini Braglia, *op. cit.*
55. L'organizzazione militare dell'impero austro-ungarico prevedeva l'accorpamento di reggimenti e divisioni in base alla provenienza geografica. Gli italiani del Veneto e della Lombardia, per esempio, formavano loro reggimenti. Così fu anche per i soldati dell'ex Brigata estense.
56. Curletti, *op. cit.*, p. 45.
57. *Ibid.*, p. 46.
58. Massari, *op. cit.*, pp. 483, 495.
59. Curletti, *op. cit.*, p. 50.
60. Martucci, *op. cit.*, pp. 110-111.
61. Ivi.
62. Curletti, *op. cit.*, p.53.
63. *Ibid.*, p. 54.
64. Massari, *op. cit.*, pp. 551, 562.
65. *Ibid.*, pp. 118-124.

Capitolo 3

1. Sulla ricostruzione di quella giornata, sono molte le versioni, ma il succo è sempre lo stesso: Garibaldi stava per sposare una donna che aspettava un figlio da un altro (Oneto, *op. cit.*, pp.88-91).
2. Ivi.
3. Massari, *op. cit.*, pp. 639-641.
4. Il rosso, diventato simbolo dei volontari garibaldini, era stato il colore della divisa della legione italiana in Sudamerica. Era la tinta dei camici dei macellai, ritenuti adatti a coprire il sangue. Per la convenienza del costo, la tela di quei camici servì a confezionare le divise degli italiani in armi in Sudamerica. Da allora, Garibaldi mantenne la camicia rossa come simbolo dei suoi uomini, anche nella spedizione dei Mille.
5. Massari, *op. cit.*, pp. 456-457.

6. L'ultimo re delle Due Sicilie era nato a Napoli nel 1836. Era figlio di Ferdinando II (1810-1859) e di Maria Cristina di Savoia (1812-1836), figlia di Vittorio Emanuele I, che morì dopo averlo dato alla luce. Sposò Maria Sofia di Wittelsbach (1841-1925), sorella dell'imperatrice austriaca Sissi, e salì sul trono nel maggio del 1859. Vi restò fino al febbraio del 1861, quando, alla caduta di Gaeta, andò in esilio a Roma. Morì ad Arco di Trento nel 1894.
7. Massari, *op. cit.*, p. 478.
8. Carlo Filangieri (1784-1867), principe di Satriano, era figlio del famoso Gaetano Filangieri, autore della *Scienza della legislazione*. Militare nel periodo napoleonico, partecipò alla battaglia di Austerlitz, venne ferito più volte. Tra gli uomini che conquistarono sul campo i gradi nell'esercito murattiano, venne poi recuperato dai Borbone. Riconquistò la Sicilia ribelle nel 1849, fu governatore sull'isola ottenendo il titolo di duca di Taormina. Avveduto, abile stratega, guidò il primo governo di Francesco II, consigliò il re di combattere subito Garibaldi concedendo la Costituzione. Vittima degli intrighi dei reazionari, si dimise, abbandonò il regno al suo destino, pur non tradendo Francesco II.
9. Dopo Carlo III (1716-1788), il figlio di Filippo V di Spagna e di Elisabetta Farnese fondatore della dinastia Borbone delle Due Sicilie, sul trono era salito il figlio Ferdinando IV (1751-1825). Carlo III lasciò Napoli per diventare re di Spagna. Il piccolo figlio fu re con l'aiuto di tutori illuminati. Ferdinando per due volte si rifugiò in Sicilia: all'avvento della Repubblica partenopea nel 1799 e durante il decennio francese dei re Giuseppe Bonaparte e Gioacchino Murat. Alla restaurazione nel 1815, prese il titolo di Ferdinando I delle Due Sicilie, valorizzando l'unione in un solo Regno dei territori continentali con quello isolano. A Ferdinando, successe Francesco I (1777-1830), poi Ferdinando II, certamente il sovrano di maggior polso e capacità della dinastia.
10. M. Topa, *Così finirono i Borbone di Napoli*, Fratelli Fiorentino, Napoli 1990, p. 61.
11. *Ibid.*, p. 62.
12. I fratelli Bandiera erano, con Domenico Moro, ufficiali della marina austriaca. Mazziniani, pensavano di provocare una rivolta repubblicana in Calabria. Sbarcarono il 16 giugno 1844 con diciotto uomini. Furono assaliti da gendarmi e contadini. Morirono tutti: alcuni negli scontri, altri dopo un processo che li condannò alla fucilazione.
13. Allievo della Nunziatella, Carlo Pisacane fu ufficiale borbonico e disertore. Capo di stato maggiore con la Repubblica romana nel 1848,

viene considerato il primo socialista italiano per le sue idee politiche. Fuggì con Enrichetta Di Lorenzo, donna già sposata e di famiglia illustre, a Londra. Organizzò la spedizione, con l'appoggio di Mazzini, per «provocare la rivoluzione contadina» nelle Due Sicilie. Con lui, c'era il futuro ministro italiano Giovanni Nicotera. Si fermarono a Ponza, liberarono dei galeotti. Sbarcarono a Sapri in 450. Furono affrontati dalle guardie urbane. Si salvarono in 80, compreso Nicotera. (Topa, *op. cit.*, pp. 313-343. Cfr. anche N. Roselli, *Carlo Pisacane nel Risorgimento italiano*, Einaudi, Torino 1977).

14. Nato a Palermo nel 1820, partecipò al tentativo di ribellione autonomista della Sicilia contro i Borbone nel 1848. Fu nel governo provvisorio. Partecipò alla spedizione dei Mille, morendovi nel 1860.
15. Francesco Crispi (1818-1901), siciliano, fu poi discusso deputato della sinistra. Ministro, poi presidente del Consiglio durante la catastrofica avventura coloniale di fine Ottocento conclusasi con la disfatta di Adua.
16. Mack Smith, *Mazzini*, cit., pp. 192-193.
17. Ivi.
18. *Ibid.*, pp. 134-135.
19. Su queste vicende, cfr. G. Paladino, *Il processo per la setta l'Unità italiana*, Le Monnier, Firenze 1928; G. Paladino, *La rivoluzione napoletana nel 1848*, Francesco Vallardi editore, Milano 1914.
20. W.E. Gladstone, *Lettere a lord Aberdeen sui processi di Stato del Regno di Napoli*, Tipografia Ferrero e Franco, Torino 1851, p. 3.
21. Carlo Poerio (Napoli 1803 – Firenze 1867) nel 1815 seguì in esilio il padre che era stato sostenitore di Murat. Tornò nel 1848 e nel governo costituzionale fu ministro dell'Istruzione. Arrestato, restò in carcere per sette anni. Poi, arrivò a Torino con Settembrini dopo il dirottamento della nave che avrebbe dovuto portare i detenuti liberali napoletani in America. In Piemonte rimase in esilio. Fu poi deputato nel Parlamento piemontese e italiano.
22. Il barone Sigismondo di Castromediano (1811-1895), pugliese, discendente della famiglia feudataria di Cavallino in provincia di Lecce, fu arrestato in seguito alle vicende del 1848. Esule a Torino nel 1859, fu poi nel Parlamento italiano. Scrisse un libro di memorie sulla sua prigionia.
23. C. Alianello, *La conquista del Sud*, Rusconi, Milano 1994, pp. 7-10. Scrisse lo scrittore lucano nel suo unico saggio: «Oggi si sa che il Gladstone non visitò mai né una prigione né una segreta e non ebbe modo di parlare con nessuno dei prigionieri. Si sa soltanto, anzi si dice, che passasse in barca al largo di un'isola, forse Ponza, forse Nisi-

da, in compagnia di carissimi amici, tutti più o meno registrati nei libri della polizia».

24. Tra gli imputati, vi erano Luigi Settembrini (1813-1876), autore della famosa «Protesta del popolo delle Due Sicilie», Carlo Poerio e Silvio Spaventa.
25. Petruccelli della Gattina (1815-1890), lucano polemico e anticonformista, aveva studiato medicina a Napoli. Giornalista, fu coinvolto nei moti napoletani del 1848. Fuggì a Parigi e poi a Londra. Nel 1860, deputato della sinistra, pubblicò il suo libro più noto sui vizi e i limiti del neo-Parlamento italiano: *I moribondi di Palazzo Carignano.*
26. Riportato in Alianello, *op. cit.*, p. 25. L'articolo del giornale «Unione» è conservato nell'archivio privato della famiglia Alianello.
27. O'Clery, *op. cit.*, p. 476.
28. *Ibid.*, pp. 136-137.
29. Siciliano (1822-1863), repubblicano. Fu l'anima popolare della spedizione dei Mille, l'uomo dal grande ascendente sugli ambienti più semplici dell'isola. Venne ucciso, in circostanze misteriose, nella sua Palermo. Forse un delitto di mafia, con mandanti politici.
30. Giuseppe La Masa (1819-1881), palermitano, era stato uno degli ispiratori della rivolta del 1848.
31. Mack Smith, *Garibaldi*, cit., p. 108.
32. E. De Biase, *L'Inghilterra contro il Regno delle Due Sicilie*, Controcorrente, Napoli 2002, p. 122. L'autore riprende documenti e pubblicazioni di storici inglesi.
33. *Ibid.*, p. 109.
34. O'Clery, *op. cit.*, p. 480.
35. De Biase, *op. cit.*, p. 126.
36. Ivi.
37. John Whitehead Peard (1811-1880) seguì Garibaldi in Lombardia nel 1859. Raggiunse i Mille poco prima della battaglia di Milazzo e fu nominato colonnello. Comandò la legione inglese sul Volturno. Ex campione di pugilato a Oxford, venne definito da Charles Forbes «un uomo assetato di sangue» (Oneto, *op. cit.*, p. 139).
38. Charles Forbes (1810-1879), conte di Montalbert, avventuriero e soldato, fece parte delle spedizioni inglesi per la repressione delle rivolte in India. Partecipò alla spedizione dei Mille e poi tornò in India e Giamaica, dove morì.
39. De Biase, *op. cit.*, pp. 126-127.
40. Ivi.
41. La vicenda dei cinque garibaldini inglesi arrestati per furto è descrit-

ta nei documenti dell'Archivio di Stato di Napoli, sezione militare, fascicolo 1045, incartamento 663.

42. Giovanni Dunn (1827-1906) fu ferito al Volturno da un ufficiale che non aveva voluto promuovere. Andò poi a combattere in Danimarca e Polonia. (Oneto, *op. cit.*, p. 130).
43. Percy Wyndham (1833-1879) era un noto mercenario, reduce da cinque anni di servizio nella marina francese e per otto anni nell'esercito austriaco.
44. Mack Smith, *Cavour contro Garibaldi*, cit., pp. 241-242.
45. *Ibid.*, p. 481.
46. Milanese (1812-1886), addetto ai servizi sanitari dei Cacciatori delle Alpi, fu il cassiere della spedizione dei Mille. Nella sua casa genovese in via Nuovissima, furono registrati e depositati i fondi provenienti da Italia e Inghilterra. Si disse che, dopo quei giorni, avesse accumulato un patrimonio di 14 milioni di lire. Seguì Garibaldi sull'Aspromonte e a Mentana. Morì molto ricco (Oneto, *op. cit.*, p. 95).
47. De Biase, *op. cit.*, pp. 124-125. L'autore ha attinto a fonti particolarmente attendibili: l'Archivio Bertani (documenti 1041 e 15911) conservato al Museo del Risorgimento di Milano (Civiche raccolte storiche).
48. Ippolito Nievo (1831-1861), padovano, figlio di un avvocato, partecipò ai moti del 1848. Partì da Quarto con Garibaldi, prendendo parte agli scontri di Calatafimi e Palermo. Garibaldi gli affidò la viceintendenza generale della spedizione. Tornò a Torino, poi ebbe l'incarico di andare a Palermo per raccogliere i documenti sull'amministrazione garibaldina, al centro di duri attacchi dei cavouriani. Non fece mai ritorno. Autore di tragedie, opere politiche, racconti e romanzi, il suo capolavoro sono le *Confessioni di un italiano*, pubblicato postumo nel 1869 con il titolo *Le confessioni di un ottuagenario.*
49. Martucci, *op. cit.*, pp. 232-240.
50. Oneto, *op. cit.*, p. 188.
51. *Ibid.*, p. 125.
52. C. Cesari, *La campagna di Garibaldi nell'Italia meridionale*, Libreria dello Stato, Roma 1928, p. 25.
53. O'Clery, *op. cit.*, p. 482.
54. *Ibid.*, p. 374.
55. Ivi.
56. Nino, Gerolamo, Bixio (1821-1873), genovese, fu uno dei principali collaboratori di Garibaldi. Fu con lui in Sudamerica, poi volontario in Lombardia e a difesa della Repubblica romana. Affiliato alla Giovane Italia, fu nei Cacciatori delle Alpi e con i Mille. Poi, entrò nell'eser-

cito regolare italiano e venne eletto deputato. Partecipò alla Terza guerra d'indipendenza, poi divenne senatore. Deluso, si diede ai commerci con l'Oriente. Morì a Sumatra. Come Garibaldi, era iscritto alla Massoneria, nella loggia «Trionfo ligure», tessera numero 105.

57. Nicola Fabrizi (Modena 1804 – Roma 1885), partecipò ai moti del 1848 a Venezia e poi a Roma. Esule a Malta, fu in Sicilia nella spedizione dei Mille. Poi a Mentana. Fu generale e deputato. Anche lui era iscritto alla Massoneria diventando poi fondatore di diverse logge.
58. Milanese, nato nel 1817, medico. Fu al fianco di Garibaldi in Sudamerica e a Roma. In Sicilia partì con la seconda spedizione di volontari, forte anche dell'appoggio di Cavour, che lo considerava più affidabile di Garibaldi. Passò nell'esercito italiano e partecipò alla guerra del 1866. Era l'unico a dare del tu a Garibaldi. Morì nel 1882.
59. Giuseppe Finzi (1815-1886) fu incaricato di raccogliere denaro per la spedizione. Di fatto coordinò le varie sottoscrizioni iniziali con Enrico Guastalla (1826-1903) ed Enrico Besana (milanese, protagonista dell'insurrezione del 1848). I tre erano tutti iscritti alla Massoneria.
60. De Biase, *op. cit.*, pp. 82-83; Oneto, *op. cit.*, p. 94. Oliphant (1829-1888) si trovò poi a Napoli, quando vi arrivò Garibaldi.
61. G. De Mayo, «Il mancato sbarco a Marsala della brigata Bonanno (11-16 maggio 1860), in *Memorie storiche militari*, 1914. Fascicolo II, Unione arti grafiche, Città di Castello 1914, p. 128. L'autore, maggiore dell'esercito che consultò documenti dell'Archivio militare a Roma, cita la «Cronaca degli avvenimenti di Sicilia» pubblicata nel 1863, raccolta di documenti sulle vicende del maggio 1860.
62. A. Pagano, *Due Sicilie 1830/1880*, Capone editore, Lecce 2002, p. 105.
63. Cesari, *op. cit.*, pp. 16-17.
64. V. Messori, *Pensare la storia*, San Paolo, Milano 1992, p. 258; Oneto, *op. cit.*, p. 99. Entrambi riprendono la relazione dello studioso Giulio Di Vita dal titolo «Finanziamento della spedizione dei Mille», inserita in AA.VV., *La liberazione d'Italia nell'opera della massoneria*, Bastogi, Foggia 1990, p. 379. Di Vita è iscritto alla Massoneria; la sua relazione fu tenuta al convegno organizzato a Torino nel 1988 dal Collegio dei maestri venerabili del Piemonte, con l'appoggio di tutte le logge italiane. Il libro pubblicato nel 1990 conteneva gli atti di quel convegno.
65. Martucci, *op. cit.*, p.151. L'autore cita la lettera di Cavour a Villamarina del 25 aprile 1860 riprodotta in Cavour, *La liberazione del Mezzogiorno*, Zanichelli, Bologna 1961, vol. I, p. 64.
66. Cavour, *Il carteggio Cavour-Nigra dal 1858 al 1861*, cit., vol. III, pp. 262-263.

67. Martucci, *op. cit.*, pp. 151-153.
68. Ferdinando II morì dopo una lunga e dolorosa malattia che cominciò a manifestarsi durante il viaggio in Puglia dove andò a ricevere la futura nuora Maria Sofia. Viaggio iniziato l'8 gennaio 1859. Dal 25 aprile le sofferenze aumentarono. Si tentò l'impossibile, consultando diversi medici, anche liberali. Il re subì un intervento chirurgico all'inguine, ormai infetto. Tutto inutile: il 23 maggio, Ferdinando II moriva. Aveva 49 anni. (R. De Cesare, *La fine di un Regno*, Celi editore, Napoli 1969, pp. 525-539).
69. Paolo Ruffo di Castelcicala (Richmond 1791 – Parigi 1865) era entrato presto in diplomazia dopo aver combattuto con gli inglesi a Waterloo. Nel 1851, quando vennero diffuse le famose lettere di Gladstone, era ambasciatore di Napoli a Londra. Venne avvisato in tempo da lord Aberdeen e lui scrisse subito a Giustino Fortunato, ministro degli Esteri napoletano e al segretario del re, Leopoldo Corsi, che sottovalutarono la notizia. Alla pubblicazione delle lettere, fu Castelcicala a fare da capro espiatorio: il re lo richiamò a Napoli e non volle vederlo. Fu il successore di Filangieri in Sicilia. Incerto e titubante durante l'invasione garibaldina, venne poi sostituito per decisione di Francesco II. Anche in questo caso, il re, come aveva fatto suo padre, rifiutò di vederlo. Castelcicala andò così in esilio a Parigi, dove morì. (De Cesare, *op. cit.*, pp. 69-73; R.M. Selvaggi, *Nomi e volti di un esercito dimenticato*, Grimaldi & C. editori, Napoli 1990, pp. 28-29).
70. Archivio di Stato di Napoli, Archivio Borbone, 1154.
71. Cavour, *Il carteggio Cavour-Nigra dal 1858 al 1861*, cit., vol. III, p. 266.
72. Lettera di Garibaldi al marchese Trecchi del 4 maggio 1860, riprodotta in Mack Smith, *Il Risorgimento italiano*, cit., p. 441.
73. Lettera di Cavour a Nigra del 12 maggio 1860, in Cavour, *Il carteggio Cavour-Nigra dal 1858 al 1861*, cit., vol. III, pp. 294-295.
74. *Ibid.*, p. 296.
75. George Rodney Mundy (1805-1884), figlio di un militare, prestò servizio in India, Sudamerica, Oriente. Aveva frequentato il Royal Naval College. Non era sposato. Sulle vicende della spedizione dei Mille, nel 1863 pubblicò un suo diario, riproposto dall'editore napoletano Berisio: G.R. Mundy, *La fine delle Due Sicilie e la Marina britannica*, Berisio, Napoli 1966.
76. Si era insediato il 15 febbraio 1852, con il governo presieduto da Ferdinando Troja succeduto a Giustino Fortunato. A Carafa fu dato «incarico provvisorio» per gli Esteri, senza averne il portafoglio. Considerato uomo onesto, aveva lavorato nel Banco di credito (De Cesare, *op. cit.*, pp. 83-84).

77. Archivio di Stato di Napoli, Ministero Polizia, fascio 569, vol. 686, 1. *Carafa al Direttore del Ministero di Polizia, 27 aprile 1860.*
78. Mundy, *op. cit.*, pp. 64-65.
79. Ivi.
80. C. Persano, *Diario politico militare nella campagna navale degli anni 1860 e 1861*, Stabilimento Civelli, Firenze 1869, p. 9.
81. Cesari, *op. cit.*, p. 19.
82. È il numero contenuto nella prima pubblicazione, con tanto di ritratti, che celebrò l'impresa delle prime camicie rosse: *l'Indice completo dei Mille sbarcati a Marsala condotti dal prode Generale Giuseppe Garibaldi eseguito dal signor Alessandro Pavia*, Stabilimento degli artisti tipografi, Genova 1867. La pubblicazione è conservata presso le Raccolte storiche del Comune di Milano. Nel 1981, a cura di Maurizio Brignoli, l'editore Rusconi ristampò l'album.
83. Cesari, *op. cit.*, p. 25.
84. G.C. Abba, *Storia dei mille narrata ai giovinetti*, Bemporad & figlio, Firenze 1907, pp. 46-80.
85. Fondata da Francesco IV di Borbone nel 1786 come Real accademia militare, la scuola forgiava «alla vita e alle armi» i giovani aspiranti ufficiali. Dopo studi rigorosi, teorici e pratici, gli allievi, con il grado di alfiere, erano pronti per entrare nelle armi «dotte»: il genio o l'artiglieria. Dalla Nunziatella uscirono molti protagonisti degli anni del Risorgimento sia di parte piemontese sia di parte napoletana (cfr. R. Pilati, *La Nunziatella, l'organizzazione di un'accademia militare*, Guida editori, Napoli 1987).
86. Abba, *op. cit.*, pp. 48-78.
87. G. Di Fiore, *I vinti del Risorgimento*, Utet, Torino 2004, pp. 63-65. I documenti sui garibaldini prigionieri al Volturno sono all'Archivio di Stato di Napoli, Archivio Borbone, fascio 1240, fogli 16-59. Sempre all'Archivio Borbone è conservato il «Libretto del soldato» sequestrato ai prigionieri garibaldini (fascio 1240): *Carte ritrovate presso taluni prigionieri fatti nelle azioni di Capua appartenenti all'esercito Piemonte.*
88. Oneto, *op. cit.*, p. 104.
89. Con Francesco Cossovich (1799-1879) comincia la serie degli alti ufficiali borbonici poi messi sotto inchiesta militare e assolti. Cossovich, di origini veneziane, aderì alla marina italiana appena quattro mesi dopo lo sbarco di Garibaldi che non aveva impedito. (R.M. Selvaggi – C. Di Somma – R. Majolo, *La Real Marina Napoletana nel 1860-61*, Associazione nazionale Nunziatella, Napoli 1992, p. 56).
90. «La Crociera borbonica dinanzi a Marsala», in *Memorie storiche militari*, 1913. Fascicolo IV, cit., riportato in G. De Mayo, «Il mancato

sbarco della brigata Bonanno (11-16 maggio 1860)», in *Memorie storiche militari*, 1914. Fascicolo II, cit., Unioni arti grafiche, Città di Castello 1914, pp. 132-133.

91. Giuseppe Letizia (1794-1880), napoletano, fu messo poi sotto accusa per la condotta tenuta in Sicilia.
92. Di Fiore, *op. cit.*, pp. 270-271.
93. S. Ierardi, *Le camicie rosse di Marsala*, Sigma, Palermo 2002, pp. 30-31.
94. Ivi. L'autore utilizza materiale conservato nella biblioteca comunale di Marsala: le carte dell'archivio privato Caimi.
95. Ivi.
96. Ivi.
97. Ufficio storico dell'Esercito, *Documenti di Sicilia*, cartella I, n. 23 A.
98. Ivi.
99. Ufficio storico dell'Esercito, *Documenti di Sicilia*, cartella III, n. 112.
100. Ufficio storico dell'Esercito, *Documenti di Sicilia*, cartella III, n. 113.
101. I «bagli» erano costruzioni circondate da alte mura dove veniva lavorato il vino Marsala.
102. Notizie tratte da R. Trevelyan, *La storia dei Whitaker*, Sellerio, Palermo 1988 e dalla relazione di R. Giuffrida, *Gli Ingham-Whitaker di Palermo e la villa a Malfitano*, Accademia Nazionale di scienze lettere e arti, Palermo 1990.
103. Richard Brown Cossins (1823-1898), nato a Exeter, in Devon, era molto amico di Ingham.
104. Relazione di R. Battaglia al seminario di studio «I Whitaker di villa Malfitano», tenuto a Palermo nei giorni 16-18 marzo 1995. Si legge in quella relazione: «Non c'è bisogno di insistere oltre sull'importanza e sulla vitalità dei gruppi commerciali inglesi in Sicilia. Dopo il 1806 le loro attività si rafforzarono. L'investimento di capitali era cospicuo e basta riferirsi al commercio dello zolfo».
105. Ivi.
106. L. Riccobene, *Il Generale e Tina*, Sellerio editore, Palermo 2004, pp. 377-378.
107. Rapporto del capitano Marryat al viceammiraglio sir A. Tenshane, da bordo dell'*Intrepid*, Malta 14 maggio 1860. Riportato in Ierardi, *op. cit.*, pp. 39-42.
108. Nato a Castellammare di Stabia (1825-1896), era pronipote di Giovanni Acton, l'inglese divenuto ministro di Ferdinando IV di Borbone. Proveniente dall'Accademia, era stato decorato nella campagna in Sicilia del 1848-49. Fu sottoposto al consiglio di guerra e prosciolto. Passò con la marina sarda il 7 settembre e partecipò agli assedi di Ancona e

poi Gaeta contro i suoi ex commilitoni. Fece parte della flotta sconfitta a Lissa nel 1866. Fu poi senatore e ministro della Marina nel 1870. Sua sorella Laura sposò il presidente del Consiglio Marco Minghetti.

109. Rapporto in Ierardi, *op. cit.*, p. 41.
110. Ivi.
111. Ierardi, *op. cit.*, p. 60. La circostanza è citata da una corrispondenza del «The Malta times» del 13 maggio 1860.
112. Nato a Napoli nel 1829, apparteneva alla nobile famiglia dei principi di Torchiarolo. Allievo della Nunziatella e dell'Accademia di marina, partecipò alla campagna di Sicilia. Anche lui fu poi messo sotto processo e assolto. Alla partenza del re da Napoli il 6 settembre 1860, non lo seguì a Gaeta con la fregata *Ercole* che comandava. Passò invece con la marina garibaldina assediando il castello di Baia. Entrò nella marina italiana e morì nel 1884 a Roma (Selvaggi – Di Somma – Majolo, *op. cit.*, pp. 63-64).
113. Ivi.
114. Ierardi, *op. cit.*, pp. 43-44.
115. Il documento è riportato ancora da Ierardi, *op. cit.*, p. 44: «40 carlini a due persone che caricarono la roba degli italiani; 36 carlini per olio per la notte che dimorarono gli italiani; 6 carlini ad una persona per provvedere d'acqua agli italiani; 31 carlini per olio per servizio dei signori italiani della Gran guardia nella Casa comunale; 30 carlini ad un facchino per aver servito alli signori italiani giorno e notte». Da notare la definizione data ai garibaldini: «Italiani».
116. Queste lettere, conservate dai discendenti di Cossins, sono in copia alla Royal Commission of Historical Archive, a Chancery Lane a Londra (R. Trevelyan, relazione al seminario di studio «I Whitaker di villa Malfitano», cit., *Il legame delle due isole della Trinacria: la Sicilia e l'isola di Man*).
117. Ivi.
118. Potrebbero essere paragonati agli attuali consiglieri comunali.
119. Ierardi, *op. cit.*, pp. 54-82.
120. Trevelyan, relazione al seminario di studio «I Whitaker di villa Malfitano», cit.
121. Archivio di Stato di Napoli, Archivio Borbone, 1154. *Castelcicala al Re, Palermo 11 maggio 1860, ore 5 p.m.*
122. Ivi.
123. Nato a Nocera nel 1785, morì a Napoli nel 1865. Il suo nome fu suggerito al re dal generale Filangieri. Decisione infelice: il Lanza si rinchiuse nel suo palazzo a Palermo con 20.000 uomini, senza tentare iniziative (Di Fiore, *I vinti del Risorgimento*, cit., p. 275).

124. Fu Giuseppe Rizzotto, nel 1862, a introdurre il termine mafia per indicare un'associazione organizzata di delinquenti nella sua commedia «I mafiusi di la Vicaria». Sei anni dopo, nel primo vocabolario del dialetto siciliano, quello del Traina pubblicato nel 1868, si riporta la parola mafia, indicandola come importata in Sicilia dai piemontesi. «Maffia» in Toscana vuol dire miseria, scrive il Traina, e «smaferi» vuol dire sgherri: due connotazioni che convergono nel tipo umano del mafioso come lo si considera in Sicilia. Fu poi il procuratore generale di Palermo, l'agrigentino Alessandro Mirabile, a considerare a fine Ottocento la mafia come una setta delinquenziale con regole precise, seppure non scritte e segni di riconoscimento tra gli affiliati. Proprio come la camorra napoletana (L. Sciascia, *La storia della mafia*, «Quaderni radicali», nn. 30 e 31, anno XV, gennaio/giugno 1991).
125. Garibaldi stanziò per decreto un sussidio anche per «Farinella», l'attentatore di Maniscalco (De Cesare, *op. cit.*, p. 195).
126. *Ibid.*, pp. 193-194.
127. Così lo descrisse Raffaele De Cesare: «Statura media, occhi azzurri, corte basette, piccoli baffi biondi e capelli accuratamente ravviati, vestiva in borghese con semplicità e correttezza militare, ma nelle grandi occasioni indossava la sua divisa da capitano. Esercitò per undici anni il suo ufficio, mutarono due re e tre luogotenenti, ma Maniscalco restò al suo posto. Senza Maniscalco, i Borbone avrebbero perduta la Sicilia, appena dopo la morte di Ferdinando II. Il nome napoletano era aborrito in tutta l'isola, quanto a Milano il nome di croato. Se Maniscalco non fosse stato siciliano, e polizia tutta siciliana la sua, gli strumenti per mandarlo all'altro mondo non sarebbero mancati» (De Cesare, *op. cit.*, p. 8). Maniscalco andò in esilio a Marsiglia il 28 luglio del 1860, con la moglie e i cinque figli, la madre e un domestico. Vi morì nel 1864 a 51 anni.
128. Museo civico Filangieri di Napoli, Archivio Filangieri, 14, *Maniscalco al principe di Satriano, Palermo 14 maggio 1860.*
129. Pietro Calà Ulloa (1801-1879), ufficiale dell'esercito, poi magistrato e studioso, fu a capo dell'ultimo governo di Francesco II di Borbone durante i sei mesi di resistenza tra Capua e Gaeta. Seguì il re in esilio a Roma, dove il governo rimase in attività per alcuni mesi. Era fratello del generale Girolamo.
130. Relazione del procuratore generale di Trapani Ulloa, 3 agosto 1838. Citata in C.G. Marino, *Storia della mafia*, Newton & Compton, Roma 2002, p. 18.
131. Relazione citata anche da L. Sciascia, *La storia della mafia*, «Quaderni radicali», nn. 30 e 31, anno XV, gennaio/giugno 1991.

132. Ivi.
133. C. Lodolini Tupputi, *Il Parlamento napoletano del 1848-1849*, Archivio storico Camera dei deputati, Roma 1992, pp. 268-269. Dopo la concessione della Costituzione da parte del re Ferdinando II, il Parlamento napoletano si insediò nel maggio 1848 mentre a Napoli esplodevano sanguinosi disordini. Poi, ci furono nuove elezioni e l'avvio di un'attività in cui finì per formarsi la classe politica meridionale che sarebbe poi maturata in esilio in Piemonte. Il Parlamento lavorò in due sessioni: la prima nel 1848, la seconda nel 1849. I lavori e l'attività costituzionale furono sospesi il 14 febbraio 1849. Nel giugno 1860, sarà Francesco II a riportare in vita la Costituzione che aveva concesso il padre, nel tentativo di salvare il Regno.
134. Ivi.
135. F. Alberti, *Due Costituzioni: da Napoli a Torino*, Guida, Napoli 2002, p. 32.
136. De Cesare, *op. cit.*, parte II, p. 201.
137. Ivi.
138. I baroni del feudo di Sant'Anna erano tre: i fratelli Benedetto, Stefano e Giuseppe Triolo. Parteciparono alle prime ribellioni di aprile, rispondendo alla chiamata degli emissari garibaldini con la costituzione di un comitato liberale ad Alcamo. All'arrivo di Garibaldi, proprio Stefano di Sant'Anna fu nominato governatore di Alcamo.
139. Riccobene, *op. cit.*, p. 383.
140. Marino, *op. cit.*, pp. 31-32.
141. La descrizione è di G.C. Abba, *Da Quarto al Volturno*, Sellerio editore, Palermo 1993. Citata anche da Marino, *op. cit.*, p. 32.
142. G.M. Trevelyan, *Garibaldi in Sicilia*, Neri Pozza, Vicenza 2004, p. 220. Questo libro, oggi ripubblicato, uscì per la prima volta nel 1910.
143. *Ibid.*, p. 223.
144. Ierardi, *op. cit.*, p. 88. Fonti preziose dell'autore sono le carte conservate nell'archivio privato Struppa a Marsala. La lettera citata è la carta numero 545.
145. Cesari, *op. cit.*, p. 63.
146. G.C. Marino, *I padrini*, Newton & Compton, Roma 2006, p. 33.
147. Erano stati approvati il 16 e il 29 marzo 1852.
148. Marino, *Storia della mafia*, cit., p. 35.
149. S. Di Bella, *Risorgimento e mafia in Sicilia*, Pellegrini editore, Cosenza 1991, pp. 27-28, nonché G. De Sivo, *Storia delle Due Sicilie dal 1847 al 1861*, Berisio, Napoli 1964, vol. II, pp. 77-78.
150. De Sivo, *op. cit.*, pp. 77-79.
151. Marino, *I padrini*, cit., p. 34.

152. Il documento del 1875 è riportato in Marino, *op. cit.*, p. 34.
153. Cfr. Abba, *Storia dei mille narrata ai giovinetti*, cit.
154. M. Collura, *Qualcuno ha ucciso il generale*, Longanesi, Milano 2006, pp. 46-49.
155. Marino, *Storia della mafia*, cit., pp. 47-49. Corrao, nonostante la sua estrazione e le sue frequentazioni, non era di certo un mafioso. Si considerava garibaldino e rivoluzionario convinto. Dieci anni dopo l'omicidio, il senatore Edoardo Pantano cercò di trovare spiegazioni al delitto, ma cozzò contro la mancanza di documenti sulla vicenda: erano stati distrutti. In molti, compreso Matteo Collura che ha scritto un romanzo sulla figura di Corrao, sono propensi a spiegare la morte come voluta da persone con molti interessi politici ed economici da difendere sull'isola. Gente spaventata dalla figura rivoluzionaria di un eroe garibaldino, che poteva diventare simbolo di riscatto sociale. Trovare complicità mafiose a quegli interessi di conservazione degli eterni equilibri isolani era un gioco da ragazzi (cfr. anche Marino, *op. cit.*, pp. 49-50).
156. Cfr. G. Di Fiore, *La camorra e le sue storie*, Utet, Torino 2005.
157. Di Fiore, *La camorra e le sue storie*, cit., p. 56. Il governo si insediò il 27 giugno 1860 ed era presieduto dall'anziano massone Antonio Spinelli. Prefetto di polizia l'avvocato Liborio Romano, che, diciannove giorni dopo, divenne ministro dell'Interno al posto del dimissionario Federigo del Re conservando la carica di direttore di polizia. Dopo l'avvicendamento, divenne prefetto di polizia Giuseppe Bardari, già sottintendente provinciale. Per la ricostruzione dettagliata delle vicende degli ultimi sei mesi di vita del Regno delle Due Sicilie, vedi anche: Di Fiore, *I vinti del Risorgimento*, cit.
158. La confusione politica era accresciuta dalla presenza, nel governo costituzionale di Francesco II, di alcuni esponenti, primo fra tutti Liborio Romano, che avevano già preso contatti con gli emissari del Regno del Piemonte. In città, convivevano due comitati per l'unificazione al Piemonte: quello cosiddetto dell'«ordine», costituito dai moderati vicini a Cavour, che volevano una rapida annessione; quello di «azione» più vicino alle idee radicali di Garibaldi che teorizzava un'annessione graduale, dopo la conquista anche di Roma. Nessun comitato, però, riuscì in quel periodo a provocare una sollevazione generale di natura politica, in grado di giustificare lo sbarco dei bersaglieri piemontesi dalle navi sarde che stazionavano al largo delle coste del Regno, al comando dell'ammiraglio Carlo Pellion di Persano (vedi ancora Di Fiore, *I vinti del Risorgimento*, cit.).
159. De Sivo, *op. cit.*, vol. II, pp. 98-101.

160. Nato a Patù vicino Lecce nel 1795, di famiglia liberale e massone, ottenne la cattedra di diritto commerciale a Napoli. Fu carbonaro, partecipò ai moti del 1848, andò in esilio. Chiese la grazia al re a differenza di Settembrini, Spaventa, Poerio e Castromediano. Rientrò a Napoli nel 1854. Fece il doppio gioco nei giorni della crisi del Regno: ministro liberale di Francesco II, era in contatto con l'ambasciatore sardo e l'ammiraglio Persano. Pilotò la partenza del re per Gaeta e subito dopo andò a ricevere Garibaldi che entrò in città indisturbato. Deputato, morì nel 1867.
161. De Sivo, *op. cit.*, p. 100.
162. Su questo funzionario di polizia, che precedette nella carica Liborio Romano, De Sivo ha parole di elogio, raccontando come, attraverso diverse indagini, riuscì a trovare prove contro i camorristi e a mandarne «più centinaia» in carcere sulle isole (De Sivo, *op. cit.*, p. 99).
163. Per la ricostruzione dettagliata dell'episodio, vedi Di Fiore, *La camorra e le sue storie*, cit., pp. 57-58.
164. Vi si leggeva: «Preposto alla tutela della pubblica sicurezza veggo in questo momento la necessità di rivolgermi ai buoni Napoletani, fatti degni del novello Regime, ed invitarli alla tranquillità, deponendo ogni elemento di privati odii e rancori. In conseguenza di questo principio, e nel fine di ovviare ad ogni menomo disordine, rimangono da questo momento inibiti attruppamenti e le grida di ogni specie che potrebbero ingenerare tumulti. La forza militare prenderà cura di tutelare l'ordine pubblico, dissipando con modi urbani le riunioni tumultuose che potessero verificarsi» (Manifesto del prefetto di polizia Liborio Romano del 28 giugno 1860, riprodotto per intero da A. De Leo, *Don Liborio Romano un meridionale scomodo*, Rubbettino editore, Soveria Mannelli 1981, pp. 59-60).
165. Scriveva proprio Liborio Romano nelle sue *Memorie*, dimostrando di sapere bene chi fossero i suoi interlocutori: «Per quei lettori che ignorassero che cosa sono i camorristi, giova avvertire essere una specie di uomini arditi e risoluti, che mancando dei mezzi adeguati ai loro bisogni, e non potendo e non volendo procurarseli per vie legittime, sono dalla loro natura portati a farla da bravi. Spezzano le leggi; e col predominio della forza bruta, s'impongono al popolo basso, ed agli uomini deboli, esigendone dispotici servizi, taglie arbitrarie ed ancor peggiori nequizie» (L. Romano, *Memorie politiche*, Giuffrè, Milano 1992).
166. Di Fiore, *La camorra e le sue storie*, cit., pp. 58-60.
167. Romano, *op. cit.*, pp. 50-51.
168. *Ibid.*, p. 51.
169. Così si difese Liborio Romano, poi parlamentare dell'Italia unita: «Si

condanni ora il mezzo da me adoperato; mi si accusi di aver introdotto nella forza di polizia pochi uomini rotti ad ogni maniera di vizii e di arbitrii. Io dirò a cotesti puritani, i quali misurano con la stregua dei tempi normali i momenti di supremo pericolo, che il mio compito era quello di salvare l'ordine; e lo salvai col plauso di tutto il paese» (Romano, *op. cit.*, p. 52).

170. Di Fiore, *La camorra e le sue storie*, cit., p. 60.
171. M. Marmo, «Quale ordine pubblico», in *Quando crolla lo Stato: studi sull'Italia preunitaria*, a cura di Paolo Macry, Liguori editore, Napoli 2003, p. 204.
172. All'Archivio di Stato di Napoli, fondo ministero di Polizia, Gabinetto, foglio 1648, viene conservato un lungo rapporto del 19 luglio 1860, in cui si riportano gli organici della rinnovata polizia dopo l'epurazione dei funzionari fedeli al governo precedente. Secondo le ricostruzioni di Marcella Marmo, i camorristi inquadrati nella nuova polizia furono oltre 1000, numero ricavabile dalla comparazione degli elenchi degli organici di allora con quelli di chi fu successivamente inviato al domicilio coatto.
173. Oltre a essere vicino alla camorra, Nicola Jossa fu agitatore nei caffè e in dimostrazioni pubbliche dal 1848. Secondo Marcella Marmo, avrebbe fatto parte anche della setta dei cosiddetti «pugnalatori». Di lui, così come di Capuano, così scrisse Monnier: «Avendo sofferto lunghe prigionie sotto i Borboni per cause politiche, conoscevano personalmente tutti i peggiori camorristi», dipingendolo poi come un uomo molto coraggioso nell'affrontare i delinquenti (Di Fiore, *La camorra e le sue storie*, cit., p. 365, che riprende M. Monnier, *La camorra*, Berisio, Napoli 1965, p. 139).
174. Dopo il 26 giugno, anche il Regno delle Due Sicilie aveva adottato come propria bandiera il tricolore, con in mezzo lo stemma della dinastia Borbone.
175. «Appena io ebbi notizia di tale reazione, che era il principio di un colpo di stato, disposi che la poca forza di polizia che trovatasi organata scorresse la città e mi posi io stesso in giro pei diversi quartieri di essa [...] Così l'ordine fu ristabilito e Napoli salva dal più terribile eccidio» (Romano, *op. cit.*, p. 61). Fu in quelle ore che il ministro riuscì a convincere il re ad allontanare da Napoli lo zio conte di Trapani, accusandolo di aver guidato il tentativo di abbattere il governo costituzionale.
176. Marmo, *op. cit.*, p. 213, «Il mondo illustrato. Giornale universale» del 15 settembre 1860 e la «Rivista contemporanea» di settembre descrissero con toni «patriottici» alcuni camorristi come Salvatore De Crescenzo, o la cugina Marianna la «Sangiovannara».

177. Di Fiore, *La camorra e le sue storie*, cit., p. 60.
178. Vedi Di Fiore, *I vinti del Risorgimento*, cit.
179. Fu proprio Liborio Romano, uomo di maggior potere in città anche grazie agli appoggi della camorra, a ricevere l'incarico di costituire il governo del luogotenente Luigi Carlo Farini. L'incarico di ministro degli Interni venne tenuto dallo stesso Romano, mentre Silvio Spaventa fu nominato direttore di polizia. Negli avvicendamenti successivi, il 29 marzo 1861, Spaventa divenne ministro degli Interni e di Polizia. Cominciò un periodo di repressione dei filoborbonici, ma anche un cambio di registro nei confronti dei camorristi e dei loro affari. A Farini, nella carica di luogotenente del Regno, successero il principe Eugenio Savoia di Carignano, poi Gustavo Ponza di San Martino e il generale Enrico Cialdini.
180. Di Fiore, *La camorra e le sue storie*, cit., pp. 61-63.
181. G. Buttà, *Un viaggio da Boccadifalco a Gaeta*, G. De Angelis e figlio, Napoli 1882, pp. 327-328.
182. G. Rinaldi, *Il Regno delle Due Sicilie: tutta la verità*, Controcorrente, Napoli 2001, p. 168. Discorso di Nino Bixio in Parlamento, 9 dicembre 1863.
183. De Biase, *op. cit.*, p. 46.
184. Su quelle terre, dal 1799 si erano concentrati interessi fortissimi nelle mani delle famiglie Nelson-Bridport. Era stato re Ferdinando IV di Borbone a donare all'ammiraglio Horatio Nelson, principale responsabile dell'esecuzione dei 119 martiri della Repubblica partenopea, un'area estesa nei dintorni di Bronte. Un atto di riconoscenza per il ruolo svolto nella riconquista di Napoli contro i francesi, numi tutelari della Repubblica partenopea. Una donazione «in perpetuo e con diritto a lasciarla ad eredi ed estranei». Un diritto denominato della «ducea» che si rifaceva ad antiche consuetudini feudali. L'ammiraglio aveva addirittura potere giurisdizionale civile e penale, ma anche facoltà di imporre servitù e gabelle. Morto Nelson senza eredi, la «ducea» passò al fratello William e poi alla figlia di quest'ultimo: Charlotte, baronessa di Bridport, moglie del visconte Samuel Hood (Di Fiore, *I vinti del Risorgimento*, cit., p. 283).
185. Su questa triste pagina di storia, la toccante novella *Libertà* di Giovanni Verga.
186. De Biase, *op. cit.*, pp. 47-48.
187. Cfr. B. Radice, *Memorie storiche di Bronte*, 2 voll., Stab. tip. sociale, Bronte 1928, ristampato nel 1984 dalla Banca Popolare.
188. Ivi.
189. Riportato in Radice, *op. cit.*

Capitolo 4

1. Di Fiore, *I vinti del Risorgimento*, cit., pp. 15-16.
2. *Ibid.*, p. 18, che riprende lettere pubblicate nei famosi *Diari* dell'ammiraglio Persano.
3. *Ibid.*, p. 272, dove si riprendono documenti dell'Archivio di Stato di Napoli, Archivio Borbone, *Riassunto dei rapporti sulla spedizione di Garibaldi, prima della concessione dell'Atto sovrano*, riprodotti anche in R. Moscati, *La fine del Regno di Napoli: documenti borbonici del 1859-60*, Le Monnier, Firenze 1960.
4. C. Petraccone, «Cavour e Manna», in *Quando crolla lo Stato. Studi sull'Italia preunitaria*, a cura di Paolo Macry, Liguori, Napoli 2003, p. 119.
5. *Ibid.*, p. 127.
6. Nacque nel 1813 e morì nel 1860. Sposò la principessa Maria Vittoria Filiberta di Savoia-Carignano (1814-1874), nel 1837.
7. Nato nel 1824, morì nel 1897. Fu a lungo responsabile della marina borbonica. Sposò nel 1844 la principessa Januaria di Braganza (1822-1901).
8. La lettera è riprodotta in Di Fiore, *I vinti del Risorgimento*, cit., p. 277.
9. Nacque a Messina nel 1815, frequentò la Nunziatella. Il padre era Vito Nunziante che durante il regno di Ferdinando I aveva combattuto al comando di volontari per abbattere la Repubblica partenopea. Così fu nominato marchese e riempito di onori. Il figlio Alessandro trovò la strada spianata. E una carriera in discesa. Nel 1836 sposò Teresa Calabritto, figlia del duca di Mignano-Calabritto. In cambio del suo passaggio al Piemonte, che doveva fare da apristrada in alto per estesi cambi di bandiera, venne subito ammesso nell'esercito sardo, senza scrutinio della commissione, con il grado di tenente generale. Fu l'unico ex borbonico a raggiungere quel grado. Morì, in preda alla depressione, nel 1881 a Napoli (Selvaggi, *op. cit.*, Grimaldi & C. editori, Napoli 1990, pp. 63-66).
10. Nato a Napoli nel 1803 da antica famiglia di origini normanne, era gentiluomo di corte già a 17 anni. Maresciallo di campo e aiutante del re con Ferdinando II e poi con il figlio Francesco II, seguì il giovane re a Gaeta. Con lui, pochi altri dignitari di corte: Caracciolo di San Vito, Francesco Ferrari, Leopoldo del Re, Francesco de la Tour. Morì di tifo a Gaeta, dove perse la vita anche Emanuele Caracciolo di San Vito, nel 1860. È sepolto nel Duomo di quella città.
11. Di Fiore, *I vinti del Risorgimento*, cit., p. 22.
12. C. Persano, *Diario privato politico-militare nella campagna navale 1860-61*, Stabilimento Civelli, Firenze 1869, p. 31.

13. *Ibid.*, p. 45.
14. *Ibid.*, pp. 46-49.
15. Nacque a Palermo nel 1818. Frequentò la Nunziatella, fu responsabile del comando in Abruzzo. Fu sua la decisione, da ministro della Guerra nel governo Spinelli, della capitolazione in Sicilia, firmata dal generale Tommaso Clary. Quando il re lasciò Napoli per combattere sul Volturno gli invasori, Pianell si trasferì a Torino, dove chiese l'ammissione all'esercito piemontese con il suo grado. Dimostrò abilità strategica a Custoza nel 1866 e ottenne il collare dell'Annunziata. Fu senatore e morì a Verona nel 1892.
16. Persano, *op. cit.*, pp. 78-79.
17. Cfr. Di Fiore, *I vinti del Risorgimento*, cit.
18. *Ibid.*, pp. 46-47.
19. Nato nel 1841, alla morte di Francesco II il 27 dicembre 1894, divenne l'erede dinastico delle Due Sicilie. Morì nel 1938. Fu a combattere con le truppe nei sei mesi di resistenza tra il Volturno e Gaeta, con l'altro fratello Luigi, conte di Trani (1838-1866). Nel 1866, partecipò alla Terza guerra d'indipendenza con le truppe austriache.
20. Archivio privato dottore Giuseppe Catenacci, missive e documenti famiglia Quandel, documento numero 100, corrispondenza Pietro Quandel. Brani della lettera riprodotti anche in Di Fiore, *I vinti del Risorgimento*, cit., pp. 19-20 e 274.
21. Ivi.
22. Ivi.
23. Di Fiore, *I vinti del Risorgimento*, cit., pp. 34-40.
24. Archivio di Stato di Napoli, sezione militare Archivio Borbone, fascio 2530, incartamento 1018: rapporto del colonnello Weiss del 4° reggimento svizzeri. I documenti della rivolta degli svizzeri sono in gran parte riportati da Di Fiore, *I vinti del Risorgimento*, cit.
25. Nacque a Basilea nel 1807. Arrivò a Napoli nel 1850. Nella battaglia del Volturno perse il figlio Carlo, 22 anni, primo tenente. Lasciò Gaeta nel dicembre 1860 e da Roma ritornò a Basilea, dove morì nel 1873.
26. Nacque a Sitten nel 1796, servì prima i Borbone di Francia poi arrivò a Napoli nel 1826. Partecipò alla campagna di Sicilia nel 1848. A Gaeta nel 1860 venne nominato comandante di tutte le batterie del fronte di terra. Seguì il re in esilio a Roma, poi rientrò in Svizzera dove morì nel 1867.
27. Morì nella battaglia del Garigliano.
28. Persano, *Diari*, cit., p. 93.
29. Selvaggi – Di Somma – Majolo, *op. cit.*, pp. 51-74.

30. Cavour, *Il carteggio Cavour-Nigra dal 1858 al 1861*, cit., vol. IV, pp. 290-293.
31. Archivio privato Giuseppe Catenacci, missive e documenti famiglia Quandel: lettera del tenente colonnello Nicola Landi a Raffaele De Cesare, 9 agosto 1898.
32. Archivio privato Giuseppe Catenacci, missive e documenti famiglia Quandel: lettera del generale Berardino Milon a Ludovico Quandel, 16 luglio 1872. Riprodotta anche in Di Fiore, *I vinti del Risorgimento*, cit., p. 31.
33. Archivio privato Giuseppe Catenacci, missive e documenti famiglia Quandel: lettera di Cesare Morisani a Ludovico Quandel, 14 maggio 1872.
34. Le notizie sugli ufficiali giudicati a Ischia sono riprese da Di Fiore, *I vinti del Risorgimento*, cit., pp. 27-34 e 278; nonché da Selvaggi, *Nomi e volti di un esercito dimenticato*, cit.
35. Archivio privato Giuseppe Catenacci, missive e documenti famiglia Quandel, documento numero 100, corrispondenza Pietro Quandel. Lettera di Alfonso di Borbone conte di Caserta, 20 settembre 1873.
36. Nato a Napoli nel 1796, era di famiglia nobile piacentina. Assistette agli scontri del Macerone in carrozza, dove venne fatto prigioniero dai piemontesi. Il generale Morozzo della Rocca racconta che salvò Douglas Scotti dal linciaggio di una folla inferocita. Il generale borbonico ebbe poi la pensione dal governo italiano e morì a Napoli nel 1880.
37. Nato a Napoli nel 1793, vi morì nel 1892. Subentrò a Pianell nel comando territoriale in Puglia. Passò subito con Garibaldi nel settembre 1860 e venne deferito alla Corte marziale borbonica, che non si riunì mai a discutere il suo caso.
38. Cfr. Di Fiore, *I vinti del Risorgimento*, cit.
39. Era in sella al suo cavallo in prima linea sul ponte del Garigliano. Per ben due volte i borbonici respinsero gli assalti dei bersaglieri piemontesi al comando del colonnello Pier Eleonoro Negri che poi, al terzo tentativo, riuscì a sfondare. Negri, sepolto nel Duomo di Gaeta, era stato al seguito di Guglielmo Pepe con le truppe napoletane partite per la Prima guerra d'indipendenza. Poi, fu in Sicilia nel 1849, dove venne decorato. Decise di dare l'esempio ai suoi uomini, esponendosi al fuoco nemico (Di Fiore, *I vinti del Risorgimento*, cit., p. 136). Con il più volte citato, specie da storici borbonici come Buttà, Ferdinando Beneventano del Bosco (Palermo 1813 – Napoli 1881), rissoso quanto fedele ufficiale delle Due Sicilie, Negri resta la figura più nobile della resistenza estrema dell'esercito napoletano. In tutto, in quella guerra persero la vita 81 ufficiali borbonici, per perdite totali

di circa 2500 uomini (Cfr. Selvaggi, *Nomi e volti di un esercito dimenticato*, cit.).

40. Nacque a Napoli nel 1796. Dopo la resa di Capua tornò nella sua città e fu anche imprigionato per un presunto complotto contro il nuovo governo. Morì nel 1861.
41. E. Morozzo della Rocca, *Autobiografia di un veterano*, Zanichelli, Bologna 1898, p. 81.
42. *Ibid.*, p. 85.
43. Di Fiore, *I vinti del Risorgimento*, cit., p. 148. Cfr. anche A. Iodice, *L'assedio di Capua, 1-2 novembre 1860*, Tip. Laurenziana, Napoli 1992.
44. Cavour, *La liberazione del Mezzogiorno e la formazione del regno d'Italia*, cit., vol. IV, p. 20.
45. Era nato a Bitonto nel 1786. Ufficiale murattiano, entrò poi nell'esercito borbonico, rimanendo fedele al giuramento fino all'ultimo. Comandante del genio a Gaeta, morì per l'esplosione della batteria Sant'Antonio. Aveva 74 anni.
46. Era il vicecomandante del genio a Gaeta. Della storica famiglia dei principi de Sangro di Sansevero, morì per lo scoppio della batteria Sant'Antonio. Aveva 41 anni.
47. Discorso citato da A. Ciano, *Le stragi e gli eccidi dei Savoia*, Graficart, Formia 2006, p. 95.
48. M.C. Corbo, *Alcune osservazioni sui censimenti generali della popolazione di Gaeta dal 1861 al 1871*, La Poligrafica, Gaeta 1979, p. 13.
49. Ciano, *op. cit.*, p. 97.
50. Di Fiore, *I vinti del Risorgimento*, cit., pp. 215-216.
51. *Ivi.*
52. A. Vaudo – E. Albano, «In margine ai documenti dell'archivio comunale: note sul movimento unitario a Gaeta dalla clandestinità al potere e sulla popolazione nel periodo dell'assedio», in *Gaeta e l'assedio del 1860-61*, Centro storico culturale Gaeta, Gaeta 1978, pp. 135-140.
53. P.G. Jaeger, *Francesco II di Borbone: l'ultimo re di Napoli*, Mondadori, Milano 1982, p. 280.
54. Lepri – Arbitrio – Cultrera, *op. cit.*, p. 77.
55. Di Fiore, *I vinti del Risorgimento*, cit., p. 111.
56. Ivi, dove si riprende De Sivo, *Storia delle Due Sicilie*, cit.
57. Mack Smith, *Cavour contro Garibaldi*, cit., p. 436.
58. Ivi, si cita Mundy, *La fine delle Due Sicilie e la Marina Britannica*, cit.
59. Ivi.
60. Mack Smith, *Cavour contro Garibaldi*, cit., p. 405.
61. Di Fiore, *I vinti del Risorgimento*, cit., p. 112. Si riprende quanto

scritto dallo stesso Rustow nel suo libro *La guerra italiana del 1860 descritta militarmente e politicamente*, Crivelli, Milano 1862.

62. Cfr. E. Cenni, *Delle presenti condizioni d'Italia e del suo rinnovamento civile*, ristampa del testo del 1862 inserita in S.G. De Tiberiis, *Le ragioni del sud*, Esi, Napoli 1969.
63. Mack Smith, *Cavour contro Garibaldi*, cit., p. 439.
64. Archivio di Stato, Archivio Borbone, fascio 1146. L'atto sovrano è conservato nei carteggi tra Francesco II e il principe di Cassero.
65. Il cardinale Riario Sforza (1810-1877), napoletano di nobili origini, fu perseguitato subito dal governo delle luogotenenze piemontesi perché ritenuto filoborbonico. Per questo, fu anche espulso da Napoli.
66. Il duca di Serracapriola (Pietroburgo 1790 – Portici 1870) fu abile diplomatico con Ferdinando I e Francesco I. Nominato luogotenente generale in Sicilia nel 1847, vi rimase poco perché divenne capo del governo costituzionale per quattro mesi nel 1848. Rimase a Napoli anche quando Francesco II andò in esilio a Roma.
67. Il principe di Cassero (Spaccaforno 1785 – Torre del Greco 1864) ricoprì le principali cariche amministrative del Regno: diplomatico, capo del governo. Negli ultimi mesi di vita delle Due Sicilie fu designato successore di Filangieri alla guida del governo dal 15 marzo 1860 fino alla concessione della Costituzione il 25 giugno successivo. Rimase in contatto epistolare con Francesco II.
68. Archivio di Stato di Napoli, Archivio Borbone, fascio 1146.
69. Morozzo della Rocca, *op. cit.*, p. 73: lettera alla contessa Irene, Venafro 25 ottobre 1860.
70. Il testo del bando del generale Fanti è in Archivio di Stato di Napoli, sezione militare, fascicolo 1045, incartamento 1227.
71. Era figlio naturale di Luigi Ferdinando di Prussia e aveva combattuto contro Napoleone. Fu prima nell'esercito pontificio, poi dal 1855 a Napoli. La sua brigata irregolare ottenne successi a Civitella Roveto e nella zona di Avezzano.
72. Nato a Colmar nel 1835, figlio di un conte. Fu volontario in Crimea con i francesi, poi da colonnello raggiunse Gaeta. Impegnato nella guerriglia filoborbonica fu arrestato per il coinvolgimento in un complotto. Scrisse un diario su quell'esperienza carceraria. Morì in Francia a 35 anni.
73. Nato ad Augusta nel 1827, era in Sicilia quando sbarcò Garibaldi. Comandò un corpo di volontari che doveva agire alle spalle dei piemontesi e fu vincitore a Tagliacozzo. In esilio a Roma, morì nel 1909.
74. Di Fiore, *I vinti del Risorgimento*, cit., pp. 40-41.
75. Cfr. Di Fiore, *I vinti del Risorgimento*, cit., pp. 263-265; Martucci, *op.*

cit.; G. Savarese, *Le Finanze napoletane e le Finanze piemontesi dal 1848 al 1860*, a cura di S. Vitale e A. Servidio, Controcorrente, Napoli 2003.
76. Lettera citata da Topa, *Così finirono i Borbone di Napoli*, cit., p. 631.
77. *Ibid.*, pp. 633-634.
78. *Ibid.*, p. 635.
79. Ivi.
80. Topa, *op. cit.*, p. 636.
81. Oneto, *op. cit.*, pp. 167-168.
82. Di Fiore, *I vinti del Risorgimento*, cit., p. 98.
83. Rinaldi, *op. cit.*, p. 254.
84. Cavour, *La liberazione del Mezzogiorno*, cit., vol. IV, p. 56.
85. Lettera di Farini a Cavour del 27 ottobre 1860, citata da Mack Smith, *Cavour contro Garibaldi*, cit., p.421.

Capitolo 5

1. Di nobile famiglia piemontese, nacque nel 1817. Partecipò a tutte le guerre del Risorgimento e alla spedizione in Crimea. Fu ministro della Guerra nel 1867, deputato, senatore dal 1879. Cavaliere dell'Annunziata, scrisse diversi libri di memorie. Morì nel 1910.
2. G. Thaon di Revel, *Da Ancona a Napoli miei ricordi*, Fratelli Dumolard, Milano 1892, p. 94.
3. Cavour, *La liberazione del Mezzogiorno*, cit., vol. IV, p. 321.
4. Di Fiore, *I vinti del Risorgimento*, cit., p. 151, dove si riprende A. Iodice, *L'assedio di Capua*, cit.
5. *Ibid.*, pp. 151-152.
6. Archivio di Stato di Napoli, sezione militare, volume 1044, incartamento 487.
7. Di Fiore, *I vinti del Risorgimento*, cit., pp. 150-161.
8. *Ibid.*, pp. 329-330, dove si riprende M. Di Giovine, «La difesa militare delle Due Sicilie», in *La difesa del Regno*, Editoriale Il Giglio, Napoli 2001.
9. Cavour, *La liberazione del Mezzogiorno*, cit., vol. IV, pp. 322-324.
10. Ivi.
11. *Ibid.*, p. 201.
12. Thaon di Revel, *Da Ancona a Napoli miei ricordi*, cit., p. 134.
13. Nato a Messina nel 1810, morì suicida, travolto dai debiti, nel 1874.
14. Nato nel 1810, era passato subito con Garibaldi. Nell'esercito italiano concluse la carriera da colonnello. Morì nel 1891.
15. Nato a Napoli nel 1812, morì nel 1894. Concluse la carriera da colonnello dell'esercito italiano.

16. Di origine fiamminga, era nato nel 1786. Tenente generale, era stato nominato comandante della guardia nazionale da Francesco II. Pianse alla partenza del re, ma il giorno dopo corse a ricevere Garibaldi. A 74 anni, fu ammesso al servizio attivo dell'esercito italiano di cui fecero parte anche i suoi due figli. Morì nel 1872.
17. Di Fiore, *I vinti del Risorgimento*, cit., p. 239.
18. Cfr. F. Izzo, *I lager dei Savoia*, Controcorrente, Napoli 1999.
19. Thaon di Revel, *Da Ancona a Napoli miei ricordi*, cit., p. 137.
20. *Ibid.*, p. 149.
21. *Ibid.*, p. 150.
22. *Ibid.*, p. 151.
23. C. Marsh, *Un'americana alla corte dei Savoia*, Umberto Allemandi & C., Torino 2006, p. 20.
24. Cavour, *La liberazione del Mezzogiorno*, cit., vol. IV, p. 295.
25. *Ibid.*, p. 334.
26. Cfr. anche R. Treppiccione, «Il brigantaggio nei documenti dell'Ufficio storico», in *Studi storico-militari: 1995*, Ufficio storico Stato Maggiore dell'Esercito, Roma 1998.
27. De Sivo, *op. cit.*, p. 354.
28. Marsh, *op. cit.*, p. 20.
29. M. Topa, *I briganti di sua Maestà*, Fratelli Fiorentino, Napoli 1993, pp. 70-71.
30. Cfr. relazione del prefetto Pasquale Vigliani del 19 gennaio 1865, citata da A. Scirocco, *Il Mezzogiorno nell'Italia unita (1861-1865)*, Sen, Napoli 1979, p. 138.
31. Di Fiore, *I vinti del Risorgimento*, cit., p. 240. Si riportano documenti conservati all'Archivio di Stato di Napoli, Archivio Borbone, fascio 1313, foglio 147.
32. Ivi.
33. Cavour, *La liberazione del Mezzogiorno*, cit., vol. IV, p. 206.
34. Cfr. Izzo, *op. cit.*
35. «Civiltà cattolica», serie IV, volume IX del 25 gennaio 1861.
36. Izzo, *op. cit.*, pp. 65-68.
37. De Sivo, *op. cit.*, p. 445.
38. La notizia è contenuta in una pubblicazione del deputato mazziniano dell'età giolittiana Alfredo Comandini dal titolo «L'Italia nei Cento anni (1801-1900) del secolo XIX giorno per giorno illustrata». Nell'incisione, ripresa da «Mondo illustrato», relativa al 1861, si raffigurano soldati borbonici detenuti a San Maurizio, fornendo notizie sul numero dei prigionieri napoletani.
39. Di Fiore, *I vinti del Risorgimento*, p. 250, che riprende L. Tuccari, *Il*

brigantaggio nelle province meridionali dopo l'unità d'Italia 1861-1870, Centro socio-culturale S. Ammiato, Lecce 1982.
40. Ivi, la notizia fu riportata da Pietro Calà Ulloa nelle sue *Lettere di un ministro emigrato*, scritte a Marsiglia nel 1870.
41. La ricerca sul registro parrocchiale del forte di Fenestrelle è stata avviata da Antonio Pagano, direttore del periodico «Nazione napoletana» e Piergiorgio Tiscar, discendente di uno dei capitolati di Civitella del Tronto. Hanno visionato un elenco di anni compresi tra il 1860 e il 1865. Per i primi due anni, si parla di «prigionieri di guerra napoletani», poi di «soldati cacciatori franchi». Per i primi due anni, la compilazione è in francese, per gli altri tre in italiano (Di Fiore, *I vinti del Risorgimento*, cit., p. 335).
42. Cesari, *op. cit.*, pp. 228-232.
43. Thaon di Revel, *Da Ancona a Napoli miei ricordi*, cit., p. 115.
44. *Ibid.*, p. 116.
45. Ivi.
46. Ivi.
47. Thaon di Revel, *Da Ancona a Napoli miei ricordi*, cit., pp. 116-117.
48. Ivi.
49. Thaon di Revel, *Da Ancona a Napoli miei ricordi*, cit., pp. 120-121.
50. Cavour, *La liberazione del Mezzogiorno*, cit., vol. IV, p. 201.
51. *Ibid.*, p. 251.
52. Morozzo della Rocca, *op. cit.*, p. 107.
53. O. Bovio, «Il congedamento dell'Esercito meridionale garibaldino» in *Memorie storiche militari*, 1982, Ufficio storico Stato Maggiore dell'Esercito, Roma 1983, pp. 18-33.
54. Cesari, *La campagna di Garibaldi nell'Italia meridionale*, cit., p. 232.
55. *Ibid.*, p. 235.
56. Savarese, *op. cit.*, pp. 24-27.
57. *Ibid.*, p. 38.
58. Erano la contribuzione fondiaria; i dazi indiretti da dogane, tabacchi, polvere da sparo, carte da gioco e privative di sali; il registro e bollo; la lotteria; le poste (Savarese, *op. cit.*, p. 10).
59. *Ibid.*, pp. 28-29.
60. Cavour, *Il carteggio Cavour-Nigra dal 1858 al 1861*, cit., vol. IV, p. 320.
61. *Ibid.*, p. 353.
62. Scirocco, *op. cit.*, pp. 195-197.
63. *Ibid.*, p. 197.
64. *Ibid.*, p. 209.
65. Rinaldi, *op. cit.*, pp. 309-310 che riprende il noto studio di Francesco Saverio Nitti *Scritti sulla questione meridionale.*

66. *Ibid.*, p. 207.
67. Rinaldi, *op. cit.*, p. 303.
68. Cavour, *Il carteggio Cavour-Nigra dal 1858 al 1861*, cit., vol. IV, p. 376.
69. Ivi.
70. Rinaldi, *op. cit.*, pp. 315-318.
71. *Ibid.*, p. 320.

Capitolo 6

1. F. Molfese, *Storia del brigantaggio dopo l'unità*, Feltrinelli, Milano 1976, p. 18.
2. Il bando, per intero, è riprodotto, tra gli altri, da Alianello, *op. cit.*, pp. 226-227.
3. Ivi.
4. T. Cava, *Difesa nazionale napoletana*, s.t., Napoli 1863. Citato da Di Fiore, *I vinti del Risorgimento*, cit., p. 251.
5. Morozzo della Rocca, *op. cit.*, p. 106.
6. *Ibid.*, pp. 112-113.
7. Ivi.
8. Ivi.
9. Cfr. P. Crociani, *Guida al Fondo «Brigantaggio»*, Ufficio storico Stato Maggiore dell'Esercito, Roma 2004.
10. Di Fiore, *I vinti del Risorgimento*, cit., p. 252.
11. Cavour, *La liberazione del Mezzogiorno*, cit., vol. IV, p. 415.
12. *Ibid.*, p. 416.
13. Molfese, *op. cit.*, pp. 367-382, dove si forniscono dettagli e nomi dei capi di tutti i gruppi in rivolta con gli anni in cui furono operativi, ripresi dai documenti della commissione parlamentare sul brigantaggio.
14. T. Pedio, *Perché «briganti»*, Edizioni Tekna, Potenza 2000, p. 13.
15. *Ibid.*, p. 14.
16. C. Crocco, *Come divenni brigante: autobiografia*, a cura di Mario Proto, Piero Lacaita editore, Roma-Bari-Manduria 1994, p. 74.
17. T. Pedio, introduzione a J. Borjes, *La mia vita tra i briganti*, Piero Lacaita editore, Roma-Bari-Manduria 1998, p. 13.
18. De Sivo, *op. cit.*, pp. 382-383. Differenti sono le cifre contenute nei documenti dell'Ufficio storico dell'Esercito, dove si parla di 80 morti e 60 prigionieri (Ufficio storico dell'Esercito, fondo brigantaggio, busta 2: truppe operanti alla frontiera pontificia, pp. 169-171).
19. *Ibid.*, p. 384.
20. In sei mesi, il cardinale Fabrizio Ruffo con un iniziale nucleo di pochi armati riuscì, attraverso una marcia trionfale che aggregò migliaia

di seguaci, a riconquistare il Regno e la capitale nelle mani dei francesi che appoggiavano la Repubblica partenopea.
21. Pedio, introduzione a Borjes, *op. cit.*, p. 27.
22. Borjes, *op. cit.*, pp. 97-99.
23. F. Izzo, *I guerriglieri di Dio*, Controcorrente, Napoli 2002, p. 206. Cfr. anche Ufficio storico dell'Esercito, fondo brigantaggio, busta 7, pp. 1108-1146.
24. Ivi.
25. Ufficio storico dell'Esercito, fondo brigantaggio, busta 19, carte 103, pp. 87-93.
26. Izzo, *I guerriglieri di Dio*, cit., p. 230. La lapide riporta in latino: «Ubi a copiis subalpinis regnum Francisci invadentibus peremptus est».
27. Ufficio storico dell'Esercito, fondo brigantaggio, busta 19, carte 103, pp . 97-99bis.
28. L. Tuccari, «Il legittimismo europeo a sostegno della reazione nel Napoletano», in *Studi storico-militari: 1991*, Ufficio storico Stato Maggiore dell'Esercito, Roma 1993, p. 285.
29. *Ibid.*, p. 287.
30. *Ibid.*, p. 291.
31. Cfr. A. Lucarelli, *Il brigantaggio politico*, Longanesi, Milano 1982, pp. 312-411.
32. G. Buratti, *Carlo Antonio Gastaldi*, Editoriale Jaca Book, Milano 1989, p. 23.
33. *Ibid.*, p. 29. Gastaldi raccontò molti dettagli sull'organizzazione della banda Romano al processo in cui fu imputato.
34. Ufficio storico dell'Esercito, fondo brigantaggio, busta 52, carte 3.
35. Buratti, *op. cit.*, p. 49.
36. S. Scarpino, *Indietro Savoia!*, Leonardo editore, Milano 1991, pp. 101-111.
37. Crocco, *op. cit.*, p. 92.
38. Govone, *op. cit.*, p. 365.
39. R. Treppiccione, «Il brigantaggio nei documenti dell'Ufficio storico (1860-1870)», in *Studi storico-militari: 1995*, Ufficio storico Stato Maggiore dell'Esercito, Roma 1998, p. 110.
40. *Ibid.*, p. 111.
41. O'Clery, *op. cit.*, p. 513.
42. *Ibid.*, pp. 514-515.
43. G. De Sivo, *L'Italia e il suo dramma politico nel 1861*, Editoriale Il Giglio, Napoli 2002, pp. 16-17.
44. O'Clery, *op. cit.*, pp. 517-518.
45. Mack Smith, *Il Risorgimento italiano*, cit., p. 530. Lettera di d'Azeglio a Matteucci, 2 agosto 1861.

46. Ufficio storico dell'Esercito, fondo brigantaggio, busta 32, fascicolo 1/6, carte 18.
47. Ufficio storico dell'Esercito, fondo brigantaggio, busta 97, fascicolo 4, carta 37.
48. Ufficio storico dell'Esercito, fondo brigantaggio, busta 52, carte 30, pp. 22-30.
49. A. Bianco di Saint-Jorioz, *Il brigantaggio alla frontiera pontificia dal 1860 al 1863*, Arnaldo Forni editore, Bologna 1974, p. 395.
50. Pedio, *Perché «briganti»*, cit., p. 65.
51. Scirocco, *op. cit.*, Sen, Napoli 1979, pp. 81-82.
52. *Ibid.*, p. 87, lettera di Luigi Settembrini al fratello Peppino, Napoli 27 agosto 1862.
53. *Ibid.*, p. 94.
54. Ufficio storico dell'Esercito, fondo brigantaggio, busta 17, carte 45, rapporti dei comandi di divisione e di zona militare e statistiche sul brigantaggio dal giugno 1861 al 31 luglio 1863.
55. Ivi.
56. Ufficio storico dell'Esercito, fondo brigantaggio, busta 15, carte 23-24, Ministero della Guerra.
57. Nato a Torino nel 1824, finì, come molti suoi colleghi impegnati in quella guerra al Sud, a fare il senatore. Morì a Torino nel 1886.
58. Pedio, *Perché «briganti»*, cit., p. 67.
59. *Ibid.*, p. 71.
60. Izzo, *I lager dei Savoia*, cit., pp. 175-179.
61. Ivi.
62. Ufficio storico dell'Esercito, fondo brigantaggio, busta 34, 7/3, carte 27.
63. Ufficio storico dell'Esercito, fondo brigantaggio, busta 35, 2/3, carte 3-4.
64. De Sivo, *Storia delle Due Sicilie*, cit., p. 492.
65. *Ibid.*, p. 447.
66. *Il Parlamento dell'unità d'Italia: atti e documenti della Camera dei deputati*, Segretariato generale della Camera dei deputati, Roma 1961, vol. II, p. 259, *Discussione delle interpellanze Massari e Paternostro sull'amministrazione delle province meridionali* (2 aprile 1861).
67. *Ibid.*, p. 266.
68. Nacque nel 1811. Fu eletto nel collegio di Gavirate in provincia di Varese. Morì nel 1876.
69. *Il Parlamento dell'unità d'Italia: atti e documenti della Camera dei deputati*, cit., vol. II, p. 345.
70. *Ibid.*, p. 347.

71. Molfese, *op. cit.*, pp. 181-182.
72. *Ibid.*, pp. 183-184.
73. Nato a Napoli nel 1815, noto epigrammista del suo tempo, fu deputato al Parlamento napoletano del 1848-1849. Morì a Napoli nel 1892.
74. De Tiberiis, *op. cit.*, pp. 76-99. Mozione d'inchiesta del deputato Francesco Proto duca di Maddaloni presentata al Parlamento italiano il 20 novembre 1861.
75. Nato nel 1808, era stato eletto nel collegio di Foggia. Morì nel 1882.
76. Nato nel 1819, deputato della sinistra, era stato eletto nel collegio di Acerenza in Basilicata. Aveva fatto parte del triumvirato alla guida della Repubblica romana nel 1849. Morì nel 1890.
77. Pedio, *Inchiesta Massari sul brigantaggio*, Piero Lacaita editore, Roma-Bari-Manduria 1998, p. 24.
78. Riportata in *Commissioni parlamentari d'inchiesta della Camera regia (1862-1874)*, Quaderni dell'archivio storico n. 2, Camera dei deputati, Roma 1994, p. 3.
79. Pedio, *Inchiesta Massari sul brigantaggio*, cit., pp. 36-40. Cita anche Molfese, *op. cit.*
80. Pedio, *Inchiesta Massari sul brigantaggio*, cit, p. 67. Lettera di Saffi, Napoli 25 gennaio 1863.
81. *Ibid.*, p. 204.
82. *Ibid.*, p. 205.
83. *Ibid.*, p. 208.
84. Ivi.
85. Pedio, *Perché «briganti»*, cit., p. 78.
86. *Ibid.*, p. 79.
87. T. Scherillo Negri, *Il pensiero di Gaetano Negri su uomini e fatti del Risorgimento*, Hoepli, Milano 1928, p. 512. Lettera di Gaetano Negri al padre, 29 agosto 1861.
88. Cfr. P. Troncone, *La legislazione penale dell'emergenza in Italia*, Jovene editore, Napoli 2001. Le norme dello Statuto violate furono la 24 (tutti i regnicoli sono uguali dinanzi alla legge), 26 (libertà individuale garantita), 71 (nessuno può essere distolto dal giudice naturale), 81 (ogni legge contraria allo Statuto è abrogata).
89. Pedio, *Perché «briganti»*, cit., p. 79, che riporta una proiezione statistica del professore Roberto Martucci.
90. Cfr. M. Restivo, *Ritratti di brigantesse*, Piero Lacaita editore, Roma-Bari-Manduria 1997.

Capitolo 7

1. U. Di Pace., «La fotografia», in Aa.Vv., *Brigantaggio, lealismo, repressione*, Gaetano Macchiaroli, Napoli 1984, p. 53.
2. Viene considerato il padre dell'antropologia criminale in Italia. Nacque nel 1835 e morì nel 1909. La sua scuola fu seguita da studiosi come Abele De Blasio, che approfondirono le storie di diversi briganti.
3. Pedio, *Perché «briganti»*, cit. p. 99.
4. Troncone, *La legislazione penale dell'emergenza in Italia*, cit., pp. 52-53.
5. Scarpino, *Indietro Savoia!*, cit., pp. 110-111.
6. Di Pace, «La fotografia», in Aa.Vv., *Brigantaggio, lealismo, repressione*, cit., pp. 52-53.
7. Ivi.
8. D. Mormorio, *Il Risorgimento 1848-1870*, Editori Riuniti, Roma 1998, p. 126.
9. Aa.Vv., *Briganti & partigiani*, Campania bella, Gaeta 1997, pp. 42-43.
10. U. Di Pace, «La fotografia» in Aa.Vv., *Brigantaggio, lealismo, repressione*, cit., p. 59.
11. Troncone, *op. cit.*, p. 114.
12. Ivi.
13. *Ibid.*, p. 136.
14. Lettera di Luigi Menabrea a Olimpia Savio, dal comando di Castellone di Gaeta 26 dicembre 1860. Citata da Troncone, *op. cit.*, p. 54, che la riprende da A.B. Banti, *La nazione del Risorgimento*, Einaudi, Torino 2000.
15. Ivi.
16. Marino, *Storia della mafia*, cit., pp. 39-41.
17. M. Spataro, *I primi secessionisti*, Controcorrente, Napoli 2001, pp. 88-89.
18. Govone, *op. cit.*, p. 379.
19. *Ibid.*, p. 381.
20. Spataro, *op. cit.*, p. 89.
21. *Ibid.*, p. 90.
22. Govone, *op. cit.*, p. 383.
23. *Ibid.*, p. 384.
24. *Ibid.*, pp. 388-389.
25. L'episodio, citato già da Napoleone Colajanni nel 1900, è ripreso da Marino, *op. cit.*, pp. 40-41.
26. Spataro, *op. cit.*, p. 94.

27. «Il Movimento» giornale di Genova, 21 settembre 1863, riprodotto da Alianello, *La conquista del sud*, cit., pp. 199-200.
28. Spataro, *op. cit.*, pp. 93-94.
29. Bianco di Saint-Jorioz, *op. cit.*, p. 151.
30. F.M. Agnoli, *Dossier brigantaggio*, Controcorrente, Napoli 2003, pp. 293-295. Si riprendono le ricerche dello studioso Edoardo Spagnuolo.
31. Ivi.
32. Ivi. «La Bandiera italiana», 14 luglio 1861.
33. Ufficio storico dell'Esercito, fondo brigantaggio, busta 31, carte 81-85. Comando interinale della Divisione militare territoriale di Salerno.
34. Ufficio storico dell'Esercito, fondo brigantaggio, busta 5, pagine 613-615. Comando militare di Terra di Lavoro (Caserta).
35. Ufficio storico dell'Esercito, fondo brigantaggio, buste 34 (carta 10) e 35 (carta 22).
36. Agnoli, *op. cit.*, p. 302.
37. Ivi.
38. De Sivo, *Storia delle Due Sicilie*, cit., p. 430.
39. Ufficio storico dell'Esercito, fondo brigantaggio, busta 28, carta 55. Comando della colonna mobile di Nola-Avellino.
40. Ufficio storico dell'Esercito, fondo brigantaggio, busta 33, carte 19-20-26.
41. Ufficio storico dell'Esercito, fondo brigantaggio, busta 16, carta 22. Prefettura di Salerno.
42. C. Cesari, *Il brigantaggio e l'opera dell'Esercito italiano dal 1860 al 1870*, Arnaldo Forni editore, Bologna 2002, p. 174.
43. Ufficio storico dell'Esercito, fondo brigantaggio, busta 40, carta 23. Comando della Divisione militare territoriale di Chieti.
44. Ufficio storico dell'Esercito, fondo brigantaggio, busta 8, pagine 2137-2170. Ricompense ed encomi per le truppe della zona di Campobasso.
45. Archivio di Stato di Cosenza, *Atti del brigantaggio*, Gran corte criminale anno 1859. Riprodotto da E. De Simone, *«Atterrite queste popolazioni»*, Progetto 2000, Cosenza 1994, pp. 16-17.
46. De Simone, *op. cit.*, p. 25.
47. Lettera di Milon a Sacchi, Rossano 10 agosto 1868. Riprodotta in De Simone, *op. cit.*, p. 95.
48. Lettera di Milon a Sacchi, Rossano 15 luglio 1869. Riprodotta in De Simone, *op. cit.*, pp. 245-246.
49. De Simone, *op. cit.*, p. 27.
50. Ivi. Si riprende S. Scarpino, *La mala unità*, Effesette, Cosenza 1985.
51. De Simone, *op. cit.*, p. 258.

52. *Ibid.*, p. 311.
53. Cfr. Crociani, *op. cit.*
54. Ufficio storico dell'Esercito, fondo brigantaggio, busta 19 (carte 30) e busta 22 (carte 9).
55. Ufficio storico dell'Esercito, fondo brigantaggio, busta 71, carte 55: *Servizio prestato dalle squadriglie borghesi e loro scioglimento.*
56. Cfr. documenti sparsi citati in Crociani, *op. cit.*
57. Ufficio storico dell'Esercito, fondo brigantaggio, busta 46, carte 11. Comando del VI dipartimento militare.
58. Ufficio storico dell'Esercito, fondo brigantaggio, busta 52, carte 48-49. Divisione militare territoriale di Bari.
59. Ufficio storico dell'Esercito, fondo brigantaggio, busta 17, carte 45. Rapporti dei Comandi di divisione e di zona militare e statistiche sul brigantaggio: *Quaderno con i dati numerici approssimativi delle perdite subite dai briganti tra il giugno 1861 e il febbraio 1863.*
60. Alianello, *La conquista del Sud*, cit., pp. 204-205. Si riprende il discorso del parlamentare scozzese, pubblicato in «Cronaca degli avvenimenti di Sicilia», pronunciato nella seduta dell'8 maggio 1863.
61. *Ibid.*, p. 206. Discorso del generale Gemeau, nella tornata del 14 dicembre 1863.
62. *Ibid.*, pp. 207-208. Arringa del deputato Nocedal, nella tornata del 7 dicembre 1863.
63. De Sivo, *Storia delle Due Sicilie*, cit., p. 439.
64. Ivi.
65. *Ibid.*, p. 440.
66. Ufficio storico dell'Esercito, fondo brigantaggio, busta 3, pagina 49: *Diario storico militare delle operazioni eseguite nelle province meridionali contro il brigantaggio nei mesi di giugno-settembre 1861.*
67. De Sivo, *Storia delle Due Sicilie*, cit., p. 447.
68. Ufficio storico dell'Esercito, fondo brigantaggio, buste 37 e 38, Comitato dell'arma dei carabinieri reali, ufficio dell'ispettore delle legioni meridionali 1862.
69. Marsh, *op. cit.*, p. 164.
70. Anonimo, *«Briganti, arrendetevi!»*, Edizioni Osanna Venosa, Venosa (Potenza) 1996, pp. 22-23. Del libro, uscito anche nella prima edizione in forma anonima, era in realtà autore il maggiore Carlo Melegari, che raccolse i suoi ricordi sulla guerra al brigantaggio.
71. Di Fiore, *I vinti del Risorgimento*, cit., p. 255.
72. Cfr. G. Di Fiore, *Pontelandolfo e Casalduni: un massacro dimenticato*, Grimaldi & C. editori, Napoli 1999.
73. Dopo le vicende del 1861, continuò a guidare la sua banda per altri

quattro anni. Quindi si rifugiò prima a Roma, poi in Corsica. Infine, approdò a Marsiglia dove si diede al commercio di frutta. Fu arrestato nel 1882 e condannato ai lavori forzati. Morì nel 1887.

74. A. De Jaco, *Il brigantaggio meridionale*, l'Unità-Editori riuniti, Roma 1979, p. 174. Interrogatorio del capobrigante Cosimo Giordano.
75. Sarebbe rimasto alla guida del paese, tra incarichi di sindaco e vicesindaco, ininterrottamente dal 1855 al 1872, passando attraverso il Regno borbonico e il Regno d'Italia. Era tra i proprietari terrieri della zona. Uno dei cosiddetti «galantuomini».
76. Di Fiore, *Pontelandolfo e Casalduni*, cit., p. 21.
77. Giudice del tribunale nel periodo borbonico, Ungaro era nato a Cerreto Sannita come Cosimo Giordano. Nel 1861, a 42 anni, divenne presidente della neo-costituita provincia di Benevento. Esercitò la professione di avvocato.
78. De Jaco, *op. cit.*, p. 175.
79. L. Sangiuolo, *Il brigantaggio nella provincia di Benevento 1860-1880*, De Martini, Benevento 1975, pp. 77-78.
80. Di Fiore, *I vinti del Risorgimento*, cit., pp. 338-339. Il colonnello Pier Eleonoro Negri, che aveva preso parte anche agli assedi di Gaeta e Messina, fu poi al comando militare di Potenza. Partecipò alla Terza guerra d'indipendenza, fu promosso maggiore generale e comandò le divisioni di Ancona e Piacenza. Morì a Firenze il 17 dicembre 1887.
81. Sangiuolo, *op. cit.*, p. 90.
82. *Ibid.*, p. 94.
83. Di Fiore, *I vinti del Risorgimento*, cit., p. 339.
84. C. Perugini, *Agosto 1861: memorie di quei giorni*, La Scarana, Benevento 1998, p. 75. Il testo riproduce il diario manoscritto di Antonio Pistacchio, ritrovato negli archivi della Pretura di Pontelandolfo nel 1890.
85. Telegramma del brigadiere Di Maggio al colonnello Mazé (Ufficio storico dell'Esercito, archivio centrale, fondo brigantaggio, repertorio G-11, foglio 914).
86. Sangiuolo, *op. cit.*, pp. 116-117. Si citano documenti conservati al Museo biblioteca archivio storico del Sannio Benevento – Brigantaggio Casalduni 1865 e dell'Archivio di Stato di Napoli, alta polizia, fascio 180, relazione del vicesindaco di Pontelandolfo, Saverio Golino, al dicastero dell'Interno in Napoli 18 settembre 1861.
87. L'elenco nominativo completo è conservato all'archivio centrale dell'Ufficio storico dell'Esercito (repertorio G-11, foglio 1042) ed è stato riprodotto da Di Fiore, *I vinti del Risorgimento*, cit., p. 338.
88. Ufficio storico dell'Esercito, fondo brigantaggio, busta 3, pagina 62.

Diario storico militare delle operazioni eseguite nelle province meridionali contro il brigantaggio nei mesi di giugno-settembre 1861.

89. Ufficio storico dell'Esercito, archivio centrale, fondo brigantaggio, busta 9, pagine 1881-2288. La relazione e i documenti sui fatti di Pontelandolfo sono alle pagine 2111-2145.
90. Ufficio storico dell'Esercito, archivio centrale, fondo brigantaggio, busta 8.
91. Ufficio storico dell'Esercito, archivio centrale, fondo brigantaggio, busta 8, carte 932. Citato anche da Treppiccione, *Il brigantaggio nei documenti dell'Ufficio storico (1860-1870)*, cit., p. 132.
92. Treppiccione, *op. cit.*, p. 132.
93. Ufficio storico dell'Esercito, archivio centrale, fondo brigantaggio, busta 4, pagine 873.
94. Sangiuolo, *op. cit.*, p. 102.
95. Ufficio storico dell'Esercito, archivio centrale, repertorio G-11, foglio 1004. Riportato anche in Di Fiore, *I vinti del Risorgimento*, cit., pp. 256-257.
96. Di Fiore, *I vinti del Risorgimento*, cit., p. 257.
97. *Ibid.*, p. 257.
98. C. Margolfo, *Mi toccò in sorte il numero 15*, edizione a cura del Comune e della Pro Loco di Delebio, Sondrio 1992, p.53.
99. Perugini, *Agosto 1861: memorie di quei giorni*, cit., pp. 120-121.
100. D.F. Panella, *Brigante in terra nostra*, Stampa Borrelli, San Giorgio del Sannio 2000. Si legge in questo saggio: «Dal 14 agosto al 14 settembre contiamo 74 morti. Un mese in cui non si registrano morti a causa della violenza o di qualche altro fattore, come potrebbe essere un'epidemia. La causa di tanti morti, dunque, va ricercata in altre direzioni».
101. Di Fiore, *I vinti del Risorgimento*, cit., p. 259.
102. Anonimo, *«Briganti, arrendetevi!»*, cit., pp. 26-27.
103. Ufficio storico dell'Esercito, archivio centrale, repertorio G-11, foglio 932.
104. Lettera di Raffaele Cadorna, 22 agosto 1861, in Di Fiore, *I vinti del Risorgimento*, cit., p. 259.
105. Ufficio storico dell'Esercito, archivio centrale, fondo brigantaggio, busta 3, pagine 66-67.
106. Scherillo Negri, *op. cit.*, p. 507.
107. Mozione d'inchiesta del duca di Maddaloni, in De Tiberiis, *Le ragioni del sud*, cit., p. 93.
108. De Jaco, *op. cit.*, pp. 168-170.
109. Di Fiore, *I vinti del Risorgimento*, cit., p. 261.

110. F.S. Nitti, *Eroi e briganti*, Edizioni Osanna Venosa, Venosa (Potenza) 1987, p. 67.

Capitolo 8

1. Olimpia Savio aveva perso due figli nella campagna dell'esercito piemontese nella Bassa Italia: Alfredo era morto nell'assedio di Ancona; Emilio nell'assedio di Gaeta. I loro nomi, come quello della famiglia Savio, erano molto conosciuti e stimati tra la nobiltà piemontese. La baronessa lasciò due volumi di memorie, dove raccolse molte lettere, tra cui quelle dei figli scritte dal fronte di guerra.
2. R. Ricci, *Memorie della baronessa Olimpia Savio*, Fratelli Treves editori, Milano 1911, vol. II, p. 171.
3. A. Tornielli, *Pio IX*, il Giornale biblioteca storica, Milano 2004, p. 370.
4. A. Pellicciari, *Risorgimento da riscrivere*, Edizioni Ares, Milano 1998, p. 119. Si citano passi delle memorie biografiche di Bosco, pubblicate a Torino nel 1905.
5. O'Clery, *op. cit.*, p. 577.
6. Ivi.
7. H. De Sauclieres, *Il Risorgimento contro la Chiesa e il Sud*, Controcorrente, Napoli 2003, p. 88.
8. Pellicciari, *Risorgimento da riscrivere*, cit., pp. 75-76.
9. Tornielli, *op. cit.*, pp. 368-369.
10. De Sauclieres, *op. cit.*, pp. 93-94.
11. Tornielli, *op. cit.*, p. 371.
12. *Ibid.*, p. 372.
13. Ivi.
14. Pellicciari, *Risorgimento da riscrivere*, cit., pp. 101-104. Si cita una lettera di Cavour a Rattazzi del primo agosto 1856.
15. Tornielli, *op. cit.*, pp. 372-373.
16. O'Clery, *op. cit.*, p. 583.
17. Ivi.
18. *Ibid.*, pp. 378-379.
19. Massari, *op. cit.*, p. 404.
20. Ivi.
21. Tornielli, *op. cit.*, p. 380.
22. *Ibid.*, p. 396.
23. De Sauclieres, *op. cit.*, p.101.
24. G. Porcaro, *Chiesa e Stato a Napoli dopo l'Unità*, Edizioni Del Delfino, Napoli 1974, pp. 13-17.
25. *Ibid.*, p. 18.

26. *Ibid.*, p. 45, lettera di Gaetano Cesaro a Costantino Nigra, 7 febbraio 1861.
27. *Ibid.*, pp. 60-65. Circolare 26 ottobre 1861 del ministro guardasigilli Vincenzo Miglietti ai vescovi, arcivescovi e vicari generali del Regno perché non ostacolino le istituzioni del governo.
28. De Sauclieres, *op. cit.*, p. 106.
29. *Ibid.*, p. 113.
30. Cfr. S. Vitale, *I congiurati di Frisio,* il Cerchio, Rimini 1995.
31. O'Clery, *op. cit.*, pp. 578-579.
32. Mack Smith, *Cavour,* cit., p. 303.
33. *Ibid.*, p. 304.
34. Tornielli, *op. cit.*, p. 407.
35. O'Clery, *op. cit.*, pp. 579-580.
36. *Ibid.*, pp. 583-584. Lettera di monsignor Dupanloup a Marco Minghetti, 1874.
37. P. Raggi, *La nona Crociata,* a cura della libreria Tonini, Ravenna 1992, p. 5, bando di Cialdini dell'11 settembre 1860 dal quartier generale di Rimini.
38. Ivi, bando del generale Manfredo Fanti dell'11 settembre 1860, quartier generale di Rimini.
39. Originario di Sonnino dove nacque nel 1806, ricevette gli Ordini minori dopo gli studi al seminario romano. Intraprese la carriera amministrativa fino a diventare ministro dell'Interno. Fu collaboratore e consigliere di Pio IX dalla sua nomina. Più volte ministro, divenne anche capo del governo pontificio. Dopo l'uccisione di Pellegrino Rossi, riuscì a far fuggire il papa a Gaeta e Pio IX, per riconoscenza, lo nominò segretario di Stato. Per tre anni ministro delle Armi, protagonista di un'oscura trattativa con Cavour, nonché vicino ai comitati borbonici in esilio a Roma. Morì in Vaticano nel 1876 (Raggi, *op. cit.*, pp. 60-61).
40. Di origini belghe, nacque nel 1820. Di nobile famiglia, partecipò alla campagna di Algeria nel 1844. Si dimise dall'esercito francese nel 1847 e, seguendo la sua vocazione religiosa, prese gli Ordini minori nel 1848. Sacerdote e cappellano militare costituì il corpo dei tiragliatori franco-belgi poi diventati zuavi pontifici. Ministro delle Armi nel 1860, si dimise nel 1865 per contrasti con il cardinale Antonelli. Morì a Roma nel 1874 (Raggi, *op. cit.*, pp. 61-62).
41. Discendente di una nobile famiglia francese, nacque a Parigi nel 1822. Fu al servizio dell'Austria e partecipò alla guerra del 1848, come ufficiale d'ordinanza del maresciallo Radetzky. Partecipò alle campagne di Ungheria e Italia, dove rimase ferito alla testa. Nel 1855 lasciò l'esercito austriaco per quello pontificio. Morì negli scontri

contro i piemontesi nel 1860. Era il 19 settembre, le ferite riportate in località Crocette durante la battaglia di Castelfidardo si rivelarono fatali (Raggi, *op. cit.*, pp. 63-64).
42. Tornielli, *op. cit.*, pp. 398-399.
43. Ivi.
44. G. Ioli, «Il battaglione irlandese di San Patrizio», in *Scritti sul 1860 nel centenario*, Ufficio storico Stato Maggiore dell'Esercito, Roma 1960, pp. 207-212.
45. *Ibid.*, p. 217.
46. O'Clery, *op. cit.*, p. 429.
47. *Ibid.*, p. 430.
48. *Ibid.*, p. 431. Rapporto del generale Cialdini, Osimo 18 settembre 1860.
49. *Ibid.*, p. 433.
50. Sarebbe poi diventato generale e storico di fama, soprattutto sulla guerra del 1866. Morì nel 1905.
51. Raggi, *op. cit.*, p. 10. Riprende una citazione tratta dallo studio del colonnello Attilio Vigevano, *La fine dell'esercito pontificio*, pubblicato a Roma nel 1920 dallo Stabilimento Poligrafico per l'amministrazione della guerra.
52. C. Cesari, *Le guerre del 1860-61 e del 1870 per l'unità d'Italia*, Tiber, Roma 1929, p. 63.
53. Nato nel 1822, fu ammesso al servizio della Santa Sede nel 1847 nel primo reggimento svizzero. Partecipò alla campagna del 1860 e fu promosso generale di brigata. Dopo la caduta di Ancona, venne imprigionato a Genova. Nel 1865 sostituì de Mérode al ministero delle Armi. Fu vincitore a Mentana il 3 novembre 1867, poi capitolò all'arrivo dei bersaglieri a Roma nel 1870. Morì, sempre a Roma, nel 1888.
54. Nato a Imola nel 1816, fu prima nell'esercito austriaco e poi in quello pontificio. Nel 1860 comandava la piazza di Pesaro. Imprigionato ad Alessandria, divenne generale e partecipò alla difesa dello Stato del papa nel 1867. Dopo la caduta di Roma, si trasferì a Firenze dove morì nel 1886.
55. V. Longo, «L'Esercito pontificio nel 1860», in *Scritti sul 1860 nel centenario*, Ufficio storico Stato Maggiore dell'Esercito, Roma 1960, pp. 283-284.
56. Raggi, *op. cit.*, p. 12. Il passo citato è tratto da A. Bonetti, *La liberazione di Roma del 1870 del generale Raffaele Cadorna. Osservazioni critiche*, Tip. Arciv. S. Bernardino, Siena 1890.
57. Tornielli, *op. cit.*, pp. 472-473.
58. O'Clery, *op. cit.*, p. 628.

59. Raggi, *op. cit.*, p. 19.
60. O'Clery, *op. cit.*, p. 639.
61. Raggi, *op. cit.*, p. 24.
62. *Ibid.*, p. 25. Rapporto del generale Kanzler, pubblicato da «Civiltà cattolica» nel 1868.
63. *Ibid.*, p. 24.
64. Tornielli, *op. cit.*, pp. 474-477.

Capitolo 9

1. Era figlio di una figlia dei due ex sovrani francesi del Regno di Napoli.
2. G. Oddo, *Il brigantaggio o l'Italia dopo la dittatura di Garibaldi*, Giuseppe Scorza di Nicola editore, Milano 1865, vol. III, pp. 529-533.
3. *Ibid.*, p. 532.
4. O'Clery, *op. cit.*, p. 551.
5. Tornielli, *op. cit.*, p. 419.
6. Bertoldi, *Il re che fece l'Italia*, cit., p. 250.
7. *Ibid.*, p. 251.
8. *Ibid.*, p. 252.
9. Ivi.
10. Quirico, *Generali*, cit., p. 166.
11. Morozzo della Rocca, *op. cit.*, p. 153.
12. Ivi.
13. Marsh, *op. cit.*, p. 264.
14. Ricci, *Le memorie della baronessa Olimpia Savio*, cit., p. 122.
15. *Ibid.*, p. 123.
16. Morozzo della Rocca, *op. cit.*, p. 153.
17. *Ibid.*, p. 154.
18. S. Bertoldi, *op. cit.*, p. 253.
19. Marsh, *op. cit.*, pp. 264-265.
20. E. Croce, *Silvio Spaventa*, Adelphi, Milano 1969, p. 198.
21. Morozzo della Rocca, *op. cit.*, p. 163.
22. *Ibid.*, p. 164.
23. O'Clery, *op. cit.*, p. 554.
24. Oddo, *op. cit.*, p. 547.
25. *Ibid.*, p. 549.
26. *Ibid.*, p. 560.
27. *Ibid.*, pp. 561-562.
28. Ricci, *Le memorie della baronessa Olimpia Savio*, cit., p. 127.
29. *Ibid.*, p. 129.
30. *Ibid.*, p. 132.

31. O'Clery, *op. cit.*, p. 555.
32. *Ibid.*, p. 557.
33. Morozzo della Rocca, *op. cit.*, p. 194.
34. Govone, *Il generale Giuseppe Govone*, cit., p. 165.
35. *Ibid.*, p. 182.
36. O'Clery, *op. cit.*, p. 567.
37. Bertoldi, *Il re che fece l'Italia*, cit., p. 256.
38. M. Gioannini – G. Massobrio, *Custoza 1866: la via italiana alla sconfitta*, Rizzoli, Milano 2003, pp. 32-34.
39. *Ibid.*, p. 41.
40. *Ibid.*, pp. 43-55.
41. O'Clery, *op. cit.*, p. 593.
42. Bertoldi, *Il re che fece l'Italia*, cit., p. 261.
43. O'Clery, *op. cit.*, p. 603.
44. G. Thaon di Revel, *La cessione del Veneto*, Editoria Universitaria, Venezia 2002, pp. 37-38.
45. Il fiorino d'argento valeva 2,50 lire. Ma si stabilì un valore standard di 2 lire poiché in circolazione c'era soprattutto moneta cartacea.
46. Thaon di Revel, *La cessione del Veneto*, cit., p. 59.
47. *Ibid.*, pp. 102-103.
48. *Ibid.*, p. 104.
49. *Ibid.*, p. 106.
50. *Ibid.*, p. 114.
51. *Ibid.*, p. 122.
52. Ivi.
53. Il 12 maggio 1848, il governo provvisorio di Milano accolse le sollecitazioni di Carlo Alberto e per decreto fissò i plebisciti per l'annessione della Lombardia al Piemonte. I registri dei votanti sarebbero rimasti aperti nelle parrocchie fino al 29 maggio successivo. I risultati ufficiali, resi pubblici l'8 giugno, furono di 561.002 a favore della fusione e solo 681 contrari.
54. *Ibid.*, p. 124.
55. Ivi.
56. *Ibid.*, p. 126.
57. *Ibid.*, p. 128.
58. *Ibid.*, p. 131.

Capitolo 10

1. Padre di Luigi, futuro comandante dell'esercito italiano nella Prima guerra mondiale sconfitto a Caporetto, dopo la repressione di Paler-

mo venne incaricato di soffocare anche i moti per il macinato esplosi in Emilia nel 1869. Fu poi il generale che entrò a Roma il 20 settembre 1870. Venne collocato a riposo nel 1877. Morì a Moncalieri vicino Torino, nel 1897, a 82 anni.

2. Ufficio storico dell'Esercito, fondo brigantaggio, busta 27, carte 44-71: *Istruzioni di Cadorna sul modo di combattere il brigantaggio.*
3. Tuccari, *Memoria sui principali aspetti tecnico-operativi della lotta al brigantaggio dopo l'Unità (1861-1870)*, cit., p. 218.
4. *Ibid.*, p. 219.
5. O'Clery, *op. cit.*, p. 609.
6. M. Spataro, *I primi secessionisti*, Controcorrente, Napoli 2001, p. 108.
7. *Ibid.*, pp. 112-113.
8. Ivi.
9. Ivi. L'autore riprende rapporti dei carabinieri pubblicati nel libro di Lucy Riall *Sicily and the Unification of Italy*, Clarendon press, Oxford 1998.
10. Marino, *Storia della mafia*, cit., p. 51.
11. Ivi.
12. O'Clery, *op. cit.*, p. 615.
13. Spataro, *op. cit.*, pp. 115-116.
14. Riccobene, *op. cit.*, p. 463.
15. F. Alberti, *Due Costituzioni: da Napoli a Torino*, Guida, Napoli 2002, p. 32.
16. Ivi.
17. Spataro, *op. cit.*, pp. 121-122.
18. Ivi.
19. *Ibid.*, p. 123. L'articolo, pubblicato il 3 novembre 1910, era a firma di Girolamo De Luca.
20. Ivi.
21. Nato a Macerata nel 1810, medico, fu collaboratore di Cavour nelle trattative tentate con il cardinale Antonelli per risolvere la «questione romana» già nel 1861. Deputato e poi senatore nel Regno d'Italia, morì a Roma nel 1885.
22. *I moti di Palermo del 1866: verbali della Commissione parlamentare di inchiesta*, a cura di Magda Da Passano, Archivio storico Camera dei deputati, Roma 1981, p. 31.
23. *Ibid.*, p. 18.
24. Era stato ministro della Giustizia dal 1862 al 1864, presentando un progetto per la soppressione delle corporazioni religiose.
25. Si trattava del famoso ministro delle Finanze, sostenitore di rigorosi tagli di bilancio.

26. Piemontese, già prefetto, conosceva molto poco le realtà non torinesi.
27. Modenese, era di idee cattolico-liberali, si oppose alle leggi sulle guarentigie.
28. Veneto della provincia di Rovigo, era stato volontario nel 1849 e nel 1866.
29. Garibaldino, fu anche colonnello della guardia nazionale. Si occupò degli aspetti militari della rivolta.
30. Originario della Corsica, liberale attivo in Toscana. Era vicino a Ricasoli di cui fu espressione nella Commissione. A lui venne affidata la relazione finale.
31. *I moti di Palermo del 1866*, cit., p. 65.
32. *Ibid.*, p. 75.
33. *Ibid.*, p. 94.
34. *Ibid.*, pp. 101-103. Deposizione di Raffaele Cadorna, Firenze 11 maggio 1867 ore 9,20 del mattino.
35. Nacque nel 1839 a Palermo. Dopo la promozione, divenne prefetto di Napoli e poi ministro dell'Interno nel governo Menabrea del 1869. Usò il pugno di ferro nella rivolta di Palermo. Morì nel 1908.
36. *I moti di Palermo del 1866*, cit., pp. 117-118. Deposizione del marchese Rudinì, Palermo 17 maggio 1867.
37. *Ibid.*, p. 121.
38. In quegli anni non c'era ancora un'unica Corte di cassazione a Roma, ma ne esistevano nelle principali città. Francesco Calcagno, originario di Milazzo in provincia di Messina, liberale, nacque nel 1803 e morì nel 1880. Fu anche senatore nel 1870.
39. *I moti di Palermo del 1866*, cit., p. 158.
40. *Ibid.*, p. 167.
41. *Ibid.*, p. 175.
42. Il numero fu fornito alla Commissione dal generale Luigi Masi.
43. *I moti di Palermo del 1866*, cit., pp. 379-444. Relazione della Commissione.
44. *Ibid.*, p. 474.

Capitolo 11

1. R. De Cesare, *Roma e lo Stato del Papa*, Forzani e C. Tipografi editori, Roma 1907, vol. II, pp. 102-103.
2. Mack Smith, *Cavour*, cit., p. 275.
3. C. Cavour, *La questione romana negli anni 1860-61*, a cura della Reale commissione editrice, Bologna 1929, vol. I, pp. 278-279.
4. *Ibid.*, p. 276.

5. Tornielli, *op. cit.*, pp. 406-407.
6. Lettera di Pantaleoni a Cavour, 10 marzo 1861. Riportata da De Cesare, *op. cit.*, 111.
7. O'Clery, *op. cit.*, p. 500.
8. *Ibid.*, p. 503.
9. Tornielli, *op. cit.*, p. 444.
10. Ivi.
11. *Ibid.*, p. 454.
12. *Ibid.*, p. 483.
13. *Ibid.*, p. 486.
14. De Cesare, *Roma e lo Stato del Papa*, cit., vol. II, p. 438.
15. *Ibid.*, p. 440.
16. *Ibid.*, p. 446.
17. *Ibid.*, p. 448. De Cesare riprende un passaggio del libro del generale Ricotti *Osservazioni al libro di Raffaele Cadorna: la liberazione di Roma*, pubblicato a Novara nel 1889.
18. *Ibid.*, p. 449.
19. L'articolo 1 dello Statuto Albertino, in vigore in Italia fino al 1944, diceva: «La Religione Cattolica, apostolica e romana è la sola Religione dello Stato. Gli altri culti ora esistenti sono tollerati conformemente alle leggi».
20. De Cesare, *Roma e lo Stato del Papa*, cit., vol. II, pp. 450-451.
21. Cesari, *Le guerre del 1860-61 e del 1870 per l'unità d'Italia*, cit., pp.147-150. Nel suo libro, O'Clery fornisce cifre diverse: 81.000 uomini nominali, con 65.000 effettivi e 10.000 di rinforzo per gli italiani; 13.624 uomini effettivi per i pontifici (*op. cit.*, pp. 686-687).
22. O'Clery, *op. cit.*, p. 686.
23. Riportato in Raggi, *op. cit.*, p. 31.
24. Ivi.
25. Ivi.
26. Ivi.
27. Ivi.
28. *Ibid.*, p. 32.
29. Cesari, *op. cit.*, p. 154.
30. De Cesare, *Roma e lo Stato del Papa*, cit., vol. II, p. 454.
31. O'Clery, *op. cit.*, p. 712.
32. Tornielli, *op. cit.*, pp. 492-493. Testimone della modifica sull'iniziale ordine scritto di Pio IX, fu nel 1922 il figlio del generale Kanzler, Rodolfo, durante il processo di beatificazione di papa Mastai.
33. Cesari, *op. cit.*, p. 158.
34. O'Clery, *op. cit.*, p. 713.

35. P. Gulisano, *O Roma o morte! Pio IX e il Risorgimento*, il Cerchio, Rimini 2000, p. 90.
36. Ivi.
37. Citato in O'Clery, *op. cit.*, p. 715.
38. Cesari, *op. cit.*, p. 160.
39. Raggi, *op. cit.*, pp. 36-37.
40. De Cesare, *Roma e lo Stato del Papa*, cit., vol. II, p. 475.
41. O'Clery, *op. cit.*, p. 726.
42. *Ibid.*, p. 727.
43. Ivi.
44. *Ibid.*, p. 728.
45. Cesari, *op. cit.*, p. 164.
46. O'Clery, *op. cit.*, p. 730.
47. Bertoldi, *Il re che fece l'Italia*, cit., pp. 285-286.
48. Ivi.
49. G. Lentini, *La bugia risorgimentale*, il Cerchio, Rimini 1999, p. 62.
50. Ivi.
51. *Ibid.*, p. 68.
52. Gulisano, *op. cit.*, p. 93.
53. Citato da G. Lentini, *op. cit.*, p. 5.
54. Mack Smith, *Mazzini*, cit., p. 286.

Appendice

1. Brochure della rassegna itinerante su cinema e Risorgimento «Addio mia bella addio», organizzata dal 1° dicembre 2005 al 28 luglio 2006 dall'assessorato alla Cultura della provincia di Genova, p. 19.
2. Morando, Laura e Luisa, Morandini, *Morandini 2004: dizionario dei film*, Zanichelli, Bologna 2003.

Bibliografia e fonti

A.A.V.V., *Scritti sul 1860 nel centenario,* Ufficio Storico Stato Maggiore dell'Esercito, Roma 1960.

–, *Brigantaggio sul Matese 1860-1880 nel Mezzogiorno, 1860-1870,* Edizioni del Museo del Sannio, Benevento 1983.

–, *Brigantaggio, lealismo, repressione,* Gaetano Macchiaroli, Napoli 1984.

–, *La liberazione d'Italia nell'opera della massoneria,* Bastogi, Foggia 1990.

–, *Francesco II di Borbone. Immagini, documenti, testimonianze: catalogo della mostra del 1994,* Electa, Napoli 1994.

–, *Il Brigantaggio fra il 1799 e il 1865: movimento criminale, politico o rivolta sociale?,* Generoso Procaccini, Napoli 2000.

–, *La Storia proibita,* Controcorrente, Napoli 2001.

–, *La difesa del Regno,* Editoriale Il Giglio, Napoli 2001.

–, *Brigantaggio legittima difesa del Sud: gli articoli della «Civiltà cattolica» (1861-1870),* Editoriale Il Giglio, Napoli 2000.

ABBA, GIUSEPPE CESARE, *Storia dei mille narrata ai giovinetti,* Bemporad & figlio, Firenze 1907.

–, *Da Quarto al Volturno,* Sellerio editore, Palermo 1993.

ACTON, HAROLD, *Gli ultimi Borboni di Napoli,* Giunti Martello, Firenze 1961.

AGNOLI, FRANCESCO MARIO, *La conquista del Sud e il generale spagnolo José Borges,* Di Giovanni editore, S. Giuliano Milanese 1993.

–, *Dossier brigantaggio,* Controcorrente, Napoli 2003.

AGRATI, CARLO, *Da Palermo al Volturno,* Mondadori, Milano 1937.

ALBERTI, FRANCO, *Due Costituzioni: da Napoli a Torino,* Guida, Napoli 2002.

ALIANELLO, CARLO, *L'Alfiere,* Einaudi, Torino 1943.

–, *L'eredità della Priora,* Edizioni Osanna Venosa, Venosa (Potenza) 1993.

–, *La conquista del Sud,* Rusconi, S. Giuliano Milanese 1994.

ANONIMO, *«Briganti, arrendetevi!»*, Edizioni Osanna Venosa, Venosa (Potenza) 1996.

ANONIMO, *Della rivoluzione di Genova nell'aprile del 1849 esposta nelle sue vere sorgenti: memorie e documenti di un testimone oculare*, Tip. Dagnino, s.l. 1850.

ANONIMO NAPOLETANO, *Garibaldi, o la conquista delle Due Sicilie*, Sellerio editore, Palermo 1996.

ANSALDO, GIOVANNI, *L'Italia com'era*, Fausto Fiorentino editore, Napoli 1992.

ANSIGLIONI, GIUSEPPE, *Memoria della battaglia del Volturno corredata di una carta topografica del 1° e 2 ottobre 1860*, Tip. subalpina di Zoppis e Marino, Torino 1861.

ARCHIVIO DI STATO DI CAMPOBASSO, *Molise 1860 i giorni dell'unità: catalogo della mostra storico-documentaria*, Archivio di Stato, Campobasso 1985.

ARCHIVIO DI STATO DI NAPOLI, *L'impresa garibaldina dallo sbarco all'unità d'Italia: mostra documentaria*, Arte tipografica, Napoli 1983.

ARCHIVIO STORICO PER LE PROVINCE NAPOLETANE, Terza serie, anno XXII, *Il brigantaggio postunitario nel Mezzogiorno d'Italia: convegno di studi storici*, Società napoletana di storia patria, Napoli 1983.

ARGIOLAS, TOMMASO, *Storia dell'Esercito borbonico*, Esi, Napoli 1970.

AZEGLIO, MASSIMO D', *I miei ricordi*, edizione a cura di G. Paladino, Luigi Loffredo, Napoli 1936.

BALESTRERI, LEONIDA (a cura di), *I moti genovesi del '49*, Editrice realizzazioni grafiche artigiana, Genova 1967.

BATTAGLINI, TITO, *Il crollo militare del Regno delle Due Sicilie*, Società tipografica modenese, Modena 1938-39, vol. II.

–, *L'organizzazione militare del Regno delle Due Sicilie: da Carlo III all'impresa garibaldina*, Società tipografica modenese, Modena 1940.

BAYARD DE VOLO, TEODORO, *Vita di Francesco V duca di Modena (1819-1875)*, Tip. dell'Immacolata Concezione, Modena 1878, voll. I-IV.

BAZZETTA DE VEMENIA, NINO, *Ultime coronate e principesse in esilio*, Editrice La Cisalpina, Novara 1930.

BEALES, DEREK – BIAGINI, EUGENIO F., *Il Risorgimento e l'unificazione dell'Italia*, il Mulino, Bologna 2005.

BERTOLDI, SILVIO, *Il re che tentò di fare l'Italia: vita di Carlo Alberto di Savoia*, Rizzoli, Milano 2000.

–, *Il re che fece l'Italia: vita di Vittorio Emanuele II di Savoia*, Rizzoli, Milano 2002.

BERTOLETTI, CESARE, *Il Risorgimento visto dall'altra sponda*, Berisio, Napoli 1967.

BIANCHINI BRAGLIA, ELENA, *La brigata estense*, rivista «Terra e identità», n. 0, Modena aprile 2001.

BIANCO DI SAINT-JORIOZ, ALESSANDRO, *Il brigantaggio alla frontiera pontificia dal 1860 al 1863*, Arnaldo Forni editore, Bologna 1974.
BOATTI, GIORGIO, *Cielo nostro*, Baldini & Castoldi, Milano 1997.
BOERI, GIANCARLO – CATENACCI, GIUSEPPE, *La Nunziatella in uniforme*, Elio de Rosa editore, Napoli 2000.
BOERI, GIANCARLO – CROCIANI, PIERO – FIORENTINO, MASSIMO, *L'esercito borbonico dal 1830 al 1861*, Ufficio storico Stato Maggiore dell'Esercito, Roma 1998.
BOGLIARI, FRANCESCO – TRAVERSI, CARLO, *Manfredo Fanti*, Ufficio storico Stato Maggiore dell'Esercito, Roma 1980.
BOJANO, ALBERICO, *Briganti e senatori: Garibaldi, Pisacane e Nicotera nel destino di un Senatore del Regno*, Guida, Napoli 1997.
BONANNI, ERCOLE, *La guerra civile nell'Abruzzo teramano 1860-1861*, Edizioni Eco, Teramo 1974.
BORJES, JOSÉ, *Con Dio e per il re: diario di guerra del generale legittimista*, Controcorrente, Napoli 2005.
BOURELLY, GIUSEPPE, *Il brigantaggio dal 1860 al 1865*, Edizioni Osanna Venosa, Venosa 1987.
BRACALINI, ROMANO – SAVOIA, MARIA GABRIELLA DI, *Casa Savoia: diario di una monarchia*, Mondadori, Milano 2001.
BURATTI, GUSTAVO, *Carlo Antonio Gastaldi: un operaio biellese brigante dei Borboni*, Editoriale Jaca book, Milano 1989.
BUTTÀ, GIUSEPPE, *I Borboni di Napoli al cospetto di due secoli*, Arnaldo Forni editore, Bologna 1965.
–, *Un viaggio da Boccadifalco a Gaeta: memorie della rivoluzione dal 1860 al 1861*, G. De Angelis e figlio, Napoli 1882.
CALÀ ULLOA, PIETRO, *Un re in esilio, la corte di Francesco II a Roma dal 1861 al 1870*, Laterza, Bari 1928.
CAPECELATRO, GAUDIOSO DOMENICO, *Crollo di Napoli capitale*, Edizioni dell'Ateneo, Roma 1972.
–, *Reazione a Napoli dopo l'Unità*, Edizioni Del Delfino, Napoli 1974.
CAPUZZI, GIUSEPPE, *La spedizione di Garibaldi in Sicilia: memorie di un volontario*, Antares editrice, Palermo 2003.
CARANDINI, FEDERICO, *L'assedio di Gaeta nel 1860-61: studio storico militare*, Stab. Tip. Vincenzo Bona, Torino 1874.
CARDINALI, EMILIO, *I briganti e la Corte pontificia*, Berisio, Napoli 1971.
CAROSI, SALVATORE, *La battaglia del Volturno e gli avvenimenti politici militari dal giorno 7 settembre al 9 novembre 1860*, Stab. Tip. F. Cavotta, Santa Maria Capua Vetere 1905.
CASTIGLIONE, FRANCESCO PAOLO, *Una Regina contro il Risorgimento*, Piero Lacaita editore, Roma-Bari-Manduria 1996.

CASTRONUOVO, SANDRO, *Storia della Nunziatella*, Fausto Fiorentino editore, Napoli 1970.

CASTRONUOVO, SANDRO – CATENACCI, GIUSEPPE (a cura di), *Il centenario del Collegio militare Nunziatella e Giuseppe Ferrarelli*, Associazione nazionale Nunziatella, Napoli 1987.

CATENACCI, GIUSEPPE, *Giuseppe Ferrarelli e la Nunziatella*, Associazione nazionale Nunziatella, Napoli 1989.

CATENACCI GIUSEPPE – SELVAGGI, ROBERTO MARIA, *Il Real collegio militare della Nunziatella a Maddaloni 1855-1859*, Associazione nazionale Nunziatella, Napoli 1992.

–, *Paolo de Sangro di Sansevero dalla Nunziatella a Gaeta 1860-1861*, Associazione nazionale ex allievi della Nunziatella, Gaeta 1997.

–, *Il tenente generale Francesco Traversa dalla Nunziatella a Gaeta 1804-1861*, Associazione nazionale ex allievi della Nunziatella, Napoli 1998.

CAVA, TOMMASO, *Difesa nazionale napoletana*, s.t., Napoli 1863.

–, *Analisi politica del brigantaggio attuale nell'Italia meridionale*, Arnaldo Forni editore, Bologna 1983.

CAVOUR, CAMILLO BENSO DI, *Il carteggio Cavour-Nigra dal 1858 al 1861*, Zanichelli, Bologna 1926-29, voll. I-IV.

–, *La questione romana negli anni 1860-1861*, a cura della Real Commissione editrice, Zanichelli, Bologna 1929, vol. I.

–, *La liberazione del Mezzogiorno e la formazione del Regno d'Italia*, a cura della Real Commissione editrice, Zanichelli, Bologna 1954, vol. IV.

CELESIA, EMANUELE, *Diario degli avvenimenti di Genova nell'anno 1848*, a cura del Comune di Genova, Torino 1950.

CENTRO STORICO CULTURALE GAETA, *Gaeta e l'assedio del 1860-61*, La Poligrafica, Gaeta 1978.

CESARI, CESARE, *L'assedio di Gaeta*, Libreria dello Stato, Roma 1926.

–, *La campagna di Garibaldi nell'Italia meridionale*, Libreria dello Stato, Roma 1928.

–, *Le guerre del 1860-61 e del 1870 per l'unità d'Italia*, Tiber, Roma 1929.

–, *Il brigantaggio e l'opera dell'Esercito italiano dal 1860 al 1870*, Arnaldo Forni editore, Bologna 2002.

CIANO, ANTONIO, *Le stragi e gli eccidi dei Savoia*, Graficart, Formia 2006.

CIMMINO, CARMINE, *I briganti del Vesuvio*, Erasmus editore, Napoli 1999.

COLLURA, MATTEO, *Qualcuno ha ucciso il generale*, Longanesi, Milano 2006.

COLOMBO, PAOLO, *Con lealtà di Re e con affetto di padre: Torino, 4 marzo 1848: la concessione dello Statuto albertino*, il Mulino, Bologna 2003.

CORBO, MARIA CAROLINA, *Alcune osservazioni sui censimenti generali della popolazione di Gaeta dal 1861 al 1971*, La Poligrafica, Gaeta 1979.

CORSI, CARLO, *Difesa dei soldati napolitani 1860*, Tip. Salvatore Batelli, Napoli 1903.

Crocco, Carmine, *Come divenni brigante: autobiografia*, a cura di Mario Proto, Piero Lacaita editore, Roma-Bari-Manduria 1994.
Croce, Benedetto, *Uomini e cose della vecchia Italia*, Laterza, Bari 1956, vol. II.
Croce, Elena, *Silvio Spaventa*, Adelphi, Milano 1969.
–, *La Patria napoletana*, Adelphi, Milano 1999.
Crociani, Piero, *Guida al Fondo «Brigantaggio»*, Ufficio Storico Stato Maggiore dell'Esercito, Roma 2004.
Cucentrentoli di Monteloro, Giorgio, *La difesa della fedelissima Civitella del Tronto 1860-61*, Pucci Cipriani editore, Firenze 1978.
Curletti, Filippo, *La verità sugli uomini e sulle cose del Regno d'Italia*, a cura di Elena Bianchini Braglia, Tabula Fati, Chieti 2005.
D'Ambrosio, Gaetano, *Relazione della campagna militare nello Stato romano fatta dal Corpo napoletano nell'anno 1849*, Dalla Reale tipografia militare, Napoli 1851.
D'Amore, Fulvio, *Viva Francesco II morte a Vittorio Emanuele!*, Controcorrente, Napoli 2004.
Da Passano, Magda (a cura di), *I moti di Palermo del 1866: verbali della Commissione parlamentare di inchiesta*, Archivio storico Camera dei deputati, Roma 1981.
De Biase, Erminio, *L'Inghilterra contro il Regno delle Due Sicilie*, Controcorrente, Napoli 2002.
De Blasio, Abele (ricerche di), *Brigantaggio tramontato*, Tip. Pansini, Napoli 1908.
De Cesare, Raffaele, *Roma e lo Stato del Papa*, Forzani e C. Tipografi editori, Roma 1907.
–, *La fine di un Regno*, Celi editore, Napoli 1969.
De Christen, Émile, *Diario di un soldato borbonico nelle carceri italiane*, Editoriale Il Giglio, Napoli 1996.
De Jaco, Aldo, *Il brigantaggio meridionale*, l'Unità-Editori riuniti, Roma 1979.
–, *Dopo Teano: storie d'amore e di briganti*, Piero Lacaita Editore, Roma-Bari-Manduria 2001.
Del Boca, Angelo, *Italiani, brava gente?*, Neri Pozza, Vicenza 2005.
Del Boca, Lorenzo, *Maledetti Savoia*, Piemme, Casale Monferrato 1998.
–, *Indietro Savoia*, Piemme, Casale Monferrato 2003.
De Leo, Antonio, *Don Liborio Romano un meridionale scomodo*, Rubbettino editore, Soveria Mannelli 1981.
–, *Carmine Crocco Donatelli, brigante guerrigliero*, Pellegrini editore, Cosenza 1983.
Dell'Aja, Gaudenzio, *Il Pantheon dei Borboni in Santa Chiara di Napoli*, Giannini editore, Napoli 1987.

DELLI FRANCI, GIOVANNI, *Cronica della campagna d'autunno del 1860 fatta sulle rive del Volturno e del Garigliano dall'esercito napoletano*, Angelo Trani, Napoli 1870.

–, *Cronaca di artiglieria per la difesa della Piazza di Gaeta*, a cura di M. Donato Viscido di Nocera, Grimaldi & C. editori, Napoli 2005.

DE MAJO, GUIDO, «Il mancato sbarco a Marsala della brigata Bonanno (11-16 maggio 1860)», in *Memorie storiche militari*, 1914. Fascicolo II, Unione arti grafiche, Città di castello 1914.

DE MATTEO, GIOVANNI, *Brigantaggio e Risorgimento legittimisti e briganti tra i Borbone e i Savoia*, Guida, Napoli 2000.

DE ROBERTO, FEDERICO, *I viceré*, Bur, Milano 1998.

DE SANGRO, MICHELE, *I Borboni nel Regno delle Due Sicilie*, Tip. dell'Ordine di Cavalleri e Bazzi, Como 1880.

DE SAUCLIERES, HERCULE, *Il Risorgimento contro la Chiesa e il Sud*, Controcorrente, Napoli 2003.

DE SIMONE, EUGENIO, *«Atterrite queste popolazioni», la repressione del brigantaggio in Calabria nel carteggio privato Sacchi-Milon (1868-1870)*, Progetto 2000, Cosenza 1994.

DE SIVO, GIACINTO, *Storia delle Due Sicilie, dal 1847 al 1861*, Berisio, Napoli 1964.

–, *La tragicommedia*, a cura di M. Di Giovine e G. Marzocco, Editoriale Il Giglio, Napoli 1993.

–, *I napoletani al cospetto delle Nazioni civili*, a cura di S. Vitale, il Cerchio, Rimini 1994.

–, *L'Italia e il suo dramma politico nel 1861*, Editoriale Il Giglio, Napoli 2002.

DE TIBERIIS, GIUSEPPE, *Le ragioni del Sud*, Esi, Napoli 1969.

DI BELLA, SAVERIO, *Risorgimento e mafia in Sicilia: i mafiusi della Vicaria*, Pellegrini editore, Cosenza 1991.

D'IDEVILLE, HENRY, *Il re, il conte e la Rosina*, Longanesi-Tea, Milano 1996.

DI FIORE, GIGI, *1861: Pontelandolfo e Casalduni: un massacro dimenticato*, Grimaldi & C. editori, Napoli 1998.

–, *I vinti del Risorgimento*, Utet, Torino 2004.

–, *La camorra e le sue storie*, Utet, Torino 2005.

DI LAURO, RAFFAELE, *L'assedio e la resa di Gaeta (1860-61)*, Enrico Marino editore, Caserta 1921.

DI PROSPERO, PASQUALE, *Dove osarono i briganti*, Controcorrente, Napoli 2004.

DI SOMMA DEL COLLE CARLO, *Album della fine di un regno*, Electa Napoli, Napoli 2006.

DU CAMP, MAXIME, *La spedizione delle Due Sicilie*, Cappelli editore, Rocca San Casciano 1963.

DUMAS, ALEXANDRE, *Le memorie di Garibaldi*, Mursia, Milano 1973.

EDGERTON, ROBERT B., *Gloria o morte*, il Saggiatore, Milano 2001.
EDIZIONI LIBRARIE SICILIANE, *Garibaldi lettere e proclami*, Edizioni Librarie siciliane, Palermo 1982.
ELIA, MARIO, *La regina ribelle: Maria Sofia, ultima regina di Napoli*, Canesi, Roma 1968.
FARINI, LUIGI CARLO, *Epistolario*, Zanichelli, Bologna 1911.
FARNERARI, MICHELE, *Della Monarchia di Napoli e delle sue fortune*, Jovene, Napoli 1876.
FERRARA, ORAZIO, *Viva O'Rre*, Scala editrice, Salerno 1997.
GAETA, LUIGI, *Nove mesi in Messina e la sua Cittadella*, Tip. di Giovanni Luongo, Napoli 1862.
GALLO, ETTORE, *Il Gran Magistero del Sacro Ordine Costantiniano di San Giorgio*, Il Minotauro, Roma 2002.
GARIBALDI, GIUSEPPE, *Memorie*, Bur, Milano 2002.
GARNIER, CHARLES, *Giornate dell'assedio di Gaeta*, Luigi Regina editore, Napoli 1971.
GARNIER, JEAN PAUL, *L'ultimo re di Napoli*, Libreria Deperro, Napoli 1971.
GENTILE, ANIELLO (a cura di), *Da Gaeta ad Arco: diario di Francesco II di Borbone*, Arte Tipografica, Napoli 1988.
GIOANNINI, MARCO – MASSOBRIO, GIULIO, *Custoza 1866: la via italiana alla sconfitta*, Rizzoli, Milano 2003.
GLADSTONE, WILLIAM EDWARD, *Lettere a lord Aberdeen sui processi di Stato del Regno di Napoli*, Tip. Ferrero e Franco, Torino 1851.
GOVONE, UMBERTO, *Il generale Giuseppe Govone, frammenti di memorie*, Fratelli Bocca editore, Torino 1929.
GRECO, LUDOVICO, *Piemontisi, briganti e maccaroni*, Dick Peerson, Napoli 1993.
GRIPPO, ANTONELLA, *Le immagini della memoria*, Controcorrente, Napoli 2000.
GULISANO, PAOLO, *O Roma o morte! Pio IX e il Risorgimento*, il Cerchio, Rimini 2000.
IERARDI, SALVATORE, *Le camicie rosse di Marsala*, Sigma, Palermo 2002.
INSOGNA, ANGELO, *Francesco II re di Napoli*, Stab. tip. Michele Gambella, Napoli 1898.
IODICE, ANTONIO, *La battaglia del Volturno*, Tip. Laurenziana, Napoli, 1990.
–, *L'assedio di Capua, 1-2 novembre 1860*, Tip. Laurenziana, Napoli 1992.
ISASTIA, ANNA MARIA, «Il volontariato militare della seconda guerra d'indipendenza», in *Studi storico-militari: 1984*, Ufficio storico Stato Maggiore dell'Esercito, Roma 1985.
IZZO, FULVIO, *I lager dei Savoia*, Controcorrente, Napoli 1999.
JAEGER, PIER GIUSTO, *Francesco II di Borbone: l'ultimo re di Napoli*, Mondadori, Milano 1982.

LA BOLINA, JACK, *Cronachette del Risorgimento italiano*, Felice Le Monnier, Firenze 1920.
LENTINI, GERLANDO, *La bugia risorgimentale*, il Cerchio, Rimini 1999.
LEONI, FRANCESCO, *Il governo borbonico in esilio (1861-1866)*, Guida editori, Napoli 1969.
LEPRI, SERGIO – ARBITRIO, FRANCESCO – CULTRERA, GIUSEPPE, *L'agenzia Stefani da Cavour a Mussolini*, Le Monnier, Firenze 2001.
LIBERTINI, GUIDO – PALADINO, GIUSEPPE, *Storia della Sicilia*, V. Muglia editore, Catania 1933.
LODOLINI TUPPUTI, CARLA, *Il Parlamento napoletano del 1848-1849: storia dell'istituto e inventario dell'archivio*, Archivio storico Camera dei deputati, Roma 1992.
LUCARELLI, ANTONIO, *Il brigantaggio politico*, Longanesi, Milano 1982.
MACK SMITH, DENIS, *Cavour*, Bompiani, Milano 1985.
–, *Garibaldi*, Mondadori, Milano 1993.
–, *Mazzini*, Rizzoli, Milano 1993.
–, *Il Risorgimento italiano*, Laterza, Roma-Bari 1999.
–, *Cavour contro Garibaldi*, Rizzoli, Milano 1999.
MACRY, PAOLO (a cura di), *Quando crolla lo Stato: studi sull'Italia preunitaria*, Liguori editore, Napoli 2003.
MAJOLO, RUELLO, *L'Accademia borbonica della Real Marina delle Due Sicilie*, Associazione nazionale Nunziatella, Napoli 1994.
MALDACEA, MOISÈ, *Dall'esercito napoletano alle schiere dei Mille*, a cura di Gianfranco E. De Paoli, Gianni Iuculano editore, Pavia 2000.
MAMMUCARI, RENATO, *I briganti*, Edimond, Città di Castello 2000.
MANGANO, SALVATORE, *Corleone nel Risorgimento*, Kefagrafica, Palermo 1990.
MANGONE, ANGELO, *L'armata napoletana dal Volturno a Gaeta (1860-61)*, Fausto Fiorentino editore, Napoli 1972.
–, *Maria Sofia L'eroina di Gaeta*, Grimaldi & C. editori, Napoli 1992.
MANNA, ANGELO, *Briganti furono loro, quegli assassini dei fratelli d'Italia*, Sun Books, Roma 1997.
MARGOLFO, CARLO, *Mi toccò in sorte il numero 15*, Edizione a cura del Comune e della Pro Loco di Delebio, Sondrio 1992.
MARINO, GIUSEPPE CARLO, *Storia della mafia*, Newton & Compton, Roma 2002.
–, *I padrini*, Newton & Compton, Roma 2006.
MARIO, ALBERTO, *La camicia rossa*, Zanichelli, Bologna 1968.
MARSH, CAROLINE, *Un'americana alla corte dei Savoia: il diario dell'ambasciatrice degli Stati Uniti in Italia dal 1861 al 1865*, Umberto Allemandi & C., Torino 2005.
MARTUCCI, ROBERTO, *L'invenzione dell'Italia unita*, Sansoni, Milano 1999.
MASSARI, GIUSEPPE, *I casi di Napoli dal 29 gennaio 1848 in poi*, V. Vecchi tipografo editore, Trani 1895.

–, *Diario 1858-60 sull'azione politica di Cavour*, Licinio Cappelli editore, Bologna 1931.

MAZZACANE, VINCENZO, *I fatti di Pontelandolfo dal manoscritto di un contemporaneo*, «Rivista Storica del Sannio», anno IX (1923), numero III.

MAZZONIS, FILIPPO, *La Monarchia e il Risorgimento*, il Mulino, Bologna 2003.

MELCHIORRE, FRANCESCO, *Storia dei fatti di Pontelandolfo dell'agosto 1861*, Edizioni Cedim, Milano 1983.

MENCACCI, PAOLO, *Memorie documentate per la storia della rivoluzione italiana*, 6 voll., Tip. Artigianelli di San Giuseppe-Desclée e Lefebvre, Roma 1886-1891.

MENGHINI, MARIO (a cura di), *La spedizione garibaldina di Sicilia e di Napoli*, Società tipografica editrice nazionale, Torino 1907.

MESSORI, VITTORIO, *Pensare la storia*, San Paolo, Milano 1992.

MOLFESE, FRANCO, *Storia del brigantaggio dopo l'Unità*, Feltrinelli, Milano 1976.

MONNIER, MARC, *Garibaldi: rivoluzione delle Due Sicilie*, Enrico Dekten editore libraio, Napoli 1882.

–, *Notizie storiche documentate sul brigantaggio nelle province napoletane*, Berisio, Napoli 1965.

MONTI, MARIO, *I briganti italiani*, Edizioni Partagées (ristampa del testo del 1959), Napoli 2005.

MONTÙ, CARLO, *L'artiglieria borbonica e la Nunziatella*, a cura dell'Associazione ex allievi Nunziatella, Associazione nazionale Nunziatella, Napoli 1990.

MORANDINI, LAURA, LUISA E MORANDO, *Morandini 2004: dizionario dei film*, Zanichelli, Bologna 2003.

MORMORIO, DIEGO, *Il Risorgimento 1848-1870*, Editori Riuniti, Roma 1998.

–, *La regina nuda delazioni e congiure nella Roma dell'ultimo Papa re*, il Saggiatore, Milano 2006.

MOROZZO DELLA ROCCA, ENRICO, *Autobiografia di un veterano: ricordi storici e aneddotici 1859-1893*, Zanichelli, Bologna 1898.

MOSCATI, RUGGERO (a cura di), *La fine del regno di Napoli, Documenti borbonici del 1859-60*, Le Monnier, Firenze 1960.

MUNDY, GEORGE RODNEY, *La fine delle Due Sicilie e la Marina britannica*, Berisio, Napoli 1966.

NAGLE, GAETANO – ANFORA, FRANCESCO, *Difesa di Gaeta 1860-1861, con una tavola*, Tipografia di Gaetano Cardamone, Napoli 1861.

NICOLETTA, ANTONIO, *...E furono detti briganti*, Emanuele Romeo editore, Siracusa 1999.

NIGRO, RAFFAELE, *Giustiziateli sul campo*, Rizzoli, Milano 2006.

NISCO, NICOLA, *L'assedio di Gaeta, 1860-61*, s.t., Napoli 1888.

–, *Storia del Reame di Napoli dal 1824 al 1860, libro terzo*, Stab. Tip. Lanciano e Veraldi, Napoli 1908.

NITTI, FRANCESCO SAVERIO, *Eroi e briganti*, Edizioni Osanna Venosa, Venosa (Potenza) 1987.

–, *La città di Napoli*, Calice Editori, Rionero in Vulture (Potenza) 2003.

O'CLERY, PATRICK KEYES, *La rivoluzione italiana*, Edizioni Ares, Milano 2000.

ODDO, GIACOMO, *Il brigantaggio o l'Italia dopo la dittatura di Garibaldi*, Giuseppe Scorza di Nicola editore, Milano 1865.

ONETO, GILBERTO, *L'Iperitaliano: eroe o cialtrone? Biografia senza censure di Giuseppe Garibaldi*, il Cerchio, Rimini 2006.

ORLANDO, SINIBALDO, *Giornaletto militare della campagna del Volturno circoscritto nella parte che riguarda la terza Compagnia del 14° Cacciatori* (stampa dell'inedito manoscritto curata da Giuseppe Catenacci e Francesco Maurizio Di Giovine), Associazione nazionale Nunziatella, Gaeta 2002.

PADULA, GIANCARLO, *I Savoia e la storia taciuta d'Italia*, Edizioni Segno, Udine 2006.

PAGANO, ANTONIO, *Due Sicilie 1830/1880*, Capone editore, Lecce 2002.

PALADINO, GIUSEPPE, *La rivoluzione napoletana nel 1848*, Francesco Vallardi editore, Milano 1914.

–, *Il processo per la setta l'Unità italiana*, Le Monnier, Firenze 1928.

PANELLA, DAVIDE F., *L'incendio di Pontelandolfo e Casalduni: 14 agosto 1861*, Edizioni biblioteca francescana, Foglianise 2002.

PAPPALARDO, FRANCESCO, *Il mito di Garibaldi*, Piemme, Casale Monferrato 2002.

PEDIO, TOMMASO, *Reazione e brigantaggio in Basilicata (1860-1861)*, Società napoletana di storia patria, Napoli 1983.

–, *Brigantaggio meridionale (1806-1863)*, Capone editore, Bari 1987.

–, *Inchiesta Massari sul Brigantaggio*, Piero Lacaita editore, Roma-Bari-Manduria 1998.

–, *La storia bandita origine del brigantaggio in Basilicata (1860-1861)*, Società consortile Pal, Potenza 1998.

–, *Perché «briganti»: la guerriglia legittimista e il brigantaggio nel Mezzogiorno d'Italia dopo l'Unità*, Edizioni Tekna, Potenza 2000.

PELLICCIARI, ANGELA, *Risorgimento da riscrivere*, Edizioni Ares, Milano 1998.

–, *L'altro Risorgimento*, Piemme, Casale Monferrato 2000.

–, *I panni sporchi dei Mille*, Liberal edizioni, Roma 2003.

–, *Risorgimento anticattolico*, Piemme, Casale Monferrato 2004.

PELLION DI PERSANO, CARLO, *Diario privato politico-militare nella campagna navale 1860-61*, Stab. Civelli, Firenze 1869 (parte I) e Tip. Arnaldi, Torino 1870-71 (parte II-IV).

PENNACCHIA, GIUSEPPE, *L'Italia dei briganti*, Rendina editori, Roma 1998.

PERUGINI, CARLO, *Agosto 1861: memorie di quei giorni*, La Scarana, Benevento 1998.
PERUGINI, DANIELE, *Monografia di Pontelandolfo*, Stabilimento tipografico e cartoleria del progresso, Campobasso 1878.
PETACCO, ARRIGO, *La regina del sud*, Mondadori, Milano 1992.
–, *L'amante dell'imperatore*, Mondadori, Milano 2000.
PETRUCCELLI DELLA GATTINA, FERDINANDO, *I moribondi di Palazzo Carignano*, Fortunato Perelli, Milano 1862.
PETRUSEWICZ, MARTA, *Come il Meridione divenne una questione: rappresentazioni del Sud prima e dopo il Quarantotto*, Rubbettino editore, Catanzaro 1998.
PIANELL, GIUSEPPE SALVATORE, *Il generale Pianell: memorie: 1859-1892*, Barbera, Firenze 1902.
PICCIONI ALESSANDRO (a cura di), *Gazzetta di Gaeta: collezione completa dei 29 numeri in ristampa anastatica*, Centro editoriale internazionale, Roma 1972.
PIERI, PIERO, *Storia militare del Risorgimento: guerre e insurrezioni*, Einaudi, Torino 1962.
PILATI, RENATA, *La Nunziatella*, Guida editori, Napoli 1987.
PINTO, PAOLO, *Vittorio Emanuele II: il re avventuriero*, Mondadori, Milano 1995.
PORCARO, GIUSEPPE, *Chiesa e Stato a Napoli dopo l'Unità*, Edizioni Del Delfino, Napoli 1974.
POZZOLINI GOBBI, ALDO, *Lettere dei combattenti del Risorgimento*, Filatelia srl editrice, Roma 1973.
PUBBLICAZIONE DEGLI ARCHIVI DI STATO, *Guida alle fonti per la storia del brigantaggio postunitario conservate negli Archivi di Stato*, Ministero per i beni e le attività culturali, Ufficio centrale per i beni archivistici, Roma 1999, voll. I-III.
QUANDEL, GIUSEPPE, *Lavori del Genio Napoletano sulle posizioni occupate dall'Esercito dietro il Garigliano fino al termine dell'Assedio di Gaeta*, s.t., Napoli 1862.
QUANDEL, LUDOVICO, *Una pagina di storia: giornale degli avvenimenti politici e militari delle Calabrie dal 25 luglio al 7 settembre 1860*, Tipografia degli Artigianelli, Napoli 1900.
QUANDEL, PIETRO, *Giornale della difesa di Gaeta, da Novembre 1860 a Febbraio 1861*, Angelo Placidi, Roma 1863.
QUADERNI DELL'ARCHIVIO STORICO N. 2, *Commissioni parlamentari d'inchiesta della Camera regia (1862-1874)*, Camera dei deputati, Roma 1994.
QUIRICO, DOMENICO, *Generali: controstoria dei vertici militari che fecero e disfecero l'Italia*, Mondadori, Milano 2006.
RADICE, BENEDETTO, *Nino Bixio a Bronte*, Edizioni Salvatore Sciascia, Caltanissetta-Roma 1963.

RAGGI, PIERO, *La nona Crociata: i volontari di Pio IX in difesa di Roma*, a cura della Libreria Tonini, Ravenna 1992.

RESTIVO, MAURIZIO, *Ritratti di brigantesse*, Piero Lacaita editore, Roma-Bari-Manduria 1997.

RICCI, RAFFAELLO (a cura di), *Memorie della baronessa Olimpia Savio*, Fratelli Treves editori, Milano 1911.

RICCOBENE, LUIGI, *Il Generale e Tina: risorgimento e post-risorgimento in Sicilia*, Sellerio editore, Palermo 2004.

RIDOLFI, MAURIZIO, *Le feste nazionali*, il Mulino, Bologna 2003.

RINALDI, GUSTAVO, *Il Regno delle Due Sicilie: tutta la verità*, Controcorrente, Napoli 2001.

RIVISTA POPOLARE (direttore Napoleone Colajanni), *Aspromonte (il più gran delitto della Monarchia italiana)*, Roma-Napoli 20 settembre 1912.

RITUCCI, GIOSUÈ, *Riscontro all'opuscolo col titolo: campagna dell'esercito napoletano dal 1° ottobre 1860 fino al cominciamento dell'assedio di Gaeta. Narrata da un testimone oculare*, Stabilimento Poligrafico dell'Italia, Napoli 1861.

ROMANO, LIBORIO, *Memorie politiche*, Giuffrè editore, Milano 1992.

ROMEO, ROSARIO, *Cavour e il suo tempo*, Laterza, Roma 1984.

ROSSANI, OTTAVIO, *Stato, società e briganti nel Risorgimento italiano*, Pianetalibroduemila, Potenza 2002.

ROSSELLI, NELLO, *Carlo Pisacane nel Risorgimento italiano*, Einaudi, Torino 1977.

RUIZ DE BALLESTREROS, GIUSEPPE, *Di taluni fatti militari negli ultimi rivolgimenti delle Due Sicilie*, s.t., Napoli 1868.

–, *L'autodifesa del generale Ruiz de Ballestreros Giuseppe*, s.t., Milano 1910.

RUSSO, FLAVIO, *Dai Sanniti all'Esercito italiano. La Regione fortificata del Matese*, Ufficio storico Stato Maggiore dell'Esercito, Roma 1991.

RUSTOW, WILHELM FRIEDRICH, *La guerra italiana del 1860 descritta militarmente e politicamente*, Civelli, Milano 1862.

SALADINO, ANTONIO, *L'estrema difesa del Regno delle Due Sicilie*, Società napoletana di Storia Patria, Napoli 1960.

SALVATORELLI, LUIGI, *Casa Savoia nella storia d'Italia*, Gentile editore, Milano 1945.

SALZILLO, TEODORO, *L'assedio di Gaeta, 1860-61*, Roma 1868, Controcorrente, Napoli 2000.

SAMARITANI, FAUSTA, *Per l'onore di Garibaldi*, www.ebookmall.com/ebook/82219_ebook.htm

SANGIUOLO, LUISA, *Il brigantaggio nella provincia di Benevento 1860-1880*, De Martini, Benevento 1975.

SAVARESE, GIACOMO, *Le Finanze napoletane e le Finanze piemontesi dal 1848 al 1860*, Controcorrente, Napoli 2003.

SAVINI, VITTORIO – SAVINI, GIUSEPPE, *C'era una volta il brigante*, Macro edizioni, San Martino di Sarsina 1996.

SCARPINO, SALVATORE, *Indietro Savoia! Briganti nel Sud*, Leonardo editore, Milano 1991.

–, *Il brigantaggio dopo l'unità d'Italia*, Fenice 2000, Milano 1993.

SCHERILLO NEGRI, TERESA, *Il pensiero di Gaetano Negri su uomini e fatti del Risorgimento*, Hoepli, Milano 1928.

SCIROCCO, ALFONSO, *Il Mezzogiorno nell'Italia unita (1861-1865)*, Sen, Napoli 1979.

–, *Il Mezzogiorno nella crisi dell'unificazione (1860-1861)*, Sen, Napoli 1981.

SEGRETARIATO GENERALE DELLA CAMERA DEI DEPUTATI, *Il Parlamento dell'unità d'Italia*, Roma 1961, voll. I-III.

SELVAGGI, ROBERTO MARIA, *Nomi e volti di un esercito dimenticato*, Grimaldi & C. editori, Napoli 1990.

SELVAGGI, ROBERTO MARIA – DI SOMMA, CARLO – MAJOLO, RUELLO, *La Real Marina Napoletana nel 1860-61*, Associazione nazionale Nunziatella, Napoli 1992.

SEVERO, LUCIO, *Di Gaeta e delle vicissitudini fino all'ultimo assedio del 1860-61*, s.t., s.l. 1865.

SPAGNOLETTI, ANGELANTONIO, *Storia del Regno delle Due Sicilie*, il Mulino, Bologna 1997.

SPAGNUOLO, EDOARDO, *Manifestazioni antisabaude in Irpinia: quaderno n.1*, Edizione Nazione Napoletana, Napoli 1997.

–, (a cura di), *L'opposizione napoletana al regime dei Savoia: quaderno n.1 – Sentenze della Gran Corte Criminale*, Associazione Culturale Due Sicilie, Napoli 2002.

SPATARO, MARIO, *I primi secessionisti*, Controcorrente, Napoli 2001.

SPIZZIRRI, MARIO, *I bersaglieri nella Calabria postunitaria*, Jonia editrice, Cosenza 1995.

STATO MAGGIORE DELL'ESERCITO, *Scritti sul 1860 nel centenario*, Roma 1960.

THAON DI REVEL, GIOVANNI GENOVA, *Da Ancona a Napoli miei ricordi*, Fratelli Dumolard, Milano 1892.

–, *La cessione del Veneto: ricordi di un commissario piemontese incaricato delle trattative*, Editoria Universitaria, Venezia 2002.

TOMASI DI LAMPEDUSA, GIUSEPPE, *Il gattopardo*, Feltrinelli, Milano 2002.

TOPA, MICHELE, *Così finirono i Borbone di Napoli*, Fratelli Fiorentino, Napoli 1990.

–, *I briganti di sua Maestà*, Napoli, Fratelli Fiorentino, 1993.

TORNIELLI, ANDREA, *Pio IX: l'ultimo Papa re*, il Giornale biblioteca storica, Milano 2004.

TORRES, LUIGI, *Il brigantaggio nell'Abruzzo Pelino e nell'alto Sangro 1860-1870*, Majell, Alessandria 2003.

TRAPANI, FRANCAMARIA, *Brigantesse*, Canesi, Roma 1968.

TREPPICCIONE, RICCARDO, «Il brigantaggio nei documenti dell'Ufficio storico», in *Studi storico-militari: 1995*, Ufficio storico Stato Maggiore dell'Esercito, Roma 1998.

TREVELYAN, GEORGE MACAULAY, *Garibaldi in Sicilia*, Neri Pozza, Vicenza 2004.

TRONCONE, PASQUALE, *La legislazione penale dell'emergenza in Italia*, Jovene editore, Napoli 2001.

TSCHUDI, CLAUDIA, *Regina Maria Sofia di Napoli*, Lapi, Città di Castello 1914.

TUCCARI, LUIGI, «Memoria sui principali aspetti tecnico-operativi della lotta al brigantaggio dopo l'unità (1861-1870)», in *Studi storico-militari: 1984*, Ufficio storico Stato Maggiore dell'Esercito, Roma 1985.

–, «Brigantaggio postunitario: il legittimismo europeo a sostegno della reazione nel Napoletano», in *Studi storico-militari: 1991*, Ufficio storico Stato Maggiore dell'Esercito, Roma 1993.

VARRIALE, ELIO, *Balli, tamburi e lacrime (Napoli, Svizzeri e Borbone)*, Casa editrice Le Maree, Napoli 2001.

VARUOLO, PIETRO, *Il volto del brigante*, Congedo editore, Galatina 1985.

VERGA, GIOVANNI, *Novelle rusticane*, Edizioni Medusa, San Giorgio a Cremano 1994.

VITALE, SILVIO, *I congiurati di Frisio*, il Cerchio iniziative editoriali, Rimini 1995.

ZAZO, ALFREDO, *Nuovi documenti sulla reazione di Pontelandolfo e Casalduni (7-14 agosto 1861)*, «Samnium», anno XXIV, maggio-agosto 1951.

Archivi consultati

Archivio di Stato di Napoli: *Archivio Borbone*. Napoli.
Archivio di Stato di Napoli: *Sezione militare*. Napoli.
Archivio Stato Maggiore dell'Esercito: *Ufficio Storico*. Roma.
Archivio di Stato di Palermo: *Sezione Prefettura*. Palermo.
Archivio di Stato di Torino: *Affari penali*. Torino.
Archivio storico Camera dei deputati. Roma.
Archivio del Museo del Risorgimento. Roma.
Archivio privato dottor Giuseppe Catenacci. Napoli.
Emeroteca Tucci: *Sezione periodici*. Napoli.
Archivio del Comune di Gaeta. Gaeta.
Archivio del Comune di Marsala. Marsala.

Indice dei nomi

Indice

Finito di stampare nell'agosto 2010 presso
il Nuovo Istituto Italiano d'Arti Grafiche - Bergamo
Printed in Italy

ISBN 978-88-17-04281-9